MW00856448

BASTEI
LÜBBE
TASCHENBUCH

Titel in der Regel auch als Hörbuch und E-Book erhältlich

Sebastian Fitzek

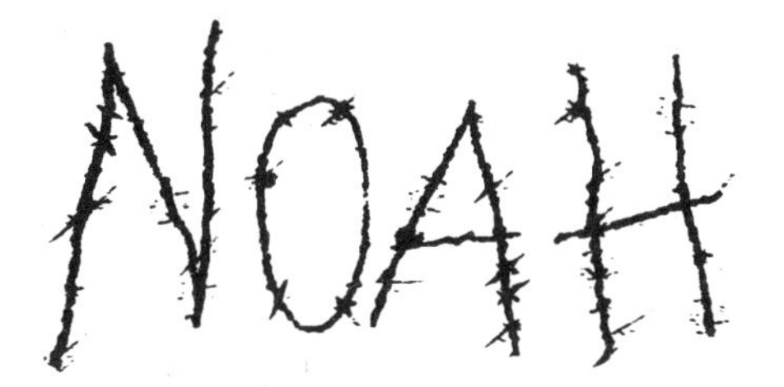

Thriller

BASTEI LÜBBE TASCHENBUCH
Band 17167

1. Auflage: Dezember 2014

Dieser Titel ist auch als Hörbuch und E-Book erschienen

Vollständige Taschenbuchausgabe
der im Gustav Lübbe Verlag erschienenen Hardcoverausgabe

Sebastian Fitzek wird vertreten von der AVA international GmbH
www.ava-international.de

Textredaktion: Regine Weisbrod, Konstanz
Umschlaggestaltung: UNO Werbeagentur
Umschlagmotiv: © Clayton Bastiani / Trevillion Images
Satz: Dörlemann Satz, Lemförde
Gesetzt aus der Adobe Garamond
Druck und Verarbeitung: GGP Media, Pößneck
Printed in Germany
ISBN 978-3-404-17167-5

Sie finden uns im Internet unter
www.luebbe.de
Bitte beachten Sie auch: www.lesejury.de

Für Sandra

Zur Geburt Jesu Christi lebten dreihundert Millionen Menschen auf unserem Planeten.

Heute sind es sieben Milliarden.

In jeder Minute kommen 156 weitere Menschen hinzu.

Stufe I

Die Wachenden haben eine gemeinsame Welt, doch im Schlummer wendet sich jeder von dieser ab an seine eigene.

Heraklit

1. Kapitel

Alicia wurde von der Stille geweckt. Sonst waren es die Schreie, die sie in unregelmäßigen Abständen aus dem Schlaf hochschrecken ließen, doch heute Nacht war es anders. Heute Nacht blieb es stumm an ihrer Brust.

»Noel?«, flüsterte sie und tastete nach dem Köpfchen ihres Sohnes. Es war kurz vor ein Uhr morgens, also gab es vermutlich keinen Strom in Lupang Pangako, der »Endstation«, wie Quezon Citys größter Slum im Großraum Manila von den Bewohnern genannt wurde. Doch selbst wenn sie Licht hätte machen können, hätte Alicia sich dagegen entschieden.

Jay schlief, und das war ein Segen. Sie wollte ihren Siebenjährigen nicht wecken, sonst würde er sich wieder daran erinnern, dass es gestern nichts zu essen gegeben hatte.

»Gleich, mein Schatz«, hatte sie spätabends auf seine ungeduldigen Fragen reagiert und dabei das köchelnde Wasser umgerührt. »Du hattest einen anstrengenden Tag in Payatas. Ruh dich aus, ich weck dich, sobald die Suppe fertig ist.« Er hatte genickt, mit der ernsten Miene seines Vaters Christopher, die Augen gerötet vom vielen Reiben, aber gegen die Dämpfe auf der größten philippinischen Müllkippe war man einfach machtlos. Zehntausend »Scavangers« arbeiteten dort, Aasgeier, wie sie sich selbst bezeichneten – die Hälfte von ihnen Kinder wie Jay, immer mit dem Schlachtruf »Einhundert« auf den Lippen, sobald ein neuer Müllwagen aus der 12-Millionen-Metropole eintraf. »Einhundert« stand für »Einhundert Pesos«, der Preis für ein Kilo Kupferdraht. Mit Metall konnte man sehr viel mehr als mit Plastik verdienen, weswegen Jay zehn Stunden des Tages damit verbrachte, Autoreifen und Elektrokabel zu verbrennen, um das billige Gummi von dem wertvollen Rohstoff zu lösen.

Zum Glück war er ein folgsamer Junge und hatte sich gestern in seine Ecke auf den mit Sand ausgestopften Reissack gelegt, ohne zuvor in den Topf auf der Feuerstelle zu blicken. Sonst hätte Alicia ihm erklären müssen, weshalb sich nichts als Wasser und Kiesel darin befanden.

Mein Kind hungert, und ich koche Steine.

Alicia wunderte sich, dass sie überhaupt noch die Kraft zum Weinen fand. Zum Stillen fehlte sie ihr anscheinend.

»Noel?«

Sie versuchte vergeblich, ihren kleinen Finger zwischen die Lippen des Neugeborenen zu stecken. Sechs Tage war er jetzt alt, und anfangs hatte er noch mit Inbrunst an allem genuckelt, was sein Mund berührte. Heute ballte er nicht einmal mehr die Fäustchen.

Seit sie vor zwei Jahren zum ersten Mal den Fuß in diese Schattenwelt gesetzt hatte, wurde sie das Gefühl nicht los, in einem umgekippten Bienenstock zu leben. Zehntausende Seelen, zusammengepfercht am Rande der Müllkippe, verschmolzen in Lupang Pangako zu einem lebenden Organismus. Eine sich windende und wachsende Wellblechschlange, gespeist von einem niemals abreißenden Nachschub an menschlichem Strandgut, eingehüllt in eine Wolke ätzend säuerlichen Gestanks nach Abfall und Exkrementen.

Hin und wieder häutete sich die Schlange, Wirbelstürme und Regenfälle rissen ganze Wohnstreifen ab und trieben sie mitsamt ihrem kläglichen Inhalt wie Plastiktüten vor sich her. Viele schon hatten versucht, die Schlange zu töten. Gedungene Helfer legten Feuer, Planierraupen überrollten »versehentlich« schlafende Familien. Oder die Schlange vergiftete sich selbst, indem sie ihre Kinder in dem grünbräunlichen Fluss badete, in dem wegen der eingeleiteten Industriebrühe schon lange keine Fische mehr schwammen.

Doch Alicia wusste, sie hätte es noch schlechter treffen können. Ihre Hütte im Herzen des Slums war groß, ganze vier Quadratmeter für nur sechs Personen, und ihre Wände bestanden aus festen Kartonbrettern, nicht aus einer losen Plane wie die der Nachbarbehausung. Seit einem halben Jahr, seitdem ihr Mann Christopher nicht mehr lebte und ihre zwei Brüder in der Stadt auf einer Baustelle übernachten durften, hatten sie genügend Platz gehabt, und Jay musste nicht im Sitzen schlafen, so wie sie selbst es tat. Angelehnt an den Sperrholzverschlag für die Notdurft, das Baby an die ausgedörrte Brust gepresst, hatte sie versucht, die Augen zu schließen, und war tatsächlich für einige Stunden in einen Traum von einem besseren Leben gesunken, das sie aus dem Fernsehen kannte. Auch sie hätte sich hinlegen, die Beine ausstrecken können, Platz war genug, aber sie hatte Angst vor den Ratten. Letzte Woche erst hatten sie dem Säugling ihrer besten Freundin in den großen Zeh gebissen. Das Fieber hatte das zehn Wochen alte Mädchen nicht überlebt.

Und wird Gott dich auch zu sich nehmen, Noel? Ist das sein Plan?

Noch war ihr Baby nicht gestorben, wie sie erleichtert feststellte. Noch hörte sie seinen rasselnden Atem, zitternd wie der eines alten Mannes. Sie spürte Noels Bauch hart und unnachgiebig mit jedem Atemzug gegen ihre Hand drücken. Und in dem fahlen Mondlicht, das durch die Lücke im Wellblech fiel, sah sie seine großen Augen. Dunkel glänzend wie Klavierlack.

Silvania, eine katholische Ordensschwester, die hin und wieder nach ihnen sah, dachte, es wäre die Armut, die das Gesicht einer Zweiundzwanzigjährigen in das einer alten Frau verwandelt hatte. Aber sie irrte sich. Es war die Scham.

Alicia schämte sich, Steine zu kochen, weil die zweihundert

Pesos, die Jay in den letzten zwei Tagen zusammengeschuftet hatte, gerade einmal für Señor Ramos reichten, einen Händler aus Makati, der einen Schlauch durch das Elendsviertel gelegt hatte, um hier das Wasser mit einem satten Aufschlag zu verkaufen; er nahm viel mehr Geld, als die Reichen zahlen mussten, die nur wenige Kilometer entfernt in ihren klimatisierten Villen hinter meterhohen, stacheldrahtbewehrten Zäunen in ihren Swimmingpools badeten.

Alicia schämte sich, ihren Sohn am nächsten Morgen wieder auf die Deponie schicken zu müssen, damit er barfuß, nur mit einer dreckigen Unterhose bekleidet, in dem Müll herumstocherte, in einer Wolke von Fliegen stehend, glücklich, wenn er einen halbvollen Joghurtbecher fand, denn den konnte man noch an Ort und Stelle auskratzen.

Und sie schämte sich dafür, dass sie keine richtige Frau war. Dass sie keine Milch geben konnte und ihre Brüste versiegt waren, ausgetrocknet wie der karge Acker ihres Vaters im Nordosten des Landes.

»Er braucht einen Arzt.«

Die Stimme ihres Sohnes riss sie aus der Lethargie, in die sie verfiel, wenn sie zu viel grübelte.

»Du bist wach, Jay«, sagte sie leise.

Ihr Sohn setzte sich in der Dunkelheit auf. »Ich hab dich weinen hören, Mama.«

»Das tut mir leid.«

»Mach dir um mich keine Sorgen. Bring lieber meinen Bruder hier raus.«

Gerade erst sieben, und Jay sprach mit dem bestimmten Tonfall seines Vaters. Es gab vieles, das Christopher ihm vererbt hatte: die traurigen Augen, der ernste Blick, die großen Hände, der Sinn für Zahlen (Jay liebte Mathematik und war ein Ass im Kopfrechnen) und natürlich das Schicksal, in Armut zu leben.

»Einen Doktor können wir uns nicht leisten«, sagte Alicia matt. Jay streckte sich und stand auf. »Ich kenne einen, der behandelt umsonst.«

»Nichts im Leben ist umsonst.«

»Er ist Arzt und kommt auf die Müllkippe, um nach ihnen zu sehen.«

Nach ihnen.

Alicia zündete eine Kerze an, wobei sie sich fragte, ob sie Bedauern in Jays Stimme hörte. Sehnte er sich danach, zu *ihnen* zu gehören? Zu den etwa dreihundert Kindern, die nicht wie sie nur am Rand, sondern permanent auf der Deponie lebten? Sie träumten davon, Sportler zu werden, Pilot oder – wie Jay – Mathematiklehrer, und sie erzählten einander von ihren Plänen, während sie nach der Arbeit *Rugby* schnüffelten. Brauchte er diese nach Klebstoff süchtige Gemeinschaft mehr als seine Mutter?

Alicias größte Angst war, dass ihr Sohn eines Tages nicht mehr nach Hause kommen, sondern sein Lager gleich dort im Abfall aufschlagen würde.

»Heinz ist ein netter Mann.«

»Was ist das denn für ein Name?«

»Ein Deutscher. Er ist gut zu uns.«

»Hmm.«

Längst hatte sie den Glauben an das Gute im Menschen verloren – nicht erst, seitdem Christopher bei einer Polizeikontrolle erschossen worden war und der Polizist ihr seine letzten Habseligkeiten nur unter der Bedingung hatte aushändigen wollen, dass Alicia mit ihm schlief.

»Alicia! Jay!«

Die Flamme der Kerze erlosch, als der Duschvorhang, der als Tür der Hütte herhalten musste, ruckartig zur Seite gezogen wurde. Sie konnte das Gesicht des Mannes nicht sehen, da er ihr mit einer Taschenlampe direkt in die Augen leuchtete, aber an der heiseren Stimme hatte Alicia ihren Cousin sofort erkannt.

»Marlon? Was willst du hier?«

»Beeilt euch«, keuchte der junge Filipino. »Los. Wir müssen weg.«

Marlon arbeitete nicht in den Müllbergen. Er war Kurier, der Schnellste unter den jungen Männern, die für Edwin, den Slumlord des Viertels, Drogen und andere Ware auslieferten.

»Wieso? Was ist los?« Instinktiv presste sich Alicia ihr Baby noch fester an die Brust.

»Hörst du das denn nicht?« Marlon leuchtete mit der Taschenlampe zur Decke.

»Ja und?«

Hubschrauber näherten sich. Nichts Besonderes. Die Lichtfinger ihrer Suchscheinwerfer tasteten jede Nacht die Dächer der Slums ab. Ihr Wummern gehörte zum nächtlichen Puls der Schlange.

»Sie riegeln uns ab.«

»*Was?*«, fragten Alicia und Jay wie aus einem Mund.

»Die Straßen. Jetzt.«

»Was redest du da?«

»Alle Zufahrten werden gesperrt, die Brücken blockiert. Die gesamte Deponie wird abgeschottet. In einer halben Stunde kommt hier keiner mehr raus«, warnte Marlon. Der sorgenvolle Unterton in der Stimme war untypisch für einen Mann, dem drei Striche in die Unterlippe eintätowiert waren. Einen für jeden Auftragsmord, der auf das Konto des Sechzehnjährigen ging.

»Was sollen wir tun?«, fragte Jay. Der Junge bewunderte Marlon, ahmte seine Körperhaltung nach, seinen Gang und jetzt auch seinen mühsam beherrschten Tonfall.

»Lasst alles stehen und liegen. Wir dürfen keine Zeit verlieren.«

»Halt, nein.« Alicia hielt Jay am Handgelenk zurück, der sich bereits an ihr vorbeischieben wollte. »Wir gehen nirgendwohin, bevor du uns nicht sagst, was hier vor sich geht.«

Marlon atmete schwer aus und fuhr sich erschöpft über den kahlrasierten Schädel.

»Ich weiß nichts Genaues, aber die Armee rückt an. Im Auftrag der Gesundheitsbehörde.«

»Die Armee? Was haben die vor?«

»Sie sagen, es ist wegen der neuen Krankheit, du hast es im Radio gehört, oder? Sie haben Angst, die Seuche ginge von uns aus.«

Alicia nickte. Sie hatte eine Unterhaltung am Brunnen aufgeschnappt. *Wenn wir dieses Brackwasser hier trinken können, werden wir auch die Manila-Grippe überleben,* hatte sie sich gedacht und den Gerüchten keine weitere Aufmerksamkeit geschenkt. Drogen, Gewalt, Krankheiten, Hunger. Es gab Millionen Möglichkeiten, an denen man hier verrecken konnte, wieso sollte sie sich um eine weitere sorgen?

»Du meinst, die wollen uns in Quarantäne stecken?«, fragte sie. »Das gesamte Quartier?«

»Nein.« Marlon schüttelte den Kopf.

Das Wummern der Hubschrauber über ihren Köpfen wurde lauter.

»Ich glaube, sie wollen uns töten.«

2. Kapitel

Zur gleichen Zeit,
9876 Kilometer Luftlinie entfernt

»Ich muss ihr helfen!«

Für einen Mann, der sich nicht einmal mehr an seinen eigenen Namen erinnern konnte, war er sich in diesem einen Punkt erstaunlich sicher: Er musste das Mädchen davor bewahren, zu dem Kerl ins Auto zu steigen; falls er es nicht tat, würde etwas Schreckliches geschehen.

Weshalb er sich dessen so gewiss war, war ihm nicht klar, und so bald würde er es wohl auch nicht herausfinden, denn im Augenblick hatte er große Mühe, sich zu konzentrieren, da der Mann neben ihm in der Reihe nicht aufhörte, in einem fort auf ihn einzureden.

»Ich weiß ja, dass du keine Labertasche bist, mein Großer, aber ich sag's dir trotzdem noch mal: Sprich mit niemandem, hörst du? Zu keinem ein Wort. Lass mich für dich antworten, wenn du gefragt wirst. Nur wenn es sich gar nicht vermeiden lässt, wenn es überhaupt nicht anders geht, dann sag, du bist Noah aus Holland und hier nur auf der Durchreise. Das erklärt deinen komischen Akzent, okay?«

Noah nickte stumm.

Während er in den letzten Wochen mehr Zeit mit Nachdenken als mit Reden verbracht hatte, quasselte Oscar mal wieder, als gelte es einen Schnellsprechwettbewerb zu gewinnen. Seine Worte schlugen dicke Atemwolken in der kalten Luft.

Es war Februar in Berlin, und der Winter tat das, was er am besten konnte: Er hatte sein Windmesser aufgeklappt und schnitt sich durch alles, was sich ihm in den Weg stellte: Kleider, Haut, Seelen. Dabei machte er keine Standesunterschiede. Es war ihm gleichgültig, ob er an dem Pelzkragen einer Grunewalder Witwe rüttelte, einem Postboten in Lichtenberg den Schneeregen ins Gesicht klatschte oder – wie in diesem Moment – eine viel zu lange Schlange vor dem Obdachlosenasyl in der Franklinstraße dazu brachte, noch enger zusammenzurücken.

»In zehn Minuten geht's los.« Oscar gestikulierte beim Sprechen wild mit den ebenso kurzen wie dicken Armen und deutete zum Eingang des grauen Betonhauses, vor dem sich die Traube der Wartenden staute.

»Wir dürfen nicht auffallen, das wär nicht gut. Wenn du kontrolliert wirst, vermeide jeden Blickkontakt. Pluster dich nicht so auf, es wirkt einschüchternd, wenn alle sehen, wie kräftig du bist, und lass mich zuerst vortreten, ja? In der Auffangstation sind Alkohol, Drogen, Zigaretten und Waffen tabu. Du trägst doch keine Waffe bei dir, oder?«

Oscar schenkte ihm einen argwöhnischen Blick, als befürchtete er tatsächlich, Noah habe heute früh beim Stöbern nach Pfandflaschen eine Pistole im Müll gefunden. Dabei stellte er sich auf Zehenspitzen, um den Größenunterschied zwischen ihnen ein wenig auszugleichen. Selbst so reichte er Noah gerade einmal bis zur Brust.

»Schön, ich habe nämlich keine Lust, dass du aussortiert wirst. Heute ist der vierzehnte Februar, vierzehn und zwei macht sechzehn, die Quersumme davon ist sieben. Sieben! Wir können also heute nicht in unser Versteck zurück, verstehst du?«

Nein. Ganz und gar nicht.

Noah verstand das meiste nicht von dem, wovon sein merkwürdiger Weggefährte den ganzen Tag über redete. Streng genommen verstand er sein gesamtes Leben nicht mehr, wobei *Leben* vermutlich der falsche Begriff für das Dasein war, das er fristete, seitdem er vor gut vier Wochen zum ersten Mal wieder zu Bewusstsein gekommen war; tief unter der Erde, in dem stickigen Verschlag neben dem stillgelegten U-Bahn-Schacht, den Oscar sein »Versteck« nannte.

»Sie führen Spannungsmessungen durch, davon habe ich dir doch erzählt.« Oscar rollte mit den Augen, als habe er es mit einem begriffsstutzigen Idioten zu tun. Mit seiner orangefarbenen Pudelmütze, dem Mormonenbart im kreisrunden Gesicht und einem enormen Kegelbauch wirkte er wie ein Schlumpf, wobei Noah sich wunderte, dass er wusste, wie ein Schlumpf aussah, wo er doch nicht einmal sein eigenes Gesicht in dem Spiegel der Bahnhofstoilette wiedererkannt hatte.

Vielleicht würde es seine Erinnerung beflügeln, wenn er sich die dunklen Haare schnitt und den Bart stutzte, doch er bezweifelte es. Für ihn war der Mann mit den traurigen Augen, der schiefen Nase und dem kantigen Gesicht ein Fremder, in dessen vernarbtem Körper er gefangen gehalten wurde.

»Unser Versteck befindet sich direkt unter dem Ostflügel der Gedächtniskirche.« Oscar flüsterte jetzt, damit die Obdachlosen vor und hinter ihnen nichts von seinen paranoiden Ausführungen aufschnappen konnten. »Geographisch betrachtet liegt das im Bezirk Wilmersdorf, und der hat dort die Postleitzahl 10789. Dreimal darfst du raten, was die Quersumme davon ist. Fünfundzwanzig. Und die von fünfundzwanzig ist? Richtig, sieben.« Oscar blinzelte nervös. »Hast du etwa gedacht, die haben 1993 die neuen Postleitzahlen eingeführt, nur damit die Briefe schneller ankommen? Jaha, das sollen wir alle denken. In Wahrheit ist das ein Code. Der Einsatzplan, nach dem sie ihre Überwachungsroutine koordinieren. An Tagen, deren Quersumme der der Postleitzahl entspricht, müssen wir untertauchen. Begreifst du jetzt, weshalb es so wichtig ist, dass wir da heute reinkommen?«

Nein. Ich begreife kein Wort. Alles, was ich weiß, ist, dass du vermutlich ebenso verrückt bist wie ich.

Noah drehte sich wieder zu dem Mädchen um, das zwei Meter weiter hinten in der Schlange stand. Die Kleine war ihm zuerst ihrer Haare wegen aufgefallen; genauer gesagt wegen der Büschel, die ihr fehlten. Ihr Kopf zeigte mehr Haut als Strähnen, so als leide sie unter den Nebenwirkungen irgendeines grässlichen Medikaments. Noah schätzte sie auf höchstens siebzehn, aber angesichts der schlechten Haut und des fehlenden Schneidezahns war das schwer zu sagen; erst recht für einen Mann, der schon Schwierigkeiten damit hatte, sein eigenes Alter zu bestimmen, das vermutlich irgendwo in den Dreißigern lag.

Seitdem er die Kleine entdeckt hatte, hatte er sie mehr oder minder unauffällig beobachtet, und jetzt, anderthalb Stunden später, meinte er das Mädchen fast besser zu kennen als sich selbst.

Während er nicht wusste, wo er herkam, konnte es keinen Zweifel daran geben, dass sie schon lange auf der Straße lebte. Ihre Augen hatten den *Opiumblick*, wie Oscar sagen würde, vernebelt und gleichzeitig leer wie bei so vielen, die hier draußen in der Kälte darauf warteten, dass das Obdachlosenasyl endlich seine Tore öffnete.

»Kennst du sie?«, unterbrach Noah seinen Begleiter, der gerade über Spähtrupps und Geokoordinaten schwadroniert hatte.

»Sie?«

Oscar blinzelte, offensichtlich perplex darüber, dass Noah die Sprache wiedergefunden hatte.

»Das Mädchen da.«

Er zeigte an einer Schwangeren vorbei, die mit einem Zigarettenstummel im Mund direkt hinter ihnen stand.

In einiger Entfernung fing ein Kind an zu weinen, und mehrere Männer brüllten sich an, vermutlich stritten sie sich um den letzten Schluck aus einer gemeinsam erbettelten Flasche.

»Wen meinst du?«

»Schräg rechts, die mit den seltsamen Haaren. Sie umklammert einen Rucksack vor der Brust.«

Als wäre ihr Leben drin.

»Die mit dem Vierauge redet?«

»Ja.«

Neben ihr stand ein junger, drahtiger Mann mit schulterlangen Haaren und einer John-Lennon-Brille auf der Nase. Noah hatte ihn dabei beobachtet, wie er vor wenigen Minuten aus einem silbernen Kleinbus mit der Aufschrift »Kältemobil« gestiegen war. Zuerst hatte er gedacht, der Bus würde weiteren Nachschub für das Heim bringen; einen neuen Schwung verlorener Seelen, die jeden Abend vor den Toren der Caritas strandeten. Aber der Fahrer war alleine ausgestiegen und hatte sich suchend umgeschaut, während er zögernd die Schlange abgeschritten war, bis er schließlich das Mädchen entdeckte.

»Das ist Pattrix«, klärte Oscar ihn auf.

Noah nickte. Es hätte ihn auch gewundert, wenn Oscar sie nicht erkannt hätte. Er lebte seit über vier Jahren »auf Platte«. Eine lange Zeit, in der es Oscar erstaunlich gut gelungen war, dem Tauschhandel zu widerstehen, den die meisten seiner Schicksalsgenossen eingegangen waren: Intelligenz gegen Promille.

Mit clownartig großen Stiefeln, mehrlagigen dreckstarren Hosen, einem sich im Zustand der Auflösung befindlichen Norwegerpulli und einer speckigen Fliegerjacke, die sich beim besten Willen nicht über seinem Bauch schließen wollte, war Oscar ähnlich erbärmlich gekleidet wie all die anderen hier, die das Kettenkarussell des Lebens aus der Bahn geschleudert hatte. Was Klamotten anging, hatte Noah mal einen besseren Geschmack gehabt, zumindest, wenn er die Sachen, die er am Leib trug, selbst ausgesucht hatte. Als Oscar ihn fand, halbtot neben den Gleisen, hatte Noah in teurer und warmer Kleidung gesteckt, die ihm heute gute Dienste erwiesen: gefütterte Stiefel mit Gummikappe, schwarze Jeans mit Cargo-Taschen an den Seiten, eine matt glänzende, tiefschwarze Schneejacke mit Kapuze, die sich in der Hüfte zusammenschnüren ließ. Insgesamt schleppte er anderthalb Kilo an Kleidungsgewicht mit sich herum, die lange Unterhose und dicke Thermosocken nicht mitgerechnet.

»Pattrix?«, fragte Noah.

»Ihr Spitzname. Eine Mischung aus Patricia und Pattex.«

Oscar formte mit beiden Händen eine Tüte und tat so, als inhaliere er Klebstoff. »Weshalb glaubst du wohl, sieht die so stumpf aus? Ihr Foto auf einer Zigarettenpackung, und niemand würde mehr rauchen.«

Noah stimmte ihm zu. Womöglich war das Mädchen gerade im Rausch, das würde ihren trüben Blick erklären und auch, weshalb ihr die arktischen Windböen nichts auszumachen schienen. Sie wirkte völlig abwesend, wie in eine andere Welt entrückt. Noah ging jede Wette ein, dass sie nicht einmal wahrgenommen hatte, dass sich ihre Blase vor einer Viertelstunde entleert hatte, wovon ein dunkler Fleck zwischen ihren Beinen zeugte.

Ebenso unwahrscheinlich war es, dass auch nur ein einziges Wort des bebrillten Mannes zu ihr durchdrang, der gerade auf sie einredete. Noah konnte nicht verstehen, was er zu ihr sagte, aber es war offensichtlich, dass er die zugedröhnte Teenagerin dazu bewegen wollte, mit zum Wagen zu kommen.

Zum Kältemobil.

Und das musste er um jeden Preis verhindern, auch wenn Noah in diesem Moment niemandem hätte erklären können, weshalb.

»Hey, bist du verrückt geworden?«

Oscar zog am Ärmel seiner Jacke, um ihn daran zu hindern, aus der Reihe zu treten.

»Wenn du jetzt deinen Platz aufgibst, können sie dich morgen mit einem Eiskratzer von der Straße spachteln.«

Oscar deutete auf die gewaltige Menge vor und hinter ihnen. Von den elftausend Obdachlosen, die die Hauptstadt nach beschönigten Schätzungen zählte, schien die Mehrheit heute Abend den Weg in die Franklinstraße gefunden zu haben. Kein Wunder, wurde doch die kälteste Nacht des Jahres erwartet.

»Ich muss ihr helfen«, erklärte Noah.

»Helfen?«, zischte Oscar erregt und warf einen nervösen Blick über seine Schulter. »Welchen Teil zwischen ›Sag kein Wort‹ und ›Bloß nicht auffallen‹ hast du eben nicht verstanden?« Er tippte sich an die Stirn. »Das lässt du mal schön bleiben, Großer. Außerdem kümmert sich doch schon jemand um die.«

Ja. Aber das ist der Falsche.

Eigentlich hätte Noah erleichtert sein müssen. An Tagen, an denen die Minusgrade in den zweistelligen Bereich sanken, waren die dreiundsiebzig Betten des Nachtheims schneller weg als Schnee auf einer heißen Herdplatte. Das Straßenmädchen musste dringend ins Warme, bevor die Jogginghose an ihren Schenkeln gefror, da kam der Sozialarbeiter wie gerufen. Und dennoch stimmte etwas nicht an dem Bild.

Ein Ruck ging durch die Schlange.

»Okay, es geht los«, sagte Oscar. »Lass dich bloß nicht abdrängen, Noah.«

Noah.

Noch immer hatte er sich nicht an diesen Namen gewöhnt, aber irgendwie musste er ja genannt werden, und *Noah* lag im wahrsten Sinne des Wortes auf der Hand. Immerhin waren die vier Buchstaben dieses Namens in seinen rechten Handballen tätowiert; ungelenk und mit grober Feder gestochen.

Von wem auch immer.

Der Name war ihm fremd, so wie der Rest der Hölle, in der er aufgewacht war; ohne Papiere, ohne Geld, das Gedächtnis in einem Meer aus Schmerzen ertränkt.

Als er das erste Mal zu sich kam, Oscars gutmütiges Gesicht über sich schwebend, hatte er einen kalten Stofffetzen auf seinem dumpf glühenden Kopf gespürt und ein unerträgliches Brennen in der Schulter, als hätte jemand versucht, ihm einen Nagel durch die Knochen zu treiben.

»Du hättest es schlechter treffen können«, hatte sein Lebensretter drei Wochen später beim letzten Verbandswechsel befunden.

Die Kugel war einmal glatt durch die linke Schulter gegangen. Es war ein Wunder, dass keine wichtigen Sehnen und Nerven verletzt waren, und dieses Wunder wurde nur noch von der Tatsache getoppt, dass Noah nicht an einer Infektion zugrunde gegangen war.

»Dir ist Schreckliches widerfahren«, hatte Oscar zu ihm gesagt. »Aber es hat dir nicht das Leben geraubt. Nur dein Gedächtnis.«

Nur.

Wahrscheinlich müsste er Oscar ewig dankbar dafür sein, dass er ihn gesund gepflegt hatte, dort unten in dem Verschlag, nur eine Mauer von den U-Bahn-Gleisen getrennt, doch angesichts der Umstände, in denen er sich wiedergefunden hatte, wollte ihm das nicht so recht gelingen. Was war ein Leben schon wert, wenn man nicht wusste, woher man kam, was für Wurzeln man hatte und wieso diese von der Axt des Schicksals offenbar mit einem gewaltigen Hieb gekappt worden waren? Ein Leben ohne Erinnerungen, das nur noch von Instinkten gesteuert war, die Noah sagten, dass er weder in diese Stadt noch in dieses Land gehörte. Dass er sich mit Oscar nicht in seiner Muttersprache unterhielt. Und dass der Mann, der Pattrix mittlerweile zu seinem Wagen schob, kein Sozialarbeiter war.

»Bin gleich wieder da«, murmelte Noah und schüttelte

Oscars Arm ab, der wütend protestierte, es aber nicht wagte, ebenfalls aus der nach vorne aufrückenden Reihe auszuscheren.

»Komm sofort zurück!«, zischte er ihm hinterher.

Doch er dachte nicht daran, Oscars Rufen Folge zu leisten.

3. Kapitel

»Hey. Hey, Sie da.«

Er war schon nach wenigen Metern erschöpft und spürte die Wunde in seiner Schulter mit jedem Schritt. Noah musste mehrfach rufen, bevor der Mann, der Pattrix wie eine Blinde an der Hand über den Bürgersteig zum Wagen führte, sich endlich zu ihm drehte.

»Meinst du mich?«

»Ja. Stehen bleiben!«

»Wie bitte?«

Der hagere Kerl mit den schulterlangen Haaren zog erstaunt die Augenbrauen hoch.

Das Mädchen neben ihm blickte teilnahmslos ins Leere wie eine abgestellte Schaufensterpuppe, die Hände schützend vor ihrem nach vorne gedrehten Rucksack verkrampft.

»Was haben Sie mit ihr vor?«, wollte Noah wissen.

Ein arrogantes Lächeln wanderte über die Lippen des Mannes. »Ich weiß zwar nicht, was dich das angeht, aber ich bringe sie in ein Jugendheim, wo sie weit besser aufgehoben ist als in einem Erwachsenenasyl.« Er strich dem Mädchen sanft über den Kopf, was diese mit einem Zucken der Mundwinkel quittierte. Hinter sich hörte Noah, wie Oscar erneut versuchte, ihn zur Rückkehr zu bewegen, aber auch diesen Ruf ignorierte er.

»Sie arbeiten fürs Jugendamt?«, fragte er stattdessen.

»So ist es.«

»Haben Sie einen Auswcis?«,

»Hör mal, Jesus, was ich *nicht* habe, ist Zeit. Also lass mich bitte meine Arbeit machen. Du siehst doch, das Mädchen muss schleunigst aus der Kälte gebracht werden.«

»Mit einem Mietwagen?«

Der Mann hatte sich wieder zur Straße drehen wollen, doch Noahs Frage ließ ihn in der Bewegung erstarren.

»Wie war das?«

Verdammt, wieso habe ich das gesagt?

Die Worte waren aus Noahs Mund gesprudelt, bevor er gewusst hatte, dass er sie hatte formulieren wollen. Mit den nächsten Sätzen erging es ihm nicht anders. Er hatte das eigenartige Gefühl, sich selbst beim Sprechen zuzuhören.

»Ihr Kleinbus ist frisch gewaschen. Er hat ein Kölner Kennzeichen, was an sich schon ungewöhnlich ist für ein Berliner Behördenfahrzeug. Die nachfolgende Ziffernkombination TX ist für Taxis oder Mietwagen reserviert. Außerdem haben Sie ein großes D als Aufkleber am Heck, so wie es zum Beispiel bei Europcar üblich ist. Einzeln wären die Auffälligkeiten vielleicht zu erklären, in Summe aber zeigen sie mir, dass Sie nicht der sind, für den Sie sich ausgeben.«

Der Mann öffnete den Mund, blieb aber stumm. Noah war kaum weniger erstaunt.

Woher weiß ich das alles?

Sein Kopf war voll mit faktischem Wissen, das hatte er schon herausgefunden: Er kannte die Hauptstadt von Guinea, wusste, dass der Körper die meiste Wärme über den Kopf abgab (weswegen er für die Kapuze seiner Jacke sehr dankbar war) und dass der Mensch bis zu zwei Liter Blut verlieren konnte, wie er selbst erfolgreich unter Beweis gestellt hatte. Aber während er sich offenbar mit fremden Autokennzeichen auskannte, wusste er noch nicht einmal, wie die erste Ziffer seiner Telefonnummer lautete – wenn er denn überhaupt eine hatte.

Er hätte wohl gute Chancen, bei einer dieser Quizshows zu gewinnen, die sich Oscar hin und wieder auf dem kleinen Schwarzweißfernseher ansah, wenn der Empfang im Versteck mitspielte – solange ihm nur keine Fragen über seine eigene Identität gestellt würden.

»Kommen wir zur 500-Euro-Frage: Wer hat auf Sie geschossen?«

»Keine Ahnung. Darf ich das Publikum fragen?«

»Wie viel zahlt man Ihnen für das Mädchen?«, fragte Noah, wieder hätte er nicht zu sagen vermocht, wie er zu dieser Mutmaßung gelangt war. Sein Gehirn arbeitete wie der Autopilot eines Flugzeugs. Er saß zwar im Cockpit, aber der Steuerknüppel bewegte sich von ganz alleine.

»Wie bitte?«

»Ihre Auftraggeber. Geschäftsleute, nehme ich an. Manager, reiche Säcke, die sich einen Kick davon versprechen, wenn sie den Abschaum von der Straße auflesen, um ihn noch mehr zu quälen. Werden Sie von denen pro Opfer oder pro Nacht bezahlt?«

»Du bist doch vollkommen durchgeknallt«, protestierte der Mann, ließ aber die Hand des Mädchens los, als habe sie plötzlich Feuer gefangen. »So eine Scheiße muss ich mir nicht anhören.« Er setzte einen Schritt zurück, ohne Noah aus den Augen zu lassen. »Schon gar nicht von einem Penner wie dir.«

Der angebliche Mitarbeiter vom Jugendamt versuchte, seinen Worten einen überheblichen Klang zu verleihen, aber das Zittern in der Stimme entlarvte ihn.

Noah überlegte, ob der Mann eine Waffe ziehen würde, als er in seine Fellkragenjacke griff, ahnte aber im nächsten Moment, dass es nicht zu einer gewaltsamen Auseinandersetzung kommen würde. Falsch. Er ahnte es nicht nur, er *wusste* es.

In den vergangenen dreißig Sekunden hatte Noah mehr über sich selbst herausgefunden als in den letzten Wochen, und seine Entdeckungen machten ihm Angst.

Ich bin ein Mensch, der schon sehr oft in die tiefsten Abgründe der Seele geblickt hat.

So oft, dass er das Böse erkannte, sobald es ihm begegnete. Und was noch viel schlimmer war: Das Böse erkannte ihn. Und manchmal wich es zurück, wenn ihre Wege sich kreuzten. So wie in diesem Moment.

Der Mann hatte seinen Zündschlüssel aus der Jacke gezogen und entfernte sich hastig, ohne sich noch ein einziges Mal umzudrehen.

»Patricia?«, fragte Noah vorsichtig. Keine Reaktion. Die Kleine hatte von den Geschehnissen um sie herum nicht das Geringste mitbekommen. »Kannst du mich hören?«

Er schnipste mit den Fingern vor ihren halb geschlossenen Augen. Sie blinzelte nicht einmal.

»Hey, Noah. Wir sind dran«, rief Oscar aus einiger Entfernung. Noah drehte sich um und entdeckte seinen Begleiter am Eingang des Obdachlosenasyls. Er stand bereits in der Tür und wedelte mit den Armen.

»Komm endlich!«

Vorsichtig griff Noah nach der Hand des Mädchens, das sich widerstandslos von ihm führen ließ. Sie bewegte sich mit kleinen Schritten wie in Trance, und daher dauerte es eine geraume Weile, bis er sie zu dem Haus der Caritas geleitet hatte.

»Was zum Teufel ist nur in dich gefahren?«, begrüßte ihn Oscar, der sich sehr beherrschen musste, nicht laut loszubrüllen, nachdem es Noah nur unter großem Protest gelungen war, sich mit Pattrix im Schlepptau an dem Kopfende der Schlange vorbeizudrängeln.

Eine Mitarbeiterin des Hauses, eine junge Frau in Jeans und Lederjacke mit streng zurückgebundenen Haaren und Rollkragenpulli, schloss wortlos hinter dem Dreiergespann die hölzerne Eingangstür, sehr zur Entrüstung der Wartenden, die draußen zurückbleiben mussten.

Sie standen nun in einem großen Vorraum, ähnlich dem Eingangsbereich eines Mietshauses, von dem eine weitere Treppe nach oben führte.

Die plötzliche Wärme, die sie umschloss, trieb Noah das Wasser in die Augen, und seine Schusswunde begann unangenehm unter dem Verband zu jucken.

»Um ein Haar hättest du es vermasselt«, zischte Oscar. »Die haben nur noch drei Betten.«

Passt doch, dachte Noah, während die Mitarbeiterin sie die Treppe nach oben zu einer Art Empfangstheke begleitete, über der ein von Neonröhren beleuchtetes Schild mit der Aufschrift »Aufnahme« hing. Dahinter erwartete sie eine groß gewachsene Frau. Sie trug einen weißen Arztkittel, einen Mundschutz, und ihre Hände steckten in Latexhandschuhen, als wollte sie jeden Moment anfangen zu operieren.

»Hallo, Oscar«, sagte die Dame; sie klang erschöpft, aber nicht unfreundlich. Ihr graues Haar war kürzer geschnitten als ein Dreitagebart, was sie auf den ersten Blick ein wenig brutal wirken ließ, doch das Lächeln in ihren Augen korrigierte diesen Eindruck sofort wieder. »Lange nicht mehr gesehen. Wen hast du uns denn mitgebracht?«

»Pattrix, ich meine Patricia, kennen Sie ja, Frau Simone. Und Noah habe ich auf dem Avus-Rastplatz kennengelernt. Er ist per Anhalter aus Holland zu uns gekommen.«

Oscar klopfte Noah auf die gesunde Schulter, wozu er sich etwas strecken musste. »Ist etwas wortkarg, spricht kaum unsere Sprache.«

»Verstehe.« Die Frau, die offenbar Simone hieß, entweder mit Vor- oder Nachnamen, zeigte mit dem Daumen hinter sich zu einem Flur, der an der Theke entlang in die anderen Teile des Gebäudes führte. Von dort drang geschäftiger Lärm zu ihnen. Türen schlugen, Geschirr klapperte, Menschen riefen durcheinander, jemand hämmerte dumpf gegen eine Wand.

»Also dann, du weißt ja, wie es bei uns läuft, Oscar. Ich bringe euch als Erstes zur ärztlichen Untersuchung. Die wird wegen der Manila-Grippe etwas intensiver ausfallen. Ich persönlich glaube ja, dass die wieder mal ein Mordsbohei um die Ansteckungsgefahr machen, und am Ende stellt sich raus, dass die Regierung Millionen für unnütze Impfchargen vergeudet hat. Aber bis dahin bin ich verpflichtet, diesen Maulkorb zu tragen, nehmt's mir also bitte nicht übel.«

Oscar zuckte mit den Achseln, und Noah nickte – mehr zu sich selbst als zu Simone, weil er sich an die Nachrichtensendung von gestern erinnerte. Eine Pandemie breitete sich aus, eine Krankheit, die mit grippeartigen Symptomen begann und unbehandelt zum Tode führen konnte. Experten des Robert-Koch-Instituts rechneten mit Zehntausenden von Opfern in den nächsten Wochen und rieten den Menschen, bei Fieber sofort den Arzt zu verständigen.

»Nach der Vorsorge könnt ihr duschen und frische Kleidung aussuchen, wir haben heute neue Spenden reinbekommen, auch warme Schuhe darunter, und es gibt Spaghetti. Aber ich fürchte, nur für euch Männer. Patricia kommt nicht rein.«

»Was?«, hörte sich Noah fragen.

Er war so entsetzt, dass er Oscars Ermahnung, kein Wort zu sagen, vollkommen vergessen hatte.

»Sie wollen die Kleine wieder in die Kälte schicken?«

Falls Simone erstaunt über Noahs doch vorhandene Deutschkenntnisse war, ließ sie es sich nicht anmerken.

»Nur fürs Protokoll: Ich schicke niemanden weg, wenn ich noch Betten habe. Aber sie wird nicht bleiben *wollen*.«

»Nur fürs Protokoll«, erwiderte Noah und spürte, wie er sich vor Wut anspannte, als er auf Patricia zeigte, »aber haben Sie sich das Mädchen einmal genauer angesehen? Die ist doch gar nicht mehr in der Lage, eine eigene Entscheidung zu treffen.«

»Ach ja?«

Simone trat hinter der Theke hervor. Erst jetzt erkannte Noah, dass sie wie Oscar einige Pfunde zu viel auf der Hüfte trug, was sie nicht daran hinderte, mit erstaunlich schnellen Schritten zu Patricia zu gehen und nach ihrem Rucksack zu greifen.

Schlagartig war es mit der Teilnahmslosigkeit des Mädchens vorbei.

»Sehen Sie?«, fragte Simone und hatte Schwierigkeiten, das wimmernde Kreischen zu übertönen, in das Patricia verfallen war, kaum dass sie versucht hatte, den Reißverschluss der Tasche zu öffnen.

Großer Gott, was bewahrt sie nur darin auf?

Noah erfuhr die Antwort, bevor er seine Frage stellen konnte.

»Tiere sind nicht erlaubt.«

Simone nickte in Richtung Hausordnung, die unter Klarsichtfolie an einer Betonsäule im Empfangsbereich hing, direkt unter einem Hinweis zur Hygiene beim Händewaschen, um die Ausbreitung von Krankheiten zu verhindern.

Mittlerweile war es ihr gelungen, Patricias Finger so weit von dem Rucksack zu lösen, dass sie ihn öffnen konnte. Die Drogen hatten dem Mädchen jede weitere Kraft zum Widerstand geraubt.

Ungläubig starrte Noah auf das kleine, sandfarbene Fellknäuel in der Tasche. Der Kopf des Hundewelpen war nicht sehr viel größer als ein Pfirsich.

»Darf ich vorstellen: Das ist Toto. Sie hatte ihn gestern schon hereinschmuggeln wollen, da war sie allerdings nicht so high wie heute.«

»So viel zum Thema ›*nicht auffallen*‹«, raunte Oscar, dessen Worte in dem anhaltenden Gewimmer von Patricia untergingen, das allerdings etwas leiser geworden war, seitdem Simone den Rucksack wieder bis auf einen Luftschlitz für Toto verschlossen hatte.

»Okay, ich verstehe das mit den Tieren. Sie wollen keine Krankheiten einschleppen …«

»Ganz genau«, unterbrach ihn Simone, wieder auf ihrem Rückweg hinter die Theke. In der Zwischenzeit hatten sich mehrere Mitarbeiter der Caritas, zwei Männer und eine junge Praktikantin, im Flur genähert, angelockt von dem Tumult, den sie vom Empfang her hörten.

»Aber können Sie keine Ausnahme machen?«

»Leider nein. Erst recht nicht an Tagen wie heute, wo das Gesundheitsamt uns wegen der Pandemie doppelt und dreifach kontrolliert.«

»Tja, das ist tragisch, aber da können wir nichts tun«, sagte Oscar und klatschte in die Hände. Er machte Anstalten, an der Theke vorbeizuwatscheln, in Richtung der Arztzimmer, wie Noah vermutete. Diesmal war er es, der ihn an seiner Jacke zurückhielt.

»Oh doch, wir können etwas tun.«

Er drehte sich zu Patricia, deren Unterlippe bebte. Das Mädchen atmete schwer und hatte die Arme wieder vor dem Rucksack verschränkt.

Ihr Blick jedoch war nicht mehr so leer wie zuvor. Die Angst, das Einzige zu verlieren, was ihr im Leben noch etwas bedeutete, hatte ihn geklärt.

»Was hast du vor?«, fragte Oscar sorgenvoll, als Noah sich zu dem Mädchen hinunterbeugte und versuchte, ihr tief in die Augen zu sehen.

Drei Minuten später lag Patricia in warme Decken gehüllt auf der Liege der Krankenstation des Obdachlosenasyls, während eine Ärztin ihr behutsam einen Katheter legte, um sie mit einer Elektrolytinfusion zu versorgen.

Und Noah stand mit Oscar wieder draußen in der Kälte.

4. Kapitel

»Das fass ich jetzt nicht. Das darf ja wohl nicht wahr sein.«

Oscar stapfte vorneweg, und Noah hatte trotz seiner wesentlich längeren Beine Mühe, mit den Schritten seines wütend schwadronierenden Kumpans mitzuhalten.

»Ich hab dir doch nicht das Leben gerettet und die letzten Wochen all meine Vorräte, mein Geld und mein Versteck mit dir geteilt, damit wir jetzt gemeinsam im Schneesturm verrecken!«

Tatsächlich hatten sich einige Flocken in den eisigen Wind gemischt, der ihm ins Gesicht schlug, seitdem sie das Obdachlosenasyl verlassen hatten.

»Du hättest mich ja nicht begleiten müssen«, antwortete Noah in geduckter Körperhaltung, das Gesicht zum Bürgersteig gesenkt, damit sein Körper dem Wind möglichst wenig Angriffsfläche bot.

»Nicht begleiten?« Oscar lachte hysterisch auf und drehte sich zu ihm herum. »Ohne mich würdest du keine zehn Minuten in meiner Welt überleben, gottverdammich ...«

Er reckte beide Hände zum Himmel wie Gläubige, die ihren Schöpfer fragen, weshalb er ihnen diese Bürde auferlegt.

»Da fasst man sich einmal ein Herz, gibt seine gesamten Ersparnisse für einen Unbekannten aus, für Medikamente, Pflaster und Verbände, obwohl der gesunde Menschenverstand es einem doch schon sagt, dass es nichts Gutes bedeuten kann, wenn einem plötzlich jemand mit Durchschuss vor den Füßen liegt. Dass damit der Ärger quasi vorprogrammiert ist. Aber ich wollte ja nicht auf meine innere Stimme hören. ›Oscar‹, habe ich mir gesagt, ›Oscar, du warst selbst einmal auf der Flucht. Vielleicht hat dieser Kerl ja genau die gleichen Probleme wie du? Vielleicht ist das endlich der Partner, den du gut gebrauchen könntest, immerhin wirst du ja auch nicht jünger, und das Leben auf der Straße alleine wird kaum einfacher, nicht wahr?‹« Oscar schlug sich gegen die Stirn. »An dem Tag, an dem ich dich gefunden habe, wollte ich das Versteck eigentlich gar nicht verlassen. Aber ich konnte nicht schlafen, wollte mir kurz die Beine vertreten. Es war reiner Zufall, der stillgelegte Tunnel liegt normalerweise gar nicht auf meinem Rundgang, also dachte ich, das Schicksal hat uns mit Absicht zusammengeführt und der liebe Gott wird meine Nächstenliebe sicher belohnen. Und tjaha, das tut er. Und wie er das belohnt, Scheiße.«

Oscar blieb stehen, legte den Kopf in den Nacken und schrie den Himmel an: »Herr, ich bin so glücklich, heute im Freien pennen zu dürfen. Bitte mach es schön kalt, nicht so warm wie im Asyl, das ist besser für die Durchblutung, und zu heißes Duschen soll ja auch nicht so gesund für die Haut sein.«

Ein Geschäftsmann, der ihnen auf dem Bürgersteig entgegenkam, warf den Obdachlosen einen abfälligen Blick zu und eilte kopfschüttelnd weiter.

»Du hättest nicht mitkommen müssen«, wiederholte Noah und schloss zu Oscar auf, der sich wieder in Bewegung gesetzt hatte. Im Inneren des Rucksacks, den er sich so wie Patricia bäuchlings vor die Brust gebunden hatte, spürte er eine leichte Bewegung, als Toto seine Lage veränderte.

Oscar presste wütend die Lippen aufeinander, dann deutete er auf den Rucksack vor Noahs Bauch. »Den Hund mitzunehmen war wirklich das Bescheuertste, was du tun konntest.«

»Aber?«, fragte Noah nach, da Oscar mit der Stimme oben geblieben war, als wollte er noch etwas hinzufügen.

»Aber es hat mir auch gezeigt, dass ich mich in dir nicht getäuscht habe.«

»Du meinst, ich bin ein guter Mensch, weil ich mich um das Tier kümmere?«

»Quatsch. Jeder zweite Penner schleppt permanent seinen Köter mit sich rum. Und genau das ist es.« Er setzte sich wieder in Bewegung, und Noah hatte Mühe, ihn zu verstehen, weil Oscar jetzt von ihm abgewandt gegen den Wind sprach.

»Das ist was?«, hakte er nach, bemüht, zu ihm aufzuschließen.

»Ich will sagen, dass ich keinen Tippelbruder kenne, der jemals einem Fremden sein Tier anvertraut hätte. Nicht mal für eine Nacht.« Er warf Noah einen fragenden Blick aus den Augenwinkeln zu. »Wie hast du es nur geschafft, dass Pattrix dir ihren Rucksack gegeben hat?«

Noah zuckte mit den Achseln. »Ich weiß nicht. Ich hab ihr nur versprochen, dass ich mich gut um Toto kümmern werde.«

Sie näherten sich einer Brücke und überquerten einen zugefrorenen Fluss, der den Straßenschildern zufolge Spree hieß. Wie so oft hatte Noah keine Ahnung, wohin Oscar ihn führte, aber an diesen Zustand hatte er sich gewöhnt. Die letzten Tage war er ihm wie ein Hund hinterhergetrottet. Zuerst apathisch wie in Trance und mittlerweile zunehmend verzweifelt. Die Realität, in der er aufgewacht war, war ihm so unwirklich erschienen wie ein böser Traum, aus dem er jede Minute aufzuwachen hoffte. Doch als er nach und nach begriff, dass weder seine Schusswunde noch Oscar noch das nach Staub und Schmieröl stinkende Tunnelversteck unter der Erde sich als Sinnestäuschung entpuppen würden, hatte ihn eine Phase der Ratlosigkeit gelähmt. Wohin sollte er gehen? Mit wem sprechen? War er auf der Flucht? Wurde er wirklich von bösen Mächten gejagt, wie Oscar ihm wieder und wieder zu erklären versuchte? Begab er sich tatsächlich in Lebensgefahr, wenn er sich an die Behörden wandte oder ins Krankenhaus ging? Oder war die Gefahr, die ihm angeblich drohte, nur eine weitere der unzähligen fixen Verschwörungstheorien, die in dem verschrobenen Gehirn dieses seltsamen Menschen steckten, von dem Noah kaum mehr wusste als über sich selbst. Nur dass er einmal Arzt gewesen war, wie er auf Nachfrage zugegeben hatte, weshalb er sich so gut mit Schusswunden, Druckverbänden, Antibiotika und der Dosierung von Schmerzmitteln auskannte.

»Du solltest dir deine nächsten Schritte sehr gut überlegen«, hatte Oscar ihm eröffnet, als das Fieber wieder so weit gesunken war, dass Noah sich zum ersten Mal aufrecht auf die Campingliege setzen konnte, die ihm zwei Wochen als Krankenlager gedient hatte. Er hatte zur Polizei gehen wollen, um zu erfahren, ob sich irgendjemand um ihn sorgte und eine Vermisstenanzeige aufgegeben hatte, doch Oscar hatte entsetzt die Augen aufgerissen.

»Ich würde das besser bleiben lassen.«

»Weshalb?«

»Dich wollte jemand ermorden, Großer. Mich kannst du als Killer getrost ausschließen, sonst hätte ich dich wohl kaum wieder gesund gepflegt. Also musst du davon ausgehen, dass der Mörder, wer immer das sein mag, in dieser Sekunde noch hinter dir her ist. Und das ist wahrscheinlich nur die Spitze des Eisbergs. Du hast keine Kopfverletzungen, also ist vermutlich ein seelisches Trauma daran schuld, dass du dein Gedächtnis verloren hast. Dein Gehirn will etwas Schreckliches verdrängen, etwas sehr Schreckliches. Und es wartet auf dich da draußen. Solange du hier untergetaucht bleibst, bist du in Sicherheit.«

Noah hatte sich eine Weile fassungslos in dem *Versteck* umgesehen, das er bis zu diesem Zeitpunkt noch nicht ein einziges Mal verlassen hatte. Nicht einmal für die Notdurft, um die sich Oscar mit Bettpfanne und einer mit Trichter versehenen Pfandflasche gekümmert hatte.

»Soll das heißen, ich soll für immer mit dir hier im Untergrund leben?«

In einem fensterlosen Gerümpelkeller?

Damals hatte Noah noch nicht geahnt, dass er sich nicht in einem Keller, sondern in einem Verschlag am Ende eines blinden U-Bahn-Tunnels, zehn Meter unter der Berliner Erde, befand. Die regelmäßig wiederkehrenden Geräusche hatte er nicht als das Rattern einer U-Bahn auf ihrem Gleisbett erkannt, einfach weil er viel zu sehr damit beschäftigt war, die anderen Rätsel zu lösen. Zudem vermittelte ihm das Versteck tatsächlich ein Gefühl der Sicherheit, das er nicht in Frage stellen wollte.

Oscar hatte sich redlich Mühe gegeben, es behaglich einzurichten. Drei der vier Betonwände waren mit selbstgezimmerten Regalen versehen, deren Bretter sich unter der Last unzähliger Bücher bogen. Es gab Strom und ein funktionierendes Handwaschbecken neben einem zum Schreibtisch umfunktionierten ledernen Reisekoffer, der auf zwei Ziegelsteinsockeln stand.

Das Wasser zapfte sich Oscar direkt von einem Rohr aus der Wand, den Strom von den Versorgungsleitungen der Schienen, die sich in dicken Strängen unter der Decke langzogen. Alles in allem erinnerte der Verschlag an eine zum Hobbyraum umfunktionierte Garage, mit verschiedenfarbigen Teppichresten ausgelegt, einem in die Wand geschraubten, tragbaren Fernseher (der erst seit zwei Jahren funktionierte, seitdem in der Berliner U-Bahn das Funknetz für den Handyempfang verstärkt worden war, wie Oscar ihm erklärt hatte) und einem kleinen, aber sauberen Kastenbett, wie man es eher in einem Kinderzimmer erwartete, direkt neben der provisorischen Kochstelle mit Bunsenbrenner.

Alle Möbel und Gegenstände waren offensichtlich aus dem Sperrmüll zusammengeklaubt, repariert und gesäubert worden, nur der Mini-Kühlschrank unter dem Waschbecken, dessen Ventilator ununterbrochen rauschte, wirkte neu.

»Selbstverständlich sollst du nicht für immer hierbleiben«, hatte Oscar gesagt und dabei seinen Blick durch den ärmlichen, aber auf eigentümliche Weise sogar gemütlichen Unterschlupf gleiten lassen.

Das Einzige, was Noah an der Behausung wirklich gestört hatte, war die andauernde Hitze. Ein gewaltiges Heißluftrohr verlief durch den Boden und sorgte damit für eine gut funktionierende, aber nicht regulierbare Fußbodenheizung. Noah hatte gehofft, er würde sich daran gewöhnen, sobald seine eigene Körpertemperatur wieder jenseits der 40-Grad-Marke lag, doch das war ihm nicht gelungen.

»Du bleibst nur so lange, bis du dein Gedächtnis wiedergefunden hast«, hatte Oscar vorgeschlagen. »Erst wenn du die Hölle kennst, die auf dich wartet, solltest du wieder dorthin zurückkehren, meinst du nicht? Und was hast du schon zu verlieren, außer Zeit? Wenn sich dein Zustand nicht bessert, kannst du immer noch das Risiko eingehen und zur Polizei gehen.«

Damals hatte Noah sich einverstanden erklärt, wenn auch nur zum Schein. Er war viel zu resigniert und erschöpft, um einen eigenen Plan zu fassen. Sein Einverständnis, vorerst an Oscars Seite zu bleiben und sich seinen Ratschlägen zu fügen, sollte nur so lange gelten, bis er genug Kraft gesammelt hatte, um wieder eigene Wege zu gehen, wohin auch immer diese ihn führen mochten.

Heute, zwei Wochen nach dieser Unterredung, spürte er, dass der Moment des Abschieds nicht mehr fernlag. Spätestens morgen, das beschloss er in dieser Minute, würden sich ihre Wege trennen.

»Sie hat dir Toto einfach so überlassen?«, fragte Oscar noch einmal. Mittlerweile hatten sie die Brücke passiert, und der Bürgersteig war nicht mehr so vereist wie die kaum gestreute Überführung.

»Ja.«

»Siehst du. Und genau deshalb hab ich mich deiner angenommen. Ich weiß nicht, *wer* du bist, aber ich weiß, *was* du bist.«

»Und?«

Was bin ich?

Oscar blieb wieder stehen, diesmal, um sich einen Schnürsenkel zu binden. Dazu stellte er den rechten Stiefel auf eine Parkbank. Seine wulstigen Finger verkrampften sich in der eisigen Luft, als er sich dafür die Handschuhe ausziehen musste.

»Du bist etwas Besonderes, Noah. Ja, ja. Halt die Luft an, das ist jetzt keine schwule Anmache. Das ist die Wahrheit.« Er sah zu ihm hoch, ohne von dem Stiefel abzulassen. »Du bist trainiert wie ein Schwimmer kurz vor den Olympischen Spielen, du hast Hände, die nie hart gearbeitet haben, aber Narben an verschiedenen Stellen deines Körpers. Wenn du auf der Pritsche im Versteck dein Bett machst, gehst du so ordentlich vor wie ein Soldat, der gewohnt ist, Befehle auszuführen, und gleichzeitig steht in deinen Augen eine traurige Melancholie, die einen quasi anschreit: ›Vertrau mir. Ich tue dir nichts.‹ Tja, und so, wie es aussieht, hat Pattrix den Schrei deiner Augen gehört und konnte ihm nicht widerstehen.«

Oscar richtete sich auf und stülpte sich die Handschuhe wieder über. »Und ich kann es offenbar auch nicht.«

Ein Geländewagen rauschte mit überhöhter Geschwindigkeit die Straße hoch und hupte. Angesichts der Tatsache, dass der Feierabendverkehr noch nicht durch war, war erstaunlich wenig los, was wahrscheinlich nicht nur dem schlechten Wetter, sondern auch dieser Grippewelle geschuldet war, von der alle sprachen. Wer nicht unbedingt vor die Tür musste, blieb in den eigenen vier Wänden.

»Ist es noch weit?«, erkundigte sich Noah, der sich mittlerweile fragte, wie es ihm in Oscars Verschlag jemals zu heiß gewesen sein konnte. Ihm wuchsen winzige Eiszapfen am Bart, und er sehnte sich nach den überhitzten, Schleimhaut austrocknenden Temperaturen im Versteck.

Aber da können wir heute Nacht ja nicht hin, weil die Quersumme nicht stimmt, dachte er und wusste nicht, ob er lachen oder weinen sollte. *Ein Amnesiepatient und ein Paranoider auf Wandertag.*

»Wohin gehen wir überhaupt?«

»Ins Kempinski«, antwortete Oscar. Als Noah nicht reagierte, sah er ihn mit hochgezogenen Brauen an. »Du kapierst den Witz nicht, richtig?«

»Ist das ein Hotel?«

Oscar seufzte. »Mann, langsam verstehe ich, weshalb sie auf dich geschossen haben. Ja, das ist ein Hotel. Aber die Betten sind mir zu weich, du weißt ja, ich hab's mit dem Rücken, daher checken wir lieber da vorne ein.« Er zeigte auf ein weit entferntes, beleuchtetes Schild mit einem weißen U auf blauem Hintergrund.

Zehn Minuten später schlugen sie ihr Lager im U-Bahnhof Hansaplatz auf, einem von insgesamt drei Bahnhöfen, die die Berliner Verkehrsbetriebe für Obdachlose öffnete, wenn die Temperaturen unter minus drei Grad fielen.

5. Kapitel

»Drei Bahnhöfe für ganz Berlin«, hatte Oscar geschimpft, als sie den Eingang des Bahnhofs betraten, und dabei auf die vielen Menschen gezeigt, die sich vor den weiß gekachelten Wänden für die Nacht eingerichtet hatten. Die begehrtesten Plätze, also die in den Ecken, die die wenigste Angriffsfläche für betrunkene Jugendliche und andere Schläger boten, waren längst vergeben. Viele von denen, die erst gar nicht ins Asyl gegangen oder dort wegen Alkohol, Drogen, Überfüllung oder sonst einem Grund abgelehnt worden waren, lagen auf umgestülpten Pappkartons, Plastiktüten oder einfach nur auf dem nackten Boden, ließen eine Flasche oder ein Tetrapak kreisen oder versuchten, ein wenig Schlaf zu finden.

Nach einigem Suchen hatten Noah und Oscar einen Platz in dem Seitenarm eines Fußgängerübergangs ergattert, etwas abseits vom Eingangsbereich; eine kleine Nische zwischen einem Zeitungskiosk und einem mobilen Imbissstand, beide waren bereits geschlossen.

»Hätte ich von Anfang an gewusst, dass du heute Abend ein Tierheim eröffnen willst, wären wir gleich hierhergekommen und hätten uns einen der besseren Plätze gesichert«, maulte Oscar zehn Minuten später immer noch. Sie waren gerade dabei, den Boden mit Zeitungen auszulegen, die der Kioskbesitzer am Tage nicht losgeworden war und neben seinem Stand für die Altpapiersammlung bereitgelegt hatte.

»Was ist denn an der Lage hier so schlecht?«, fragte Noah, als sein Begleiter nicht aufhören wollte zu schimpfen. Sie lagen nebeneinander, Oscar hatte sich die Stelle an der Wand gesichert. Immerhin war es hier angenehm warm, in der Nische konnte man sich vor dem allgegenwärtigen Durchzug abschirmen, zudem waren die Rolltreppengeräusche und das Gegröle der Betrunkenen längst nicht so laut wie vorne. Nur das grelle Neonlicht über ihrem Kopf würde das Einschlafen erheblich erschweren.

»Es gibt hier keine Kameras«, antwortete Oscar.

Noah sah ihn fragend an. »Und?«

»Und deswegen sieht es niemand, wenn hier jemand randaliert.« Zum Beweis zeigte er auf ein mächtig demoliert wirkendes Münztelefon neben einem Mülleimer an der gegenüberliegenden Wand, dessen Hörer an seinem Kabel herunterhing.

»Und keiner hilft dir, wenn dich jemand abziehen will.« Er machte eine Pause. »Oder anzündet.«

»Anzündet?«

Noah, der gerade den Rucksack hatte öffnen wollen, um nach Toto zu sehen, hielt in der Bewegung inne. Oscar schnalzte lakonisch mit der Zunge.

»Frag mich nicht, wieso, aber aus irgendeinem Grund ist es gerade in Mode, Penner im Schlaf mit Benzin zu übergießen und …« Oscar bewegte den Daumen, als wollte er ein Feuerzeug benutzen. Dann zog er sich seine Pudelmütze vom Kopf und faltete sie einmal quer, offenbar plante er, sie als Kopfkissen zu benutzen.

»Deshalb ist es hier in diesem Bereich so leer. Die meisten fürchten sich, auch weil hier ab Mitternacht das Licht ausgeht und du dann komplett Freiwild bist. Aber trotzdem ist das immer noch besser, als unten auf dem Bahnsteig pennen zu müssen.«

»Wieso?«

»Heute ist Samstag. Am Wochenende drehen die Kids immer durch. Vor allem die aus besserem Hause. Allein in diesem Monat wurden zwei von uns auf die Gleise geworfen, als Mutprobe.

Die traurige Nachricht ist: Sie haben überlebt, wenn du verstehst, was ich meine.« Oscar zeigte auf seine Beine und machte eine sägende Handbewegung.

»Sehr beruhigend«, murmelte Noah und öffnete endlich den Rucksack. Als er Toto sanft herausnahm, hielt der Hund die Augen fest geschlossen und zitterte am ganzen Körper. Im Gegensatz zu ihrem Schlafplatz, der nach Urin stank, roch der Welpe wie frisch gebadet. Glücklicherweise schien er noch nicht in den Rucksack gemacht zu haben.

»Hey, Kleiner.« Er hielt das braune Mischlingsknäuel mit beiden Händen. Das Fell, unter dem sich die Rippen wie Zahnstocher abzeichneten, fühlte sich warm und gemütlich an. Als er die Nase berühren wollte, versuchte Toto an seinem Finger zu lecken.

»Er hat Durst«, kommentierte Oscar das Offensichtliche.

Noah wühlte in Patricias Rucksack und fand unter einer Rolle Klopapier und einem alten Putzlappen, der dem Welpen als Nest gedient hatte, einen Glasaschenbecher und eine Kunststoffflasche mit der Aufschrift »Welpenmilch«. Als er noch weiterkramte, stieß er auf ein durchsichtiges Tütchen, in dem sich offensichtlich etwas Trockenfutter befand.

Auch wenn du dich selbst schon aufgegeben hast, Pattrix. Wenigstens um deinen Hund wolltest du dich kümmern.

Vorsichtig goss Noah ein paar Schlucke von der Milch ein, nachdem er die Innenfläche des Aschenbechers mit etwas Spucke und Zeitungspapier ausgerieben hatte, doch als er Toto davorsetzte, machte der keine Anstalten, etwas trinken zu wollen. Erst als Noah den kleinen Finger benetzte und ihm damit einige Tropfen auf das Maul träufelte, zeigte sich wieder die Zunge, und Toto öffnete sogar ein Auge.

»Der ist viel zu früh von seiner Mutter getrennt worden«, stellte Oscar fest, während er die Freitagsausgabe einer großformatigen Zeitung über sich ausbreitete. »Bestimmt vom Polenmarkt oder so. Ohne Impfung, dafür mit Parasiten und was weiß ich.« Er seufzte wie jemand, dem klar ist, dass er den Lauf der Dinge ohnehin nicht verändern kann, selbst wenn er es wollte.

»Besser, wir schlafen abwechselnd«, wechselte er das Thema und ließ, indem er sich unter seiner Zeitungsdecke zur Wand drehte, keinen Zweifel daran aufkommen, wer dabei den Anfang machen sollte.

»Und weck mich ja nicht«, brummte er. »Meine innere Uhr ist frisch aufgezogen. Ich wach von ganz alleine in zwei Stunden wieder auf.«

Noah wollte protestieren, doch Toto beanspruchte vorerst seine komplette Aufmerksamkeit und forderte nach weiterer Milch, indem er ungestüm an seinem Finger saugte.

»Ja, ja. Ist ja schon gut.«

Er versuchte es erneut mit dem Aschenbecher, und diesmal rappelte sich der Kleine tatsächlich dazu auf, etwas daraus zu trinken. Das Tier dabei zu beobachten, wie es etwas tapsig, aber entschlossen vor dem Glas stand und erst langsam, dann immer gieriger die Nahrung daraus schlürfte, hatte etwas Beruhigendes. Zum ersten Mal seit langer Zeit spürte Noah, wie sich seine permanente innere Anspannung legen wollte, und das ausgerechnet auf dem Boden eines U-Bahnhofs. Er musste an die eisigen Temperaturen denken und an die vielen Menschen in der Schlange in der Franklinstraße. Die Vorstellung, dass einige von ihnen vielleicht noch da draußen waren, ließ ihn erschauern.

Oscar hatte ihm nicht viel über sich und seine Vergangenheit erzählt, nur dass er sich das Dasein auf der Straße freiwillig ausgesucht habe. In Anbetracht ihrer menschenunwürdigen Situation konnte er das nicht begreifen.

»Wieso lebst du so?«, fragte er Oscar deshalb nicht zum ersten Mal, seitdem das Schicksal sie zusammengeführt hatte.

»Ist eine lange Geschichte«, bekam er als Antwort zu hören. »Lass mich jetzt bitte schlafen, ja?«

»Hat es etwas mit der Frau zu tun?«

»Mit welcher Frau?«, stieß Oscar krächzend hervor, der sich nun doch gezwungen sah, sich unter lautem Papiergeraschel zu Noah herumzudrehen. Seine Ohren waren rot, als wäre er beim Lügen ertappt worden.

»Die auf dem Foto, das du ständig bei dir trägst.«

Noah zeigte auf den Hals seines Begleiters. Momentan wurde die silberne Kette vom Kragen des Pullis verdeckt, und das Medaillon, das an ihr hing, war ebenfalls nicht zu sehen.

Das Blut schoss Oscar jetzt auch in die Wangen. »Hast du etwa geschnüffelt, du mieser, kleiner …«

»Du klappst das Ding jeden Abend auf und küsst die Innenflächen des Amuletts, bevor du einschläfst«, fiel Noah ihm ins Wort. »Man muss wahrlich kein Sherlock sein, um zu ahnen, was es mit diesem Ritual auf sich hat.«

Kaum hatte er es ausgesprochen, wunderte er sich, weshalb fiktive Namen von Romanfiguren in seinem Kopf gespeichert waren, der eigene hingegen nicht. Aber vielleicht war Oscar ja nicht nur Arzt, sondern auch Psychiater und konnte ihm dieses medizinische Phänomen irgendwann erklären.

Dazu allerdings müsste der sture Hund endlich mal etwas mehr von sich preisgeben.

Apropos Hund …

Toto hob gerade den Kopf aus der Schüssel und schüttelte sich, als wäre er aus einem Bad im See gekommen.

»Na, keinen Appetit mehr?«

»Ja, genau. Kümmere dich mal lieber um den Köter, und lass mich in Ruhe«, blaffte Oscar und drehte sich wieder zur Wand, unverkennbar froh darüber, das Gespräch an dieser Stelle beenden zu können.

Noah wollte noch etwas erwidern, aber dann machte Toto Anstalten, sich von ihrem Lager entfernen zu wollen, also nahm er ihn wieder hoch, kraulte ihn unter dem winzigen Kinn und legte ihn auf seinem Bauch ab. Der wilde Herzschlag des Welpen war selbst unter seiner dicken Jacke noch zu spüren. Toto schien seinen neuen Besitzer das erste Mal bewusst wahrzunehmen und musterte ihn aus großen Augen. Er wirkte erstaunt, aber gesättigt, im Gegensatz zu Noah, dem mit einem Mal der Magen knurrte.

Kein Wunder.

Das Letzte, was sie gegessen hatten, war der Döner heute früh, den sie von einem Teil ihres Pfandgelds erstanden und geteilt hatten. Noah überlegte kurz, ob er Oscar, der ihr Geld verwaltete, noch einmal um einen Euro bitten sollte, damit er sich etwas aus einem Automaten ziehen konnte. Aber er bezweifelte, dass Oscar auf eine weitere Ansprache reagieren würde. Außerdem wollte er das warme Knäuel auf seinem Bauch nicht wieder aufscheuchen. Schließlich ertappte er sich dabei, wie er die Hand vor den Mund hielt, weil er gähnen musste.

Verdammt.

Der Dicke ist nicht mal eingeschlafen, und ich mach jetzt schon schlapp.

»Und nun?«, fragte er Toto, als ob der wüsste, wie man sich am besten wach halten konnte.

Er griff sich die Zeitung, die er sich zurechtgelegt hatte, um sich später mit ihr zuzudecken. »Soll ich dir was vorlesen?«

Toto atmete geräuschvoll aus und legte den Kopf auf beide Pfoten.

»Ich nehme das mal als ein Ja.«

Er schlug die erste Seite auf. »Interessierst du dich für Politik?«

Neben ihm grunzte Oscar etwas unwirsch, und Noah begann zu flüstern, als er die erste Schlagzeile zitierte:

»Europäische Gesundheitsminister beraten wegen der Manila-Grippe. In der kommenden Woche wollen die Gesundheitsminister von sieben europäischen Staaten in Brüssel zusammenkommen, um zu beratschlagen, wie man die Pandemie am besten ...«

Toto gähnte und räkelte sich dabei wie eine Katze auf Noahs Bauch.

»Okay, okay. Langweilig. Verstehe. Also keine Politik. Lieber Sport?«

Er blätterte weiter, konnte den Meldungen hier aber nichts abgewinnen. Fast die komplette Berichterstattung drehte sich um Fußball, eine Sportart, die in seinem früheren Leben wohl nicht zu seinen Steckenpferden gezählt hatte.

»Hah, aber das hier hört sich doch interessant an, Kleiner.«

Er hatte sich mittlerweile zur Rubrik *Deutschland und die Welt* vorgearbeitet.

Wie ein Lottogewinn, den keiner abholt.

Noah presste sein Kinn auf die Brust und sah dem Welpen direkt in die großen dunklen Augen, bevor er sich räusperte und flüsternd weiterlas:

»Die Million steht schon bereit, aber niemand will sie haben!« Das erklärte der Chefredakteur der *New York News* den verblüfften Reportern auf einer am Sonntag einberufenen Pressekonferenz. Dabei sucht seine Zeitung und mit ihr das halbe Internet nun schon seit Wochen mit Hochdruck nach dem Urheber einer abstrakten Zeichnung, die der *New York News* zugestellt wurde. In ganzseitigen Anzeigen und sogar auf Plakaten in der Stadt wird die Frage gestellt: »Künstler gesucht. Wer hat das gemalt?«

Es war Anfang des Jahres, als in der Leserbriefredaktion eine Paketrolle ohne Absender einging. Sie enthielt eine auf den ersten Blick naive Kindermalerei, betitelt als »Der Bach des Ostens«. Weil der Chefredakteur Kevin Rood das erstaunlich hochwertig laminierte Bild »zu schade zum Wegwerfen« fand, ließ er es rahmen und hängte es in seinem Vorzimmer auf, wo es einige Zeit unbeachtet blieb – bis Matthew Springfields, ein bekannter und einflussreicher Kunstkritiker, das Werk zufällig entdeckte, während er auf ein Interview wartete. »Die sich überlagernden Farben, die Anordnung der konträren Felder erzeugen ein solch strahlendes und zugleich diffuses Licht, dass ich für einen Moment glaubte, ein Frühwerk des jungen Mark Rothko vor mir zu haben.«

Springfields gab das Bild einigen unabhängigen Kunstexperten zur Schätzung, von denen zwei weitere ebenfalls zu dem Schluss kamen, dass dieses »Meisterwerk des Color Field Painting« von einem bislang unentdeckten Talent stammen müsse. Ein Galerist aus Miami taxierte den Wert des Bildes sogar auf über 1 Million Dollar, was zur Folge hatte, dass ...

Noah hob kurz den Kopf, um nach Toto zu sehen. Lächelnd bemerkte er, dass der Welpe auf seiner Brust friedlich eingeschlafen war, weshalb er den Artikel stumm zu Ende las.

... sich namhafte Galeristen und Kunstagenten mit Vorschüssen zu überbieten begannen, sollte der Maler sich bei ihnen melden.

Doch alle Aufrufe verhallten ergebnislos. Der Urheber will anscheinend auch weiterhin anonym bleiben.

Und so suchen mittlerweile nicht nur die USA, sondern die gesamte westliche Welt im Internet nach dem Künstler, auf den ein Millionenvertrag wartet, und alle fragen sich: WER HAT **DAS** GEMALT?

Neugierig geworden, was das für ein Bild sein sollte, blätterte Noah eine Seite weiter, wo das Werk in einem halbseitigen Kasten zu sehen war.

Kaum hatte er einen ersten Blick darauf geworfen, wurde sein Mund trocken. Es knackte in seinen Ohren, und ihm wurde schwarz vor Augen. In seinem Inneren hörte er einen Schrei. Spitz und zitternd wie von einer Person, die in dem Waggon einer Geisterbahn sitzt, die sich unerwartet in die Tiefe stürzt.

Er hörte das Rattern der Räder auf den Gleisen, spürte den Fahrtwind im Gesicht, und Bilder sprangen ihn an wie Figuren aus den Nischen eines Gruselkabinetts.

Ein Zimmer.

Stimmen.

Kinderstimmen.

»Darf ich es behalten?«, fragte ein Junge.

»Wieso?«

»Es gefällt mir.«

Noah sah den Rücken eines Jungen, nicht älter als zwölf, dreizehn Jahre, der etwas in einen Koffer legte. Plötzlich veränderte sich das Bild. Der Junge verschwand. Und mit ihm das Zimmer. Jetzt sah er …

… einen Mann auf einem hellen Teppich. Direkt vor einem Kamin. Reglos.

Und dann der Fleck. So rot. Direkt unter seinem Kopf …

Nach dem jemand die Hand ausstreckte. Um ihn zu berühren, um … *ihn umzudrehen.*

Der spitze Schrei in seinen Ohren veränderte sich, wurde dunkler. Lauter.

So laut, dass Noah Probleme damit hatte, sich auf die Erinnerungen zu konzentrieren, die sich wieder zu verflüchtigen drohten.

Er suchte nach der Quelle des Lärms und drehte den Kopf in die Richtung, aus der er die Schreie vermutete.

Doch erst als er die Augen wieder öffnete, Totos Kläffen hörte und Oscar sah, der wild gestikulierend neben ihm kniete, wurde Noah langsam bewusst, dass *er selbst* es gewesen war, der lauthals um Hilfe geschrien hatte, während er mit der Geisterbahn in den Keller seiner Erinnerungen gerast war.

6. Kapitel

New York City, USA

An diesem Tag musste Celine lernen, dass es im Leben manchmal nicht mehr als ein kaum hörbares »Hm« braucht, um sämtliches Glück aus einer menschlichen Seele zu pressen.

»Was ist?«, fragte sie ängstlich.

Sie stützte sich mit den Ellenbogen hoch und versuchte, einen besseren Blick auf den Monitor zu erhaschen. Angeblich hatte Dr. Malcom in seiner Praxis nur die neuesten Geräte. »Er sieht aus wie mein fettleibiger Vater, ist immer schlecht rasiert, und ich frage mich, wie er durch diese Aschenbechergläser in seiner Brille da unten überhaupt etwas erkennen kann«, hatte ihre Freundin Janet Dr. Malcom beschrieben. »Aber er hat kleine Hände, was bei einem Gynäkologen ja wohl eher von Vorteil ist. Und er hat einen genialen Hightech-Ultraschall, auf dem man wirklich jedes Detail sieht, ich kann ihn dir nur empfehlen.«

Was das gewöhnungsbedürftige Äußere des Arztes anging, hatte Janet recht gehabt. Nur bei dem Ultraschall hatte sie zu viel versprochen. Sosehr sich Celine auch bemühte, mehr als trübe Mondlandschaften konnte sie auf dem Bildschirm kaum erkennen.

Bei den vorangegangenen Scans hatte sie immer höflich genickt, wenn Dr. Malcom ihr etwas zeigte.

»Sehen Sie die Füßchen?«

»Ja, klar.«

»Und hier ist der Kopf.«

»Ach ja?«

Nur eins war eindeutig gewesen: das Herz. Mehr hatte sie nicht sehen müssen. Dieses kleine, flimmernde Staubkörnchen, das ihr lebendiger schien als alles, was ihr jemals zuvor begegnet war.

Als sie dieses klopfende Etwas zum ersten Mal erblickt hatte, war sie glücklich gewesen. Obwohl zwischen ihr und ihrem Freund seit einem Monat Funkstille herrschte. Obwohl ihr Vertrag bei der *New York News* in zwei Wochen auslief und der Chefredakteur alle Termine, an denen eine mögliche Verlängerung besprochen werden sollte, bislang hatte platzen lassen und sie also davon ausgehen musste, bald nicht nur schwanger, sondern auch arbeitslos zu sein. Celine Henderson war glücklich, auch wenn sie bald das traumhaft günstige 2000-Dollar-Zimmer in ihrer WG in Greenwich Village wieder kündigen und zu ihren Eltern nach New Jersey zurückziehen musste. Das war für das *Pünktchen*, wie sie das beginnende Leben in ihrem Bauch getauft hatte, ohnehin das Beste.

Sie strich sich eine Strähne ihrer missglückten Stufenschnitt-Frisur von der Stirn und starrte auf den Ultraschallmonitor. Im Salon hatte die »pflegeleichte Allwetterfrisur« noch ganz okay ausgesehen. Aber da hatte ihr Friseur auch eine Ewigkeit an ihr herumgezuppelt, um das dunkelblonde Haar so auszurichten, dass es ihr ovales Gesicht wie eine Haube umrahmte. Seit dem ersten Waschen sah sie nicht mehr aus wie ein »verwegenes Hollywood-Starlet« (O-Ton des »Coiffeurs«), sondern wie das, was sie war: eine verlassene Schwangere, die ihr Selbstwertgefühl mit einem neuen Haarschnitt hatte aufpeppen wollen.

Das war gründlich in die Hose gegangen, aber völlig unwichtig, so wie das meiste in ihrem Leben kaum noch von Bedeutung schien, jetzt, wo Dr. Malcom »Hm« gesagt hatte und ihr nicht in die Augen sehen wollte.

Was ist los, Doktor?, traute Celine sich nicht zu fragen.

Sie war jetzt 11 plus 5, also in der zwölften Woche.

Damit bin ich doch im sicheren Bereich, oder?

Das hatten ihr alle gesagt. Ab der zwölften Woche sinkt das Risiko eines Abgangs. Nicht, dass sie davor Angst gehabt hätte. Mit neunundzwanzig war sie ja keine Spätgebärende, und sie kam aus einer kinderreichen Familie. Angeblich war ihre Mutter mit ihr schwanger geworden, obwohl sie die Pille genommen und Dad ein Kondom benutzt hatte. »Ich bin mir nicht einmal sicher, ob wir überhaupt Sex hatten«, hatte ihr Vater Ed in Anspielung auf den Namen seiner Frau Maria gewitzelt. Und auch ihre beiden älteren Schwestern hatten mit dem Nachwuchs nichts anbrennen lassen. Lucile hatte einen zweijährigen Jungen und Emily Zwillinge entbunden.

Und ich werde die Nächste sein, die den Familienstammbaum wachsen lässt.

Noch vor zwei Minuten war sie sich dessen sicher gewesen, aber dann hatte Dr. Malcom vielsagend gegrunzt und seitdem mit sorgenfaltiger Stirn auf den Monitor gestarrt, während er die Ultraschallsonde auf ihrem Bauch in alle Himmelsrichtungen bewegte.

Das Geschlecht konnte man zu diesem frühen Zeitpunkt noch nicht eindeutig bestimmen, und selbst wenn, hätte sie es gar nicht wissen wollen. Ganz gleich, ob Junge oder Mädchen, ihre Welt würde sich zum Besseren ändern, wenn das Baby erst einmal geboren war. Nicht, dass ihr die Zukunft nur noch rosig erschien. Natürlich würde es für sie als Alleinerziehende schwer werden. Noch immer ärgerte sie sich über Steven, der beim Anblick des positiven Schwangerschaftstests allen Ernstes angefangen hatte zu heulen, und das nicht vor Freude. Noch mehr allerdings ärgerte sie sich über sich selbst, sich mit Steven etwas vorgemacht zu haben. Sie waren viel zu unterschiedlich, als dass aus ihrer oberflächlichen Beziehung etwas Dauerhaftes hätte entstehen können. Immerhin war er groß, muskulös, charmant und einfühlsamer als die meisten anderen, die sie in einer Bar hatten abschleppen wollen. Aber so etwas wie Chemie oder Magie hatte es nie zwischen ihnen gegeben, vielleicht weil Steven keine Geheimnisse in sich trug, die es zu erforschen galt. Sein Lebenslauf war vorprogrammiert: erst als Juniorpartner bei einer Wallstreet-Kanzlei, später als Staatsanwalt, zu dem er wegen seines markanten Yale-Gesichts Jahr für Jahr in Folge wiedergewählt werden würde. Das stand so fest wie die Tatsache, dass er in einem Landhaus mit weißem Zaun, Doppelgarage und Golfrasen vor dem säulenbewehrten Eingang residieren würde, außerhalb der Stadt, mit den statistisch vorgesehenen 1,4 Kindern, die er irgendwann einmal ganz sicher haben wollte, nur eben nicht jetzt. Daran änderte auch nichts die Tatsache, dass ihn mittlerweile sein schlechtes Gewissen zu quälen schien. Seit knapp drei Wochen wurden ihr von einem anonymen Absender in unregelmäßigen Abständen wunderschöne Blumen ins Büro geliefert, die nur von ihm stammen konnten. Aber weder Rosen noch Orchideen würden sie dazu bewegen, sich wieder mit ihm in Verbindung zu setzen, um noch einmal über den richtigen »Zeitpunkt« zu diskutieren, so als wäre die Geburt eines Babys ein Outlook-Termin. Sie wunderte sich nur, dass die Blumenlieferungen nicht mit dem Tag aufgehört hatten, an dem die Frist zur legalen Abtreibungsmöglichkeit verstrichen war.

Celine wusste, ein Kind würde sie glücklich machen, egal wann. Und tatsächlich hatte sie ihr Leben bereits jetzt aus einer völlig neuen Perspektive kennengelernt. Und damit meinte sie nicht nur ihr Badezimmer, in dem sie in den ersten Wochen vor der Toilettenschüssel gekniet hatte.

»Dir müsste man Blut abzapfen und es verkaufen«, hatte ihr Mitbewohner Adrian gemeint, als sie ihn wieder einmal eine halbe Stunde vor dem Gemeinschafts-WC hatte warten lassen, um dann mit einem Lächeln im Gesicht die Tür zu öffnen, hinter der sie sich gerade lautstark übergeben hatte.

»Du kotzt dir die Seele aus dem Leib und bist trotzdem bei guter Laune. Ich kenne Jungs auf der Uni, die würden ihrem Dealer ein Vermögen für den Stoff zahlen, der das bewirkt.«

Tja, welche Glückshormone auch immer bislang in meinem Blut gewesen sind. Jetzt gerade sind sie verschwunden. Celine räusperte sich. »Gibt es ein Problem?«

Jetzt war sie raus. Die Frage, auf die sie keine Antwort hören wollte.

Dr. Malcom sah auf. Die Sorgenfalten wollten nicht von seiner Stirn verschwinden. Er nahm seine Brille ab. »Ich habe mir gerade die Nackenfalte angesehen.«

Nackenfalte?

Verdammt, sie konnte sich dunkel erinnern, etwas darüber in einem der unzähligen Ratgeber gelesen zu haben, die ihre wohlmeinende Familie bei ihr abgeladen hatte. Mit den Ausgaben von »Dein Baby und du«, »Hoppla, ich komme« oder »Was sich jetzt ändert« konnte sie die Regale ganzer Ikea-Einrichtungshäuser füllen. Doch mit den Babybüchern war es wie mit den Facebook-Freunden. Je mehr man davon hatte, desto weniger Beachtung schenkte man dem Einzelnen.

Manchmal fragte sie sich, ob es eine schlechte Mutter aus ihr machte, weil sie nicht jeden Tag nachlas, was genau in ihrem Körper vorging. Aber die Zentimeter- und Gewichtsangaben machten ihr eher Angst, denn was, außer regelmäßig zur Vorsorge zu gehen, sollte sie in drei Teufels Namen denn tun, wenn ihr *Pünktchen* zu klein geraten war oder nicht an der richtigen Stelle lag? Nicht einmal die Tipps gegen Morgenübelkeit hatten funktioniert, was sollte es ihr da bringen, wenn sie wusste, welche Menge an Fruchtwasser innerhalb der Norm lag?

Schön, an der Kühlschranktür hing ein Zettel mit allem, was sie jetzt besser meiden sollte. Aber welche vernünftig denkende Schwangere steckte sich schon eine Zigarette an, mixte einen Gin Tonic zum Frühstück und bekämpfte Schmerzen mit einer Familienpackung Tylenol?

Celine versuchte sich ausgewogen zu ernähren, verzichtete auf Kaffee, rohe Wurst und Sushi, was ihr nicht schwerfiel angesichts der Tatsache, dass sie ohnehin kaum etwas im Magen behalten konnte und sie nur selten Appetit hatte. Und ein Blick auf die belebten Straßen New Yorks war ja wohl der beste Beweis dafür, dass die Menschheit es auch ohne schriftliche Anleitungen geschafft hatte, seit Millionen von Jahren erfolgreich an der Überbevölkerung des Planeten zu arbeiten. Celine vertraute einfach fest darauf, dass Mütter intuitiv wussten, was für ihren Nachwuchs das Beste war.

Heute allerdings verfluchte sie sich, das Kapitel *Pränataldiagnostische Maßnahmen* in ihrem Nachschlagewerk nur überflogen zu haben.

»Anhand der Ansammlung von Flüssigkeit im Bereich des Nackens können wir das Risiko von Fehlentwicklungen einschätzen«, erklärte ihr Dr. Malcom jetzt mit ruhiger Stimme. Für Celine hätte es keinen Unterschied gemacht, wenn er sie angeschrien hätte. In ihrem Kopf dröhnte nur ein einziges Wort: *Fehlentwicklungen.*

»Und?«, krächzte sie erstickt.

»Ich messe eine Transparenz von 3,9.«

»Und das ist schlecht?«

»Nicht direkt schlecht. Alles bis NT 2,5 ist unauffällig. Alles darüber müssen wir wegen des Verdachts auf Chromosomenanomalien abklären.«

»Doktor?«

»Ja?«

»Können Sie bitte den Zahlenmist sein lassen und mit dem Fachchinesisch aufhören?«

»Ja, Entschuldigung.« Er räusperte sich. »Bei einem Befund, wie ich ihn hier sehe, besteht die Wahrscheinlichkeit einer Trisomie. Sorry, aber ganz ohne Fachausdrücke geht es nicht. Sie haben doch sicher schon einmal vom Downsyndrom gehört.«

Sie meinen die Kinder mit dem runden Gesicht, die so gerne lächeln und sprechen, als wären sie taubstumm, und die von gesunden Menschen oft abfällig als Mongoloide bezeichnet werden?

Celine nickte mit Tränen in den Augen. Schlagwörter wie »geistig behindert«, »zurückgeblieben« und »Mondgesicht« hallten durch ihren Kopf, ohne dass sie etwas dagegen tun konnte. Sie hatte die Reportagen über Menschen mit dieser Krankheit gesehen; ihre eigene Zeitung hatte einmal einen Spendenaufruf gestartet, um einem kleinen Jungen mit Downsyndrom die Herzoperation zu finanzieren, die sich seine Eltern nicht leisten konnten.

»Schauen Sie mich nicht so entsetzt an, Celine. Die Diagnose ist alles andere als gesichert. Wir müssen weitere Tests durchführen.«

»Was für Tests?«

»Eine Fruchtwasseruntersuchung zum Beispiel, aber die empfehle ich erst ab der vierzehnten Schwangerschaftswoche, zuvor ist die Gefahr eines Abgangs zu groß, damit müssen wir also noch etwas warten.«

»Gibt es nichts, was Sie sofort machen können?«

»Doch. Ich werde Ihnen jetzt Blut abnehmen«, antwortete der Arzt und erklärte ihr eine Reihe von Tests, nannte Zahlen, erläuterte Normabweichungen und gab ihr schließlich die Visitenkarte eines Kollegen für Pränataldiagnostik, an den er sie überweisen wollte.

Celine hörte zu, ohne viel von dem Gesprochenen zu behalten.

Sie fühlte sich wie eine Flipperkugel im Automaten. Eine unsichtbare Macht spielte mit ihrem Schicksal und hetzte sie von einer Ecke in die nächste. Im Abstand weniger Wochen war ihr Leben gleich zweimal komplett umgekrempelt worden. Zuerst, als sie von dem Wunder erfuhr, das in ihr heranwuchs. Und jetzt, als ihr der Gedanke langsam ins Bewusstsein sickerte, dass ihr Kind womöglich ein lebenslanger Pflegefall werden könnte.

Fröhlich und erwartungsvoll hatte sie die Praxis von Dr. Malcom betreten. Besorgt und in eine Wolke dunkler Gedanken gehüllt verabschiedete sie sich wieder von dem Gynäkologen.

Mein Baby ist krank.

Schlimmer, da war sie sich sicher, konnte der Tag nicht werden, als sie mit dem warmen Strom der Klimaanlagenabluft in die Kälte auf die 7th Avenue getrieben wurde.

In diesem Moment klingelte ihr Telefon.

7. Kapitel

»Nun hat's dir also auch noch die letzte Sicherung rausgehauen.«

Oscars Stimme hallte von den Wandfliesen verstärkt durch die U-Bahn-Unterführung. Er sah Noah an, als hätte dieser sich gerade nackt ausgezogen und mit Totos Hundefutter eingerieben. Dabei bewegte er die rechte Hand wie ein Scheibenwischer vor seinem Kopf. »Hast du jetzt komplett den Verstand verloren?«

Nein. Im Gegenteil. Ich schätze, ich habe gerade einen Teil von ihm wiedergefunden.

Noah presste sich den Hörer des Münzfernsprechers, der trotz seines ramponierten Zustands verblüffenderweise noch tadellos funktionierte, fester ans Ohr. Oscar versuchte irgendwie an den Apparat zu kommen, vermutlich, um auf die Gabel zu patschen, damit die Verbindung unterbrochen wurde, doch Noah schirmte das Telefon mit seinem Körper ab wie ein Basketballspieler, der seinen Ballbesitz verteidigt.

»Leg auf!«

Noah, der sich immer noch wunderte, weshalb sein Begleiter ihm überhaupt ihre Ersparnisse ausgehändigt hatte (vermutlich, weil der durch seinen unvermittelt ausgebrochenen Schreikrampf viel zu verängstigt gewesen war, es nicht zu tun), schüttelte den Kopf und versuchte sich auf das Gespräch zu konzentrieren.

»Hallo? Sind Sie noch dran?«, hörte er die Frau am anderen Ende der Leitung fragen, die erst nach einer halben Ewigkeit abgenommen und sich ihm als Celine Henderson von der *New York News* vorgestellt hatte.

»Ich rufe wegen des Bildes an«, sagte Noah leise.

»Wie bitte? Entschuldigen Sie, ich habe mein Telefon aus der Redaktion auf mein Handy umleiten lassen. Ich fürchte, die Verbindung ist etwas schlecht.«

Im Hintergrund hupten Autos, geschäftiger Straßenlärm rauschte durch die Leitung, dessen Geräusche sich von denen unterschieden, die er in Berlin gewohnt war, und die ihm auf eine merkwürdige Art vertraut schienen.

»Könnten Sie das bitte noch mal wiederholen?«, fragte die junge Journalistin. Wenn er sich nicht täuschte, klang sie besorgt und leicht abwesend wie jemand, der gerade mit einem ganz anderen Problem beschäftigt ist und eigentlich gar keine Zeit zum Telefonieren hat.

»Ich, äh ...« Noah starrte auf die zerknitterte Zeitungsseite in seiner Hand, die er gelesen hatte, kurz bevor sein Gedächtnis ein Ventil geöffnet hatte und sein Kopf von einem Schwall Erinnerungen geflutet worden war.

Wer hat das gemalt?

»Es geht um den Künstler, den Sie suchen. Man soll sich bei Ihrer Redaktion melden, wenn man weiß, von wem das Bild ist.«

Sein Blick wanderte zu der langen Nummer, die am Ende des Artikels abgedruckt worden war, mit dem Vermerk *Für sachdienliche Hinweise*, als würde ein Bankräuber oder Terrorist und kein Maler gesucht.

»Sie kennen den Urheber?«

Die Sorge aus Celines Stimme war verschwunden. Jetzt klang sie nur noch erschöpft.

»Ja«, nickte Noah und schloss die Augen. »*Ich* bin das.«

Schweigen. Nichts als Rauschen in der Leitung. Oscar neben ihm riss ungläubig die Augen auf.

»Sie wollen also die Million«, meldete sich nach einer Weile Celine tief ausatmend zurück.

»Nein, ich ...«

… hab nur eben die Farben gesehen, dieses Blau, das in ein verwaschenes Rot übergeht, und so etwas wie einen Erinnerungsschub gehabt, und daher bin ich mir ziemlich sicher, dass ich mit dem Künstler, den Sie suchen, etwas zu tun habe.

»Tut mir leid, die Aktion ist vorbei.«

Die Aktion?

»Ich weiß von keiner Aktion. Ich weiß nur, dass ich dieses Bild gemalt habe …«, setzte Noah an und machte den Fehler, eine Sprechpause einzulegen, die die Redakteurin nutzte, um das Gespräch abzukürzen.

»Also gut, Mr. Einunddreißigtausendzweihundertundzwölf, dann tun Sie mir einfach den Gefallen und sagen Sie mir, was auf der Rückseite des Gemäldes steht.«

Rückseite?

Noah schluckte und fühlte sich auf einmal komplett kraftlos.

»Ich weiß nicht, wovon Sie reden.«

»Und wieso wundert mich das jetzt nicht? Aber Kopf hoch, die einunddreißigtausendzweihundertundelf Anrufer vor Ihnen wussten das auch nicht.«

»Von wo aus wurde die Paketrolle abgeschickt?«, versuchte Noah Celine mit einer letzten Frage vom Auflegen abzuhalten.

»Wie Sie eigentlich selbst wissen müssten, war die Zustellung nicht frankiert, jemand muss sie persönlich vor unsere Tür gelegt haben, Mr. …, ähm, wie sagten Sie noch, war Ihr Name?«

Noah sah zum ersten Mal seit langer Zeit wieder zu Oscar, der ihm den Artikel aus der Hand gerissen hatte und ihn nun kopfschüttelnd studierte.

»Ich weiß es nicht«, sagte Noah leise.

»Bitte?«

»Ich weiß nicht, wie ich heiße.«

Celine Henderson lachte auf, nicht hämisch oder abfällig,

sondern ehrlich amüsiert. Jetzt schien sie beinahe dankbar zu sein, dass der Anruf ihren Alltag unterbrochen hatte.

»Das wird ja immer besser. Sie wissen nicht, wie Sie heißen, aber sind sich sicher, dieses Bild gemalt zu haben?«

»Ich glaube schon, ja.«

»Gut, in einem anderen Leben hätte ich sicher mehr Geduld mit Ihnen, aber heute …«

Es piepte in der Leitung, und Celine war noch schwerer zu verstehen. Eine weibliche Computerstimme forderte Noah auf, weitere Münzen nachzuwerfen, wozu dieser nicht in der Lage war.

»Man nennt mich Noah«, rief er hastig aus einem Impuls heraus, den er sich selbst nicht erklären konnte, dann hörte er nur noch einen durchdringenden Sinuston und legte auf.

»Das ist jetzt nicht dein Ernst!«, brüllte Oscar ihn von der Seite an und wedelte mit dem Zeitungsartikel in der Hand.

Noah zuckte mit den Achseln und sah zu Toto, der sich auf dem Rucksack eingekugelt hatte und friedlich schlummerte.

»Ich weiß, das klingt seltsam. Aber diese Farben da«, er griff sich den Artikel wieder, »sind wie ein Schlüssel. Sie passen zu einem Schloss in meinem Kopf. Als ich sie gesehen habe …«

»… hat sich bei dir eine Tür geöffnet, und du hast geschrien, als wäre der Teufel hinter dir her, ja, ja, das hab ich wohl mitbekommen; mir klingeln immer noch die Trommelfelle. Sag mal, ist dir eigentlich klar, dass du gerade unsere gesamten Tageseinnahmen verballert hast?«

Oscar schlug mit der flachen Hand gegen das Münztelefon, was Toto auf seinem Lager hochschrecken ließ.

»Es tut mir …«

»Sieben Euro neunzig. Futsch. Weg. Aufgelöst, nicht mehr da. Finito, nada. Nur wegen eines blödsinnigen PR-Gags einer noch blödsinnigeren Zeitung.«

Sein Weggefährte bebte vor Zorn.

»Das ist kein PR-Gag.«

»Nein, natürlich nicht. Lass mich raten, wir müssen hier nur noch zehn Minuten warten, dann kommt jemand mit einem Koffer vorbei und bringt dir die Million. Wie hast du sie denn bestellt? In großen oder kleinen Scheinen?«

Oscar machte eine wegwerfende Handbewegung und wandte sich ab.

»Sieben Euro neunzig«, murmelte er, während er sich wieder nach der Zeitung bückte, um sich damit zuzudecken. »Für eine Zeichnung, die so aussieht, als hätte ein Kind seinen Tuschkasten umgekippt. Moderne Kunst, so ein Quatsch. So was zeichnen Bekloppte bei der Gestalttherapie. Na ja, immerhin wissen wir jetzt, wo du herkommst.«

»Wie meinst du das?«

Oscar sah zu Noah hoch, der immer noch neben dem Telefon stand. »Du hast es gar nicht gemerkt, was?«

»Was gemerkt?«

»Dein Deutsch ist ja schon nicht von schlechten Eltern, aber Englisch sprichst du wie ein Maschinengewehr.«

»Englisch?« Noah blinzelte, als wäre ihm etwas in die Augen geflogen.

»Ja. Mit amerikanischem Akzent. Ich gehe jede Wette ein, dass du aus den USA stammst.«

Noah erstarrte, nur seine Augen blieben in Bewegung. Er blickte schräg nach oben zur Decke, nach unten zum Fußboden, zu Oscar, Toto und wieder zum Telefon, als wollte er ein 3-D-Bild seiner Umgebung scannen.

Tatsächlich.

Jetzt, da Oscar es sagte, wurde ihm klar, dass er mit der Redakteurin in einer anderen Sprache gesprochen hatte als mit ihm. Und nicht nur gesprochen.

Ich habe in dieser Sprache gedacht!

»Nun steh hier nicht rum wie eine Ampel. Du hast diesen Mist nicht gemalt. Der Bericht hat nur Erinnerungen an deine Herkunft geweckt. Nicht mehr und nicht weniger. Aber darüber können wir morgen in Ruhe reden. Die Nacht ist kurz, um fünf kommen die Putzleute, und dann …«

Oscar kam nicht mehr dazu, den Satz zu vollenden. Ein durchdringendes Schellen ließ ihn genauso zusammenzucken wie Noah und Toto, dessen helles Kläffen sich mit dem Telefonklingeln mischte.

Noah drehte sich um und starrte wie hypnotisiert auf den Münzfernsprecher an der Wand. Nach dem vierten Läuten nahm er ab.

Die Frau klang nicht mehr amüsiert und alles andere als gedanklich abwesend. »Wie sagten Sie gerade, werden Sie genannt?«

»Noah.«

Er bekam das Wort kaum heraus, seine Kehle war wie zugeklebt. Celine Henderson schien es nicht anders zu gehen, als sie ihn fragte: »Wo können wir Sie abholen?«

8. Kapitel

Celine stieg die Stufen zur Subway Eingang 57th Street Ecke 7th Avenue Richtung Downtown hinab und fingerte beim Telefonieren ihre MetroCard aus der Handtasche. Ihre Augen fühlten sich schwer und träge an, als wären sie mit den Tränen gefüllt, die sie eigentlich vor der Praxis von Dr. Malcolm hatte weinen wollen, wenn der Anruf sie nicht davon abgehalten hätte.

»Berlin?«, fragte sie. »Damit meinen Sie nicht das 7.500-Seelen-Nest in New Jersey, nehme ich an.«

Es gab über zwölf Orte in den USA, deren Gründungsväter so einfallsreich gewesen waren, ihr Dorf nach der Heimat zu benennen, aus der sie ausgewandert waren. Zwei davon alleine im Staate New York. Doch die hatten ganz bestimmt nicht die Vorwahl der Rufnummer, mit der der mysteriöse Teilnehmer sie angerufen hatte.

»Ich meine Berlin, Deutschland.«

Tja, kein Problem. Liegt ja nur der Atlantik zwischen uns.

Celine schlüpfte durch die Drehtür und knöpfte sich ihren Mantel auf. Wie in jedem Winter erlebte man in New York beim U-Bahn-Fahren ein Wechselbad nach dem anderen. Kaum den frostigen Außentemperaturen entflohen, fand man sich auf dem Bahnsteig in einer staubtrockenen, überhitzten Umgebung wieder, um wenig später in einen auf siebzehn Grad klimatisierten Zug zu steigen.

»Und Sie wissen nicht, wie Sie heißen?«

Sie eilte zu den Rolltreppen. Den Geräuschen nach fuhr der N-Train gerade ein.

»Ich habe mein Gedächtnis verloren.«

Celine spürte ein elektrisierendes Kribbeln auf den Unterarmen, wie stets, wenn ihr Unterbewusstsein ihr signalisierte, dass sie möglicherweise eine Story am Haken hatte.

»Befinden Sie sich derzeit in einem Krankenhaus, oder …?«

Sie ließ die naheliegenden Alternativen (*Psychiatrie, Gefängnis)* unausgesprochen.

»Das ist eine zu lange Geschichte für ein Ferngespräch.«

Ja. Aber eine gute Geschichte.

So viel war ihr jetzt klar. Zwei Wochen lang hatte die Suchaktion nach dem anonymen Künstler alle Medien beherrscht. Bei der *New York News* waren sich die Verantwortlichen im Grunde einig gewesen, dass die Story nur ein PR-Gag war, bei dem es gar nicht darauf ankam, ob sich wirklich jemand meldete. Gerade die Tatsache, dass der wahre Urheber unentdeckt blieb, hatte die Sache am Ende so spektakulär gemacht – und für enorme kostenlose Werbung gesorgt. Doch dann gab es einen Flugzeugabsturz über dem Atlantik, Terroranschläge in Asien und schließlich die Pandemiegefahr, und neue, *wichtigere* Schlagzeilen verdrängten das Thema. Als man auf der Chefredaktionskonferenz beschloss, die Suche einzustellen, war man nicht unglücklich darüber, die Million nicht an irgendeinen Spinner auszahlen zu müssen, der mit an Sicherheit grenzender Wahrscheinlichkeit doch kein zweiter Mark Rothko war. Celine hatte sich ohnehin gefragt, was man an diesem Bild überhaupt finden konnte.

Sie erkannte gerne etwas, wenn sie ein Bild sah, was über Striche und Farbtafeln hinausging. Vincent van Gogh, Salvador Dalí, Leonardo da Vinci und selbst Picasso hatten ja auch nicht einfach nur Farbbeutel auf eine Leinwand geworfen.

Aber was verstand sie schon von moderner Kunst?

Wenn, dann verstand sie etwas von Gefühlen und Emotionen. Von Storys, die die Leser in einem Atemzug verschlangen. Und dem elektrisierenden Kribbeln nach zu urteilen, das sich mittlerweile bis zu ihren Oberarmen ausbreitete, wurde ihr gerade so eine Story mit Geschenkpapier und Silberschleife präsentiert: Der Maler, nach dem sie wochenlang gesucht hatten, entpuppte sich als Amnesiepatient in Europa.

»Können Sie mich noch hören?«, fragte Celine. Offiziell war der Empfang unter diesem Teil der Erde Manhattans gewährleistet, aber man konnte ja nie wissen.

Während Noah ihr die weiterhin einwandfreie Verbindung bestätigte, quetschte sich Celine zwischen einem Schwarzen mit klobigen Kopfhörern und einem älteren Geschäftsmann im Nadelstreifenanzug an die Haltestange. Der Anzugträger telefonierte allen Ernstes mit seinem iPad, was dem Ausdruck »Brett vor dem Kopf« eine ganz neue Bedeutung verlieh. Dazu benötigte er beide Hände, was nicht nur komplett lächerlich aussah, sondern auch dazu führte, dass der Mann beim Anfahren das Gleichgewicht verlor und gegen Celine prallte.

»Wieso haben Sie mich wieder angerufen?«, wollte ihr Gesprächspartner von ihr wissen.

»Wieso werden Sie Noah genannt?«, erwiderte Celine, den älteren Mann von sich schiebend.

Nur eine Handvoll Personen kannten den handschriftlich verfassten Namen auf der Rückseite der Zeichnung. Der Chefredakteur, der Herausgeber, sie selbst.

Und natürlich der Verfasser.

Die Verantwortlichen der *New York News* hatten alles getan, um den Kreis der Eingeweihten so klein wie möglich zu halten. Es war natürlich möglich, dass irgendjemand einem Freund oder Bekannten die Information gesteckt hatte, aber nicht wahrscheinlich. Es reichte ja nicht aus, den Namen zu kennen, man musste am Ende schließlich beweisen können, dass man in der Lage war, dieses Bild tatsächlich gemalt zu haben.

»Ich vermute mal, Sie haben weder einen Pass noch Geld, um nach New York zu reisen?«

»Richtig.«

Hm.

Celine ging im Geiste ihre Optionen durch.

Offiziell war die PR-Aktion abgeblasen, es war nur der Lahmarschigkeit der IT-Abteilung zu verdanken, dass die Aktions-Hotline überhaupt noch geschaltet war; wahrscheinlich nur deshalb, weil alles, was mit ihr und ihrem Arbeitsplatz zu tun hatte, keine Priorität mehr besaß, seitdem sie auf der Liste der zu entlassenden Mitarbeiter stand.

Noch vor zwei Wochen hätte sie einen Etat gehabt, vielleicht wäre sie sogar freigestellt worden, um persönlich nach Europa zu fliegen. Jetzt war die Geschichte lauwarmer Kaffee, und sie bezweifelte, dass ihr Chef ihn wieder aufbrühen lassen wollte. Und wenn, dann gewiss nicht von ihr.

Andererseits spüre ich, dass bei dem Mann mehr dahintersteckt als bei all den anderen Spinnern, die mich bislang angerufen haben.

Er klang aufrichtig, worauf man natürlich nichts geben durfte. Allen voran ihr Ex hatte sie das gelehrt, dem Celine jedes Wort zum Thema Treue und Zuverlässigkeit abgekauft hatte, bis es zur ersten Bewährungsprobe gekommen war.

Der Zug bremste sich in den Bahnhof 49th Street.

»Kann ich Sie unter dieser Nummer permanent erreichen, Noah?«

»Nur bis fünf Uhr morgens, dann kommen die Putzleute.«

»Was für Putzleute?«

»Die, die den U-Bahnhof säubern.«

»Sie schlafen auf einem U-Bahnhof?«

Na, das passt ja.

Celine machte einer Mutter mit einem Baby Platz, und ihr schnürte es die Kehle zusammen. Für einen Moment war sie beim Anblick des friedlich in der Bauchtrage schlummernden Säuglings versucht, einfach aufzulegen, um dort weiterzumachen, wo sie vor der Arztpraxis von Dr. Malcom aufgehört hatte – mit Heulen. Doch was würde das ändern? Sie musste den Bluttest abwarten, die Tage zählen, bis die Fruchtwasseruntersuchung durchgeführt wurde. Unzählige Stunden, die sie mit trübsinnigem Grübeln, Bangen und Hoffen verbringen konnte – oder indem sie sich ablenkte.

»Bleiben Sie bitte kurz in der Leitung.«

Sie wählte, nachdem sie sich mehrmals vergewissert hatte, dass Noah nicht auflegte, den Anschluss ihres Chefredakteurs.

Das Gespräch, das sie mit ihm führte, war wie üblich kurz, aber ausnahmsweise einmal konstruktiv. Normalerweise traf Kevin Rood nie spontane Entscheidungen, schon gar keine, die mit Kosten verbunden waren. Doch als er von der neuen Entwicklung hörte, reagierte er keineswegs ablehnend, wie sie erwartet hatte, sondern erteilte umgehend unmissverständliche Anweisungen, die sie sogleich an den Obdachlosen weiterreichte: »In welchem Stadtteil Berlins halten Sie sich gerade auf, Noah?«

Sie musste die Frage wiederholen, weil ihr Zug schon wieder zum Stehen kam und die laute Durchsage der Umsteigemöglichkeiten am Times Square jegliche Kommunikation unmöglich machte. Celine kämpfte sich gegen den Strom derer, die einsteigen wollten, auf den Bahnsteig und ging zum Ausgang 42nd Street.

»Oscar sagt, es nennt sich Moabit.«

»Wer ist Oscar?«

»Mein, äh … er ist mein Freund«, hörte sie Noah sagen. Es klang so, als wäre er sich dessen nicht hundertprozentig sicher.

»Fragen Sie ihn, wie weit es von Ihrem jetzigen Aufenthaltsort bis zum Brandenburger Tor ist.«

Es raschelte kurz, dann meldete sich Noah mit der Information zurück.

»Eine halbe Stunde Fußmarsch. Vielleicht vierzig Minuten.«

»Also schön, dann machen Sie sich bitte gleich auf den Weg.«

»Wohin denn?«

»Ins Hotel Adlon. Dort wird in diesen Sekunden ein Zimmer für Sie reserviert.«

9. Kapitel

Los Angeles, USA

»Meine unverehrten Damen und Herren, überschätzte Gäste, ich begrüße Sie zu diesem zwölften Wohltätigkeitsbrunch für notleidende Kinder in Afrika; ein Motto, das ebenso verlogen ist wie das Publikum, zu dem ich heute sprechen muss.«

Jonathan Zaphire sah über den Rand seiner schwarzen Hornbrille über das Rednerpult hinweg zu den zweiunddreißig vollbesetzten Tischen im Ballsaal des Ritz-Carlton.

Das Scheinwerferlicht blendete ihn ein wenig, weshalb der einundsiebzigjährige ehemals reichste Mann der Welt wahrscheinlich noch verkniffener wirkte als sonst, aber soweit er es mit seinen müden Augen erkennen konnte, lächelte die Mehrzahl der Anwesenden. Nur Mitglieder der angeblich feinen Gesellschaft und weltbekannte Prominente hatten Einlass gefunden: Politiker, Manager, Künstler und Adlige aus über zehn Nationen.

Rechts vorne, in der ersten Reihe, saß der deutsche Wirtschaftsminister mit seiner Frau direkt neben einem russischen Medienmogul, der erst letzte Woche den Tabellenführer der ersten Liga im spanischen Profifußball gekauft hatte. Zaphire entdeckte einen niederländischen Internetmilliardär, den man neben einen amerikanischen Rockstar gesetzt hatte. Keiner der hohen Gäste wunderte oder beschwerte sich gar über die beleidigende Anrede. Weder die Eigentümerin des größten französischen Radiosenders noch der japanische Reeder. Keine empörten Zwischenrufe, niemand verließ den Saal. Sie hatten es nicht anders erwartet.

Zaphire sagte das, was er dachte, und die Menschen liebten ihn dafür.

»Im vierzehnten Jahrhundert gab es eine wunderbare Praxis der katholischen Kirche«, fuhr er mit der Rede fort, die er wie immer frei vortrug, ohne auch nur ein einziges Mal auf seine Notizen zu schauen. »Die Praxis des Ablasshandels. Hatte man gesündigt, warf man etwas Geld in den Klingelbeutel, und – schwups – war man exkulpiert. Wenn ich meinen Blick heute in die Runde schweifen lasse und all die feisten Männerleiber sehe, die selbstgefällig die Hände ihrer ausgehungerten, lächerlich jungen Ehefrauen tätscheln, dann scheint es mir, als glaubten viele von Ihnen, diese Unsitte des Mittelalters wäre noch nicht abgeschafft.«

Statt beleidigtem Gemurmel erntete Zaphire Gelächter.

Was für ein degenerierter Haufen.

»Sie sitzen hier auf Ihren breiten Ärschen, säbeln mit einem Silbermesser durch das Kotelett und hoffen, mit jedem Bissen ein wenig mehr aus dem Radius Ihres persönlichen Fegefeuers treten zu dürfen.«

Zaphire schüttelte abfällig den Kopf. Seine faltige Haut, die sich wie bei einem Hund von den Wangen über die Kieferknochen wölbte, schlackerte bei dieser Bewegung. Er war kein schöner Mann, war es nie gewesen. Krumm, verwachsen, abstehende Ohren und schiefe Zähne. Als seine erste Frau mit Zwillingen schwanger ging, sagte er Freunden, er würde dem lieben Gott die Hälfte seiner damals noch jungen Firma schenken, wenn die Kinder nicht nach ihm kämen. Am Ende kamen sie gar nicht. Der lokalen Presse war die Nachricht von dem Tod seiner Frau und den Babys bei der Geburt nur eine halbe Spalte wert gewesen. Damals war Zaphire noch nicht so bedeutend wie heute. Und niemals hätte er seine Zuhörer bei Ansprachen derart beschimpfen dürfen.

»Ihr bigotten, verlogenen Heuchler wollt euch freikaufen.

Aber ich habe eine schlechte Nachricht für euch alle im Raum: Ihr habt die fünfzehnhundert Dollar für das Sechs-Gänge-Menü umsonst bezahlt. Eure Sünden werden euch nicht vergeben. Ihr alle bleibt das, was ihr seid: Mörder. Und ihr alle werdet eines Tages dafür büßen.«

Als Zaphire vor sieben Jahren zum ersten Mal bei einem Galadinner der Kragen geplatzt war, hatte man ihm ungefähr an dieser Stelle seiner Festrede das Mikrophon abgedreht. Heute, nachdem die Videoaufzeichnung des legendären Wutausbruchs zweihundert Millionen Mal auf YouTube angeklickt worden war, genoss der Chef von Fairgreen Pharmaceutics Kultstatus und Narrenfreiheit. Ein Mann, der von seinen Anhängern wie ein Popstar verehrt wurde – spätestens, seitdem er den Friedensnobelpreis mit den Worten ausgeschlagen hatte: »Den habe ich genauso wenig verdient wie Hitler.«

Natürlich hatte er auch Feinde. Mächtige Feinde.

Allen voran den Chefredakteuren seriöser Medien war es suspekt, dass ausgerechnet der Boss des einst größten Pharmaunternehmens der Welt sich plötzlich für Menschenrechte engagierte. Niemand hatte zu jener Zeit geglaubt, »der Geier« (ein Spitzname aus Tagen, an denen er über angeschlagene Konkurrenzfirmen so lange »gekreist« war, bis sie den Insolvenztod starben und er sie sich einverleiben konnte) würde wirklich 95 Prozent seines Vermögens einer privaten Stiftung übertragen, die den bescheidenen Namen »Worldsaver« trug. Aber er hatte es tatsächlich getan, zum Leidwesen seiner dritten und nunmehr geschiedenen Ehefrau Tiffany, die auf die Hälfte der 242 Milliarden spekuliert hatte und sich nun mit einem monatlichen Taschengeld von 47 000 Dollar einem Leben in der Gosse nahe sah.

Doch es war nicht der Verzicht auf den Großteil seines Geldes, was ihm den (abgelehnten) Nobelpreis eingebracht hatte (denn auch mit den restlichen fünf Prozent konnte er noch sehr luxuriös leben), und auch nicht das Gute, was die Worldsaver-Stiftung nachweislich mit seinen Milliarden vollbrachte. Seine Anerkennung, auch in den Medien, schnellte in atmosphärische Höhen, als er Zaphire Medicals in Fairgreen Pharmaceutics umwandelte, ein Non-Profit-Unternehmen, das all seine Patente fortan dazu nutzte, Medikamente zum Selbstkostenpreis unter den Ärmsten der Armen in aller Welt zu verteilen.

Weil ich es dem Planeten schuldig bin, meine Fehler wieder wettzumachen, bevor ich sterbe, hatte er einen guten Freund wissen lassen, mit dem er heute kein Wort mehr wechselte, weil dieser das Zitat der Presse zugespielt hatte.

»Ich würde Ihnen jetzt gerne einen jungen Mann vorstellen«, sagte Zaphire mit der ihm eigenen, näselnd arroganten Stimme, und der Saal verdunkelte sich. Ein Beamer warf ein schwammiges bläuliches Bild auf die Leinwand in seinem Rücken.

»Ich weiß nicht, wie er heißt, aber ich nenne ihn Akin, was in seiner afrikanischen Muttersprache so viel bedeutet wie Kämpfer, Krieger oder mutiger Mann. Und das ist Akin in jedem Fall, im Gegensatz zu Ihnen: ein sehr mutiger Mann.«

Das Bild wurde schärfer, dennoch gab es noch nicht viel darauf zu sehen, nur einen kleinen schwarzen Punkt auf einer bewegten blaugrauen Oberfläche.

»Die Satellitenaufnahmen fielen uns zufällig in die Hände.«

Das Publikum lachte, einige klatschten. Es war ein offenes Geheimnis, dass Zaphires Stiftung einen Teil ihres Vermögens in Aufbau und Pflege einer privaten, ungenehmigten Satellitenüberwachung steckte. Worldsaver ließ die Ländergrenzen von Krisenherden in aller Welt, etwa die vom Sudan zum ölreichen Südsudan, beobachten und meldete der Öffentlichkeit jeden Hinweis auf drohende Völker- und Menschenrechtsverletzungen, zum Beispiel durch eine Mobilmachung des Militärs.

»Akin, den ich auf etwa zwanzig Jahre schätze, treibt auf dem

Schlauchboot, das Sie jetzt hoffentlich etwas besser erkennen, nicht alleine.«

Der Kameraausschnitt war konturreicher geworden.

»Zur Orientierung: Wir befinden uns im Mittelmeer, etwa hundertfünfzig Kilometer von der maltesischen Küste entfernt. Die Sicht ist gut, kein Wellengang, kein Wind, auch die Sonne ist zu dieser Jahreszeit kein Problem für Akin und die anderen Flüchtlinge im Boot. Sehen Sie die Striche da?« Zaphire deutete mit einem Laserbeamer auf die Leinwand.

»Das sind acht Beine. Sie liegen wie Mikadostäbchen über- und durcheinander und haben sich in den letzten vierundzwanzig Stunden nicht einen Millimeter bewegt. Mit anderen Worten: Die vier weiteren Insassen des Schlauchboots – ein Kind, eine Frau, vermutlich seine Mutter oder Schwester, und zwei junge Männer, womöglich seine Brüder – sind tot. Und Akin, der es wohl noch nicht übers Herz gebracht hat, seine Schicksalsgenossen ins Meer zu werfen, wird es auch bald sein, denn Wasserkanister, Paddel und Essensvorräte hat ein gewaltiger Sturm vor sieben Tagen über Bord gerissen.«

Zaphire stützte sich mit beiden Armen auf dem Pult ab und beugte sich drohend nach vorne.

»Auch Akin wird sterben. Falsch. Er wird ermordet. In nur wenigen Stunden. Von Ihnen hier im Saal.«

Stille. Auf den wenigen Mienen, die er von hier oben sehen konnte, flackerte ein unsicheres Lächeln, aber niemand wagte, etwas zu sagen. Zaphire hörte nicht einmal mehr das Klappern von Besteck oder das Klirren der Gläser.

»Vermutlich ist Ihnen das Leben dieses afrikanischen Jungen egal. Wahrscheinlich erschrecken Sie jetzt viel mehr, wenn ich Ihnen verrate, dass das Fleisch auf Ihrem Porzellanteller kein Ibaiona-Schwein ist, sondern aus herkömmlicher Massentierhaltung stammt.«

Auch wenn es kein Witz war, nutzten einige der Anwesenden den Moment für ein befreiendes Auflachen.

»Ich bitte Sie, einmal den Teller zu heben.«

Geschäftige Unruhe machte sich breit. Lautes Gemurmel brandete auf, als die Gäste ein Stück Papier fanden, das auf Wunsch Zaphires unter jedes Gedeck gelegt worden war.

Lakonisch sagte er: »Was Sie jetzt in den Händen halten, ist ein Beipackzettel, wie er in Millionen von Medikamentenpackungen steckt. Und wie er jedem im Supermarkt gekauften Schnitzel beiliegen müsste: Tylosinphosphat, Olaquindox, Aminosidin, Clorsulon, Clavulansäure, Levamisol, Azaperon – die Liste ist endlos. Sogar Aspirin wurde von unserem Labor nachgewiesen. Und das ist ja auch ganz logisch.«

Er räusperte sich und nippte kurz an dem bereitstehenden Wasserglas.

»Wenn ich Sie hier alle anketten und in einem lichtlosen Raum auf wenigen Quadratmetern zusammenpferchen würde, wenn ich Ihnen wie den Schweinen im Stall unserer Fleischfabriken die Eckzähne herausbräche, damit Sie Ihren Platznachbarn nicht totbeißen können, und wenn ich Sie dann mit genmanipuliertem Billigfraß und Wachstumshormonen in Blitzgeschwindigkeit bis zur Schlachtreife hochmästen würde, die nebenbei bemerkt viele der Anwesenden hier im Saal schon längst überschritten haben, dann ist es klar, dass mein Massenmenschschlachtungs-Geschäftsmodell ohne Einsatz von Schmerzmitteln, Antibiotika, Psychopharmaka und Antiparasitika nicht auskommen könnte, ganz zu schweigen von den Tonnen an Sedativa, damit Sie auf dem Transport zum Schlachthof nicht randalieren, bevor ich Sie dort lebendig in ein Brühbad kippen kann.«

Zaphire machte eine abwinkende Handbewegung, als wollte er erwartete Einwände gleich vorwegnehmen.

»Keine Sorge. Ihnen will niemand hier an die verfettete Haut. Ich wollte nur verdeutlichen, dass wir ohne Berge an Pillen, Spritzen und Tabletten niemals in der Lage wären, den mörderischen Hunger unserer industriellen Schlachthöfe zu stillen. In einem herkömmlichen Betrieb in den USA werden tausend Schweine getötet, und zwar stündlich!«

Er sah einige im Publikum den Kopf schütteln. In den vorderen Reihen aß niemand mehr.

»Sie bezweifeln diese gewaltige Zahl? Sie haben recht. In den meisten Betrieben sind es nicht tausend, sondern fünfzehnhundert Tiere, wir produzieren ja schließlich auch für den Export, womit wir wieder bei Akin wären.«

Zaphire trat vom Rednerpult weg in die Mitte der Bühne. »Meine Damen und Herren, machen Sie bitte einmal das, was Sie am besten können. Vergessen Sie einfach, was Sie wissen.«

Er lächelte diabolisch.

»Es geht hier nicht um die Umweltschäden, die ein einziger Hamburger anrichtet, weil für seine Herstellung so viel Wasser verschmutzt wird, wie Sie für siebzehn Duschbäder brauchen. Vergessen Sie, dass ein Drittel aller fossilen Brennstoffe der USA für die industrielle Fleischerzeugung draufgehen. Und ignorieren Sie die Tatsache, dass Sie nur einen Blick auf die tumben Breitarschgesichter vor der Kasse eines Fastfood-Restaurants werfen müssen, um zu begreifen, dass wir viel zu viel Fleisch essen, während alle sechs Sekunden in der Welt ein Kind an Hunger stirbt.«

Zaphire drehte sich zur Leinwand. »Oder verdurstet, wie Akin in wenigen Stunden, wenn sein Schlauchboot nicht vorher kentert.«

Auf der Videoaufnahme sah man, wie sich der junge Afrikaner mit beiden Händen den Kopf hielt. Vermutlich wegen der rasenden Schmerzen, die eine Dehydrierung auslöst.

»Aber was hat das Stück Sondermüll auf Ihrem Teller nun mit Akins Schicksal zu tun, werden Sie sich vielleicht fragen, wenn Sie mir überhaupt noch zuhören und nicht gerade heimlich unter dem Tisch mit dem Handy die Börsenkurse checken.«

Viele nickten. Ein Mann lachte laut auf, offenbar ertappt. Zaphire sah böse in seine Richtung.

»Wir produzieren nicht nur den ungenießbaren, pharmazeutisch verseuchten Fleischabfall auf Ihrem Teller, den wir hochtrabend Lebensmittel nennen. Wir erzeugen sogar viel zu viel von dem Müll. Die Tiere, die wir allein in den USA abschlachten, produzieren neununddreißig Tonnen Scheiße in der Sekunde! Hundertdreißigmal mehr Kacke, als sich die gesamte Weltbevölkerung aus dem Arsch drückt. Unsere Viehzüchter kurbeln diese im wahrsten Sinne des Wortes beschissene Überproduktion an, weil sie Geld dafür bekommen. Viel Geld. Dreihundertfünfzig Milliarden. Das ist die Zahl, um die es geht. Dreihundertfünfzigtausend Millionen US-Dollar haben die Landwirte und Bauern der OECD-Staaten an Export- und Agrarsubventionen im letzten Jahr erhalten. Das sind Ihre Steuergelder! *Sie* finanzieren den Export von Billigfleisch, vor allem in die Regionen, in denen man nicht wählerisch sein darf, wenn man nicht verhungern will. Nach Accra zum Beispiel, einem Markt in Ghana, und hier schließt sich der Kreis. Noch vor einem Jahr bot Akins Vater in Accra seine Waren feil, um die Familie zu ernähren.«

Das war natürlich eine reine Mutmaßung, aber sie machte die Geschichte plastischer, und das war notwendig, wenn Zaphire die Aufmerksamkeit der Zuhörer nicht verlieren wollte.

»Bei Akins Vater kostete ein Hühnchen zwei Dollar. Aber dank den Exportsubventionen können die Bauern der EU ihren Fleischmüll zu Dumpingpreisen nach Afrika schippern. Und deshalb kostet das ausländische Huhn dort nur fünfzig Cent.

Dreimal dürfen Sie raten, bei wem die Bevölkerung kauft: bei Akins Vater oder bei dem ausländischen Importeur?«

Zaphire trat zurück ans Pult.

»Ihr Hunger auf Fleisch, meine Damen und Herren, und Ihre verdammte Ignoranz frisst Menschen. Menschen wie Akin. Während Millionen Kinder verhungern, verbrennen wir Getreide, um daraus Biosprit zu machen. Getreide, das dadurch auf dem Weltmarkt immer teurer wird, unbezahlbar für eine afrikanische Familie, auch weil die Bank, der Sie hier im Saal Ihr erschlichenes oder ererbtes Geld anvertrauen, mit diesem Geld auf steigende Lebensmittelpreise an den Börsen wettet. Gleichzeitig ruinieren wir mit Schleuderpreisen die einheimische Viehzucht in den Entwicklungsländern. Willkommen in der freien Marktwirtschaft.«

Zaphire wischte sich den Schweiß von der Stirn. Unzählige Male hatte er diese und andere Reden bereits gehalten. Seine Wut entflammte immer wieder neu.

»Akin hat sich ein Schlauchboot gesucht, um auf den Kontinent zu fliehen, der sein Elend verschuldet hat. Er wird nicht weit kommen, denn immerhin wurden weitere hundert Millionen an Steuergeldern jährlich in Frontex investiert, eine Armee, die keine Sau kennt, weil man nicht so gerne darüber spricht, dass unsere europäischen Bündnispartner gegen die Nussschalen voller verzweifelter Elendsflüchtlinge mit hochgerüsteten Abfangschiffen, Kampfhubschraubern und Überwachungsflugzeugen vorgehen.«

Zaphire nahm die Brille ab und tupfte sich mit einem Taschentuch etwas Schweiß von der Stirn.

»Ein mit Nachtsichtkamera ausgestatteter Frontex-Hubschrauber beobachtet Akins Schlauchboot in diesem Moment, während ich zu Ihnen spreche. Die Soldaten haben in den letzten Tagen vier Menschen beim Sterben zugesehen und den Befehl gegeben, keine Hilfe zu holen.«

Wütend setzte sich Zaphire seine Brille wieder auf.

»Dank Frontex sind alleine im letzten Jahr siebzigtausend Flüchtlinge im Mittelmeer und Atlantik ersoffen. Und während die Leichen in den Wellen versinken oder die Frechheit besitzen, die Urlauber beim Bräunen zu stören, weil sie zu Dutzenden am Strand von Gran Canaria angespült werden, betanken wir unsere SUVs, fahren durch einen Drive-in und beißen in einen Hamburger, der uns fetter, kränker und dümmer macht. Und weil wir für ihn nicht mehr als einen Dollar ausgeben wollen, obwohl er, sämtliche Umweltschäden eingerechnet, hundertachtzig Euro kosten müsste, werden Jahr für Jahr neue Massenställe und Schlachthofanlagen genehmigt, die nicht nur für die Tiere, sondern für alle Menschen tödlich sind.«

Applaus brandete auf, den Zaphire ungeduldig überbrüllte.

»Ghana wollte sich übrigens wehren. Wollte die Importzölle auf eingeführtes EU-Fleisch anheben, damit die einheimischen Viehzüchter eine Chance haben zu überleben. Darauf drohte die Welthandelsorganisation, die WTO, die von vielen Idioten hier im Saal unterstützt wird, mit Sanktionen. Die Folge: Menschen wie Akin sind so verzweifelt, dass sie den Tod in Kauf nehmen, weil sie so oder so sterben: entweder zu Hause oder auf der Flucht. Dank feisten Drecksäcken wie Ihnen, meine Damen und Herren, die glauben, nur weil Sie einmal die Woche im Biomarkt einkaufen und hin und wieder die Spendenbörse aufschnüren, wäre alles im Lot.«

Zaphire schlug mit der flachen Hand auf das Rednerpult.

»Aber das ist es nicht. Nichts ist im Lot. Wenn Sie hier und heute Abend aufstehen und sagen: ›Ich mache es so wie du, Jonathan. Ich spende 95 Prozent meines gesamten Einkommens‹, dann könnte ich Ihnen womöglich bei einem Gespräch in die Augen sehen, ohne Ihnen gleich ins Gesicht zu spucken.«

Er trank einen letzten Schluck Wasser und atmete tief durch. Jetzt war es Zeit, die Bombe platzen zu lassen.

»Aber da ich nicht annehme, dass Sie Ihr Leben grundlegend verändern wollen, werde ich Ihnen nicht das Impfmittel gegen die Manila-Grippe zur Verfügung stellen.«

Das Publikum benahm sich wie ein kleines Kind, das unerwartet stolpert. Es wurde ruhig, sah sich um und begann erst nach einer Schrecksekunde zu plärren.

Der Satellitenstream auf der Leinwand war unterdessen Bildern aus der Intensivstation eines Krankenhauses gewichen. Sie waren noch verstörender als die von dem Boot auf dem Mittelmeer, weil sie dem Beobachter nicht erlaubten, eine Distanz zu dem Grauen aufzubauen. Ein Mann undefinierbaren Alters hustete Blut, während sein Körper von Krämpfen geschüttelt wurde. Ärzte betrachteten ihn hilflos durch eine Glasscheibe.

»Erst Nasenbluten, dann Halsschmerzen. Was wie eine ungewöhnliche Erkältung beginnt, geht schnell in eine Lungenentzündung über, begleitet von Ganzkörperspasmen, die irgendwann das Gehirn erreichen. Bis zum heutigen Tag sind nach offiziellen Angaben zwölftausendachthundert Menschen infiziert, zweitausend von ihnen sind bereits an den Folgen der Manila-Grippe gestorben. Wenn Sie die Nachrichten verfolgt haben, wissen Sie, dass es Monate gedauert hat, ein wirksames Medikament zu entwickeln, auch weil wir alle so viel antibiotikaverseuchtes Fleisch gefressen und damit resistente Keime gezüchtet haben – aber hey, das waren uns die Chicken Wings doch wert, oder?«

Zaphire lächelte angesichts der Dummheit der Menschen im Saal. Niemandem fiel auf, dass Antibiotika bei einer viralen Infektion eigentlich gar nicht wirksam waren. Natürlich wäre es korrekter gewesen, die Anwesenden über die besondere bakterienähnliche Komponente des Manila-Erregers aufzuklären, aber wozu sich für diese Ignoranten die Mühe machen?

Während die Leinwand schwarz und das Licht im Saal wieder heller wurde, bat er um Ruhe für seine letzte, schwer verdauliche Botschaft des Tages: »Nun will ich Sie nicht nur mit schlechten Nachrichten in Ihr bedeutungsloses Leben entlassen. Die Produktion von ZetFlu läuft auf Hochtouren. Wie Sie vielleicht der Tagespresse entnommen haben, wirkt dieses Mittel nicht allein virostatisch. Das heißt, es hemmt nicht nur die Neubildung und Vermehrung der Manila-Grippe-Viren, sondern es eliminiert und inaktiviert zudem bereits die im Körper vorhandenen Erreger.«

Auf der Leinwand gab es einen Zeitsprung. Der Mann, der sich eben noch in Krämpfen gewunden hatte, saß jetzt auf der Bettkante. Er war noch von der Krankheit gezeichnet, aber es ging ihm immerhin so viel besser, dass er in die Kamera lächeln konnte.

»Wie gewohnt liefern wir den Wirkstoff zum Selbstkostenpreis an über tausend Worldsaver-Stützpunkte in Entwicklungsländern aus. Allerdings erreichen mich aktuell verstörende Nachrichten aus den Favelas von Recife und São Paulo sowie aus den Slums in Bangladesch, Manila, Kairo und anderen Megastädten. Wie es scheint, sperren die Militärs dort unter dem Vorwand der Quarantäne großflächig die Elendsquartiere ab, um die Slumbewohner von der Medikamentenausgabe auszuschließen. Die Reichen haben Angst, das Millionenheer der Armen könnte in die Städte marschieren und ihnen die wirksamen Tabletten wegnehmen.«

Unruhiges Gemurmel füllte den Saal. Beste Voraussetzungen, um die Bombe höchst wirkungsvoll platzen zu lassen.

»Aus diesem Grund überlege ich, die Produktionsströme umzulenken. Seit Wochen liefert Fairgreen die Medikamentenchargen in gleichberechtigt verteilten Mengen an Apotheken, Kliniken und niedergelassene Ärzte. Wegen der besseren Infrastruktur ist die ZetFlu-Versorgung in Europa und den USA natürlich sehr viel zuverlässiger. Ab übermorgen früh, acht Uhr, rechnen meine Controller mit einer Verteilkapazität von über 50 Prozent in der westlichen Welt. Und das, denke ich, sollten wir angesichts der skandalösen Vorfälle in Indien, Südostasien, Südamerika und Afrika sofort ändern.«

»Und wie?«, rief ein Mann mit heller Stimme in den Saal hinein.

»Das will ich Ihnen sagen. Indem ich die Laster und Flugzeuge umlenke und die ZetFlu-Auslieferung ab sofort ausschließlich für Entwicklungs- und Schwellenländer genehmige.«

Das Raunen wurde lauter. Missgestimmter. Die ersten Gäste standen auf und riefen etwas in den Saal hinein, das ohne Mikrophonverstärkung jedoch nicht bei Zaphire ankam.

»Wenn es mir möglich ist, werde ich auch bereits erfolgte Lieferungen rückgängig machen. Es wäre mir eine Freude, wenn es Ihnen genauso erginge wie den Slumbewohnern in Lupang Pangako. Dass Sie sich sterbeelend fühlen, Ihnen das Blut aus der Nase schießt, sie aber nicht an das helfende Medikament kommen. Dann würden Sie endlich lernen, dass man sich mit Geld eben doch nicht alles kaufen kann. Jedenfalls nicht meinen Wirkstoff. Aber ganz sicher mehr von dem Kotelett auf Ihrem Teller, langen Sie da ruhig zu. Vielleicht wirkt ja zufällig eine der Pillen, die das arme Schwein vor seinem Tod herunterwürgen musste. Ich wünsche Ihnen einen guten Appetit.«

Mit diesen Worten wollte Zaphire nach seinen Papieren greifen und vom Pult treten, doch ein lauter Knall hielt ihn davon ab. Es gab einen Schrei, der schnell von noch lauterem Kreischen übertönt wurde. Stühle kippten, Porzellan wurde mitsamt den Tischdecken zu Boden gezogen. Jemand rief um Hilfe.

Zaphire kniff die Augen zusammen und versuchte den Grund des plötzlichen Tumults zu begreifen, als er plötzlich von zwei kräftigen Händen gepackt und zu Boden gerissen wurde.

Cezet?

»Was ist los?«, wollte er seinen Bodyguard fragen, der ihn aus der Schusslinie zog.

Aber aus Zaphires Mund wollten keine Worte mehr kommen. Nur zähes, dickflüssiges Blut.

10. Kapitel

Celine legte ihre Handtasche zusammen mit ihrer Uhr und dem Handy in eine Plastikschale, stellte sie auf das Fließband des Röntgengeräts und passierte die Metalldetektoren. Die Sicherheitskontrollen im *New-York-News*-Gebäude waren schon immer sehr streng gewesen. Seit dem 11. September aber übertraf das Procedere selbst das der Passagierabfertigung vor Langstreckenflügen. Zuerst musste man seinen kreditkartenförmigen Mitarbeiterausweis mit dem Chip nach oben in einen Automaten schieben, dann öffnete sich die Schleuse zu einer Plexiglaskammer, in der man mit Luft besprüht wurde, die wieder abgesaugt und auf Sprengstoff und Spuren von Radioaktivität analysiert wurde. Darauf folgte die Taschen- und Personenkontrolle.

Wie immer dachte Celine, sie hätte sich sämtlichen Metalls an ihrem Körper entledigt, und wie immer entschuldigte sich Martha vom Wachschutz dafür, dass sie Celine mit einem Handscanner zu Leibe rücken musste, weil doch noch irgendetwas gepiept hatte.

»Haben Sie von dem Chaos gehört, Mrs. Henderson?«, fragte sie, während Celine die Arme hob. Martha war eine stark übergewichtige Schwarze, die sehr gerne und aus voller Kehle lachte. Heute war ihre Miene ungewohnt düster.

»Chaos?«

»JFK wurde gesperrt. Der ganze Flughafen steht unter Quarantäne.«

»Wieso *das* denn?«

Als das Gerät in Marthas Händen über Celines Gürtelschnalle wanderte, machte es Geräusche wie R2-D2 aus Star Wars.

»Bei einem Afrikaner haben die Flukes angeschlagen.«

Flukes? Sind die immer noch in Gebrauch?

Celine hatte vor Jahren einen Artikel über die berührungslosen Wärmebildkameras geschrieben, die verdeckt zum Einsatz kamen und mittels Infrarotstrahlung die Körpertemperatur der Passagiere maßen. Ihr Einsatz war wegen häufiger Fehlalarme unter Experten umstritten.

»Der Mann kam aus Kenia und hatte vierzig Grad Fieber. Sie haben ihn isoliert und noch vor Ort auf der Krankenstation im Schnelltest den Erreger der Manila-Grippe nachgewiesen.«

Martha bat sie, sich umzudrehen.

»Ich wusste gar nicht, dass es so einen Test schon gibt.«

Schon gar nicht, dass er auf Krankenstationen von Flughäfen zum Einsatz kommt.

»Anscheinend schon. Die Nachrichten sind voll davon.«

Martha zeigte mit ihrem Handscanner zu der Videowall im Eingangsbereich, die jeden Gast beim Betreten des Verlagsgebäudes mit den neuesten Schlagzeilen versorgte. *New York News* war nicht nur eine Zeitung, sondern ein ganzer Medienkonzern, der seine Inhalte auf allen zur Verfügung stehenden Wegen verbreitete. Zu NNN gehörten überregionale Zeitschriften, Videoportale, digitale Radiosender und lokale TV-Stationen. Eine von ihnen, Channel 17, zeigte gerade Hubschrauberaufnahmen von einem kilometerlangen Stau vor der abgeriegelten Flughafenzufahrt des John F. Kennedy Airports.

Während Celine abwechselnd den rechten und linken Fuß auf einen kleinen Schemel stellen musste, klärte Martha sie über die Hintergründe der Quarantäne auf: »Der Mann war auf Durchreise und hatte die Nacht im Transitbereich gepennt. Kam dort mit 'nem Haufen Menschen zusammen. Die CDC will sicherstellen, dass niemand mit dem Erreger ein- oder ausreist, daher werden alle getestet, die sich in den Gebäuden aufhalten.«

»Mein Gott, das kann ja ewig dauern.«

»Total übertrieben, wenn Sie mich fragen. So wie bei der Schweinegrippe, erinnern Sie sich noch? Voll die Panik. Alle sollten sich impfen lassen, aber niemand ging zum Doc, und was ist passiert? Gab nicht mehr Tote als sonst im Winter. Also ich glaub ja bis heute nicht daran, dass es die Krankheit überhaupt gegeben hat.«

Celine verabschiedete sich und eilte zu den Fahrstühlen.

»Es sind übrigens schon wieder welche angekommen«, rief Martha ihr hinterher.

»Wie bitte?« Celine drehte sich um.

»Blumen«, lächelte Martha und zwinkerte ihr zu. »Sie haben wirklich einen hartnäckigen Verehrer.«

11. Kapitel

Berlin

»Meine Herren?«

Die Anrede war höflich, der Ton voller Abscheu.

Noah und Oscar hatten eine günstige Gelegenheit genutzt und waren, als der Portier gerade einer anreisenden Familie die Taxitüren öffnete, durch die Drehtür geschlüpft. Dann aber hatten sie die Orientierung verloren und sich eine Weile hilflos im Eingangsbereich des Grandhotels umgesehen.

Die Lobby des Adlon war mit Gästen einer Abendgesellschaft gefüllt, die sich nach dem eigentlichen Grund ihrer Anwesenheit (Noah tippte auf einen Ball) noch zu Smalltalk und Schulterklopfen zusammengefunden hatte. Mehrere Dutzend befrackte Herren und ihre in lange Kleider gewickelten Ehefrauen drängten sich um die Sitzgelegenheiten; lachten, gestikulierten oder prosteten sich mit einem der Gläser zu, die livrierte Kellner und Hostessen ihnen reichten. Der Nachschub an Getränken und Fingerfood schien von rechts zu kommen, wo sich die Bar befand. Noah vermutete die Rezeption direkt gegenüber, linker Hand von dem Springbrunnen mit dem Obelisken in der Mitte.

»Und diese Henderson hat wirklich *Adlon* gesagt?«, hatte sich Oscar auf dem Weg mehrmals vergewissert. Die Abkürzung durch den Tiergarten war ebenso dunkel wie kalt gewesen. Unterwegs hatte Noah einen feuchten Fleck am Rucksack bemerkt. Toto hatte sein Geschäft verrichtet, und sie hatten den Rucksack notdürftig mit Schnee auswaschen müssen, bevor sie den Marsch fortsetzten.

»Das ist eine Falle«, unkte Oscar. »Ich weiß nicht, welches

Spiel die mit uns spielen, aber ich hab kein gutes Gefühl bei der Sache.«

Eine Einschätzung, die Noah mittlerweile teilte.

Er blickte hoch zu der von weißen Marmorgeländern eingefassten Beletage und hatte den Eindruck, im Atrium eines Luxusliners zu stehen. Merkwürdigerweise fühlte er sich hier noch mehr fehl am Platz als in Oscars Versteck unter den U-Bahn-Gleisen, und das lag nicht allein an seinem äußeren Erscheinungsbild.

»Wie kann ich Ihnen helfen?«, fragte der Portier, der sie eingeholt hatte. Dass der dürre Kerl in der mausgrauen Uniform mit dem albernen Zylinder auf dem Kopf ihnen tatsächlich *helfen* wollte, war weniger wahrscheinlich. Seinem gequälten Gesichtsausdruck nach hätte er sich mehr über einen Hundehaufen auf dem chinesischen Teppich unter ihren Füßen gefreut als über die beiden Penner in seiner Lobby.

»Wir haben reserviert«, übernahm Oscar das Reden und griff sich eine Handvoll Käsehäppchen von dem Tablett eines jungen Kellners, der den Fehler gemacht hatte, einer Frau mit Nerzschal auszuweichen, und dadurch mit seinen Canapés in die Reichweite des Obdachlosen geraten war.

»Reserviert?« Der Portier zog skeptisch die Augenbrauen hoch.

»Auf den Namen Henderson.« Oscar hatte Mühe, mit vollem Mund zu reden. »Von der *New York News*.«

»Das wird sich sicher klären lassen, solange die Herren draußen warten«, sagte der Portier und deutete mit dem Kinn zum Ausgang. »Wenn ich Sie bitten dürfte …« Er streckte den Arm aus, zögerte aber, die störenden Eindringlinge zu berühren, als sorgte er sich um seine weißen Handschuhe.

Noah, der noch kein Wort gesagt hatte, knirschte mit den Zähnen und ertappte sich bei dem Gedanken, dass er am liebsten die Hand des Lackaffen gegriffen und sie einmal um hundertachtzig Grad verdreht hätte, so lange, bis der Portier vor ihm auf die Knie gesunken war; doch nicht die Vernunft, sondern eine Stimme in seinem Rücken hielt ihn davon ab.

»Dr. Morten?«

Ein kleiner, autoritär wirkender Mann bahnte sich seinen Weg durch eine Gruppe kichernder junger Frauen. Er trug einen perfekt sitzenden, vermutlich maßgeschneiderten Anzug mit rotem Ansteckttuch. Erst als er nur noch zwei Schritte entfernt war, konnte man ein Namensschild erkennen. *H. Vandenberg* zählte offenbar zu den höheren Angestellten der Luxusherberge; jemand, der Uniform und Zylinder längst hinter sich gelassen hatte.

»Dr. Morten, sind *Sie* das etwa?«

Bevor Noah etwas sagen konnte, hatte Vandenberg bereits seine Hand ergriffen und schüttelte sie wie die eines totgeglaubten Freundes. Vandenberg sah aus, als wäre er mehrfach geliftet, seine Haut lag wie ein Latexhandschuh über den Schädelknochen, blaue Äderchen schimmerten durch die Oberfläche. Obwohl er beim Grinsen mehr Zähne zeigte als Julia Roberts, konnte man kaum eine Falte erkennen.

»Es tut mir aufrichtig leid, ich hätte Sie um ein Haar nicht erkannt. Aber Sie haben sich ja auch vorzüglich getarnt, mein Lieber.«

Während es Noah vor Verblüffung die Sprache verschlagen hatte, verfinsterte sich die Miene Vandenbergs, der sich zu dem Portier wandte. »Wieso befinden sich die Herrschaften nicht schon längst im Club?«

»Ich, also, es tut mir leid, ich wusste nicht …«

»Dr. Morten ist unser geschätzter Stammgast, er checkt wie immer im privaten Rezeptionsbereich ein«, lächelte Vandenberg, ohne dass seine stahlblauen Augen auch nur ein einziges Mal blinzelten. »Sie reisen diesmal nur mit leichtem Gepäck?«

Er schnipste mit den Fingern und deutete auf Noahs Rucksack, doch der hob abwehrend die Hand. Eher würde er dem Portier die Hand brechen, als ihm Toto auszuhändigen.

»Wenn Sie dann bitte mit mir kommen würden …«

Vandenberg schlug geschickt eine Schneise durch die Abendgesellschaft und führte Noah und Oscar zu den Fahrstühlen auf der gegenüberliegenden Seite der Lobby. Der Portier warf Noah zum Abschied einen feindseligen Blick zu und verschwand mit schnellen Schritten in die entgegengesetzte Richtung.

»Ich kann mich gar nicht erinnern, Ihren werten Namen auf der Liste der anreisenden Gäste entdeckt zu haben«, flötete Vandenberg, ganz offenbar unbeeindruckt von der Tatsache, dass die beiden Männer, die er im Schlepptau hatte, einen strengen Geruch verströmten und schwarzgeränderte Fußabdrücke auf dem cremefarbenen Teppich hinterließen.

»Wir haben auf den Namen Henderson reserviert«, erklärte Oscar, dem die Situation mittlerweile Spaß zu machen schien. Noah hingegen war immer noch damit beschäftigt, die neuen Informationen zu verarbeiten.

Mein richtiger Name ist Morten? Ich bin ein Arzt oder zumindest Doktor? Ich war schon einmal in diesem Hotel?

An nichts dergleichen konnte er sich erinnern, auch wenn er zugeben musste, dass ihm die Lobby vertraut vorkam. Aber sahen Lobbys, auch solche von Grandhotels, nicht alle irgendwie gleich aus?

»Henderson?« Vandenberg legte den Kopf schief und drückte auf den Aufzugsknopf. »Richtig, der Anruf kam vor einer halben Stunde. Wieso hat die Dame von der *New York News* nicht gesagt, dass es sich dabei um Sie handelt, Dr. Morten?«

»Weil sie es nicht konnte. Um ehrlich zu sein …«, setzte Noah an, doch Oscar fiel ihm ins Wort.

»… dürfen wir über die Angelegenheit nicht offen reden.«

»Wieder ein geheimes Forschungsprojekt?«, mutmaßte Vandenberg. Sein Zwanzig-Zentimeter-Lächeln bröckelte, als er Oscars feindseligen Blick bemerkte.

»Es wäre uns lieb, wenn wir endlich unser Zimmer beziehen könnten. Wir haben einen langen Tag hinter uns.«

Die goldenen, auf Hochglanz polierten Fahrstuhltüren öffneten sich, und das Dreiergespann betrat die Kabine.

»Sicher, selbstverständlich«, beeilte sich Vandenberg zu versichern und drückte für die fünfte Etage. »Ich fürchte nur, wir können Ihnen nicht Ihre gewohnte Suite geben.«

»Meine Suite?«, fragte Noah verblüfft. Er fühlte, wie Oscar ihm in die Seite boxte.

»Wie Sie sehen, haben wir heute eine große Gesellschaft, Dr. Morten, den Juristenball. Die Zimmer sind fast restlos ausgebucht, auch Ihre Gemächer sind leider nicht mehr verfügbar.«

»Meine Gemächer?«

Ein weiterer Ausruf. Ein weiterer Seitenhieb.

»Ich weiß, das ist zu ärgerlich. Aber lassen Sie mich bitte mal sehen, was ich arrangieren kann, für Sie und Herrn, äh ...«

»Schwartz. Professor Schwartz«, ergänzte Oscar. »Mit tz.«

Fast geräuschlos hatten sie die Clubetage erreicht, und Vandenberg führte sie zu einer Sitzecke neben einer privaten Rezeption, die offenbar den betuchteren Gästen vorbehalten war, die nicht unten in dem Gedränge mit dem Pöbel einchecken sollten.

»Was geht hier vor?«, raunte Noah, kaum dass Vandenberg sie alleine gelassen hatte, um mit seinem Handy am Ohr in einem Verschlag hinter der Rezeption zu verschwinden.

»Ich sag doch, hier ist was faul. Aber wir dürfen uns jetzt nicht anmerken lassen, dass wir Bescheid wissen.« Oscar sah nach oben zu einer Überwachungskamera, die den Fahrstuhl im Blick hatte. Auf einmal klang er nicht mehr besonders amüsiert, sondern eher nervös.

»Bescheid?«, zischte Noah zurück und öffnete den Rucksack, um sich zu vergewissern, dass es Toto gut ging. Der Welpe schlummerte selig. »Worüber zum Teufel wissen wir denn Bescheid?«

»Dass sie uns zum Teil ihres Programms machen wollen.«

»Sie? Wer sind *sie?* Und von was für einem Programm sprichst du?«

Oscar legte sich den Zeigefinger auf die Lippen, griff nach einem Telefon auf dem Beistelltischchen neben ihren Sesseln und hob den Hörer ab. Als er ein Freizeichen hörte, legte er wieder auf. »Okay, Großer. Es ist jetzt ganz wichtig, dass du Ruhe bewahrst. In einer Minute wird dieser Wicht mit dem eingebügelten Lächeln wieder zurückkommen und uns grinsend eröffnen, dass er eine gute Nachricht hat und deine Suite doch zur Verfügung steht.«

»Ich verstehe kein Wort.«

»Ich weiß. Stell jetzt keine Fragen. Ich werde dir alles erklären, sobald wir auf den Zimmern sind.«

»Aber woher weißt du, dass …«

Noah zuckte zusammen, als Vandenberg hinter ihm in die Hände klatschte. Sein Grinsen wurde mit jedem Schritt, den er sich näherte, breiter und schien fast sein Gesicht zu zerreißen, als er sagte: »Ich habe eine gute Nachricht für Sie, meine Herren.«

12. Kapitel

In der Redaktion im vierundvierzigsten Stock herrschte eine Stimmung, als hätte jemand kurz zuvor den Feueralarm ausgelöst. Kein Schreibtisch war mehr besetzt, sämtliche Mitarbeiter im Aufbruch. Sie eilten mit iPad, Klemmbrett oder Notizblock bewaffnet an Celine vorbei in den großen Konferenzsaal, ein von Plexiglasscheiben ummantelter, rechteckiger Raum in der Mitte des Großraumbüros, in dem es schon jetzt keine Sitzplätze mehr gab.

Celine konnte sich den Anlass dieser außerplanmäßigen Sitzung denken. Drei- bis viermal im Jahr gab es solche Strike-Days, wie Kevin Rood sie nannte. Tage, an denen der Blitz einschlug und alles durcheinanderwirbelte, so wie heute die Flughafensperrung. Celine überlegte kurz, ob sie Tasche und Mantel an ihrem Arbeitsplatz ablegen sollte, entschied sich dann, keine weitere Zeit zu verlieren, als sie Kevin aus seinem Büro treten sah. Der Chefredakteur balancierte zwei Wegwerfbecher mit Kaffee in beiden Händen, die Koffein-Standarddosis, ohne die er nie sein Glasbüro verließ.

»Ah, gut, dass du da bist, Celine«, rief er. Bei ihr angekommen, stellte er einen der beiden Kaffeebecher auf dem nächstbesten Schreibtisch ab und reichte ihr die linke Hand. Celine bemühte sich, Kevin ein Lächeln zu schenken. Zwei Jahre arbeitete sie nun schon unter ihm, und obwohl der Chefredakteur sie immer zuvorkommend behandelt hatte, war sie nie warm mit ihm geworden. Sie wusste nicht, ob es an seinem Lächeln lag, das so aussah, als hätte er es sich von jemandem geborgt; an seinem teuren Sportwagen auf dem Parkdeck, der eher zu einem Angeber als zu einem auf den ersten Blick doch eher schüchternen Buchhaltertyp passte; oder an Kevins geradezu pedantischer Art, wie er seinen Apfel in der Kantine schälte, wohingegen sein Büro aussah, als wäre eine Windhose durchgefegt. Kevin Rood war wie ein Wohnzimmer mit Möbeln, die nicht zueinander passten und in dem man sich deshalb nie lange aufhalten wollte. Sie fühlte sich immer etwas unbehaglich in seiner Nähe.

»Ihr braucht sicher jeden Mann«, sagte Celine und löste ihre Hand aus der des Chefredakteurs, die er für ihren Geschmack ein wenig zu lange gehalten hatte.

»Kannst du wohl laut sagen.«

Kevin zog eine Fernbedienung aus seiner ausgebeulten Hosentasche, richtete sie auf den etwa zehn Schritte entfernt liegenden Konferenzraum, dessen Scheiben sich wie von Zauberhand verdunkelten, dank einem Gasgemisch im Hohlraum der Doppelverglasung, dessen Farbe sich unter Spannung veränderte. Eine technische Spielerei, mit der sämtliche Scheiben des Verlags statt der herkömmlichen Jalousien ausgestattet waren. Ein Wimpernschlag war vergangen, und niemand konnte mehr hinein- oder hinaussehen.

Celine und Kevin waren jetzt ganz allein im Großraumbüro. Nur das aufgeregte Gemurmel, das durch die geöffnete Tür des Sitzungssaals schwappte, zerstörte die Illusion, sie wären die Einzigen im Gebäude.

»JFK ist erst der Anfang«, klärte ihr Chef sie auf, und Celine wunderte sich über dieses Vorabbriefing. In wenigen Sekunden würde Kevin das Gleiche noch mal vor der versammelten Mannschaft erzählen müssen.

»Es geht das Gerücht, dass sie LaGuardia und Newark ebenfalls dichtmachen werden.«

»Soll ich mich gleich auf den Weg machen, oder willst du mich bei der Konferenz dabeihaben?«

»Weder noch.«

»Wie bitte?«

Celine begann in ihrem dicken Wintermantel zu schwitzen.

»Was soll das heißen, Kevin?«

»Du bleibst an der Noah-Story dran.«

»Soll das ein Witz sein? New York steht kurz vor dem Ausnahmezustand, und ich soll mich um einen PR-Gag kümmern?«

»Anweisung von Larry.«

Larry Farnham?

»Seit wann mischt sich der Herausgeber in unser Tagesgeschäft ein?«

»Ich habe jetzt keine Zeit für Diskussionen, Celine. Mach das, was man dir sagt. Setz dich an deinen Schreibtisch und halte Kontakt mit dem Obdachlosen. Ich erwarte stündliche Updates. Hier …«

Er reichte ihr einen Zettel, auf dem eine Telefonnummer notiert war, dann griff er sich seinen zweiten Kaffeebecher. »Ruf da in einer halben Stunde an, dann sollten die beiden auf dem Zimmer sein.«

Die beiden?

Kevin Rood ließ sie stehen. Ratlos und verwirrt sah Celine ihm nach.

Sicher, Noah war eine gute Story, das hatte sie selbst gespürt. Aber sie war nichts im Vergleich zu der Sperrung eines der größten Verkehrsknotenpunkte der Welt.

Sie wartete, bis Kevin die Tür zum Konferenzraum hinter sich geschlossen hatte, verharrte eine Weile in der unnatürlichen Stille der sonst so hektischen Redaktion und ging dann erst zu ihrem Schreibtisch, wo sie sich müde auf den Sitz fallen ließ.

Der Strauß, den Martha ihr angekündigt hatte, versperrte ihr die Sicht auf den Monitor ihres Computers.

Was geht hier vor?, fragte sie sich, während sie die Blumen von dem dünnen Papier befreite. Sie roch kurz an den weißen Rosen, dann schob sie die Vase zur Seite, die vermutlich gleich mitgeliefert worden war. Sie glaubte nicht, dass sich jemand die Mühe gemacht hatte, die Blumen ins Wasser zu stellen.

Was ist nur in Kevin gefahren?

Hatte er ihr nicht oft genug gesagt, sie wäre seine beste Reporterin?

Celine hatte keine Ahnung, weshalb sie ausgerechnet an einem Tag wie heute mit einer Tätigkeit abgespeist wurde, die ein Praktikant erledigen konnte.

Sie wusste nur eins: dass sie Kevin gegenüber nie einen zweiten Mann erwähnt hatte. Woher also wusste er von Oscar?

13. Kapitel

Das Erste, was Noah beim Betreten der Pariser-Platz-Suite auffiel, war nicht der lodernde Kamin in dem vom Schlafzimmer abgetrennten Wohnbereich. Nicht der Plasmabildschirm darüber, der stumme Bilder von gestrandeten Reisenden auf irgendeinem internationalen Flughafen zeigte, auch nicht das illuminierte Brandenburger Tor, dessen Quadriga man durch die bodentiefen Fenster sehen konnte. Es war der Geruch.

Ein Geruch nach Mandeln und Orchideen, der eine Explosion in seinem Gehirn auslöste. Vom ersten Moment, vom ersten Atemzug in der Suite an, verschwand das Gewicht des Rucksacks auf seinen Schultern, und Oscars Worte, die dieser ihm zuraunte, verhallten ungehört. Auch von Vandenberg nahm Noah keine Notiz mehr, als dieser sich mit der Bemerkung verabschiedete, Dr. Morten würde sich ja im Hotel bestens auskennen und sicher allein zurechtfinden.

Noah spürte nur noch Schmerzen.

Ziehende, brennende, rotglühende Schmerzen, von denen sein gesamter Oberkörper erfasst wurde. Gleichzeitig startete eine Bilderlawine vor seinem geistigen Auge, die sich weniger wie eine Erinnerung als wie eine Nahtoderfahrung anfühlte.

Er hörte ein wummerndes, basslastiges Dröhnen. Grelle Stroboskopblitze zuckten durch die Dunkelheit, streiften Menschen, deren Leiber zuckten, weil sie …

Tanzen? Ja, bei Gott, sie tanzen.

Und sie taten es rückwärts, wie Noah als Nächstes registrierte, während der schier unerträgliche Schmerz sich auf einen Punkt in seiner Schulter zu verdichten schien.

Rückwärts? Tatsächlich.

Der gesamte Film in seinem Kopf lief in die verkehrte Richtung. Noah wurde von der Tanzfläche weggezogen und in einen Fahrstuhl gesaugt, die Türen schlossen sich, die Stockwerksanzeige sprang von minus zwei in den fünften Stock, wo Noah, mit dem Gesicht zu einer beigefarbenen, zerkratzten Tür eines Lastenfahrstuhls gerichtet, mehrere Zahlen hintereinander in ein Tastenfeld eingab.

Hier lief der Erinnerungsfilm etwas langsamer, so dass Noah die Tasten erkennen konnte, die er drückte:

4266

Danach schien ihn wieder ein unsichtbarer Magnet in rasendem Tempo in einen Hotelflur zurückzuziehen.

Das ist hier im Adlon! Ich erkenne es wieder!

Derweil wuchs der Schmerz, und jetzt war es ganz eindeutig die linke Schulter, von der er ausging. Noah fühlte, wie er stolperte, aber sofort wieder auf den Beinen war und eine Tür mit dem Rücken voran aufstemmte. Jetzt befand er sich in einem Zimmer, auf Knien, mit der Stirn gegen eine geschlossene Tür gelehnt; kalter Schweiß sickerte durch die Poren wieder in seinen Körper hinein.

Er hörte ein helles Fiepen in den Ohren wie nach einem lauten Konzert, und plötzlich spürte er, wie sich ein Fremdkörper aus seiner Schulter herausschälte; fühlte, wie das Projektil durch die Haut zurück nach außen drang. Dann zog sich der Nachhall eines Schusses quasi in sich selbst zusammen, endete in einem satten Plopp, und im gleichen Augenblick waren auch Noahs Schmerzen verschwunden. Die Schulter, in der eben noch eine Gewehrkugel gesteckt hatte, war wieder intakt. Noah drehte sich um und konnte sehen, was das für ein Zimmer war, in dem er nunmehr aufrecht stand: die Pariser-Platz-Suite im Adlon.

Tatsächlich. Ich bin schon einmal hier gewesen.

Er sah zu dem bodentiefen, zerstörten Fenster …

… durch das hindurch ich angeschossen wurde …

… sah die Splitter im Rahmen und das Brandenburger Tor in der Ferne, aber vor allem sah er den reglosen Mann am Boden direkt vor dem Kamin liegen. Der Teppich unter dessen Kopf säuberte sich wie von Geisterhand. Das Blut, das eben noch die Fasern getränkt hatte, sickerte in den Kopf des Mannes zurück.

Und während das Blut verschwand und sich die Wunde des Toten wieder schloss, hörte Noah eine fremde Stimme in seinem Kopf schreien:

»Es ist nicht mehr aufzuhalten.«

»Es ist nicht mehr aufzuhalten.«

»Es ist nicht mehr aufzuhalten.«

Wieder. Und wieder. Und wieder.

So lange, bis Noah es nicht mehr ertrug und endlich die Augen öffnete.

Obwohl das Licht gedimmt war, dauerte es eine Weile, bis Noah sich daran gewöhnt hatte, exakt in dem Hotelzimmer zu stehen, das er eben noch in einer verstörenden Erinnerungsrückblende gesehen hatte. Benommen ging er zu dem Kamin, stützte sich auf einem Knie ab und strich mit der Hand über den seidigen Teppich. Er meinte, einen Übergang zu spüren, eine Stelle, in der die Fasern etwas härter und, im schrägen Winkel betrachtet, auch etwas *heller* waren, so als wäre das Zimmermädchen an dieser Stelle einem Fleck mit einem aggressiven Reinigungsmittel zu Leibe gerückt. Aber er war sich nicht sicher.

Ich bin mir keiner Sache mehr sicher.

Heiße ich Dr. Morten?

Habe ich in dieser Suite gewohnt?

Wurde hier auf mich geschossen?

Und ein Mann vor meinen Augen getötet?

Das Einzige, was Noah in dem Moment klar wurde, in dem

er wieder aufstand und seinen Blick durch die Suite wandern ließ, war, dass das alles hier kein Zufall sein konnte.

Und dass ihm im Augenblick nicht nur große Teile seines Gedächtnisses fehlten.

Auch Oscar war mit einem Mal verschwunden.

14. Kapitel

Adam Altmann war so sehr in Gedanken über sein armseliges Leben versunken, dass er die Gefahr nicht bemerkte, die in letzter Sekunde am U-Bahnhof Gleisdreieck zugestiegen war.

Er hatte einen Gangplatz in Fahrtrichtung gewählt (damit ihm nicht schlecht wurde), wie immer war er äußerst korrekt gekleidet, wie ein Anwalt auf dem Weg in seine Kanzlei. Der Scheitel so akkurat wie die Bügelfalte seiner schwarzen Anzughose, der Kamelhaarmantel ohne Knötchen (die entfernte er täglich mit einem Rasierapparat), den Rücken in gerader Haltung, ohne sich anzulehnen, damit Mantel und Jackett nicht unnötig Falten warfen. Aus diesem Grund schlug er auch nie die Beine übereinander. Ein Kollege hatte einmal gesagt, seine Sitzhaltung wäre die eines Sünders auf der Anklagebank – die Schuhe exakt parallel nebeneinandergestellt, die Hände im Schoß verschränkt, den Blick nach unten gerichtet. Genauso verharrte er auch jetzt, im vorletzten Abteil der U2 auf der Fahrt Richtung Pankow, weswegen er den Ärger nicht kommen sah.

Mit ihm und den Zugestiegenen befanden sich noch vier weitere Fahrgäste im Abteil: ein vollbärtiger, bärbeißig wirkender Rentner hinter ihm, weiter vorne ein junges Mädchen, das auf einer der seitlichen Bänke Platz genommen hatte und trotzig in ihr Handy starrte. Ein Handwerker mit farbbesprenkelter Cordhose an der Tür lehnend, daneben ein langhaariger Türke, der nervös zu den beiden Halbstarken blickte, die mit streitlustigem Blick durch den Zug schlenderten.

Adam Altmann nahm von alledem keine Notiz. Er dachte nach.

Was er falsch gemacht hatte. Und ob er es sich selbst zuzuschreiben hatte.

Natürlich habe ich das.

Menschen gaben gerne anderen die Schuld für ihr Versagen. Dabei waren die, die sich am lautesten beschwerten, nach Altmanns Meinung meist die, die es sich ganz alleine eingebrockt hatten.

So wie ich.

Bei ihm war es der Klassiker: zu viel Arbeit, zu wenig Zeit für die Familie. Zu viele Geschäftsreisen, zu wenig Urlaub. Genug Geld für ein freistehendes Einfamilienhaus mit Garten. Aber nur ein einziges Mal mit der Tochter im Sandkasten gespielt. Heute war Leana fünfzehn.

Verdammt.

In den letzten zwölf Monaten hatte er sechshunderttausend verdient. Und was blieb ihm nach Abzug von Steuern, Lebensqualität und Sozialkontakten? Ein Kingsize-Bett in einem Vier-Sterne-Businesshotelzimmer mit kostenlosem WLAN-Zugang und Aussicht auf den Parkplatz einer fremden Stadt.

Eine Million Bonusmeilen, aber keinen einzigen Freund.

Adam sah auf die Armbanduhr, ein schlichtes Modell aus dem Duty-free irgendeines Flughafens. Fast zweiundzwanzig Stunden des Tages waren verstrichen, und nicht einer hatte ihm gratuliert. Kein Bekannter, kein Kollege, weder Ex noch Tochter. Dabei hatte er es sogar auf Facebook gepostet.

»Happy birthday to me.«

Ausnahmsweise mit einem Smiley dahinter, obwohl er diese Zeichentrickkommunikation verabscheute. Wenn seine Tochter ihm eine Mail schickte, meist, um nach Geld zu fragen, konnte er vor hüpfenden Kreiseln, wackelnden Daumen und zwinkernden Grinsekugeln kaum ein einziges Wort erkennen. Eine Unart, wie dieser Abkürzungswahn hdgdl, lol, rofl und der ganze Mist. Die eine Hälfte der Menschheit hatte es verlernt, Texte zu schreiben, die sich von selbst erklärten. Die anderen verschickten Textmitteilungen, für die man eine Übersetzungsanleitung brauchte. Irgendwie war das nicht mehr seine Welt.

Altmann knirschte mit den Zähnen und ermahnte sich, nicht zu sehr in Selbstmitleid zu baden.

»Happy birthday to me.«

Seine erbärmliche Eigengratulation hatte ganze drei »Gefällt mir« und nur einen einzigen Kommentar provoziert, und der war von einem Autohaus, das ihm einen Eiskratzer schenken wollte, wenn er heute unter Vorlage des Ausweises in eine der »zwölf super-sympathischen Filialen« kommen würde, was er unter normalen Umständen vielleicht sogar getan hätte, wenn er nicht ausgerechnet an seinem einundvierzigsten Geburtstag in Berlin festhängen würde; acht Flugstunden von Washington entfernt.

»Hey, du Fotze.«

Die vulgäre Beleidigung riss Altmann aus seinen trübsinnigen Gedanken. Er sah hoch und erfasste die Situation mit einem Blick.

Die Halbstarken, beide mit Dreitageglatzen, Turnschuhen und grünen Bomberjacken, hatten das Mädchen als Opfer gewählt. Die Kleine mit dem rotgefärbten Pagenschnitt erinnerte Altmann entfernt an Leana. Auch sie trug gerne UGG-Boots, Flickenjeans und Daunenjacke. Nur dass seine Tochter kein Unterlippenpiercing hatte. Zumindest wusste er nichts davon. In vier Wochen Abwesenheit konnte viel passieren.

»Fotze, wir reden mit dir.«

Einer der beiden Kahlköpfe machte an der Querstange über dem Sitz des Mädchens Klimmzüge. Auf jedem seiner Handrücken war eine Acht tätowiert.

8.8.

Die achte Zahl im Alphabet.

Die Initialen für Heil Hitler.

Wie subtil.

Der Neonazi war erkennbar der Anführer. Sein paradoxerweise südländisch wirkender Kumpel beschränkte sich auf ein verschlagenes Grinsen, was seinen Doppelkinnansatz zusätzlich verstärkte.

»Wofür hältst du dich, Schlampe?«

Die Kleine tat so, als hätte sie keine Angst. Sie sagte etwas, was Altmann nicht hören konnte, und plötzlich ging es blitzschnell.

Nr. 88 machte einen weiteren Klimmzug, riss dabei das rechte Knie hoch – und rammte es dem Mädchen mit voller Wucht ins Gesicht.

Die Reaktion der Mitreisenden war typisch.

Sie schauten weg.

Der Rentner, der Türke, der Handwerker. Alle. Auch Adam starrte wieder auf seine Schuhe, als er das Blut aus der gebrochenen Nase der Kleinen schießen sah.

»Ui, ich glaub, die hat ihre Tage«, lachte der Anführer, während der Zug in den Bahnhof Mendelssohn-Bartholdy-Park einfuhr. Nicht einer der Mitreisenden drehte sich um, als sich die Türen öffneten. Nicht der Rentner, nicht der Türke, nicht der Handwerker. Alle wollten nur noch raus. Auch Altmann.

Keinen Ärger. Ich kann jetzt keinen Ärger gebrauchen.

Er stand auf, obwohl er noch gar nicht am Ziel war.

Nicht hinsehen. Nicht auffallen. Nicht selbst zum Angriffsobjekt werden.

Fast hätte er es sicher aus dem Waggon geschafft, hätte er nicht das Entsetzen in den Augen des älteren Ehepaars bemerkt, das gerade einsteigen wollte, es sich dann aber anders überlegte und schnell auf den Bahnsteig zurücktrat, nachdem es das blutüberströmte Mädchen im Zug gesehen hatte.

Altmann machte den Fehler, einen Blick über die Schulter zu werfen. Die Kleine lag bewusstlos auf der Bank. Der Tätowierte riss ihr gerade die Jacke auf und schob das T-Shirt hoch. Das Doppelkinn hielt ihre Hände fest für den Fall, dass sie wieder aufwachen und sich wehren sollte.

Altmann hörte die automatische Bahnhofsdurchsage. »Zurückbleiben.«

Er zögerte. Zu lange. Die Türen schlossen sich wieder. Der Zug fuhr an.

Mist, verdammter. Jetzt bin ich mit ihnen allein.

»Ist die geil oder ist die geil?«, fragte Nr. 88. Er versuchte, den Gürtel der Kleinen zu lösen.

Altmann räusperte sich, was im Rattern der U-Bahn unterging.

»Hallo, Sie da.«

Beide Schläger blickten auf.

»Was willst du denn, du Pimmelgesicht?«

Die Schläger blieben bei ihrer Rollenverteilung. Doppelkinn grinste, Nr. 88 redete. Mit lallender Stimme, wie Altmann bemerkte. Alkohol, Gras, härtere Drogen. Vermutlich war etwas von allem in seinem Blut.

»Ich bitte Sie, damit aufzuhören …«, begann Altmann etwas ungelenk. Er war noch nie gut in verbalen Konfrontationen gewesen. Schon gar nicht in einer fremden Sprache.

Die Männer lachten grölend.

»Und was, wenn nicht?«, fragte der Tätowierte und griff dem Mädchen in den Schritt.

»Dann bekommen Sie noch mehr Ärger als ohnehin schon.« Er deutete nach oben zur Überwachungskamera am Kopfende des Abteils. Sie steckte in einem Gitterkäfig, der an einen Maulkorb erinnerte. Eine rot blinkende Leuchtdiode signalisierte ihren Betrieb. Nichts davon interessierte die beiden. Das Doppelkinn sah lüstern auf die freigelegte Brust des bewusstlosen Mädchens, während der Tätowierte von ihr abließ, um ein Messer zu ziehen.

»Hat dich schon mal jemand mit einer Klinge gefickt?«, fragte er. Als er nur noch zwei Armlängen entfernt war, meinte Altmann seinen Mundgeruch sogar zu schmecken. Er sah den unsteten Blick, die aufblitzende Wut in den Pupillen und wusste, es gab nichts mehr, was er sagen konnte, um die Situation zu entschärfen. Und er hatte recht. Nr. 88 sprang nach vorne und stach zu. Blitzschnell.

Aber nicht schnell genug.

Altmann drehte sich mit einer katzenartigen Bewegung und sagte mit monotoner Stimme: »Code 13–10. Bitte die Kameras abschalten.«

Es knackte in seinem Ohr.

Der Skinhead, der sich nicht erklären konnte, wie er, ohne Altmann auch nur zu berühren, gegen eine Sitzbank prallen und zu Boden gehen konnte, glotzte ungläubig zu seinem Partner. Dann wollte er nach dem Messer greifen, das ihm aus der Hand gefallen war.

Altmann kickte es unter die Bank und streckte dem Dunkelhaarigen, der jetzt von dem Mädchen abgelassen hatte und auf ihn zukam, die flache Hand entgegen; wie ein Türsteher, der einen ungebetenen Gast nicht einlassen will. Gleichzeitig vernahm er die Frauenstimme über den unsichtbaren Miniaturtransmitter in seinem Ohr: »Kameras sind deaktiviert.«

»Mit wem redest du?«, wollte Nr. 88 wissen, der sich wieder aufgerappelt hatte und die Fäuste für den nächsten Angriff ballte. Er blinzelte verwirrt, vermutlich auch, weil er kein Englisch konnte und nicht verstanden hatte, was Altmann in das stecknadelgroße Mikrophon an seiner Jacke gesprochen hatte.

Altmann blickte kurz nach oben in die Ecke des Waggons. Die rote Diode leuchtete nicht mehr. Zufrieden nickend sagte er: »Bänder ab Minute 21 für eine Viertelstunde löschen. Das Gleiche gilt für etwaige Notrufe, die von Zeugen ab Mendelssohn-Bartholdy-Park abgesetzt wurden.«

»Wird erledigt.«

»Hey, Alter. Was läuft hier?«, sprach der Mitläufer seinen ersten Satz. Und seinen letzten.

Altmann entschied sich von den zwei Pistolen für die, die er unter seiner Jacke im Holster trug. »Und schickt einen Arzt für das Mädchen.«

Mit diesen Worten schoss er den beiden Männern in den Kopf. Erst dem Tätowierten, dann seinem Kumpel. Sie starben in der Sekunde, in der das Projektil in ihr Gehirn drang und dort in winzige Teilchen explodierte. Von dem Beginn der Konfrontation bis zu dem Tod der Angreifer hatte es keine Minute gedauert. Die Bewusstlose hatte nichts von dem Geschehen wahrgenommen, sie hatte nicht einmal gezuckt, als die Schüsse knallten.

Altmann steckte die Waffe wieder weg und prüfte die Atmung des Mädchens. Ruhig und gleichmäßig, ihr Puls etwas schneller als sein eigener.

Nachdem er ihren Kopf zur Seite gedreht hatte, damit sie nicht an ihrem eigenen Blut erstickte, bedeckte er ihre Brust und meldete die Klärung der Situation an die Einsatzleitung.

Dann zog er die Notbremse.

Der Zug kam wenige Meter vor der Einfahrt in den Bahnhof Potsdamer Platz zum Stehen. Adam schlug das Sicherheitsglas aus dem Notausstiegsfenster und kletterte hinaus.

Was für ein Scheißgeburtstag.

»War das jetzt wirklich nötig?« Die Frauenstimme in seinem Ohr begann ihn zu nerven.

»Ja«, antwortete Altmann knapp und rannte neben den Schienen entlang dem Licht entgegen.

Der Bahnsteig war kaum frequentiert, niemand nahm von ihm Notiz, als er über eine schmale Metalltreppe aus dem Tunnel stieg.

»Sie gefährden die gesamte Operation.«

»Ich weiß.«

Er hörte auf zu rennen, schritt aber so zügig wie möglich durch den Bahnhof zum Ausgang Richtung Ebertstraße, nachdem er sich den Staub von seinem Mantel geschlagen hatte. Auch seine Schuhe waren verdreckt, aber das musste jetzt warten. *Leider.* Altmann hasste Flecken auf seinen Budapestern.

»Schaffen Sie es jetzt ohne weitere Zwischenfälle bis zum Ziel?«

Er antwortete erst, als er wieder im Freien war. Klare, kalte, völlig geruchlose Luft schlug ihm entgegen. Überall Lichter. Ein gläsernes Hochhaus, vollbeleuchtet, obwohl gewiss niemand mehr darin arbeitete. Illuminierte Reklametafeln, so groß wie am Times Square, für Menschen, die sich nicht dafür interessierten.

»Ich gebe mir Mühe.«

Der Bürgersteig war vereist, weswegen Altmann sein Schritttempo etwas drosseln musste.

»Wie weit noch bis zum Einsatzort?«, fragte die Stimme.

Altmann sah hoch, schirmte seine Augen gegen den eisigen Wind ab und blickte über das Holocaust-Mahnmal zu dem Grandhotel mit dem grünen Kupferdach. Das Adlon lag etwa vierhundert Meter Luftlinie vor ihm.

»Bin bald da.«

»Gut.« Die Frau klang zum ersten Mal zufrieden. »Dann sind wir ja noch in der Zeit. Wir schicken Ihnen noch einmal die Grundrisse der Suite und ein Foto der beiden.«

Der beiden?

»Ich dachte, er ist allein.«

Altmann wechselte die Straßenseite in Höhe der Niedersächsischen Landesvertretung.

»Hat man Sie nicht instruiert?« Die Freundlichkeit war wieder verflogen.

»Nein.«

Die Einsatzleiterin seufzte, als wäre sie solche Pannen gewohnt. »Das zu eliminierende Objekt hat möglicherweise Verstärkung bekommen. Wie es aussieht, ist Noah in Begleitung.«

15. Kapitel

Kaum hatte Noah auf der Suche nach Oscar das Schlafzimmer der Suite betreten, da klingelte das Telefon. Gleichzeitig begann jemand zu winseln.

Entschuldige, Toto, dich hab ich ja ganz vergessen.

Er setzte den geschulterten Rucksack aufs Bett, öffnete ihn und befreite den Welpen. Toto dehnte und streckte sich und tapste entdeckungsfreudig aus der Tasche. Neugierig schnuppernd sah er zu Noah, der sich das schnurlose Telefon vom Nachttisch griff.

Es war Vandenberg, der ihm mitteilte, dass die Zwischentür zu der Nachbarsuite jetzt aufgeschlossen war. »Wir haben uns erlaubt, ein zweites Zimmer herzurichten. So muss Professor Schwartz nicht bei Ihnen nächtigen und verfügt über seinen eigenen Rückzugsbereich.«

Noah sah zum Kopfende des Zimmers und entdeckte eine zweite Tür neben der des Badezimmers. Vandenberg wollte sich empfehlen, doch Noah unterbrach ihn, bevor er auflegen konnte. »Wann bin ich zum letzten Mal hier gewesen?«

Stille. Die Frage schien den Concierge – oder was immer seine Funktion in diesem Hotel war – aus dem Konzept zu bringen.

»Äh, da müsste ich erst einmal im Computer nachsehen.«

»Bitte tun Sie das. Und wenn Sie gerade dabei sind, hätte ich gerne eine detaillierte Auskunft über die Daten, die Sie über meine Person gespeichert haben.«

»Bitte?«

»Anbieter und Nummer der Kreditkarte, mit der ich bezahle, Rechnungsadressen, die private Anschrift, die man doch sicher an der Rezeption hinterlegen muss.«

»Hat sich da was bei Ihnen geändert, Dr. Morten? Wenn ja, kann ich das gleich vermerken. Sie wissen ja, als Stammgast bleiben Sie von dem ganzen Papierkram beim Check-in verschont. Für diesen Aufenthalt heute sowieso, denn der wird ja von der *New York News* übernommen. Und das Upgrade sowie das Zusatzzimmer gehen aufs Haus.«

Vandenberg schickte sein bestes künstliches Grinsen durch den Hörer.

»Danke sehr, aber ich hätte dennoch gerne eine umfassende Auflistung meiner persönlichen Angaben, ist das ein Problem?«

Noah ging in das Badezimmer, das in hellen Marmortönen gehalten war und in dem es etwas wärmer war als in der Suite. Auch hier keine Spur von Oscar. Weder unter der Regendusche noch in dem durch eine Milchglasscheibe dezent vom Rest des Waschraums abgetrennten Toilettenbereich und auch nicht im Whirlpool.

»Nein, das verursacht selbstverständlich ganz und gar keine Umstände. Ich werde Ihnen die Unterlagen zusammenstellen lassen. Reicht es Ihnen morgen zum Frühstück?«

»Ich brauche sie heute noch«, sagte Noah und zog sich endlich seine Jacke aus.

»Wie Sie wünschen, ich beeile mich, Ihnen die gewünschten Informationen so schnell als möglich zukommen zu lassen, Dr. Morten.«

Morten. Morten. Immer dieser Name – Morten.

Noah fragte sich, weshalb er sich an einen Toten im Zimmer, nicht aber an den Namen erinnern konnte, unter dem er hier offenbar regelmäßig eincheckte.

Er goss etwas Wasser in eine Kristallschale, die eigentlich für die Handseife gedacht war, und brachte sie Toto, der jedoch keinen Durst zu haben schien und lieber herausfinden wollte, wie er von dem hohen Boxspringbett am besten herunterklettern konnte.

Noah bedankte sich und wollte auflegen, doch jetzt war es Vandenberg, der ihn in letzter Sekunde daran hinderte.

»Fast hätte ich es vergessen zu erwähnen, Dr. Morten. Wie unaufmerksam von mir, bitte entschuldigen Sie meine Nachlässigkeit. Ihre Sachen befinden sich im Schlafzimmerschrank.«

»Meine Sachen?«

Noahs Blick wanderte zu dem dunkel geölten Ahornschrank in der Dachschräge.

»Die, die Sie bei Ihrem letzten Besuch in der Eile zurückgelassen haben. Wir haben Sie angeschrieben, aber da Ihr enger Zeitplan Ihnen sicher nicht die Zeit ließ, darauf zu reagieren, waren wir so frei, den Koffer in der Zwischenzeit für Sie aufzubewahren.«

16. Kapitel

Bis auf die Elektronik war die Einrichtung der Redaktion irgendwo in den neunziger Jahren des letzten Jahrhunderts stehen geblieben. Mit mausgrauem Polyester bespannte Trennwände teilten das Großraumbüro in ein Dutzend Arbeitskabinen, in denen jeweils drei Mitarbeiter hinter einem tapeziertischartigen Schreibtisch klemmten. Celine hatte den Platz in der Mitte zugewiesen bekommen, zwei männlichen Kollegen gegenübersitzend, die im Augenblick wie alle anderen in der Konferenz waren.

Und ich schiebe hier Telefondienst.

Celine saß in ihrer typischen Arbeitshaltung, dem »halben« Schneidersitz: das linke Bein angewinkelt auf dem Stuhl platziert, den rechten Oberschenkel darübergelegt. Eine Position, in der ihr regelmäßig der Fuß einschlief, wenn sie beim Arbeiten die Zeit vergaß. Sie kaute auf dem Radiergummiende eines Bleistifts und starrte auf ihr Telefon. Ihr war flau im Magen, aber das rührte nicht von ihrer Schwangerschaftsübelkeit, die seit der zehnten Woche fast vollständig verschwunden war.

Woher wusste Kevin von Oscar?

Hatte sie Noahs Begleitung während des kurzen Telefonats etwa doch erwähnt? Nach all der Aufregung des heutigen Tages, angefangen mit der entsetzlichen Verdachtsdiagnose Dr. Malcoms, wäre diese Erinnerungslücke sicher erklärbar.

Aber ich müsste mich schon sehr täuschen …

Sie sah auf die Uhr und nahm den Zettel zur Hand, den Kevin ihr vorhin gegeben hatte. Der Chefredakteur hatte die Durchwahl zum Hotel Adlon in Berlin mit schnörkelloser Handschrift notiert. Sie fixierte den Zettel mit einem Stück

Tesafilm am Rahmen ihres Monitors. Dann griff sie zum Hörer. Die Aufforderung »Bitte wählen« tauchte im Display auf. Celine drückte die Ziffer Neun, um eine Amtsleitung zu bekommen, hörte das Freizeichen – und legte wieder auf, weil ein eingehender Anruf anklopfte.

»*New York News*, Celine Henderson, guten Tag?«

»Bist du das, Liebling?«

Nein. Ich habe nur denselben Namen wie deine Tochter und arbeite zufällig auch an diesem Platz.

»Ja, Mama, ich bin's. Ist was passiert?«

Es musste etwas Wichtiges sein, das stand fest.

Ihre Mutter hasste Unterhaltungen, bei denen sie ihrem Gegenüber nicht in die Augen sehen konnte. Maria Henderson griff nur dann zum Hörer des Hausapparats in New Jersey, wenn es sich nicht vermeiden ließ.

»Es geht um deinen Dad«, sagte sie mit zitternder Stimme.

In Celines Hals bildete sich ein Knoten. Ihre Hände verkrampften sich um die Computermaus, mit der sie sich gerade erst durch die neuesten Nachrichten über die Flughafenevakuierung geklickt hatte. »Ist ihm etwas zugestoßen?«

Ed fuhr immer zu schnell und verschickte zudem gerne SMS beim Autofahren. Außerdem hielt er sich trotz seines Herzinfarkts vor zwei Jahren nicht an die vorgeschriebene Diät, weswegen sich abwechselnd das Bild von einem Verkehrsunfall und das einer Intensivstation vor ihrem geistigen Auge aufbaute.

»Geht es ihm gut?«, fragte Celine.

»Ja … Ich meine, ich weiß es nicht. Ich hoffe.«

»Was soll das heißen, du HOFFST?«, hätte sie am liebsten durch den Hörer geschrien, aber Maria war den Tränen nahe, und sie wollte die Situation nicht dadurch verschlimmern, indem sie sie anfuhr.

»Er wollte seinen Bruder abholen.«

»Onkel Brad?«

»Er kommt übers Wochenende aus Annapolis zu Besuch. Vermutlich will er wieder Geld, weshalb ich nicht verstehe, weshalb er nicht den Zug oder den Bus nimmt, zumal Brad doch angeblich Angst in diesen Dingern hat.«

Celine schloss die Augen und trommelte nervös mit den Fingern auf die Schreibtischplatte. Es war wie immer, wenn sie versuchte, mit ihrer Mutter eine Unterhaltung zu führen. Selbst unter normalen Umständen gingen Maria stets zehn Gedanken gleichzeitig durch den Kopf, was es schwer machte, ihr zu folgen.

»Ich verstehe kein Wort, Mum.«

»Brad ist geflogen, Schätzchen.«

Verdammt.

»JFK?«

»Ja.«

Celine hatte das Gefühl, sich um die eigene Achse zu drehen, obwohl sich der Bürostuhl unter ihr keinen Zentimeter bewegte.

»Ich kann ihn nicht mehr erreichen, Liebling. Ich krieg nur diese verflixte Sprachbox. Sie hätten doch schon längst zurück sein müssen. Und nun ist der Kaffee kalt, und ich ...« Sie begann zu weinen.

Celine stand auf und griff nach ihrem Mantel.

»Okay, Mama, beruhige dich. Das ist sicher nur eine vorübergehende Vorsichtsmaßnahme. Ist ja keine Bombe oder so hochgegangen. Du wirst sehen, Papa ist bald wieder zu Hause.«

Die Worte verfehlten ihre beruhigende Wirkung.

»Ich weiß nicht«, sagte ihre Mutter unsicher. »Ich hab so ein komisches Gefühl. Wie damals, als er umgekippt ist, weißt du noch?«

»Ihm geht es gut.«

»Ja, vielleicht. Aber ich fühle mich schlecht, Liebes. Kannst du nicht kommen?«

»Jetzt?«

Celine sah auf die große Uhr an der Mittelsäule des Großraumbüros. *Völlig unmöglich.* Sie hatte durch den Arztbesuch schon den Vormittag verloren und nicht einen Handschlag gearbeitet. Andererseits konnte sie sich nicht daran erinnern, wann ihre Mutter zuletzt eine solche Bitte geäußert hatte. Maria hatte ihr Leben lang immer großen Wert auf ihre Selbstständigkeit gelegt. Unterstützung von anderen Menschen, selbst von ihrer Tochter, wollte sie nur im äußersten Notfall akzeptieren, und der schien gerade eingetreten zu sein.

Außerdem bin ich ja sowieso aufs Abstellgleis geschoben, dachte Celine und sah zum Konferenzraum hinüber, in dem gerade über die Dinge gesprochen wurde, die heute wirklich wichtig waren.

Mit Obdachlosen kann ich auch von unterwegs aus telefonieren.

Sie traf eine Entscheidung. Sie war Reporterin. Egal, was Kevin ihr aufgetragen hatte, an einem solchen Tag hielt sie nichts am Schreibtisch.

»Ich werde sehen, was ich in Erfahrung bringen kann, ja? Ich melde mich wieder bei dir.«

Ein guter Freund Celines arbeitete bei der Flughafenpolizei, eine ehemalige WG-Mitbewohnerin im Tower. Sobald sie einen von beiden erreicht hatte, würde sie entscheiden, ob sie vor Ort etwas ausrichten konnte oder ob sie als emotionaler Beistand für ihre Mutter besser nach Hause fahren sollte.

Sie griff nach ihrer Handtasche und ging zu den Fahrstühlen.

Hier schob Celine ihren Mitarbeiterausweis in einen der Detektoren, die sich im NNN-Gebäude in jeder Etage befanden. Ohne Berechtigung durfte man den Verlag weder betreten noch verlassen. Zu ihrem Erstaunen piepte es ähnlich laut wie vorhin, als sie die Schleuse im Foyer passiert hatte. Gleichzeitig leuchtete das Display rot auf.

»Karte gesperrt«, las Celine erstaunt in der Anzeige. »Was soll das bedeuten?«

»Dass du nicht gehen darfst, Celine.«

Sie fuhr zu der Stimme in ihrem Rücken herum.

Kevin hatte sich wie aus dem Nichts heraus vor ihr materialisiert, gemeinsam mit zwei blau uniformierten Sicherheitsbeamten.

»Aber ...« Celine verschlug es für einen Moment die Sprache. Sie sah über Kevins Schulter ins Großraumbüro, das sich langsam wieder mit ihren Kollegen füllte.

»Bist du verrückt geworden? Du kannst mich doch nicht gegen meinen Willen hier festhalten.«

Kevin lächelte, und wie immer empfand sie es als künstlich und aufgesetzt.

»Mach jetzt bitte keinen Aufstand und lass dich von den beiden Herren in dein neues Büro führen.« Er zeigte auf die Notausgangstür neben den Fahrstühlen.

»Was soll der Quatsch? Ich will kein neues Büro, ich muss nach Hause.«

»Ich weiß, deine Mutter macht sich große Sorgen«, sagte Kevin. Diese Aussage schockierte sie noch viel mehr als die Tatsache, dass einer der beiden Männer ihr blitzschnell den Arm verdrehte. Kevin warf den Sicherheitsbeamten einen strengen Blick zu, den Celine nicht deuten konnte. War er verärgert, dass sie so grob angefasst wurde, oder wollte er sie zur Eile antreiben? Sein ganzes Verhalten war ihr ebenso unbegreiflich wie seine nächste Bemerkung: »Du kannst jetzt nicht nach Hause«, sagte er. »Die Sache mit deinem Dad muss erst einmal warten.«

»Woher weißt du davon?«, fragte Celine konsterniert.

Statt eine Antwort zu erhalten, wurde sie im Polizeigriff durch die Brandschutztür hindurch ins dunkle Treppenhaus geführt.

17. Kapitel

Der dunkelbraune, von zahlreichen Reisen zerkratzte Koffer fühlte sich falsch an. Zu schwer für ein Handgepäck, zu klein für eine längere Reise. Er war aus rotbraunem Hirschleder, etwas größer als der Tower eines Heimcomputers.

Noah schüttelte ihn, hörte nichts klappern, was auch kein Wunder war. Der lederne Deckel war stark ausgebeult, die Nähte an den Seiten gespannt. Wer immer den Koffer gepackt hatte, hatte jeden Kubikzentimeter ausgenutzt.

Und ihn danach sorgsam wieder verschlossen.

Er war mit einem schwergängigen Zahlenschloss gesichert, weswegen Noah jetzt, zwei Minuten nachdem er den Koffer aus dem Schrank entnommen hatte, noch immer nicht über seinen Inhalt Bescheid wusste.

Und der soll mir gehören?

Er packte den Griff, ging ein paar Schritte und legte ihn aufs Bett neben Toto, der den Fremdkörper ebenso aufmerksam beäugte wie Noah selbst.

Ich fühle nichts. Gar nichts.

Noah überlegte, wie viele Kombinationen er wohl ausprobieren musste, bevor er per Zufallsprinzip das Schloss geknackt hatte. Dann fiel ihm der Obstkorb auf dem Couchtisch im Wohnzimmer ein und das Messer, das neben den Orangen lag.

Er brauchte keine zwanzig Sekunden und nur minimalen Kraftaufwand, um die einfachen Schlösser aufzuhebeln.

Vorsichtig öffnete er den Deckel, spähte erst durch einen kleinen Schlitz, bevor er ihn vollständig aufklappte, nachdem er nichts Beunruhigendes entdeckt hatte.

Wie Drähte zum Beispiel, die zu einem Zünder führen.

Der Deckel hatte einen gewaltigen Berg an Kleidungsstücken in Schach gehalten, die jetzt aus dem Koffer quollen.

Noah tastete sich durch korrekt gefaltete Hemden und Pullover, sorgsam verstaute Unterwäsche, zu Kugeln gerollte Socken und mehrere Anzughosen, einen einfarbigen Schlips und ein dunkelblaues Jackett. Alles roch frisch gewaschen. Die Sachen waren gebügelt, von guter Qualität, jedoch keine Markenware. Nicht neu, aber unbenutzt. Keinerlei Schmutzwäsche, auch nicht in dem großen, reißverschlussgesicherten Seitenfach.

Als Erstes entdeckte Noah ein klobiges Telefon, das seiner Größe nach aus dem letzten Jahrhundert zu stammen schien, dessen Display und Tastatur aber modern wirkten. Die Aufschrift *Tel.Sat.* verriet, dass es sich um ein Satellitentelefon handelte.

Noah drückte die On-Taste, doch der Akku schien entladen, die Anzeige blieb dunkel.

Er kramte weiter und zog neben einem Aufladekabel einen durchsichtigen Kosmetikbeutel hervor.

Neben der erwarteten Zahnbürste nebst Paste, einem Deo und Aftershave (dessen Geruch, anders als der des Raumdufts, keinen Erinnerungsschub auslöste) befand sich darin auch ein Füllfederhalter mit goldener Feder, der sich vertraut anfühlte, als Noah ihn in die Hand nahm.

Vertraut, aber nicht angenehm.

Er suchte eine Steckdose, um das Satellitentelefon aufzuladen, danach entschied er sich, den Koffer vollständig zu entleeren, setzte Toto neben das Bett und kippte den gesamten Inhalt auf die Tagesdecke.

Auf diese Weise entlockte er dem Koffer sein wohl erstaunlichstes Geheimnis: eine lederne Dokumententasche, die zwischen zwei T-Shirts geklemmt war und die neben einem Bündel

Geld verschiedener Währungen drei äußerlich identisch aussehende Reisepässe enthielt.

Noah griff sich eines der dunkelblauen Büchlein, fuhr mit dem Zeigefinger über die goldene Prägung, öffnete es und sah einer deutlich gepflegteren Ausgabe seiner selbst ins Gesicht:

Dr. David Morten. US Citizen.

Dem Dokument zufolge war er neununddreißig Jahre alt, ein Meter neunundachtzig groß und in Köln geboren.

Was meine Deutschkenntnisse erklären würde.

Der amerikanische Pass war sechs Monate alt und wirkte nahezu unbenutzt, tatsächlich fand sich nur ein Einreisestempel auf den hinteren Seiten. Demnach war er Mitte Januar, also kurz bevor er angeschossen worden war, nach Mombasa geflogen.

Schön. Mein Vorname ist David, was mir nichts sagt, und ich war zuletzt in Kenia, woran ich auch keinerlei Erinnerung habe.

Noah griff sich den zweiten Ausweis und ließ ihn beinahe fallen, als er den Namen »John Greene« auf der laminierten Seite für die personenbezogenen Daten las. Mit angehaltenem Atem öffnete er den dritten Pass, und der Schock verstärkte sich.

David Morten. John Greene. Und Samuel Brinkman.

Drei verschiedene Pässe. Drei verschiedene Namen.

Aber immer das gleiche Foto.

Mein Foto.

Er legte alle Ausweise nebeneinander, nagelte sie mit seinem Blick förmlich auf der Bettdecke fest.

Was hat das zu bedeuten?

»Wer bin ich?«, flüsterte Noah und schloss die Augen. Zum ersten Mal fragte er sich, ob der Grund, dass er sich nicht an sein früheres Leben erinnern konnte, der war, dass er es nicht *wollte.*

Auf der Suche nach seinem Ich war er auf eine Vielzahl von Identitäten gestoßen, und er konnte sich keine harmlose Erklärung vorstellen, aus welchem Grund ein einziger Mann drei verschiedene Pässe mit unterschiedlichen Namen besaß.

Er nahm sich noch einmal alle Dokumente vor.

Auch in den anderen Pässen gab es nur wenige Stempel. Als John Greene war er von Kenia aus in die Niederlande gereist, um von dort aus als Samuel Brinkman nach Rom zu fliegen. Noah löste das Gummiband, von dem das Geldbündel zusammengehalten wurde, und zählte mindestens viertausend Euro und nochmals tausend Dollar ab.

Telefon.

Pässe.

Geld.

Kleidung.

Mit einem Mal war er komplett ausgestattet, und doch fühlte er sich seinem früheren Leben nicht einen Schritt näher.

Er zog ein weißes Anzughemd aus dem Wäscheberg hervor und hielt es sich vor die Brust. Die Größe schien zu stimmen, und dennoch hatte Noah das Gefühl, nicht hineinzupassen.

Es fühlte sich falsch an.

Wie der Koffer.

Wie der Portier.

Wie Vandenberg.

Und wie der Lufthauch, der seinen Nacken traf, als die Eingangstür zur Suite lautlos von außen geöffnet wurde.

18. Kapitel

In den folgenden Sekunden lernte Noah etwas über sich, was ihn noch mehr daran zweifeln ließ, ein guter Mensch zu sein.

Die Geschwindigkeit, mit der sein Gehirn in einen Gefahrenabwehrmodus wechselte, und die lautlose Schnelligkeit, mit der er in den Eingangsbereich der Suite gelangte, um den Eindringling noch in der Tür zu stellen, ließen nur zwei mögliche Schlüsse zu: Er hatte schon oft in lebensbedrohlichen Situationen gesteckt. Und er war darauf trainiert, sie zu bewältigen. Darauf trainiert, sie *gewaltsam* zu beenden.

Er wusste, wo er zuschlagen musste, damit die Lähmung einsetzte. Kannte den empfindlichen Druckpunkt der Halsgefäße. Wusste, wo er den Daumen anzusetzen hatte, um den Karotis-Sinus-Reflex auszulösen, der je nach Intensität des Angriffs entweder einen Herzstillstand oder einen sofortigen Abfall des Blutdrucks und damit die Ohnmacht des Opfers herbeiführte – so wie in diesem Fall.

Der Mann sackte mit einem erstickten Schrei zu Boden, und seine Augen verdrehten sich, bis nur noch das Weiße zu sehen war.

Es dauerte drei Minuten, bis Oscar wieder zu sich kam.

19. Kapitel

»Was ist, wo … Was ist passiert?«

Noah hatte Oscar im bewusstlosen Zustand auf die Couch getragen und Eiswürfel aus der Minibar in einen Waschlappen gewickelt, den sich dieser jetzt, da er wieder bei Sinnen war, wütend von der Stirn schlug.

»Du wolltest mich umbringen!«, stellte er fest und versuchte sich aufzurichten, fiel aber mit schmerzverzerrtem Gesicht wieder in die Kissen zurück.

»Warte noch eine Minute«, riet Noah ihm. »Dann legt sich der Schwindel.«

Er reichte ihm ein Glas Wasser.

»Verdammter Mist«, schimpfte Oscar, nachdem er es gierig bis zur Hälfte geleert hatte. »Was ist nur in dich gefahren?«

»Es tut mir leid. Ich dachte, du wärst …«

… ja was?

Ein Killer?

Der Täter, der mich angeschossen hat?

Noah ließ sanft seine Schulter kreisen. Beim Angriff auf Oscar hatte er nichts gespürt, aber jetzt meldete sich die Schusswunde zurück.

»Ich dachte, ich wäre in Gefahr«, erklärte er vage. Noah hatte keine Ahnung, wie er den Impuls beschreiben sollte, der den Nahkämpfer in ihm aktiviert hatte. Die Sinneseindrücke, denen er in diesem Zimmer ausgesetzt war, schienen nicht nur seine Erinnerungen zu triggern, sondern auch unbewusst ablaufende Verhaltensmuster auszulösen. Bevor er den vermeintlichen Angreifer erkannt hatte, hatte Oscar bereits bewusstlos auf dem Boden gelegen.

»Gefahr, ja. Das kannst du wohl laut sagen.«

Oscar wagte einen zweiten Versuch, sich aus dem Sofa zu stemmen. Er war blass und schwitzte stark, kein Wunder angesichts der mehrlagigen Klamotten, die er immer noch trug.

»Du steckst echt in der Klemme, Großer. Deswegen bin ich schließlich zu dir zurückgekommen.«

»Wo warst du überhaupt? Und wie bist du hier wieder reingekommen?«

»Oh, da gibt es eine tolle Erfindung, sie nennt sich Schlüsselkarte. Wir haben beide eine bekommen.«

Noch etwas, woran ich mich nicht erinnern kann. Zur Abwechslung mal etwas aus meiner jüngeren Vergangenheit.

Oscar schien Noahs Gedanken zu lesen und fragte: »Du hast gar nicht mitbekommen, wie ich das Zimmer verlassen habe, oder?«

Nein, ich war zu sehr mit dem Toten vor dem Kamin beschäftigt.

»Du hast dich an etwas erinnert, richtig? Deshalb warst du so von der Rolle, kaum dass wir das Zimmer betreten hatten. Du bist schon einmal hier gewesen, stimmt's?«

Keine Ahnung. Sieht so aus.

Noah blickte zu der hellen Stelle im Teppich vor dem Kamin, sah den blutigen Hinterkopf vor seinem inneren Auge aufblitzen und wich der Frage aus. »Also, wieso hast du mich alleine gelassen?«

»Tut mir leid, das war feige, ich weiß. Aber ich hab es hier nicht länger ausgehalten. Ich hatte plötzlich Angst, wollte nur noch weg, zurück in mein Versteck. Es sind übrigens hundertzweiundzwanzig.«

»Hundertzweiundzwanzig was?«

»Stufen. Ich hab die Notausgänge und die Treppen ausgekundschaftet, falls wir einen Fluchtweg brauchen, verstehst du?«

»Nein.«

Oscar überhörte den Einwand. »Ich war schon fast wieder auf der Straße, hinten beim Ausgang zum Holocaust-Mahnmal. Doch dann wurde mir klar, das kann ich nicht machen, ich muss zurück. Du brauchst meine Hilfe. Ohne mich kommst du mit denen nicht klar.«

»Mit *denen?* Von wem redest du?«

»Überleg doch mal selbst. Wer quartiert schon zwei Obdachlose in einer 2500-Euro-Suite ein? Wen immer du vorhin angerufen hast, es war garantiert keine Zeitung.«

»Sondern?«

»Ich habe keine Ahnung.«

»Ach ja?« Noah wurde wütend. »Dafür, dass du keine Ahnung hast, kannst du aber erstaunlich gut in die Zukunft sehen. Wer ist dieser Vandenberg? Und weshalb hat er genau so reagiert, wie du es vorhergesagt hast?«

»Du meinst, weshalb er dir dein angebliches Stammzimmer gegeben hat?«

»Ja.«

Oscar zuckte mit den Achseln. »Ich hab es nicht gewusst, nur vermutet, dass er es tut. Die arbeiten immer so. Das ist Teil ihres Programms.«

»Wer sind *die?* Und was für ein Programm?«

Oscar trank das Wasserglas leer und drehte es auf den Kopf, dann unternahm er einen zweiten Anlauf aufzustehen. Leicht schwankend sah er sich im Zimmer um und schien mit sich selbst zu reden. »Das Programm. Richtig. Wieso habe ich da nicht gleich dran gedacht, als ich dich gefunden habe.«

Er schlurfte quer durch die Suite zu einem Sideboard und öffnete dort eine Tür nach der anderen.

»Natürlich, das wäre möglich. Wenn es das ist, was ich vermute, dann sind sie schon sehr viel weiter, als ich befürchtet habe. Dann ist das, was sie mir angetan haben, nur ein Kindergeburtstag gewesen. Na endlich, hier bist du ja …«

Er öffnete den Kühlschrank und zog eine Miniaturwhiskeyflasche aus dem Seitenfach der Minibar.

Noah ging zu ihm und packte seine Hand, als er gerade zum Trinken ansetzen wollte. »Zum letzten Mal: Was läuft hier? Wer bist du? Was haben *sie* dir *angetan?* Und was habe ich damit zu tun?«

Oscar erwiderte den strengen Blick, ohne sich abzuwenden, und wartete darauf, dass Noahs Griff sich lockerte. »Ich weiß, du wirst mir nicht glauben, aber ich bitte dich, es wenigstens zu versuchen.«

»Ich höre.«

»Du hast mich ein paarmal gefragt, weshalb ich auf der Straße lebe.«

Noah nickte.

»Nun, genau genommen, und das ist ein extrem wichtiger Unterschied, lebe ich nicht *auf* der Straße, sondern *unter* ihr.«

»Ist mir nicht entgangen.«

»Und ich tue das mit voller Absicht. Weil ich nur so eine Chance habe, der Gehirnwäsche zu entgehen.«

»Gehirnwäsche?«

»Gedankenkontrolle, Bewusstseinssteuerung, das Programm – nenn es, wie du willst.«

Er leerte das Fläschchen in einem Zug. »Normalerweise trinke ich nicht, aber das habe ich jetzt gebraucht.«

»Sauf meinethalben die halbe Minibar leer, solange du noch in der Lage bist, mir die Wahrheit zu sagen.«

Oscar verzog skeptisch die Mundwinkel. »Du willst die Wahrheit wissen?«

Zu Noahs Verblüffung setzte er sich auf den Teppich und begann seine Stiefel aufzuknöpfen.

»Für die Wahrheit hast du noch nicht lange genug im Untergrund gelebt.«

Oh Mann.

Noah wandte sich ab und sah kopfschüttelnd durch das Fenster zum Brandenburger Tor.

Vermutlich gibt es nur eine Wahrheit, und die ist, dass mein Begleiter komplett verrückt ist.

Oscar hatte sich inzwischen der Stiefel entledigt und saß im Schneidersitz auf seiner umgedrehten Fliegerjacke. Während er versuchte, sich den Norwegerpulli über den breiten Kopf zu ziehen, fragte er: »Wie viele Menschen hungern in der Welt?«

»Bitte?«

»Wie viele haben nicht genügend zu essen, Noah?«

»Was wird das jetzt? Zahlenraten?«

»Nein, Augenöffnen.«

Oscar hatte den Kopf endlich befreit und musste nicht mehr durch den Stoff atmen. »Schätz mal!«

»Keine Ahnung, viele, nehme ich an.«

Noah hatte keine Lust auf derartige Psychospielchen, die Oscar schon einmal mit ihm gespielt hatte. Gleich nachdem er zum ersten Mal im Versteck aufgewacht und ansprechbar gewesen war, hatte sein mysteriöser Retter in einer aberwitzigen Geschwindigkeit zahlreiche scheinbar belanglose Fragen auf ihn abgefeuert: *»Sind wir in Berlin oder in Hamburg? Hat es geschneit oder geregnet in der Nacht, in der ich dich fand? Hab ich da eine schwarze oder eine rote Jacke getragen?«*

Da Noah sich an nichts erinnerte, hatte er raten müssen und mit einer Quote von 49 Prozent richtigen Antworten Oscars Amnesie-Test bestanden.

»Menschen, die einen Gedächtnisverlust simulieren, geben mit Absicht zu viele falsche Antworten«, hatte Oscar ihm zufrieden erklärt. *»Und entlarven sich als Betrüger, wenn sie nicht dem Zufalls-*

prinzip entsprechend eine Trefferquote um die 50 Prozent erzielen. Du aber sagst die Wahrheit. Du kannst dich tatsächlich an nichts erinnern.«

»Laut BBC sind es über eine Milliarde«, setzte Oscar sein merkwürdiges Referat fort und rappelte sich aus dem Schneidersitz auf. »Jeder siebente Mensch hungert auf unserem Planeten, hauptsächlich Kinder. Etwa neun Millionen von ihnen sterben jährlich an Mangelernährung.«

»Okay, das ist schrecklich. Aber was hat das mit uns hier zu tun?«

»Sehr viel, wie deine Reaktion beweist. Findest du das nicht außerordentlich merkwürdig? Ich meine, du bist ein Amnesiepatient, kannst dich an kaum etwas erinnern. Aber du bist nicht im Geringsten verblüfft, wenn ich dir eröffne, dass in der Welt, in der du aufgewacht bist, alle drei Sekunden ein Mensch verhungert.«

»Ich verstehe nicht, worauf du hinauswillst.«

»Genau davon rede ich.«

Oscar zog sein fleckiges Holzfällerhemd und das darunterliegende T-Shirt aus dem Hosenbund.

»Wir sehen die Bilder blähbauchiger Kinder im Fernsehen, lesen über Kinderprostitution und Menschenhandel, über Klimawandel und Energiekrise, kennen die Milliardengehälter von Hedgefonds-Managern an der Wall Street genauso gut wie die Not der Bettler auf den Müllkippen Asiens, und trotzdem machen wir All-inclusive-Urlaub in der Dom-Rep, während wenige Kilometer entfernt, auf dem anderen Teil der Insel, der sich Haiti nennt, Menschen verhungern. Hast du dich nie gefragt, wieso wir so ignorant sind?«

»Weil wir nicht wissen, wie wir es ändern können.«

»Falsch. Weil wir gelernt haben, es zu verdrängen. Hier, sieh doch.«

Oscar, der bereits die ersten Knöpfe seines Hemdes geöffnet hatte, unterbrach sich und zeigte auf den Fernseher, der ein brennendes Fabrikgebäude zeigte.

»Anschlag auf Jonathan Zaphire, CEO Fairgreen Pharmaceutics«, schrie die rot gerahmte Bauchbinde am unteren Bildschirmrand, mit der Nachrichtensender ihre Eilmeldungen verkünden.

»Hungernde Kinder auf dem einen, Krieg und Terror auf dem anderen Kanal. Die Welt geht vor die Hunde, wir alle wissen es, wir sehen es, aber es kümmert uns nicht.«

Er öffnete einen weiteren Knopf. Spucke sammelte sich beim Sprechen in seinen Mundwinkeln.

»Wir beide sind das beste Beispiel, Noah. Penner wie wir liegen bei minus sechzehn Grad vor dem Eingang zum Supermarkt, und die Passanten sehen weg. Hast du dich nie gefragt, weshalb die das so gut können?«

»Uns nicht zu helfen?«

»Uns zu *verdrängen!*«

Noah ließ sich auf dem Sofa nieder und sah an Oscar vorbei ins Schlafzimmer, wo Toto es sich am Fußende des Bettes in einem Paar Boxershorts gemütlich gemacht hatte, das aus dem Koffer gefallen war.

Der Koffer! Ich sollte ihn noch mal genauer untersuchen.

»Sie wollen uns glauben machen, unser Gehirn verfüge über einen Schutzmechanismus. Einen Filter, der das Elend aussiebt, damit wir ein normales Leben führen können.«

Oscar lachte spitz.

»Aber das ist Quatsch. Unser Gehirn ist seit der Steinzeit darauf programmiert, Gefahren zu erkennen, nicht, sie zu ignorieren. Als die Isländer vor sechshundert Jahren merkten, dass ihre Böden schlechter wurden, was haben sie da getan? Den Kopf in den Sand gesteckt? Nein. Sie haben die Höchstzahl von Schafen festgelegt, die auf den Weiden grasen durften. Vor *sechshundert Jahren!* Wenn wir heute wissen, dass das Öl in wenigen Jahren komplett verfeuert ist, kommt keiner auf die Idee, die Anzahl von Autos und Flugreisen zu reglementieren. Wir verkaufen lieber Flugtickets für neunundvierzig Euro nach Malle.«

Das Hemd fiel zu Boden, Oscar stand jetzt barfuß in Jeans und T-Shirt im Raum, was seinen Anblick in dieser Luxussuite noch bizarrer machte.

»Gut, die Welt ist schlecht. Danke für diesen wichtigen Hinweis.«

»Du hörst nicht zu, Noah. Die Welt ist schlecht, aber jeder verdrängt es.«

»Ja, ja, das ist schlimm …«

»Nein, ist es nicht. Es ist ganz und gar nicht schlimm.«

Noah sah auf. »Das verstehe ich nicht.«

»Genau das ist der Punkt. Darauf will ich hinaus. Es ist nicht schlimm. Niemand hält es für schlimm. Keiner sieht mehr hin. Keiner unternimmt etwas dagegen. Und das ist nicht genetisch bedingt, sondern fremdbestimmt.«

»Von wem?«

»Von den wenigen, die wollen, dass die Welt so ist, wie sie ist. Die Konzerne, das Militär, die Superreichen. Sie besprühen uns.«

»Besprühen?«

»Jetzt kommen wir zu dem Teil, den du mir nicht abkaufen wirst.«

Oscar griff sich an die Stelle der Brust, wo sich unter dem T-Shirt das Amulett abzeichnete, das er jede Nacht vor dem Einschlafen betrachtete.

»Ich heiße wirklich Schwartz. Ich bin zwar kein Professor, aber ich habe über ein neurologisches Thema promoviert«, sagte er und knöpfte sich dabei seine Hose auf. »Kurz nach dem Studium machten meine Frau und ich uns mit einer kleinen Facharztpraxis in Frankfurt selbstständig. Viele unserer Patienten waren Angestellte des Großflughafens, was nicht weiter verwunderlich ist, der Airport ist der größte Arbeitgeber der Region. Erstaunlicher waren die Probleme, derentwegen sie zu uns kamen. Die meisten fühlten sich matt, abgeschlagen, müde und lebensunlustig. Dabei hatten sie humane Arbeitszeiten, tatsächlich waren sie bei vielen sogar kürzlich erst gelockert worden. Also keine Burnout-Gefahr, sollte man meinen. Die Ehepartner berichteten übereinstimmend, dass die Bewusstseinsveränderungen fast von einem Tag auf den anderen aufgetreten waren. Dass ihre Partner von heute auf morgen desinteressiert und allem gleichgültig gegenüber geworden seien.«

Oscar blinzelte nervös. Seine Stimme klang belegt, die Erinnerungen schienen ihn sehr zu bewegen.

»Wir forschten nach und fanden heraus, dass die am stärksten betroffenen Patienten mit der Tankbefüllung zu tun hatten. Und dass wenige Wochen zuvor, unmittelbar bevor die Symptome auftraten, eine neue Zapfanlage in Frankfurt installiert worden war.«

»Also waren es die Kerosindämpfe?«

»Nein. Nicht das Flugbenzin war schuld. Sondern das, was sie ihm beimischten.«

»Und das wäre?« Noah konnte seine Skepsis weder im Tonfall noch im Gesichtsausdruck verbergen.

»Das Mittel hat keinen offiziellen Namen. Die meisten nennen es CLEAR. Es wirkt dämpfend auf das zentrale Nervensystem. Macht die Menschen gleichgültig. Nimmt ihnen die Angst vor Bedrohungen.«

Noah ließ sich resigniert in die Sofakissen zurücksinken und sah an die Zimmerdecke. »Es gibt also eine geheime Macht, die gegen die Bevölkerung ein Mittel einsetzt …«

»… um die Masse ruhigzustellen. CLEAR, ganz genau. Anders ist es nicht zu erklären, dass wir den ganzen Tag Fernsehen gucken und im Internet surfen, anstatt auf die Barrikaden zu gehen.«

Noah stand auf. Er wusste, es war sinnlos, dennoch musste er es sagen: »Du hast sie nicht mehr alle.«

»Sagt der Mann ohne Gedächtnis. Übrigens eine Nebenwirkung von CLEAR, wenn man den Stoff zu hoch dosiert.«

»Ja, ja. Klar. Das wird es sein.« Noah ging Richtung Schlafzimmer.

»Du musst mir nicht glauben. Ich kann es beweisen«, rief ihm Oscar hinterher. »Ich brauche nur besseres Wetter.«

»Wetter?« Noah lachte ungläubig auf und drehte sich um.

Das wird ja immer irrer.

»Ja, am besten strahlenden Sonnenschein.«

Oscar zeigte zu den Fenstern der Suite. »Du kennst doch diese Streifen am Horizont? Gerade Linien, wie mit Kreide gezogen am blauen Sommerhimmel. Sie wollen uns weismachen, es wären Kondensstreifen von Flugzeugen, aber meistens sieht man nirgendwo auch nur die Spur eines Jets, stimmt's? Google mal *Chemtrails*, so heißen diese Kontaminierungsstreifen, dann wirst du verstehen, wovon ich rede. Sie entstehen durch die Abgase der unsichtbaren Flugzeuge, die CLEAR versprühen. Die Schweine haben das Mittel dem Flugbenzin beigemischt.«

Noah winkte ab.

Genug Zeit verplempert.

»Wenn du mir nicht glaubst, geh ins Internet.«

»Genau das habe ich vor.«

Aber nicht, um nach CLEAR zu googeln. Sondern nach Dr. Morten oder wie immer ich heißen mag.

»Es gibt Menschen im Netz, die haben sich die Mühe gemacht, diese Chemtrails zu kartographieren. Es hat sich herausgestellt, dass für das menschliche Auge nicht sichtbare Drohnen ein bestimmtes Muster abfliegen.«

»Um das Verdrängungsmittel zu versprühen?«

Oscar grinste über beide Ohren. »Jetzt hast du's kapiert. Jetzt verstehst du, weshalb ich im Untergrund lebe. So erreichen sie mich nicht. Nur im Winter komme ich tagsüber nach oben, denn zwischen November und März sprühen sie seltener, weil da die Wolkendecke zu viel absorbiert. Verstehst du es jetzt? Nur deshalb bin ich noch so klar im Kopf.«

Noah sah ihn entgeistert an. Nachdem Oscar nun auch sein T-Shirt ausgezogen hatte, stand er mit freiem Oberkörper vor ihm. Bis auf eine etwa fünf Zentimeter lange weiße Narbe war Oscars Kugelbauch wie der eines Affen, vollständig behaart.

»Und was kommt jetzt?«, fragte Noah. »Zeigst du mir deine Narbe als Beweis dafür, dass du von geheimen Mächten gefoltert wurdest?«

Oscar sah verwundert an sich herunter und berührte die Wulst unterhalb des Rippenbogens.

»Quatsch. Da bin ich als Kind mal vom Baum gefallen.«

Er streifte sich Hose und Unterhose nach unten, zog sie sich von den Knöcheln und watschelte x-beinig an Noah vorbei Richtung Badezimmer. »Ich will nur endlich wieder mal in eine heiße Wanne steigen.«

20. Kapitel

»Haben wir Zugriff auf die Videoüberwachung?«, fragte Altmann und stieg in den Fahrstuhl. Bevor sich die Türen schließen konnten, eilte noch ein junges Pärchen in die Kabine, das ebenfalls in den fünften Stock wollte.

»Nein«, meldete sich die Frau über den Sender in seinem Ohr. »Nicht unser Einflussbereich.«

Hab ich mir auch nicht anders gedacht.

Sie hatten ihn für einen »Quinso«-Einsatz geordert. Quick in. Safe out. Ohne Zeugen. Ohne Spuren. Sein Spezialgebiet. Um einen Quinso erfolgreich über die Bühne zu bringen, musste der Kreis der Beteiligten so eng wie möglich gezogen werden. Den Sicherheitschef des Adlon einzuweihen wäre grob fahrlässig gewesen, selbst wenn er auf der Gehaltsliste stand.

»Das Clean-Team steht bereit, sobald Sie die Aktion greenlighten.«

Quinso. Clean-Team. Greenlighten.

Manchmal fragte sich Altmann, wer sich diesen schwachsinnigen Pseudocode eigentlich ausdachte. Bestimmt irgendwelche Sesselpupser, die zu alt waren für den Feldeinsatz. Was zum Teufel sprach dagegen, die Dinge beim Namen zu nennen?

»Wir schicken das Reinigungsteam ins Zimmer, sobald Sie den Job erledigt haben.«

Früher hatten sie so gesprochen.

Früher hab ich auch noch Geschenke zum Geburtstag bekommen.

»Haben Sie mich verstanden?«, forderte die Frauenstimme eine Bestätigung von Altmann.

Er blickte zu dem eng umschlungenen Pärchen, das seine Küsse nur für ein gelegentliches Kichern unterbrach.

»Wissen Sie, wie spät es ist?«, fragte er, um der Einsatzleitung zu signalisieren, dass er nicht alleine im Fahrstuhl war. Der junge Mann hatte einige Mühe, sich aus der Umarmung seiner schwer verliebten Freundin zu lösen, und warf einen Blick auf die Armbanduhr. »Kurz nach elf.«

Altmann bedankte sich, aber Romeo hatte den Mund bereits wieder auf den Mund seiner Julia gepresst.

Umso besser. Wirst du mich später nicht beschreiben können.

Altmann wusste, dass das ohnehin schwierig war. Er hatte keine besonderen Merkmale wie abstehende Ohren, Narben oder Leberflecke im Gesicht. Nicht zu dick, nicht zu groß, nicht zu sportlich, nicht zu hager. Er war ein Allerweltstyp. Durchschnittsbraune Haare, durchschnittsgraue Augen, langweilige Farbkombinationen bei seiner Kleidung. Ein Albtraum für jeden Zeugen, der ein Phantombild aus dem Gedächtnis zeichnen sollte. Nur ein Grund von vielen, weshalb er für Aufgaben wie diese geradezu prädestiniert war.

Im fünften Stock angekommen, ließ er dem Paar den Vortritt und wartete ab, für welche Richtung des Ganges sie sich entschieden, um die entgegengesetzte zu nehmen. Es dauerte nicht lange, bis er hinter sich das sanfte Schnappen einer zufallenden Tür hörte, die das Gekicher der Verliebten abschnitt.

Altmann machte auf dem Absatz kehrt und schritt den leeren Flur bis zu seinem Kopfende hinunter.

Dreiundvierzig Schritte bis zum Fahrstuhl, notierte er in Gedanken.

Vor der Tür mit dem Messingschild »Pariser-Platz-Suite« blieb er stehen. »Bin am Einsatzort.«

»Verstanden.«

Er zog ein durchsichtiges, kreditkartenflaches Gerät aus seiner Hosentasche, das über einen Draht mit einem Smartphone in seiner inneren Jackentasche verbunden war. Die elektronische

Schlüsselkarte zog er durch den für sie vorgesehenen Schlitz neben der Zimmertür. Dann tippte er eine sechsstellige Nummer ein, die ihm die Einsatzleitung zusammen mit den Grundrissen und den Fotos gemailt hatte. Es klackte, und die Tür öffnete sich einen winzigen Spalt, durch den sanftes Licht in den Flur fiel.

»Es geht los«, flüsterte Altmann, zog seine Waffe und betrat lautlos die Suite.

21. Kapitel

Das warme Wasser wirkte wie ein Schlafmittel. Je länger Noah es auf sich einwirken ließ, desto sehnlicher wünschte er sich, die Augen schließen zu können.

Um nicht unter der Regendusche einzuschlafen, drehte er den Hahn zu und stieg aus der marmoreingefassten Kabine. Sich den Dreck der Straße vom Körper zu waschen, war der erste vernünftige Vorschlag, den Oscar seit seiner Rückkehr geäußert hatte. Um sich nicht das Bad mit ihm teilen zu müssen, war Noah durch die interne Verbindungstür in die zweite Suite gegangen, die fast identisch, nur spiegelverkehrt geschnitten war.

Die Badezimmer lagen somit Kopf an Kopf. Noah konnte das stetige Rauschen des Whirlpools von nebenan hören, in dem Oscar ausgiebig zu baden schien; eine passende Hintergrunduntermalung zu dem alten Sommerhit, der gerade im Fernsehen lief.

Sunshine Reggae. Na klar. An so einen Mist erinnerst du dich.

Die Badezimmer der Suiten waren mit kabellosen Lautsprechern ausgestattet, die wiederum mit dem Entertainmentsystem im Wohnzimmer verbunden waren. Im Moment übertrugen sie die Musik aus einer Fernsehwerbung für ein Cocktailmixgetränk, und Noah hätte am liebsten leiser gedreht, konnte aber den dafür notwendigen Schalter im Bad nicht finden.

Er trat an eines von zwei Waschbecken, das bei einem Pärchen vermutlich für die weibliche Hälfte vorgesehen war, denn auf der Ablage standen zahlreiche Kosmetikutensilien neben einem Edelstahlbehältnis für Schminktücher. Mit einem davon wischte er den Beschlag von dem Spiegel und musterte das fremde Gesicht, das er freigelegt hatte.

Seine Augen waren klein, müde, von tiefen Falten gerahmt. Die Haut fühlte sich stumpf an, als er darüberstrich. Noah trat einen Schritt zurück und betrachtete seinen gesamten Körper.

Im Gegensatz zu Oscar hatte er nicht nur eine, sondern eine Vielzahl an Narben. Er zählte alleine drei auf seinem Oberkörper, zwei kleine unterhalb des Brustkorbs im Bereich der gut trainierten Bauchmuskulatur. Eine längere in der Nähe des Herzens.

Noah drehte sich zur Seite und löste das Pflaster von der Schulter. Durch das Duschen hatte es sich mit Wasser vollgesogen und lag schwer in der Hand, als er es vollständig entfernt hatte.

»Darf ich vorstellen …«, sagte er und prüfte vorsichtig die Wundränder des Einschusses mit der Spitze seines Zeigefingers, »Narbe Nummer vier.«

Alles war gut verheilt. Die Berührung tat nicht mehr weh, er spürte nur noch ein dumpfes Pochen, aber diese Art des Schmerzes war zu einem ständigen Untermieter seines Körpers geworden. Noah hatte sich beinahe an ihn gewöhnt.

Eher noch als an die Tätowierung.

Er löste seinen Blick von den ungelenk gestochenen Buchstaben auf seinem Handballen und betrachtete sein Profil im Spiegel. Plötzlich juckte ihn das gesamte Gesicht. Von einer Sekunde auf die andere hatte er das dringende Bedürfnis, sich zu rasieren.

Anscheinend hatte er früher eine Nassrasur bevorzugt, jedenfalls zögerte er keine Sekunde, als er unter den zahlreichen Utensilien auf der Waschbeckenablage einen Einwegrasierer und nach grünem Tee duftende Rasiercreme fand. Das Gefühl, wie die Klinge durch den Schaum glitt und die darunterliegende, leicht gerötete Haut freilegte, war fast noch wohltuender als die Dusche. Das dadurch auftauchende kantige Gesicht aber blieb ihm fremd.

Noah trocknete sich gerade das Gesicht ab, als ihn die Worte des Nachrichtensprechers im Fernsehen innehalten ließen.

»Und damit sind wir wieder zurück mit Meldungen über die Lage am Flughafen in New York. Heute um 14.55 Uhr Ortszeit wurde der John F. Kennedy Airport wegen Seuchenalarms unter Quarantäne gestellt.«

Er blickte zu den in der Decke eingelassenen Lautsprechern. Das Wort »Quarantäne« hatte eine elektrisierende Wirkung auf ihn.

»Nach bisher nicht bestätigten Quellen wurden mehrere einreisende Passagiere wegen des Verdachts auf Manila-Grippe in Gewahrsam genommen.«

War die Musik in seinen Ohren eben noch zu laut, empfand er die Nachrichten jetzt als zu leise, deshalb ging Noah aus dem Bad und sah zu dem zweiten Fernseher der Suite, der im Schlafbereich neben dem Schrank auf einer chinesisch anmutenden Kommode stand.

Die Kamera zeigte eine schmerzhaft dünne Blondine, der man wegen ihres eng geschnittenen Kostüms und den modelhaften Gesichtszügen eher die Moderation eines Lifestyle-Magazins zugetraut hätte als die Verkündung von Katastrophennachrichten. Er musste an Celine Henderson denken, die sich noch nicht wieder gemeldet hatte und die er sich gänzlich anders vorstellte als diese Reporterin im Fernsehen. Die schmale Gestalt stand mit wehendem Haar vor einem stacheldrahtbewehrten Maschendrahtzaun auf einer Autobahnbrücke; im Hintergrund war das Rollfeld des Flughafens zu sehen, auf dem sich keine einzige Maschine bewegte.

»Tausende von Reisenden, Angestellten und Angehörigen sitzen fest, das Chaos hat mittlerweile auch die zu- und abführenden Highways erreicht, auf denen sich der Verkehr auf einer Länge von bis zu dreißig Kilometern staut.«

Entsprechende Hubschrauberaufnahmen wurden eingeblendet.

»Betroffene Fluggäste werden gebeten, sich mit ihren Fragen an die unten eingeblendete Servicenummer zu wenden. Auch wir melden uns gleich wieder mit weiteren Details zu der aktuell noch eher unübersichtlichen Lage …«

Die Reporterin gab mit ernstem Blick zurück ins Studio, wo ihr Nachrichtenkollege eine Frage stellte, auf die Noah jedoch nicht mehr achtete, da Toto im Nachbarzimmer knurrte, und das mit tiefen, rasselnden Lauten, die viel zu voluminös für den winzigen Hundekörper schienen.

Eher neugierig als alarmiert ging Noah in das angrenzende Schlafzimmer, wo der Welpe mit eingeklemmtem Schwanz und gesenktem Kopf vor der geschlossenen Badezimmertür stand.

Was hast du denn, Kleiner?, wollte er schon fragen, doch als er sich zu ihm hinunterbeugte, bemerkte er aus dem Augenwinkel heraus die Veränderung des Lichtes, das durch den schmalen Spalt zwischen Badezimmertür und Schlafzimmerboden fiel. Eine Abschattung, kaum merklich, aber dennoch ein eindeutiges Zeichen, dass sich hinter der Tür jemand bewegt hatte.

Jemand, der nicht badet.

Jemand, der Schuhe trägt.

Noah fühlte, wie seine Kehle vor Anspannung trocken wurde und sich die Wundränder in seiner Schulter zusammenzogen. Als er die Tür aufriss, verwandelten sich seine Augen in eine mentale Spiegelreflexkamera, die in Bruchteilen von Sekunden Bilder schoss und sie zu dem Bereich seines Gehirns sendete, der für die Analyse lebensbedrohlicher Gefahrenlagen zuständig war.

Das erste Bild zeigte einen Whirlpool, der an einen überlaufenden Kochtopf erinnerte: Das Wasser schlug Blasen, weißer Schaum trat über seine Ränder.

Von Oscar waren einzig noch die verschrumpelten Fußzehen zu sehen, die durch die Wasserdecke stachen. Mit dem Rest seines Körpers war er vollständig untergetaucht. Offensichtlich freiwillig, wie die Analyse von Bild Nummer zwei ergab: Der Unbekannte mit der Waffe in der Hand hatte ihn nicht heruntergedrückt, sondern schien darauf zu warten, dass Oscar wieder an die Oberfläche kam, wahrscheinlich, um ihm ins Gesicht zu schießen.

Wer sind Sie?

Wie sind Sie hereingekommen?

Warum wollen Sie töten?

Alles Fragen, mit denen Noah sich nicht aufhielt. Nicht aufhalten konnte. Denn der Killer zögerte keine Sekunde. Aufgeschreckt durch Noahs Erscheinen, wirbelte der Mann herum.

Und krümmte den Zeigefinger.

In der Hälfte der Zeit, die ein Kolibri für einen Flügelschlag benötigt, hatte er seine Waffe ausgerichtet.

Bild Nummer drei: Heckler & Koch USP, Browningverriegelung, 9 mm mit DAO-Abzugssystem. Schalldämpfer polnischer Fabrikation.

Der Killer war schnell. Schneller, als Noah den Atem anhalten konnte.

Aber nicht schnell genug.

Die Gefahrenanalyseabteilung in Noahs Gehirn hatte einen Handlungsplan erstellt und ohne Umwege an die ausführenden Muskeln und Gliedmaßen weitergegeben.

Handflächen wie zum thailändischen Begrüßungsritual vor dem Gesicht aneinanderpressen. Abstand zur Zielperson verringern, dabei den rechten Ellenbogen im 90-Grad-Winkel aufstellen. Angriffswaffe damit seitlich nach oben drücken. Den Rückstoß des ersten fehlgeleiteten Schusses dazu nutzen, dem Angreifer mit der flachen linken Hand das Gleichgewichtszentrum im Ohr zu zertrümmern.

Gleichzeitig das Knie in die Hoden rammen und mit der Aufwärtsbewegung des rechten Ellenbogens fortfahren, bis der Kiefer getroffen, bestenfalls gebrochen ist.

Noah hatte alle Punkte mechanisch ausgeführt und sich dabei parallel immer auf die Rechte des Angreifers, also auf dessen Waffenhand konzentriert, die er, während der Eindringling sich nach vorne krümmte, mit dem linken Arm nach oben riss, bis er den Widerstand in der Gelenkpfanne spürte – das Zeichen, den Druck zu erhöhen, bis erst die Sehnen, dann die Muskeln zerrissen. Dabei drehte er sich ballettartig mit dem Mann zur Seite, der einfach nur dem Schmerz entkommen wollte, den Noah durch den Druck auf die ausgekugelte Schulter ausübte.

Dabei gab es keine Schreie, auch dafür fehlte die Zeit. Es ging so rasch, dass dem Killer noch nicht einmal die Waffe aus der Hand gefallen war, als Noahs Finger sich schon um dessen Faust schlossen und er fast gleichzeitig den Unterarm hochriss und die Mündung der H&K auf den Nacken des Angreifers platzierte.

Flopp. Flopp.

Zwei Schüsse, nicht lauter als das Öffnen eines Gummiverschlusses bei einem Marmeladenglas, und der Unbekannte war mit seiner eigenen Waffe gerichtet.

In diesem Augenblick tauchte Oscar prustend auf, rülpste laut und rieb sich vergnügt summend etwas Schaum aus den Augenwinkeln. Dann sah er Noah – und schrie: »Verdammt, hast du mich erschreckt. Kannst du nicht anklopfen?«

»Wir müssen los«, antwortete Noah tonlos.

»Los? Wieso los?« Oscar stand in der Wanne auf. »Du kannst dich doch nicht einfach so nackt in mein Badezimmer … Sag mal, ist das eine Pistole in deiner Hand? Wieso … Ach, du Scheiße.«

Oscar hatte den reglosen Mann vor dem Whirlpool entdeckt. »Ist der … ich meine, hast du den …«

»Schnell, wir haben keine Zeit.«

Noah eilte mit großen Schritten aus dem Badezimmer, zog sich Unterhose, eine dunkle Anzughose, ein Hemd und Jackett über, eine zufällige Auswahl aus dem Koffer, ohne die Waffe, die er dem Killer entwendet hatte, dabei aus der Hand zu legen.

»Er ist tot.« Oscar stand nackt in der Badezimmertür und zeigte auf die Leiche. »Ich glaube, der ist so richtig tot.«

»Das sind wir auch gleich, wenn wir nicht sofort verschwinden.«

»Aber wer? Ich meine, wieso, woher …«

Keine Ahnung. Keine Zeit.

Noah checkte kurz das Magazin. Noch zwölf Patronen.

Wenigstens etwas.

Die Waffe trug Gebrauchsspuren, war aber sorgsam gepflegt. Zusammen mit dem lautlosen Eindringen und der Schnelligkeit ein Zeichen für den Profistatus des Killers.

Er zog das Ladekabel aus der Steckdose, warf Brieftasche, Pässe und Satellitentelefon gemeinsam mit den Kleidungsstücken, die er in der Eile greifen konnte, zurück in den Koffer und rannte an Oscar vorbei zurück ins Bad.

»Was machst du?«

Vor Schreck klapperte Oscar mit den Zähnen. Seine Füße standen nur wenige Zentimeter vom Rand der Blutpfütze entfernt, die sich um den Kopf des Unbekannten ausbreitete.

Wie erwartet führte der Killer keine persönlichen Gegenstände bei sich. Seine Taschen waren leer. Noah drehte ihn mit dem nackten Fuß zur Seite. Auch sein Gesicht wirkte unpersönlich, ohne besondere Merkmale. Eher zu einem Buchhalter passend als zu einem Auftragskiller.

Noah ging davon aus, dass er es auf ihn und nicht auf Oscar abgesehen hatte, vermutlich wusste er nichts von dem zweiten Zimmer, in dem er sich nur zufällig aufgehalten hatte.

»Hier.« Er warf Oscar einen weißen Bademantel zu, den er von einem Haken an der Tür genommen hatte.

»Du hast einen Menschen ermordet«, flüsterte Oscar fassungslos. Es schien ihm unmöglich, den Blick von der Leiche zu wenden. Immerhin zog er den Frotteemantel über und bewegte sich aus dem Badezimmer.

Noah war derweil in seine Stiefel gestiegen und befahl Oscar, das Gleiche zu tun.

»Den Rest deiner Klamotten lässt du hier. Dafür ist jetzt keine Zeit.«

Weil es ihm zu langsam ging, packte er Oscar am Kragen des Bademantels und zog ihn in die Nachbarsuite. Hier spähte er durch den Spion und öffnete die Tür erst, als er sich vergewissert hatte, dass niemand davorstand.

Ein Blick in den Gang verriet ihm, dass sie auch hier alleine waren.

»Bist du so weit?«

Er drehte sich zu Oscar um, der heftig verneinend den Kopf schüttelte. »Scheiße, nein, ich steh hier mit blutigen Füßen und meinen Stiefeln in der Hand im Bademantel. Ich bin zu gar nichts bereit.«

Immerhin hatte er seine Sprache wiedergefunden.

Noah eilte ins Schlafzimmer zurück, griff sich den Rucksack und sah unter das Bett. Wie vermutet hatte Toto sich hier versteckt. Seit den Schüssen hatte er keinen Laut von sich gegeben, zitterte jedoch am ganzen Körper. Mit einem schnellen Griff zog Noah den Welpen am Hals unter dem Bett hervor und packte das Tier in den Rucksack, dann befahl er Oscar, mit ihm die Suite zu verlassen.

»Nicht, bevor ich nicht weiß, was eben geschehen ist.«

»Schön. Dann eben nicht.«

Mit dem Koffer in der Hand und dem Rucksack über der

gesunden Schulter trat Noah in den Flur und eilte, so schnell es mit losen Schnürsenkeln eben ging, Richtung Fahrstühle.

Zwei Meter hinter den Gästeaufzügen gab es einen Seitenarm. Hier befand sich ein Lastenaufzug.

Noah drückte auf den Ruf-Knopf, doch nichts geschah.

»Für den brauchst du einen Schlüssel«, sagte Oscar, der es sich offenbar anders überlegt hatte. Sein krebsroter Kopf wurde durch den weißen Bademantel noch stärker hervorgehoben.

»Nein, brauche ich nicht«, antwortete Noah, ohne zu wissen, weshalb er sich da so sicher war. Er sah auf ein Zahlenfeld unter dem Rufknopf, und plötzlich fiel es ihm ein. Noah hatte eine Erinnerung an eine Erinnerung.

Ich bin schon einmal mit ihm gefahren.

Ich weiß, wohin dieser Weg uns führt.

In den Keller des Hotels. In die Diskothek des Adlon.

Wo Menschen zu zuckenden Stroboskoplichtern tanzen.

Es war nicht mal eine Stunde her, da hatte er sich selbst in einem rückwärtslaufenden Erinnerungsschub gesehen.

Ich habe diesen Fluchtweg schon einmal genommen.

Damals, kurz nachdem ich angeschossen worden war.

Noah schloss die Augen und visualisierte die Zahlenkombination, an die er sich vorhin erinnert hatte.

4266

»Was machst du?«, hinterfragte Oscar das Offensichtliche. Noah drückte die entsprechenden Tasten auf dem Eingabefeld, nur dass er den Code andersherum ausführte, als er ihn in der Rückblende eingetippt hatte.

6624

Einige Stockwerke unter ihnen hörte er ein Knacken, dann spannten sich die Fahrstuhlseile an. Der Rufknopf glomm auf und leuchtete in blassem Rosa.

»Woher hast du das gewusst?«, fragte Oscar, als er auf der

Anzeige über der Fahrstuhltür registrierte, dass die Kabine von Etage zu Etage sprang.

»Keine Ahnung«, sagte Noah, trat einen Schritt zurück und sah den Gang hinunter zu dem Licht, das aus der Tür ihrer Suite fiel, die Oscar nicht geschlossen hatte.

Er wusste nicht, wer er war. Nicht, wer der Killer mit der Pistole gewesen sein konnte, noch wer ihn beauftragt hatte.

Und er wusste auch nicht, ob der Fahrstuhl rechtzeitig kommen würde, bevor der Mann sie eingeholt hatte, der gerade mit einer Waffe im Anschlag aus der Pariser-Platz-Suite heraus in den Hotelflur trat.

22. Kapitel

»Lage?«

»Unübersichtlich.«

Altmann kniff die Augen zusammen. Noah hatte ihn bemerkt und war zurückgewichen, in einen Gang, in dem sich laut Lageplan zwei Wäschekammern und der Lastenaufzug befanden.

Was für ein Kuddelmuddel.

»Wieso haben Sie den Job nicht zu Ende gebracht?«, wollte die Frauenstimme in seinem Ohr wissen.

»Wieso haben Sie mir nichts von dem dritten Mann gesagt?«

Altmann steckte seine Pistole wieder ins Holster, ging in die Suite zurück, aus der Noah und Oscar eben vor seinen Augen geflohen waren, und schloss die Tür.

»Dem *dritten?*«

»Als ich eintrat, war schon jemand da.«

»Wer?«

»Das frage ich Sie!«

Altmann ging zum Badezimmer und besah sich die Sauerei. Angesichts der Temperaturen der Fußbodenheizung musste sich das Clean-Team beeilen, wenn der Geruch sich nicht im gesamten Gebäude ausbreiten sollte. Oft waren die Lüftungsanlagen in Hotels miteinander verbunden.

Altmann kniete sich nieder und schoss mit seinem Handy ein Foto von dem Mann, das er der Zentrale überspielte.

Er war jung, zumindest jünger als er selbst.

Keine dreißig Jahre alt.

Ein Killer, keine Frage. Ein Profi, das stand ebenfalls fest.

Aber jemand mit einer schlampigen Handschrift.

Jemand, der sich nicht ausreichend vorbereitet hatte.

Oder mit noch weniger Informationen ausgestattet war als ich.

Kein erfahrener Spezialist begann mit der Arbeit, bevor er nicht alle Gegner lokalisiert hatte. Vermutlich hatte der Mann hier weder von dem zweiten Zimmer noch von Noahs Begleitung gewusst.

Dachte bestimmt, heute ist sein Glückstag, als er sein Ziel in der Badewanne singen hörte.

»Haben Sie noch jemanden zusätzlich zu mir beauftragt?«, wollte Altmann wissen.

»Natürlich nicht, nein.«

»Dann ist dieser Noah noch unbeliebter, als wir dachten.«

Altmann spürte einen leisen Schmerz hinter seiner Kniescheibe, als er sich aufrichtete. »Und Sie haben mir auch den Hund verschwiegen.«

»Was denn für einen Hund, zum Teufel?«, schimpfte die Frau in seinem Ohr. Ihre Stimme kiekste. Er konnte förmlich sehen, wie sie kurz davorstand, sich das Headset vom Kopf zu reißen.

Altmann hatte die Frau aus der Einsatzleitung noch nicht persönlich kennengelernt. Für ihn war die kühle Stimme ein Neutrum. Er wusste nicht, wie sie aussah, wie sie hieß, wie sie sich kleidete oder was sie gerne aß. Ihre politische Gesinnung war ihm ebenso unbekannt wie ihre sexuellen Vorlieben. Wenn er mit ihr sprach, war es so, als würde er sich mit einem Navigationssystem unterhalten. Bislang hatte ihm das auf seinen Einsätzen immer geholfen. Er brauchte die Distanz, um in Ruhe arbeiten zu können. Dass die Frau sich wegen der Erwähnung des Hundes jetzt so aufregte, machte sie menschlicher und gab ihr einen Charakter. Altmann bezweifelte, dass ihm diese Entwicklung gefiel.

»Ja, ein Welpe.«

»Und *der* hat Sie gestört? Ein Welpe?«

»Nicht mich. Den anderen.«

Wie ich von meinem Versteck hinter dem schweren Leinenvorhang aus beobachten konnte.

»Haben Sie den Mann identifiziert?«

»Ich hab Ihnen gerade ein Foto geschickt.«

»Gut.«

»Was jetzt? Soll ich ihn durchsuchen oder die Verfolgung aufnehmen?«

»Wieso haben Sie Letzteres nicht längst getan? Hatten Sie die ganze Zeit über denn keine Möglichkeit, das Objekt zu liquidieren?«

Doch. Zahlreiche.

Ich hätte Noah in den Kopf schießen können, als er aus dem Bad kam. Oder ins Genick, als er den Hund unter dem Bett hervorgezogen hat. Ich hätte ihn sogar noch am Fahrstuhl einholen können.

»Nein«, log Altmann.

Er hatte seine Prinzipien. Wenn ein Einsatz unübersichtlich wurde, stellte er jegliche Aktivitäten ein, bis die Lage sich geklärt hatte. Von dieser Vorgehensweise war er kein einziges Mal abgewichen, und er glaubte fest daran, dass das einer der Gründe war, weshalb er mit einundvierzig Jahren noch im Geschäft war.

»So ein Mist, heute geht aber auch alles schief«, ließ sich die Frau zu einer weiteren unprofessionellen Aussage hinreißen.

»Was denn noch?«, fragte Altmann.

»Zaphire.«

»Was ist mit ihm?«

Die Einsatzleiterin seufzte. »So wie es aussieht, wird er leider durchkommen.«

23. Kapitel

Lupang Pangako, Metro Manila, Philippinen

Das Morgenlicht brach sich in der Glasscherbe und zauberte einen Regenbogen auf das Gesicht des kleinen Mädchens, das am Rande eines Abfallhaufens mit den Teilen einer zerbrochenen Flasche spielte. Shala war nackt, ihr Hintern kotverkrustet. Wie so viele litt die Zweijährige an dem Durchfall, der gerade in Lupang Pangako grassierte.

Alicia überlegte kurz, ob sie auf ihrem Weg innehalten und das Mädchen nach seiner Mama fragen sollte, die normalerweise, wenn es nicht gerade regnete, zwischen den Bretterbuden mit ihrer Tochter im Freien saß und die Jeans zusammennähte, die ein Händler jeden Morgen in den Slum brachte. Hosen, von denen es hieß, sie würden in großen Schiffen über den Pazifik bis nach Amerika gebracht werden und dort für unglaubliche fünfundzwanzig Dollar verkauft werden. Pro Stück! Manche sogar noch teurer, aber Alicia konnte das Gerücht nicht glauben. Allerdings hatte sie in dem begehbaren, klimatisierten Kleiderschrank der Bankiersvilla in Forbes Park, in der sie einmal als Putzhilfe hatte aushelfen dürfen, ein Paar Schuhe gesehen, die laut Preisschild auf dem Karton über zweitausend Dollar gekostet haben sollten. Ein Geschenk zur Feier des Tages, wie die Dame des Hauses ihr erklärt hatte, weil ihr Mann zwanzig Millionen mit einer Wette auf steigende Getreidepreise gewonnen hatte. Alicia hatte nur höflich gelächelt und kein Wort verstanden.

»Hey, was ist nur los mit dir?«, riss Marlons Stimme sie aus den Gedanken. Ihr Cousin, der auf dem Pfad zwischen den

Hütten mit Jay vorausgegangen war, kam zurück und zeigte auf das Bündel Mensch, das vor Alicias Brust hing. Sie hatte eine Plastiktüte in mehrere Streifen geschnitten und daraus eine bequeme Bauchtrage gebunden, in der sie Noel am Herzen trug. Für einen Moment war sie wieder in der Villa gewesen und hatte dem Chauffeur die Tür aufgemacht, der die Tochter des Hauses von der Privatschule abgeholt hatte. Jetzt war der Tagtraum vorbei, das kolonialstilartige Anwesen mit seinem weißen Marmor-Entree verschwunden. Sie fühlte wieder das Loch in ihren Flipflops, spürte den Dreck zwischen den Zehen, roch den fauligen Abfall, hörte das Wummern der Hubschrauber über ihrem Kopf.

»Was willst du von ihr?«, fragte ihr Cousin und zeigte auf Shala, die vor dem Müllberg hockte, als wollte sie gerade Pipi machen. »Kümmer dich lieber um dein eigenes Baby!« Marlon zog sie weiter. Weg von dem kleinen schwarzhaarigen Mädchen mit den traurigen Augen, das ihr mit der Scherbe in ihrem dreckigen Fäustchen winkte, während Alicia Marlon und Jay hinterhereilte. Seitdem Marlon ihnen vor dem Aufbruch eine Schüssel Reis organisiert hatte, über deren Herkunft Alicia gar nicht nachdenken wollte, war zumindest Jays und auch ihr größter Hunger gestillt. Ohne die wenigen Happen hätte sie weder ihrem Sohn noch sich selbst den Marsch zur »Hauptstraße« zumuten wollen.

Dabei war der Begriff »Straße« für die Hauptader des Slums ebenso unpassend wie die Bezeichnung »Leben« für das Dasein, das die Menschen hier fristeten. Von den geschätzten fünfundvierzigtausend Seelen, die allein in diesem Abschnitt von Quezon City vor sich hin vegetierten, hatten sich einige Hundert auf den Weg gemacht. Männer, Frauen, Kinder – sie alle wollten sich ein Bild von der Lage machen und den Dingen auf den Grund gehen: weshalb die Hubschrauber nun auch nach Tagesanbruch noch unaufhörlich über ihren Köpfen kreisten. Ihre Rotorblätter zerschnitten die feuchtheiße Luft, wirbelten Müll auf, rissen unbefestigte Dächer von den teilweise doppelstöckigen Verschlägen und trieben den beißenden Abfallgestank durch die verschlungenen Pfade.

Von der Luft aus betrachtet hatte die Payatas-Deponie die Form einer gewaltigen, nach links gekippten Acht. Alicias Elendsviertel füllte die linke Gürtelmulde dieser Acht mit losen Wellblech- und Bretterbauten aus. Im Norden, Osten und Süden wurde dieser Bereich folglich durch die Müllkippe begrenzt. Im Westen teilte eine befahrbare Straße namens Bicol das Viertel von einem nicht weniger trostlosen Abschnitt ab.

Alicia marschierte mit Noel, Jay und Marlon in westliche Richtung auf die dünnste Stelle der Acht zu, wo sich die Brücke befand, die ihr Sohn jeden Morgen überschreiten musste, wenn er auf die Halde wollte. Der Zugang zur Deponie, der gleichzeitig der Hauptausgang des Slums war. Normalerweise konnte man diesen Übergang über einen verpesteten Abwasserkanal schon von weitem sehen, doch heute verstopften unzählige Menschen den staubigen Zuweg. Es war wie vor zwei Monaten, als sie gegen die Schließung der Müllkippe und ihre Umsiedlung demonstriert hatten, nur dass die Stimmung heute noch aufgewühlter, noch viel gereizter war. Und es gab kein Durchkommen. Die Menge stand wie eine Wand.

»Sie sperren alles ab«, schrie ein junger Mann, der sich seinen Weg zurück bahnte, augenscheinlich, um die hinteren Reihen zu informieren. Er trug ein zerschlissenes AC/DC-T-Shirt und sah so aus, als hätte er geweint, die vertrauten Nebenwirkungen der Plastikdämpfe. Auch er war ein Aasgeier, der heute nicht auf die Deponie kam.

Alicia konnte kaum glauben, was er zu berichten hatte.

»War vorne, an der Brücke. Stacheldrahtzäune. Haben die

ausgerollt.« Der Mann, der ihr schon einmal in der Schlange vor dem Trash-Store aufgefallen war, in dem man seinen gesammelten Plastikmüll abgeben konnte, war außer Atem und sprach im Stakkato-Rhythmus.

»Einmal rum. Überall. Stacheldraht. Um die ganze Halde. Und Panzer.«

Erschrocken tastete Alicia nach dem Köpfchen ihres Babys. Noel hatte etwas getrunken, aber viel zu wenig. Sie spürte eine Mulde in seinem Kopf, die Fontanelle war so tief eingesunken wie noch nie.

»Panzer?«

»Ja. Und Soldaten. Mit Maschinengewehren. Feuerbereit. An allen Ein- und Ausgängen.«

»Aber ich muss doch raus«, sagte sie und hörte ihre eigene Verzweiflung.

Mein Baby braucht Hilfe. Ich muss zum Hospital.

Jetzt ärgerte sie sich, dass sie nicht gleich auf Marlon gehört und sofort mit ihm gegangen war. Aber Noel hatte auf einmal wieder an ihrer Brust gesaugt, wenn auch nur für etwa fünf Minuten. Dann war er wieder eingeschlafen, um nach einer weiteren halben Stunde erneut sein Glück zu versuchen. So ging es bis zum Morgengrauen. Alicia hatte Angst gehabt, ihr Baby selbst von diesen kargen Mahlzeiten abzuhalten, wenn sie sich sofort mit ihm auf den Weg machte. Erst als Noel wieder apathischer wurde und nur noch leise wimmerte, ohne an ihre Brust zu wollen, hatte sie sich endlich aufgerafft.

»Wir finden schon einen Weg«, sagte der siebenjährige Jay mit ernster Miene. Mittlerweile waren aus den Seitengassen so viele Menschen zu ihnen gestoßen, dass eine Umkehr immer schwieriger wurde. Der Slum war erwacht und mit ihm die Angst.

»Lass es uns Richtung Bicol versuchen«, entschied Marlon.

und wies in die Richtung, aus der sie gekommen waren, da mischte sich plötzlich ein dumpfes, röhrendes Geräusch in das Flap-Flap-Flap der Hubschrauber. Alicia sah nach oben und entdeckte einen kleinen Punkt in dem wolkenlosen Himmel über ihnen, der immer größer wurde.

»Was ist das?«, fragte Jay.

Immer mehr Menschen legten den Kopf in den Nacken, schirmten die Augen vor der schräg einfallenden Sonne ab. Starrten hinauf zu der Cessna, die direkt auf die Slumbewohner abzustürzen drohte. Eine Welle der Panik baute sich auf. Die Menschenmasse kam in Bewegung, drängte nach hinten, fort von dem Übergang. Alicia hörte Schreie. Kinder, Frauen. Ein Schuss fiel, was die Lage noch verschlimmerte. Jetzt stoben die Menschen in alle Richtungen, überrannten ihre Hinter- oder Vordermänner. Nahmen keine Rücksicht mehr auf Schwächere, so wie auf Alicia, die die Hand von Jay loslassen musste, um sich hinter eine halbfertig gemauerte Steinwand zu retten. Hier kauerte sie sich zu Boden, während das Dröhnen des Flugzeugs immer lauter wurde. Schirmte ihr Baby mit beiden Händen ab.

Und fühlte den Regen.

Feinen, nach Ammoniak riechenden, gelblichen Sprühregen.

Als die Motorengeräusche wieder leise wurden, wagte sie aufzustehen und der abdrehenden Cessna hinterherzuschauen.

»Was war das?«, hörte sie Jay neben sich schreien, der es geschafft hatte, seiner Mutter nicht von der Seite zu weichen. Nur Marlon schien verschwunden.

»Ich habe keine Ahnung«, antwortete Alicia und rieb sich den klebrigen Film dieser unbekannten Substanz von der Haut, die der Pilot des Flugzeugs gerade aus den Tanks über ihnen abgelassen hatte.

24. Kapitel

Berlin

Das Taxi war bitterkalt, wofür sich der Fahrer entschuldigte, als sich Noah und Oscar bei ihm auf die Rückbank quetschten.

»Zwei Stunden schon steh ich mir hier die Reifen in den Tank. Und da Benzin bald mehr kostet als Champagner im Puff, kann ich es mir nicht leisten, den Motor laufen zu lassen. Wo wollen Sie denn hin?« Der Mann sah in den Rückspiegel. »Wehe, es ist nur 'ne Kurzfahrt!«

»Bahnhof Zoo«, antwortete Noah, weil es das einzige Ziel war, das ihm einfiel. Der Zugang zu Oscars Versteck befand sich in der untersten Ebene des U-Bahnhofs, in einem Fußgängertunnel zwischen den Linien U2 und U9. Nach all den Vorfällen konnte Noah nur hoffen, dass der Platz noch sicher war.

Und dass wir nicht verfolgt werden. Von wem auch immer.

Er drehte sich um, konnte aber niemanden durch die Rückscheibe ausmachen. Die Zufahrt vor dem Hintereingang des Adlon, von der sie sich gerade entfernten, war menschenleer.

»Zoo ist nicht grad Schönefeld«, murrte der Fahrer. »Aber immer noch besser als meine letzte Tour.« Den Mann, den eine im Lüftungsschlitz steckende Visitenkarte als Helmut Koslowski auswies, schien der merkwürdige Aufzug seiner zugestiegenen Kundschaft nicht zu stören. Während Noah mittlerweile wieder etwas unauffälliger aussah – geduscht, rasiert und im dunklen Anzug –, glich Oscar einem aus einer psychiatrischen Klinik entlaufenen Patienten. Auf ihrer Flucht durch die Nobeldiskothek im Keller des Adlon, in die sie der Lastenfahrstuhl geführt hatte, war er in der Dunkelheit kaum aufgefallen. Erst als sich auf den Treppen zum Ausgang das Gedränge lichtete, hatten die Besucher angefangen zu tuscheln. Kein Wunder, wenn man bedachte, dass ihnen ein kurzwüchsiger Halbnackter im Bademantel entgegenkam.

»Der Typ hat mir den Wagen vollgekeimt«, erzählte der Fahrer weiter von seinem letzten Gast. Er drehte den Regler für die Heizung in den roten Bereich, aber im Moment kam nur kalte Luft durch die Schlitze. Sie passierten die amerikanische Botschaft. Noah sah das Brandenburger Tor zu seiner Rechten und musste den Rucksack mit Toto festhalten, damit er in der Kurve nicht vom Sitz rutschte.

»Hat die drei Minuten bis zur Charité über wie ein Tuberkulosekranker gehustet. War blöd von mir, den mitzunehmen, was? Ich meine, bin ja kein Krankenwagen, und erst gestern hat uns die Zentrale ein Infoblatt gemailt, was wir wegen der neuen Grippe und so zu beachten haben.«

Koslowskis Blick wanderte in den Rückspiegel. Der Gedanke, auch seine neuen Gäste könnten eine zweifelhafte Fracht darstellen, schien ihm nicht zu kommen. Das Taxi war ein achtsitziger japanischer Minivan mit Schiebetüren, und sie hatten in der letzten Reihe Platz genommen. Verdeckt von den Rückenlehnen der Vordersitze hatte der Fahrer nur eine eingeschränkte Sicht, weswegen Noah jetzt unbeobachtet den Koffer zu seinen Füßen öffnen konnte.

»Zieh dir das an«, flüsterte er und reichte Oscar eine Unterhose, ein Paar Socken, ein Anzughemd und eine schwarze Flanellhose.

Das Taxi beschleunigte auf der Straße des Siebzehnten Juni.

Oscar drehte langsam den Kopf und starrte ihn mit leeren Augen an. Augenscheinlich stand er seit dem Anblick der Leiche im Bad noch immer unter Schock. »Du hast dich verändert«, flüsterte er. Noah wusste, dass sich diese Bemerkung, wenn überhaupt, nicht nur auf sein Äußeres bezog.

Es war, als hätten sie die Rollen getauscht. Seitdem Noah ihm in knappen Sätzen geschildert hatte, dass der Tote im Badezimmer ein Killer gewesen war, der ihn um ein Haar – wahrscheinlich infolge einer Verwechslung – getötet hätte, wirkte Oscar apathisch und willenlos, während Noah die Initiative übernommen hatte.

Noah deutete auf die Kleidungsstücke. »Die Klamotten werden dir zu groß sein, aber das kann ich nicht ändern.« Auf der Flucht waren hochgekrempelte Hosen allemal unauffälliger als Bademäntel.

»Ist da irgendeine Veranstaltung am Zoo?«, wollte Koslowski wissen. Wie schon zuvor wartete der Fahrer gar nicht erst eine Antwort ab, bevor er weiterredete. »Ich finde ja, es gibt viel zu viele Veranstaltungen in Berlin. Partys, Events, Ausstellungen, Konzerte. Die ganze Welt geht vor die Hunde, und in Berlin tanzen sie auf dem Tresen.«

Er zeigte auf eine Säule mit einer goldenen Flügelfigur in einiger Entfernung vor ihnen, als würde das hell erleuchtete Wahrzeichen in der Mitte des Kreisverkehrs seine These in irgendeiner Art untermauern.

»Ist alles aus den Fugen geraten.«

Irgendetwas in Koslowskis letzter Bemerkung schien Oscars Aufmerksamkeit geweckt zu haben, jedenfalls nickte er langsam. Gleichzeitig veränderte sich sein Blick. Er wurde klarer.

»Wer war das?«, fragte er mit leiser Stimme. Flüsternd, aber dennoch fordernd. Allmählich wurde es etwas wärmer im Taxi.

»Der Mann im Bad?«

Oscar nickte.

»Das versuche ich gerade herauszufinden.«

Noah zog das Satellitentelefon aus der rechten Innentasche

seines Jacketts. In der linken hatte er die Pistole verstaut, die er dem Killer abgenommen hatte.

Während sich der Taxifahrer über die Vergnügungssucht der Berliner beschwerte (»Wissen Sie, was auf den Partybüfetts alles ungenutzt in den Müll wandert? Damit kann man ganze Staaten ernähren«), drückte Noah auf die On-Taste des Telefons, und diesmal leuchtete das Display auf. Die kurze Aufladezeit im Hotel hatte gereicht, um das Handy einschalten zu können. Ein computeranimierter Adler flog aus einem silbernen Käfig in die Freiheit. Die Szene fror in einem Standbild ein, das den Adler über den Wellen eines dunklen Meeres zeigte, offensichtlich das Firmenlogo des Herstellers.

»Wen rufst du an?«, wollte Oscar wissen und blickte kurz aus seinem Seitenfenster. Sie bogen in den Kreisverkehr um die Säule. Er klang immer noch abwesend, aber immerhin versuchte er zu kommunizieren.

»Keine Ahnung.«

Der Adler verschwand, und ein Auswahlmenü zeigte sich auf dem Touchscreen des Telefons.

Noah drückte auf ein Karteikartensymbol und öffnete die Liste der gespeicherten Kontakte.

Nichts.

»Kein einziger Eintrag«, klärte er Oscar auf.

Die Datenbank war leer, und auch in den anderen Menüunterpunkten fanden sich keinerlei digitale Gebrauchsspuren. Keine empfangenen Kurzmitteilungen, keine E-Mails. Keine gewählten Nummern, keine geführten Gespräche.

»Vielleicht ist es neu?«, schlug Oscar vor.

»Mit diesen Abnutzungserscheinungen?« Er hielt das Telefon schräg, dass Oscar die Rillen in dem zerkratzten Gehäuse besser sehen konnte. Noah schüttelte den Kopf. »Jemand hat den Speicher gelöscht.«

Den im Telefon. Und den in meinem Kopf.

»Empfangsprobleme?«, wollte der Taxifahrer wissen. Er lächelte wissend. »Hab ich heute auch schon den ganzen Tag. Netzüberlastung. Dachte, nachts wird es besser, aber ist ja auch kein Wunder, wenn die Kids die ganze Zeit nur noch telefonieren, anstatt mal ein Buch …«

Noah hörte nicht weiter hin. Koslowskis nicht enden wollender Redeschwall war längst zu einem bedeutungslosen Hintergrundrauschen geworden.

Mit gedämpfter Erwartungshaltung öffnete er das Register der verpassten Anrufe und erlebte eine Überraschung.

Dreiundzwanzig Anrufe in Abwesenheit?

Sie waren in den letzten vier Wochen eingegangen, geballt in den Tagen, nachdem Oscar ihn verletzt und dem Tode nah im U-Bahn-Schacht gefunden hatte. Mit fortschreitender Zeit wurde die Frequenz immer spärlicher; der letzte Versuch vor zwei Tagen, was weniger verwunderlich war als die Tatsache, dass alle dreiundzwanzig Anrufe von einem einzigen Teilnehmer stammten.

»Immer dieselbe Nummer?«, fragte Oscar, der Noah kurz über die Schulter gesehen hatte.

»Ja.« Noah hatte keine Ahnung, zu wem sie gehören mochte.

Das Taxi hatte mitten im Kreisverkehr an einer roten Ampel gestoppt, was dem Fahrer die Gelegenheit gab, nach seinem eigenen Handy zu greifen.

»Also, ich hab grad vollen Saft«, sagte er und drehte sich nach hinten. Noah nutzte die Gelegenheit, um ihn für einen kurzen Moment um Ruhe zu bitten, dann drückte er auf die Taste für den Rückruf.

Das Gespräch begann mit einem enthusiastischen Aufschrei.

»David? David, bist *du* das?«

Der Mann am anderen Ende sprach Amerikanisch mit einem

breiten Südstaatenakzent. Er hatte eine volle, voluminöse Stimme, vom Klang her deutlich älter als Noahs.

»Ich …« Noah presste den Hörer fester an sein Ohr und wusste nicht, was er sagen sollte. »Mit wem spreche ich bitte?«

Ein weiterer Aufschrei.

»Himmel, du bist es, David. Mein Gott. Du bist es wirklich.«

Noah hörte ein Klackern in der Leitung, dann schien sein Gesprächspartner den Hörer zur Seite zu nehmen und in den Raum hinter sich zu rufen. »Morten ist dran. Ja, wirklich. Ich hab ihn auf der sicheren Leitung.«

Wieder ein Klackern, ein kurzes Rauschen, dann war der ältere Mann zurück.

»David, wo zum Teufel steckst du? Wir haben die Suche nach dir schon beinahe aufgegeben.«

Noah nahm den Hörer vom Kopf und sah aufs Display. Die Digitalanzeige signalisierte ihm, dass das Telefonat jetzt knapp vierzig Sekunden andauerte. Er setzte sich eine Minute als Limit.

»Es tut mir leid, aber wenn wir dieses Gespräch fortsetzen wollen, muss ich Sie bitten, sich zu identifizieren.«

»Mich zu identi… Was …?« Der Mann klang erst nervös, dann lachte er kurz auf. Als er weiterredete, hatte sich ein mitleidsvoller, tief besorgter Tonfall in seine Stimme geschlichen. »Verdammt, David. Was haben sie dir nur angetan?«

Achtundvierzig Sekunden.

Noah sah nach vorne. Koslowski machte keinen Hehl daraus, dass er mitzuhören versuchte.

Den Blick wieder abgewendet, starrte Noah durchs Seitenfenster.

»Ich sage es nicht noch einmal«, flüsterte er in den Hörer. »Wenn Sie mir nicht sofort sagen, wer Sie sind, lege ich auf.«

»Grundgütiger, David. Erkennst du mich nicht? Ich bin es, Phil. Dein alter Kumpel aus Washington.«

Die Erwähnung der US-amerikanischen Hauptstadt löste in der Tat eine Assoziationskette aus. Noah erinnerte sich an das Pentagon, das Washington Monument, den Nationalfriedhof Arlington, das Jefferson Memorial, sogar an den Duft nach Kaffee in einem Restaurant in der 18th Street. Nicht aber an einen Freund namens Phil.

Vierundfünfzig Sekunden.

Das Taxi hielt erneut an einer roten Ampel, diesmal an einer etwas belebteren Kreuzung. Neben ihnen stoppte ein Lieferwagen. Menschen eilten mit zusammengezogenen Schultern über die Straße.

»Wer sind Sie?«, versuchte Noah es ein letztes Mal, den Finger schon über der Austaste schwebend. Sein Blick traf sich mit dem des Fahrers im Rückspiegel.

»Lieber Gott, du hast wirklich keine Ahnung, was?«, hörte er den älteren Mann am anderen Ende fragen. Es gab eine kurze Pause.

Dann, in der neunundfünfzigsten Sekunde, gerade als die Ampel auf Grün sprang, sagte er:

»Mein Name ist Philipp Baywater. Ich bin der Präsident der Vereinigten Staaten.«

25. Kapitel

New York City, USA

Über zwei Jahre nun arbeitete Celine schon im Verlag, mehrmals in der Woche war sie den Flur im 57. Stockwerk entlang zur Betriebsküche gegangen, in der den Mitarbeitern kostenloser Kaffee, eine Mikrowelle und zwei große Gemeinschaftskühlschränke zur Verfügung standen, doch noch nie war ihr hier eine Tür aufgefallen, die zu dem Raum führte, in dem sie momentan festgehalten wurde. Was vermutlich daran lag, dass es keine Tür gab; zumindest keine, hinter der man eine sechzehn Quadratmeter große, fensterlose Kammer vermutete, die sie durch einen Getränkeautomaten betreten hatten.

Durch einen Getränkeautomaten!

Celine saß nun schon über eine halbe Stunde lang eingesperrt in diesem … *Raum? Gefängnis?* … in dieser Zelle, und die Tatsache, wie sie hier hereingekommen war, hatte sie zwischenzeitlich an ihrem Verstand zweifeln lassen.

Bin ich tatsächlich gekidnappt worden? Im Auftrag des Chefredakteurs? Von zwei Wachleuten, die mich im Polizeigriff die Notausgangstreppe nach oben führten, um im 57. Stock zu beobachten, wie Kevin eine seltsam glänzende Münze in den Automaten warf?

Das gurgelnde Ungetüm stand im hinteren Teil der offenen Küche, in einer nur selten genutzten Kochnische (die meisten Kollegen bestellten sich etwas oder aßen außerhalb), die man zur Vermeidung von Geruchsbelästigungen mit einer Schiebetür abtrennen konnte, was Kevin auch getan hatte, um sich vor neugierigen Blicken zu schützen.

Zuerst hatte Celine wirklich geglaubt, er habe die Unverfrorenheit, sich vor ihren Augen eine Cola zu ziehen, während er all ihre Fragen *(Woher weißt du von Oscar und das von meinem Vater? Was hast du mit mir vor? Bist du verrückt geworden?)* an sich abprallen ließ. Er hatte blitzschnell eine Zahlen- und Zeichenkombination in das Tastenfeld getippt, worauf es klack machte und der Automat, wie von einem unsichtbaren Riesen gepackt, zur Seite glitt und einen schmalen Durchgang freigab.

In diesem Moment hatte es Celine die Sprache verschlagen, weswegen sie nicht einmal mehr protestierte, als die beiden Wachmänner sie grob in den Raum stießen. Nun saß sie in dieser Zelle, alleine, an einem schlichten, x-beinigen Holztisch, dem einzigen Einrichtungsgegenstand, abgesehen von zwei Metallstühlen und einer Deckenleuchte, und starrte auf die dünnen Schlitze in der Wand vor sich: die Kanten der Rückseite des Automaten, der nun wieder in Position stand und ihr eine Flucht unmöglich machte.

»Geht's dir gut, Pünktchen?«, flüsterte sie und streichelte sich zaghaft über den Bauch. Sie hatte es sich zur Angewohnheit gemacht, mit ihrem Ungeborenen zu reden. Jeden Abend vor dem Einschlafen erzählte sie ihm von ihrem Tag, von den Plänen, sobald *(er? sie? egal!)* erst einmal da war, und wie glücklich sie darüber war. Noch war nichts zu sehen, nicht einmal eine kleine Wölbung, selbst wenn sie ein eng anliegendes T-Shirt trug, aber sie glaubte eine Reaktion zu spüren, wenn sie sich hundertprozentig darauf konzentrierte: ein leichtes Kribbeln im Unterleib. Auch wenn alle ihr sagten, Dr. Malcom eingeschlossen, das wäre medizinisch unmöglich, war sie sich sicher, dass Pünktchen mit ihr kommunizierte, ihr antwortete: *»Ich freue mich auch, Mama. Lass mich hier noch eine Weile All-inclusive-Urlaub in deiner Gebärmutter genießen, und dann mache ich mich auf den Weg.«*

Im Augenblick konnte sie vor Aufregung natürlich keine Verbindung aufbauen, dabei hätte sie sich gerade jetzt eine Reaktion sehnlichst gewünscht: »*Wird schon alles nicht so schlimm sein, Mama. Ich bin gesund, und es gibt nichts, wovor du Angst haben müsstest.*«

Doch da war kein Ziehen, kein Kribbeln, kein Lebenszeichen, wenn sie in sich hineinhorchte, und vielleicht war das auch gut so, denn eine dieser beiden Behauptungen wäre eine Lüge gewesen; auf jeden Fall die mit der Angst. Die Angst um Pünktchen, um ihren Vater und nun auch um sich selbst lastete wie ein Gewicht auf ihrem Brustkorb, machte ihr das Atmen schwer und brachte sie trotz der Kühle im Raum zum Schwitzen.

All diese Abwehrreaktionen ihres Körpers wurden noch einmal verstärkt, als es wieder klack machte, der Automat erneut zur Seite glitt und eine Person, die sie noch nie zuvor im Leben gesehen hatte, mit einem diabolischen Lächeln den Raum betrat.

26. Kapitel

Noah kappte die Verbindung.

»Was ist?«, wollte Oscar wissen, der die vergangene Minute dazu genutzt hatte, sich hastig in Unterwäsche und Hose zu zwängen. Der Bademantel lag im Fußraum über den Stiefeln, aus denen Oscar geschlüpft war. Im Augenblick drehte er den nackten Oberkörper, so weit es auf den Sitzen eben ging, zur Seite, um den rechten Arm durch den Ärmel eines himmelblauen Anzughemds zu stecken.

»Mit wem hast du gesprochen?«

Noah sah zum Fahrer, der die Geschwindigkeit wegen einer Gruppe Jugendlicher drosseln musste, die, mit Bierflaschen in der Hand bewaffnet, betont langsam über die Straße schlenderten, als hätte der Alkohol sie unverwundbar gemacht.

»Er sagt, er wär der Präsident«, flüsterte Noah.

»Präsident wovon?«

Koslowski hupte wütend.

»Den USA.«

»Baywater?« Oscar hielt in seinen Bewegungen inne.

Noah nickte. Der Name war ihm bekannt, löste aber keine Erinnerungen aus, zumindest keine persönlichen. Er hatte ein Bild von dem dreiundsiebzigjährigen Texaner vor Augen, der sich gerne in Jagdmontur oder beim Bergsteigen fotografieren ließ. Er wusste, dass er Schuhe mit hohen Absätzen trug, um seine geringe Körpergröße zu kaschieren. Er wusste auch um seine Vorliebe für kubanische Zigarren, die ihm fast die Vorwahlen in Florida gekostet hätten. Mit anderen Worten: Noah kannte den Präsidenten so wie jeder, der hin und wieder einen Blick in die Zeitungen warf. Nicht wie jemand, der mit dem mächtigsten

Mann der Welt per Du war und dessen private Nummer er in seinem Handy gespeichert hatte.

»Dein alter Kumpel aus Washington.«

»Du hast mit Philipp Baywater gesprochen?« Oscar machte große Augen. Sein Gesicht schien vor Aufregung noch breiter zu werden.

»Ich habe keine Ahnung«, wollte Noah sagen, da klingelte das Telefon in seiner Hand.

»Ist die Heizung zu laut?«, erkundigte sich der Fahrer, als Noah selbst nach dem dritten durchdringenden Läuten das Gespräch nicht annehmen wollte, und stellte das Gebläse eine Stufe tiefer.

Dieselbe Vorwahl. Dieselbe Nummer.

Noah gab Koslowski ein Zeichen, dass alles okay wäre, dann drückte er auf die Taste mit dem grünen Telefon.

Der Mann, der sich als Präsident ausgab, kam sofort zur Sache. »Sag mir, wo du bist, und ich bring dich in Sicherheit, David.«

»Wieso sollte ich das tun?«

»Weil ich dich schützen kann. Offensichtlich hast du dein Gedächtnis verloren, Kumpel. Aber glaub mir, wenn du wüsstest, in was du da reingeraten bist, wär dir klar, dass nur ich dich da wieder rausholen kann.«

»Ich brauche die Hilfe des amerikanischen Präsidenten?«

»Du brauchst jede Hilfe, die du kriegen kannst.«

»Weshalb?«

»Ich erkläre es dir, sobald du in Sicherheit bist. Sag mir einfach, wo du im Augenblick steckst.«

»Erst müssen Sie mir beweisen, dass Sie wirklich der Präsident sind.«

»Wie soll ich das denn am Telefon …« Der ältere Mann zögerte. Ihm schien ein Gedanke gekommen zu sein. »Schalt den Fernseher ein, David.«

Noah blickte nach vorne zu dem Fahrer, der viel zu oft in den

Rückspiegel sah. Im Augenblick galt sein Interesse weniger dem Telefonat als Oscars Bemühungen, das Oberhemd über seinem Bauch zuzuknöpfen.

»Ich hab keinen«, erklärte Noah in dem Moment, in dem sie erneut an einer Ampel halten mussten. Sie befanden sich mittlerweile auf einem durch einen Mittelstreifen geteilten Boulevard. In einiger Entfernung vor ihnen ragte ein großer, an der Spitze beschädigter Kirchturm wie ein hohler Zahn aus dem Boden. Die Gedächtniskirche, wie Oscar ihm bei einem ihrer ersten Ausflüge erklärt hatte.

Dann sind wir gleich da. Am Breitscheidplatz.

Zu seiner Rechten müsste sich das verglaste Hochhaus mit dem rotierenden Stern auf dem Dach befinden.

Tatsächlich.

Vor dem Eingang zum Europacenter war es deutlich belebter als auf den Straßen, die sie bislang passiert hatten. Vor den Glastüren zu einem Elektronikmarkt staute es sich sogar etwas, als ein Rollstuhlfahrer gegen den Strom in den Laden hineinfahren wollte.

»Keinen Fernseher?«, fragte der Mann am Telefon und versuchte es mit einem müden Witz. »Mann, du steckst wirklich in der Klemme.«

»Moment.« Noah hielt das Handy-Mikrophon zu, beugte sich nach vorne und fragte den Fahrer: »Hat das Geschäft da noch auf?«

Koslowski zeigte in Richtung Europacenter, zog verächtlich die Nase hoch und spuckte das erste Wort seiner Antwort aus wie einen Schluck saurer Milch. »Mitternachtsshopping. Europa ist im Arsch, alle sind verschuldet, aber wir verlängern die Ladenöffnungszeiten. So viel zur Krise.«

Es wurde grün, Koslowski wollte anfahren, doch Noah bat ihn, am Straßenrand zu halten.

»Bitte, mir soll's recht sein.«

»Was ist da los bei dir?«, erkundigte sich der ältere Mann. Noah sah auf das Display, registrierte, dass eine Minute längst abgelaufen war, und legte kommentarlos auf. Dann gab er dem Fahrer einen Zwanzigeuroschein. Den Rest der Geldrolle, die er aus dem Koffer genommen hatte, steckte er in die Innentasche seines Jacketts, griff sich Rucksack und Koffer und stieg aus.

Koslowski bedankte sich für die drei Euro Trinkgeld und hupte zum Abschied, nachdem auch Oscar ausgestiegen war.

»Was ist denn jetzt schon wieder in dich gefahren?«, fragte dieser und versuchte zu Noah aufzuschließen, was ihm einiges abverlangte, da er in der Eile keine Gelegenheit gehabt hatte, seine Stiefel wieder zuzuschnüren. Immerhin rutschte ihm die mehrfach umgekrempelte Hose nicht nach unten, weil er die Kordel des Bademantels als Gürtel benutzte.

»Kannst du mich bitte mal aufklären?«, rief er Noah hinterher. Jetzt machte es sich bezahlt, dass es im Taxi eher kühl geblieben war. Die Eiseskälte war durch die geringere Temperaturdifferenz besser zu ertragen als vorhin, als sie das warme Obdachlosenasyl hatten verlassen müssen. Und das, obwohl sie im Augenblick deutlich dünnere Kleidung trugen.

»Hey, wo willst du denn hin, Noah?«

Der Engpass vor den Glastüren des Elektronikmarkts hatte sich aufgelöst. Noah passierte schnellen Schrittes den Eingang.

Er wartete auf seinen Begleiter, drückte ihm den Koffer in die Hand und zeigte auf ein Schild neben den Rolltreppen, um seine Frage zu beantworten. »Dritte Etage. Zu den Fernsehern.«

Oscar lachte ungläubig auf.

»Na klar, wieso nicht. Gibt doch nichts Besseres als ein TV-Abend im Elektronikmarkt«, zischte er aufgebracht und senkte die Stimme. »Ein wirklich schöner Ausklang nach der Schießerei im Hotel. Was läuft denn Hübsches?«

»Keine Ahnung.« Noah setzte sich wieder in Bewegung. »Wir werden es gleich erfahren.«

»Lass mich raten, vom amerikanischen Präsidenten?«

Sie hatten die Rolltreppe erreicht. Noah setzte seinen Fuß auf die erste Stufe, spürte, wie Toto sich in dem Rucksack bewegte, und fragte sich, ob das in ihm aufwallende Gefühl, das Gleichgewicht zu verlieren, jemals wieder abebben würde.

Oscar hat recht. Langsam benehme ich mich schon genauso verrückt wie er selbst.

Es dauerte nur zwei Minuten, da hatten sie ihr Ziel erreicht und standen vor einer Regalwand mit unzähligen Fernsehern unterschiedlicher Größe. Die Ansammlung hatte eine irritierende Wirkung auf Noah. Sie erzeugte das befremdliche Gefühl, nicht ein Beobachter, sondern der Überwachte zu sein. Weil alle Bildschirme den gleichen Zeichentrickfilm zeigten, konnte sein Gehirn sich nicht entscheiden, auf welches Gerät er sich konzentrieren sollte.

Er nahm das Handy wieder zur Hand. Zum zweiten Mal innerhalb weniger Minuten drückte er auf Rückruf. Der ältere Mann nahm ab, noch bevor Noah ein Freizeichen hörte.

»Was ist passiert?«

»Ich habe jetzt einen Fernseher.«

Erleichtertes Aufatmen.

»Gut. Ich dachte schon, dir wäre etwas … Egal, geh bitte auf NNN.«

»Den Nachrichtenkanal?«

Noah hatte den Hinweis, NNN wäre vielleicht nicht in deutschen Geräten programmiert, schon auf der Zunge, schaffte es aber noch rechtzeitig, sich nicht zu verplappern.

»Genau den. Siehst du ihn?«

»Moment.«

Noah trat wahllos an einen der vielen Fernseher heran und

öffnete bei einem schwarzen 50-Zoll-Gerät eine Klappe im Rahmen. Mit den Pfeiltasten änderte er die Programmauswahl. Der Zeichentrickfilm verschwand. Noah zappte sich durch die Kanäle.

»Hey, was machen Sie denn da?«, hörte er plötzlich eine Stimme hinter sich. Es war der Moment, in dem ihm bewusst wurde, dass Oscar nicht mehr in seiner Nähe war.

Wo zum Teufel steckt er schon wieder?

Er drückte sein Gespräch wieder weg und musterte den jungen Verkäufer, der sich in einer rot-schwarzen Weste vor ihm aufgebaut hatte. Der Mann war nicht älter als zwanzig, mit einem kümmerlichen Bartansatz auf der Oberlippe, der es nicht schaffte, zwei große rote Pickel zu verdecken. Er trug mehrere Ringe im Ohr und an den Fingern seiner Hand, in der er eine Fernbedienung hielt, die er drohend auf Noahs Brust richtete. »Die Geräte hier dürfen nur vom Fachpersonal bedient werden.«

Noah entschuldigte sich. Um keine Zeit zu verlieren, zog er das Geldbündel aus seiner Jackentasche und tippte mit dem Zeigefinger auf das Preisschild des TV-Geräts, das hinter einem durchsichtigen Plastikrahmen auf der Regalschiene befestigt war.

999 €.

»Ich kauf das Ding, wenn Sie mir NNN einstellen.«

Der Geldkatalysator funktionierte. Der Junge lächelte wie auf Knopfdruck und vergeudete keine Zeit.

»Wir haben hier Satellit. Nichts leichter als das.« Er richtete seine Fernbedienung, mit der er alle Fernseher gleichzeitig steuern konnte, auf die Regalwand und tippte eine dreistellige Zahl ein. Das Telefon begann wieder zu klingeln. »Aber das Bild wird natürlich nicht so klar sein wie bei einem HD-Kanal«, entschuldigte sich der Verkäufer, als der Nachrichtensender auf allen Bildschirmen zu sehen war.

Noah sah sich noch einmal nach Oscar um, dann nahm er den eingehenden Anruf entgegen.

»Bin auf NNN«, informierte er den Anrufer.

»Gut.«

Das leicht krisselige Fernsehbild zeigte einen rundlichen, hochgewachsenen Mann im dunklen Maßanzug. Sein heller Schlips schnürte den Kragen tief in sein Doppelkinn. Die Halbglatze glänzte wegen der Kamerascheinwerfer, die auf ihn gerichtet waren. Er stand am Rednerpult vor einem blauen Hintergrund, ein großes Oval mit dem Abbild des Weißen Hauses in seinem Rücken, flankiert von amerikanischen Flaggen.

»Das ist mein Pressesekretär. Donald McKinley«, erläuterte der ältere Mann am Telefon. Noah sah den Namen eingeblendet. Darunter der Hinweis: White House Press Conference. Daily Update.

»Er wird sich gleich ans rechte Ohr greifen.«

Die Kamera wechselte und filmte aus einer Über-die-Schulter-Perspektive von einer Position hinter dem Pressesekretär. Nun waren von Journalisten besetzte Stuhlreihen im Bild. Auf über zwanzig Bildschirmen schossen die Hände für Nachfragen in die Höhe.

»Hast du Ton?«

Noah gab die Frage des Mannes an den Angestellten weiter, der sich offenkundig über das Verhalten seines Kunden wunderte, aber wegen der Aussicht auf ein lohnendes Geschäft nichts zu sagen wagte. Mit der Fernbedienung machte er lauter. Aus einem leisen Zischen wurden verständliche Worte.

»Ton läuft«, bestätigte Noah seinem Gesprächspartner.

»Gut. Pass auf, David. Kurz nachdem Donald den Funkknopf in seinem Ohr berührt, wird er exakt die Worte wiederholen, die ich ihm jetzt vorsage.«

»Und die wären?«

Auf den Bildschirmen sah man, wie McKinley ins Stocken kam, sich aber schnell wieder fing. Dann geschah es tatsächlich. Er griff sich ans Ohr.

Noahs Puls beschleunigte sich.

Durch das Telefon hörte er die Stimme des älteren Mannes. Sie war leiser, weil er nicht mehr direkt in den Hörer sprach.

»McKinley? Hören Sie gut zu. Hier spricht Ihr Präsident. Wiederholen Sie umgehend und wörtlich, was ich jetzt sage: ›Meine Damen und Herren, soeben erfahre ich …‹«

Noah starrte auf die Fernseher vor sich. Sah McKinley nervös blinzeln. Hörte ihn sagen: »Meine Damen und Herren, soeben erfahre ich …« Der Pressesprecher machte eine kleine Pause, die die Stimme des angeblichen Präsidenten füllte: »… dass neuere Entwicklungen im Fall der Grippe-Pandemie …«

»… dass neuere Entwicklungen im Fall der Grippe-Pandemie …«, wiederholte McKinley ebenso wie den letzten Teilsatz, der ihm vorgesagt wurde, »… leider eine Unterbrechung der Pressekonferenz notwendig machen, ich bitte Sie um Verständnis.«

Erstauntes Gemurmel brandete auf, ein Raunen ging durch die anwesenden Reporter.

»Na, gefällt es Ihnen?«, wollte der Angestellte wissen. Er stellte wieder leiser, etwas irritiert darüber, dass Noah sich abrupt von ihm abwendete und nun mit dem Rücken zur Fernsehwand stand.

Nein. Das gefällt mir ganz und gar nicht.

»Zufrieden?«, fragte nun auch der Mann am Telefon.

Nein. Nicht im Geringsten.

»Das war eine überzeugende Vorstellung«, sagte Noah. Der Mitarbeiter, der sich immer mehr zu wundern schien, weshalb sein Kunde in einer fremden Sprache telefonierte, versuchte, das Verkaufsgespräch wieder in Gang zu setzen:. »Ich kann Ihnen drei Prozent Barzahlungsrabatt einräumen …«

Eine überzeugende Vorstellung. Und dennoch …

Etwas war falsch.

Noah drehte sich wieder zu dem Verkäufer, sah an ihm vorbei in die Computerabteilung. Sah Oscar mit dem Koffer in der Hand hinter den Regalen mit den Laptops hervortreten. Sah wieder zu dem Angestellten, der sich nervös an seinem Ohrring zupfte. Und erkannte, was hier nicht stimmte. Noah riss das Telefon wieder hoch.

»Woher wussten Sie von seiner Reaktion?«

»Bitte?«

Der Angestellte zog verwundert die Augenbrauen zusammen. Die Frage *»Was stimmt mit dem nicht?«* stand ihm ins Gesicht geschrieben.

»Woher wussten Sie, dass er sich ans Ohr greift?«, fragte Noah den Mann am Telefon.

»Das ist ein Reflex, das macht Donald immer.«

»*Bevor* Sie das erste Wort an ihn gerichtet haben?«

Pause. Zu lang für einen einzelnen Gedanken.

»Hör mal, David«, setzte der ältere Mann wieder an. »Ich kann verstehen, dass du vorsichtig bist, aber …«

»Lassen Sie ihn zurückkommen.«

»Wie bitte?«

»Wenn Sie wirklich der Mann sind, der Sie vorgeben zu sein, dann ist es für Sie ein Kinderspiel, Mr. President. Lassen Sie McKinley wieder vor die Kamera treten, und beweisen Sie mir, dass das hier keine Aufzeichnung war.«

Bei der Sie die Zukunft vorhersagen konnten, weil Sie wussten, was geschieht.

Der ältere Mann am anderen Ende seufzte, dann gab er eine eindeutige Antwort. Er legte auf.

»Soll er geliefert werden, oder nehmen Sie ihn gleich mit?«, unternahm der junge Mitarbeiter einen Versuch, doch noch zu einem Abschluss zu kommen, dann runzelte er die Stirn und zeigte auf Noahs Schläfe. »Hey, Sie haben da was …«

Noah hob die Hand, sah einen roten Lichtpunkt seinen Zeigefinger streifen und duckte sich, während der Verkäufer den Fehler machte, in die Schusslinie zu treten.

Kurz darauf explodierte sein Schädel.

27. Kapitel

Sie waren zu zweit, vielleicht sogar zu dritt, wie Noah am Klang der aus unterschiedlichen Winkeln einschlagenden Kugeln herauszuhören glaubte.

Eine HK Mark 23 mit Laser-Aiming-Modul. Und mindestens eine Glock. Über weitere Informationen verfügte er nicht.

Ob Mann oder Frau, groß oder klein, alt oder jung – von seiner Position aus konnte Noah die Angreifer nicht ausmachen, die den Verkäufer erschossen hatten.

Das erste Projektil war direkt durch dessen Hinterkopf geschlagen, aus seiner Stirn wieder ausgetreten und in einem der Fernseher stecken geblieben. Schuss zwei und drei hatten dicke Löcher in die Regalreihe mit DVD-Rohlingen gerissen, hinter die Noah gehechtet war. Danach hatte das Geschrei eingesetzt. Mindestens ein Dutzend Männer und Frauen, die auf ihrer unkontrollierten, panischen Flucht zu den Ausgängen wertvolle Kraft mit sinnlosem Gekreische vergeudeten.

Es gab allerdings auch Menschen, die der plötzliche Gewaltausbruch paralysiert hatte. Die Frau zum Beispiel, die sich neben Noah auch noch im Gang befand.

Sie saß zusammengekauert vor einem roten Einkaufskorb, an dessen Plastikhenkeln sie sich zitternd festhielt. Ihre Lippen bebten, doch kein Laut drang aus ihrem Mund. Mit schockgeweiteten Augen starrte sie zu dem vor der Fernsehwand liegenden Verkäufer.

»Runter«, zischte Noah ihr zu. Im gleichen Moment schlug ein weiteres Geschoss durch das Regal und schleuderte der Frau mehrere Packungen mit DVB-T-Antennen um die Ohren.

Teilmantelgeschosse.

Anders war ihre zerstörerische Wirkung nicht zu erklären.

Noah riss die Frau an ihrem Jackenkragen unsanft zu Boden und presste ihren Kopf auf die laminierten Kunststofffliesen. Als er merkte, dass der Schock sie willenlos gemacht hatte, robbte er mit ihr im Schlepptau zum Ende des Ganges, der mit den Außenmauern des Elektronikmarktes abschloss, was Segen und Fluch zugleich war. Einerseits saß Noah hier in der Falle, andererseits musste er sich nicht gegen zwei Seiten gleichzeitig verteidigen.

Am Ende der Sackgasse platzierte er den Rucksack zu seiner Linken im Regal und zog die Pistole aus dem Jackett. Er hielt sie in Richtung der Fernsehwand, wo er jeden Moment damit rechnete, einen der Killer um die Ecke springen zu sehen.

Es sei denn, er kam von der Seite.

So würde ich vorgehen, dachte Noah und blickte nach oben. *Ich würde mich anschleichen, das Regal umkippen und mein Opfer damit fixieren.*

Er überlegte, was er tun sollte. Die Schüsse hatten aufgehört. Das Geschrei sich entfernt. Die Menschen flohen aus der Gefahrenzone und schrien sich in den unteren Stockwerken dem Ausgang entgegen. Die gesamte Etage wirkte auf einmal wie ausgestorben, was das unvermittelt einsetzende Schluchzen der Frau neben ihm in seiner Lautstärke potenzierte. Noah schlang den Arm von hinten um ihren Kopf und hielt ihr den Mund zu.

»Die Zeit arbeitet immer gegen den Täter«, hörte er eine vertraut klingende Stimme in seinen Ohren brummen, und obwohl er nicht wusste, an wen er sich da erinnerte, begriff er den wahren Kern dieser Aussage. Im Augenblick hatten die Killer ein eng begrenztes, günstiges Zeitfenster: leere Korridore, fliehendes Sicherheitspersonal, unübersichtliche Evakuierungslage. Doch dieser Vorteil war verspielt, sobald der Staatsapparat eintraf und die Kontrolle wiederherzustellen versuchte.

Wer immer den Auftrag hatte, ihn zu töten, musste sich beeilen, bevor die Polizei anrückte. Der finale, tödliche Angriff stand kurz bevor. Das signalisierte ihm auch das Geräusch eines einrastenden Magazins nur wenige Schritte von ihm entfernt.

Im Nachbargang.

Noah ging seine Optionen durch, überlegte, was er tun konnte, um dem wahrscheinlichsten aller Szenarien zu entgehen.

Doppelzange. Einer springt über das Regal. Ein Zweiter kommt um die Ecke.

Am besten mit einem Ablenkungsmanöver kombiniert.

Noahs Hände schlossen sich fest um die Pistole und den Mund der wimmernden Frau. Sein Puls blieb ruhig und konstant, aber seine Augen blinzelten im Doppeltakt. Wie zuvor im Badezimmer des Adlon fotografierten sie die Umgebung:

- *den toten Verkäufer*
- *den Wegweiser zu der Haushaltsabteilung*
- *Scart-Kabel an den Regalhaken*
- *den Einkaufskorb der Frau*
- *die Antennenpackungen auf dem Boden*
- *die NNN-Nachrichten auf den Bildschirmen*
- *den einzelnen zerschossenen Fernseher*

Noah rief sich das vierte imaginäre Foto noch einmal vor Augen.

Der Einkaufskorb?

Wieso war er wichtig?

Er sah nach vorne. Der rote Plastikkorb lag umgekippt auf der Seite; die von der Frau zusammengetragenen Waren waren herausgefallen: eine Packung Batterien, eine Taschenlampe, zwei DVDs, ein USB-Stick und ein kleiner Radiowecker. Nur ein einzelner, schuhschachtelgroßer Karton lag noch im Korb. »Wassermaxx« prangte in blauen Lettern auf der weißen Verpackung.

Das ist es.

Der Plan formierte sich in Noahs Kopf, während er bereits den Gang zurückkroch. Er packte das Gerät zur Herstellung von Sprudelwasser, sah zu der Fernsehwand auf die schwarze Scheibe des zerschossenen Fernsehers und registrierte in dem verschobenen Spiegelbild die beiden Gestalten, die wie erwartet im Seitengang mit ihren Waffen im Anschlag in Position gingen. Sah, wie einer der Männer mit drei Fingern einen stummen Countdown abzählte. Als er bei zwei angekommen war, warf Noah den Karton mit dem Wassermaxx aus seinem Gang vor die Fernsehwand, danach presste er sich flach auf den Boden und hielt sich die Ohren zu.

Wie erwartet hatte der eine Killer, der der Ecke des Gangs am nächsten stand, sofort reagiert und reflexartig das Feuer eröffnet. Gleich sein erster Schuss bohrte sich in die CO_2-Kartusche des Geräts und erzeugte eine ohrenbetäubende Explosion, die ein Teil der Plasmabildschirme von den Wänden riss.

Noah gönnte sich keine Atempause. Jetzt war er es, der mit einem durchdringenden Pfeifton im Ohr über das Regal sprang und dem benommenen Killer in den Kopf schoss, bevor der seine eigene Waffe in Anschlag bringen konnte. Danach wollte Noah den zweiten Attentäter ausschalten, aber das war nicht mehr notwendig. Ein Schrapnell vom Metallmantel der explodierten Gasflasche hatte sich ihm tief in den Hals gegraben.

Noah beugte sich über den Killer. Der Mann zuckte mit geschlossenen Augen wie ein von Albträumen geplagter Schlafender, war aber längst tot. Er trug die einem Auftragskiller angemessene unauffällige Arbeitskleidung: schwarze Schuhe, dunkle Hose, weite Jacke, unter der sich das Werkzeug nicht abzeichnete. Noah durchsuchte die Taschen und war nicht überrascht, ins Leere zu greifen.

»Ein Profi hinterlässt keine Visitenkarten«, meldete sich die altväterliche Stimme erneut in seinem Kopf. Gleichzeitig dran-

gen Sirenen sich nähernder Einsatzfahrzeuge von außen durch die Doppelglasscheiben des Elektronikmarkts und mischten sich mit seinem Tinnitus.

»Wer zum Teufel hat dich geschickt?«, fragte Noah den namenlosen Toten. Er bog die Finger des Mannes auf, um ihm die Waffe zu entwinden, da fiel ihm die Tätowierung auf.

Room 17.

Irritierenderweise befand sie sich an etwa der Stelle des Handballens, an der er selbst tätowiert war, nur deutlich filigraner. Noah ließ von dem Killer ab und ging zu seinem Komplizen zurück, griff nach dessen Hand.

Tatsächlich.

Room 17.

Die gleiche Tätowierung. Dasselbe Erkennungszeichen. Nichts, was seinem Gedächtnis auf die Sprünge half.

Die Sirenen von der Straße her wurden lauter und trieben Noah wieder an.

Er eilte in den Gang zu der Frau zurück, die ihn weinend mit offenem Mund anglotzte, sagte ihr, dass bald Hilfe käme, griff sich den Rucksack und sprang über die aus den Verankerungen gerissenen Flachbildfernseher und anderen Elektromüll durch den Hauptflur Richtung Notausgang.

Hinter der Brandschutztür empfing ihn bereits der typische Lärm einer sich die Treppe nach oben kämpfenden Einsatztruppe: Hartgummisohlen, die auf Steinstufen eintreten, das Klappern in Anschlag gebrachter Maschinengewehre, Kunststoffjacken, die bei jedem Schritt über die kugelsicheren Schutzwesten kratzen.

Noah wählte die entgegengesetzte Richtung. Ein Stockwerk höher trat er auf mehrere Zigarettenkippen, direkt vor einer Tür, auf der noch die Reste eines gerade erst entfernten Graffitos erkennbar waren. Als er sie öffnete, bestätigte sich seine Vermutung: Er hatte den Raucherraum für die Angestellten gefunden. Der Duft kalten, abgestandenen Qualms setzte sich in seiner Nase fest.

Der Raucherraum war ein fensterloses, nacktes Betonzimmer mit einem hüfthohen Standaschenbecher als einzigem Einrichtungsgegenstand. Noah sah keine Lichtschalter, vermutlich waren sie außen im Flur angebracht, aber als Lichtquelle genügte ihm das grün fluoreszierende Warnschild am Kopfende des Zimmers. Der Notausgang entließ ihn direkt auf eine der Hauptadern der Shopping Mall des Europa-Centers, in die der Elektronikmarkt integriert war.

Bis hierhin schien sich der vermeintliche Amoklauf im Elektronikmarkt noch nicht herumgesprochen zu haben. Noah konnte sich einer Traube von Menschen anschließen, die in den letzten Minuten des Tages noch auf Schnäppchenjagd waren, und ließ sich Richtung Rolltreppe treiben.

Unten angekommen, verließ er das Europacenter über den Ausgang Gedächtniskirche, vor dem mehrere Mannschaftswagen mit stumm rotierendem Blaulicht ein lautloses Feuerwerk inszenierten. Ein Gafferstau verhinderte jede sinnvolle Personenkontrolle. Noah drückte sich seitlich aus dem Pulk an einer Hundestaffel vorbei und passierte gerade einen sich kugelartig auftürmenden Springbrunnen, als er seinen Namen rufen hörte.

Fast hätte er seine Waffe gezogen, wenn er nicht in letzter Sekunde Oscar erkannt hätte, der im Halbdunkel neben dem Springbrunnen unter einem Eingangsschild einer öffentlichen Toilette stand.

»Hier entlang«, befahl er, drehte sich um und war in der nächsten Sekunde wie vom Erdboden verschluckt.

Noah schloss zu dem Springbrunnen auf *(wie hatte Oscar ihn einmal genannt? Wasserklops?)* und sah nur noch Oscars Rücken, als er die Treppe erreicht hatte, die zu den Toiletten führte. Mangels einer sinnvollen Alternative stieg er ebenfalls die steilen Metallstufen hinab, folgte Oscars Rufen und fand sich in einem nach Urin und Desinfektionsmitteln stinkenden, weiß gefliesten Pissoir wieder. Zwei von drei Stehklos waren mit einer über das Becken gespannten Plastiktüte außer Betrieb gesetzt, vor dem einzig funktionierenden Urinal stand ein alter Mann mit Plastiktüte und spuckte in seinen Strahl.

»Los, schnell, mach schon.« Oscar ging keuchend, den Koffer mit beiden Händen haltend, zu den Toilettenkabinen und öffnete diejenige, die am weitesten vom Eingang entfernt lag. Er wartete, bis der Mann gegangen war, und öffnete die Kabine.

»Hilf mir mal«, sagte er zu Noah und deutete auf eine Metallplatte, die direkt vor dem Klo einen halben Quadratmeter des Fußbodens bedeckte.

»Was ist das?«

»Unser Noteingang.«

Oscar griff nach einem Klappgriff und zog mit schmerzverzerrtem Gesicht die Metallplatte einige Zentimeter nach oben, gerade so weit, um den Bauarbeiterstiefel an seinem rechten Fuß darunterklemmen zu können.

Noah stellte sich auf die andere Seite, bückte sich und riss die Platte mit einiger Mühe nach oben. Brackwassergestank füllte jeden Zentimeter der Klokabine.

»Danke.«

Oscar wischte sich den Schweiß von der Stirn und deutete in das freigelegte dunkle Loch.

»Normalerweise habe ich eine Taschenlampe bei mir, wenn ich über den Südstrang einsteige. Aber ich fürchte, heute müssen wir improvisieren.«

Er bat Noah, die Toilettenkabine von innen zu verriegeln. Er nahm den Koffer und warf ihn in den Schacht. Es dauerte eine Weile, bis man einen dumpfen, feuchten Aufprall hörte.

Dann setzte er sich an den Rand des Lochs, griff eine von drei sichtbaren Metallstreben, schwang seinen kegelförmigen Körper mit ungeahnter Geschicklichkeit über die jaucheatmende Öffnung und verschwand in dem Schacht.

Fast im selben Moment hörte Noah die Stimmen.

Einige Männer hatten die öffentliche Toilette betreten.

Dann mal los, flüsterte er in Gedanken und prüfte rasch, ob der Rucksack noch immer gut verschlossen war, damit er sich beim Abstieg in die Dunkelheit nicht versehentlich öffnete, dabei entdeckte er den an der Seite aufgerissenen Stoff.

Ein Streifschuss?

Die Stimmen wurden lauter, eine Kabinentür schlug.

Noah setzte sich, griff nach der obersten Strebe.

Er hielt es für unwahrscheinlich, dass es Polizisten waren, die ihm auf der Spur waren, hatte aber keine Zeit, es herauszufinden.

Ebenso wenig wie ihm die Zeit blieb, um sich zu vergewissern, weshalb sich Toto schon seit längerer Zeit nicht mehr im Rucksack bewegt hatte.

28. Kapitel

Die Frau, die wortlos den Geheimraum, in dem man sie festhielt, betreten hatte, erinnerte Celine auf den ersten Blick an Amber, ihre beste Freundin auf der Highschool. So unzweifelhaft attraktiv, dass man in ihrer Nähe ein Gefühl entwickelte, dem Celine in ihrer Jugend den Namen *Komplexstolz* gegeben hatte: im direkten Vergleich (der auf Pausenhöfen und Schulpartys unablässig angestellt wird) fühlte man sich neben Amber hässlich und minderwertig. Aber gleichzeitig kompensierte man diesen Komplex mit einem lächerlichen Stolz darauf, die beliebteste Cheerleaderin zur besten Freundin zu haben.

»Wer sind Sie?«, fragte Celine bestimmt schon zum dritten Mal, seitdem sich das Automatenhindernis nahezu lautlos wieder in Position geschoben hatte. Die schwarzhaarige Frau hatte gewartet, bis ein Riegel hörbar eingerastet war, dann war sie mit klackernden High-Heels-Absätzen näher gekommen. Seitdem sie sich zu ihr an den Tisch gesetzt hatte, musterte sie Celine wie einen herabgesetzten Pulli auf dem Wühltisch. Celine hätte sich nicht gewundert, wenn sie die schmale Hand nach ihr ausgestreckt und sie berührt hätte, um zu prüfen, ob die »Ware« ihren Qualitätsansprüchen genügte.

»Was geht hier vor?«

Auch diese Frage blieb unbeantwortet. Amber (Celine nannte sie jetzt im Geiste so, auch wenn sie ihrer Freundin damit vermutlich unrecht tat) zog sich eine taillierte Trenchcoatjacke aus und warf sie über die Lehne des Stuhls, den sie sich heranzog. Dann kontrollierte sie, womöglich aus einer unbewussten Angewohnheit heraus, den obersten Knopf ihrer Bluse. Sie trug eine halblange Perlenkette mit einem Silber- oder Platinanhänger, auf dem Celine die Zahl 17 erkennen konnte, bevor die Frau die Kette wieder unter ihrer Bluse verschwinden ließ.

Als sie sich ihre Haare nach hinten strich, wehte der Hauch eines blumig-orientalischen Parfums durch den Raum.

»Ich verlange eine Erklärung«, setzte Celine an und wäre am liebsten aufgestanden, allein schon, um den Größenunterschied auszugleichen. Die Unbekannte war mindestens fünf Zentimeter länger als sie, weswegen sie selbst im Sitzen einschüchternd auf sie herabblicken konnte.

Endlich sprach sie ihren ersten Satz: »Tun Sie, was ich sage, und es wird nicht weh tun.«

Kein Hallo. Keine Floskeln. Kein: *»Tut mir leid, dass Sie von zwei Bullterriern in diese Zelle verschleppt wurden, ohne dass man Ihnen gesagt hat, weshalb.«*

Celine streichelte nervös ihren Magen und wiederholte noch einmal ihre erste Frage: »Wer sind Sie?«

»Das ist nicht wichtig.«

»Wenn Sie so denken, sollten Sie wegen Ihres mangelnden Selbstwertgefühls vielleicht einen Therapeuten aufsuchen«, versuchte sich Celine kaltschnäuziger zu geben, als sie war. »Bei mir sind Sie jedenfalls an der falschen Adresse.«

Die Kopie eines Lächelns verzog die Lippen der Frau. »Ich glaube schon, dass ich bei Ihnen an der richtigen Adresse bin. Sie sind doch Celine, Tochter von Maria und Ed Henderson, der momentan im Terminal 2 in der JFK-Ankunftshalle festsitzt?«

»Sie hören mein Telefon ab!«, fauchte Celine wütend. Anders waren weder Kevins noch ihr Wissensvorsprung zu erklären.

»Stimmt«, gab die Frau unumwunden zu. Sie suchte den direkten Blickkontakt. »Und wir öffnen Ihre Post. Nicht nur die im Verlag, sondern auch die, die Sie in Ihrem Apartment erreicht.«

Celine konnte nicht verhindern, dass ihr die Gesichtszüge entglitten. »Aber … aber wieso tun Sie das?«

»Aus dem gleichen Grund, weswegen wir Ihnen einmal pro Monat heimlich eine Haarprobe entnehmen und beinahe wöchentlich den Urin untersuchen.«

»Meinen Urin?« Celine lachte ungläubig auf.

»Wir wollen über unsere Angestellten Bescheid wissen. Die Toiletten im gesamten Gebäude sind ein geschlossenes System. Unsere Laboratorien befinden sich direkt im Keller.«

»Das ist ein Scherz?«

Das künstliche Lächeln verschwand aus Ambers Gesicht. »In dem Fall hätte ich wohl einen ziemlich schrägen Sinn für Humor, oder können Sie *hierüber* lachen?«

Ohne Celine aus den Augen zu lassen, zog sie ein eingerolltes DIN-A4-Blatt aus der Innentasche ihrer Jacke und breitete es auf dem Tisch aus. Sie musste die Kanten festhalten, damit es sich nicht wieder eindrehte.

Med-Check C. Henderson, las Celine die linksbündige Überschrift. Darunter ihr Geburtsdatum, Adresse, Sozialversicherungs- und Personalaktennummer.

Die Frau richtete Celines Augenmerk mit dem Zeigefinger auf einen doppelt unterstrichenen Halbsatz etwa in der Mitte des Blattes: *zuletzt registrierte Periode: 13. Dezember.*

Celine schoss das Blut ins Gesicht. Sie sah auf, der Frau direkt in die Augen, die so dunkel waren, dass Iris und Pupille farblich miteinander verschmolzen.

»Seitdem hat unser Check-up-Team keine Tampons mehr in Ihrem Hygienebeutel gefunden. Herzlichen Glückwunsch zur Schwangerschaft.«

Celine zeigte ihr einen Vogel. »Wenn das stimmt, würden Sie mir das wohl kaum auf die Nase binden«, sagte sie. Im nächsten Moment kam ihr ein furchtbarer Gedanke.

Es sei denn, sie plant, mich mundtot zu machen.

»Ich will jetzt gehen«, sagte Celine und sprang auf.

»Und ich will eine Tankfüllung für 99 Cent. Leider erhört Gott lieber die Gebete der Mineralölindustrie, weswegen ich weiter mit der U-Bahn fahre und Sie noch eine Weile hier bei mir sitzen bleiben.«

Sie bedeutete Celine, sich wieder zu setzen.

»Wozu, was wollen Sie von mir?«

Celine sah zu der Rückwand des Getränkeautomaten und hatte mit einem Mal das Gefühl, als hätte sie einen Eiswürfel verschluckt. Kälte breitete sich in ihrem Inneren aus. »Was habe ich Ihnen getan?«

»Nichts, gar nichts. Aber Sie werden gleich etwas für mich tun.«

»Was?«

»Setzen Sie sich wieder.«

Celine überlegte kurz, ob sie sich auf die Fremde stürzen und ihr den Schlüssel *(es musste doch einen geben?)* abnehmen sollte, aber sie hatte keinerlei Erfahrung mit körperlichen Auseinandersetzungen. Also tat sie, wie ihr befohlen.

Wieder griff Amber in ihre Tasche, wieder zog sie einen Zettel hervor, diesmal einen wesentlich kleineren, und reichte ihn Celine. »Rufen Sie diese Nummer an.«

»Wer ist das?«

»Ihr Freund Noah.«

Celine ließ die Hand mit dem Zettel sinken.

Keine Berliner Vorwahl. Kevin hatte ihr vorhin eine ganz andere Telefonnummer gegeben.

»Das ist nicht die Nummer des Hotels.«

»Es ist sein Satellitentelefon.«

»Er hat ein Satellitentelefon?« Celines Augen weiteten sich vor Erstaunen. »Seit wann denn *das?*«

»Nun, ich will mich da nicht genau festlegen, aber ich denke, mindestens seit zwei Monaten, eher länger.«

»Moment mal … Sie wollen mir sagen, Sie wussten, wo er steckt? Die ganze Zeit schon? Sie hätten ihn jederzeit erreichen können?«

Amber nickte bei jeder Frage. »Theoretisch schon.«

»Aber dann …« Celine schüttelte ungläubig den Kopf. »Dann war alles ein großer Fake? Die Suche nach dem Maler, von Anfang an nichts als ein Schwindel?«

Der Versuch eines Lächelns tauchte wieder auf. Amber verzog die Mundwinkel. »Ja und nein. Wir kennen den Mann, der das Bild gemalt hat. Aber leider ist der Besitzer des Satellitentelefons in den letzten Wochen nicht mehr an sein Handy gegangen. Die Suchaktion war inszeniert, um Noah aus dem Versteck zu locken.«

Also doch. Ich hab es geahnt. Nicht in diesem Ausmaß, aber ich wusste, an der »1-Million-Vorschuss-Story« ist etwas faul.

»Woher wussten Sie, dass das funktioniert?«, fragte sie fassungslos.

»Wussten wir nicht. Wir wussten noch nicht einmal, wo wir Noah suchen mussten. Mit einer PR-Aktion dieser Größenordnung konnten wir aber sicher sein, dass die Meldung bis in die letzten Winkel der westlichen Welt getragen wird. Dass er sich trotz seiner Amnesie gemeldet hat, noch dazu aus Berlin, ist ein großes Glück.«

»Mein Gott.« Celines Hand fuhr erschrocken zu ihrem Mund. »Ist er ein Schläfer? Habe ich etwa dazu beigetragen, einen Terroristen zu aktivieren?«

Amber schüttelte den Kopf, weshalb Celine wieder ihr Parfum riechen konnte.

»Ich bin immer sehr für die Wahrheit, Mrs. Henderson. Aber wenn Ihnen all das bekannt wäre, was ich weiß, wären Sie so schockiert, dass Sie nicht mehr klar denken könnten, und ohne diese Fähigkeit wären Sie für mich wertlos. Lassen Sie mich jedoch eines klarstellen: Wenn wir Noah in den nächsten Stunden nicht aus dem Verkehr ziehen, ist ein Terroranschlag das Letzte, wovor Sie sich fürchten müssen.«

Aus dem Verkehr ziehen?

»Was soll ich ihm sagen?«

»Die Wahrheit.«

Amber machte keine theatralische Geste. Legte keine Waffe auf den Tisch und zog auch keine Spritze hervor. Weder lächelte sie, noch wurde ihr Blick starr und kalt. Und trotzdem spürte Celine, dass die Frau jedes ihrer Worte ernst meinte.

Todernst.

»Sagen Sie ihm, dass ich Sie töten werde, wenn er sich weiterhin vor uns versteckt.«

29. Kapitel

Er lebte. Aber es ging ihm nicht gut, wobei Totos schlechter Allgemeinzustand nichts mit dem Schusswechsel im Elektronikmarkt zu tun hatte. Die Kugel, die den Rucksack an der Seite zerrissen hatte, hatte den Welpen nicht einmal gestreift. Und dennoch wirkte das Tier dem Tode näher als dem Leben, hier unten in Oscars Versteck.

»Das ist nicht gut, gar nicht gut«, redete Oscar mit sich selbst, während er eine Jeans und einen Norwegerpulli aus einer Plastiktüte zog.

Noah kam es hier unten noch heißer vor als sonst, auch der Gestank nach Diesel und verbranntem Gummi schien ihm penetranter, aber vielleicht hatten die Ereignisse einfach nur seine Lebensgeister und damit seine Empfindsamkeit aktiviert.

Leider nicht mein Gedächtnis.

»Nicht gut. Überhaupt nicht gut.«

Das Mantra, das Oscar seit ihrem gemeinsamen Abstieg in die Berliner Unterwelt permanent herunterbetete, bezog sich weder auf den Toten in der Hotelsuite noch auf die Schießerei in der TV-Abteilung (und erst recht nicht auf den apathischen, flach atmenden Toto), wie Noah wusste, seitdem sie nach einem anstrengenden Marsch durch dunkle Schächte, staubige Tunnel und stillgelegte Gleiswege endlich wieder vor der Metalltür ihres Unterschlupfs gestanden hatten.

»Wir sind viel zu früh zurück«, hatte Oscar beim Eintreten gesagt. »Die Spannungsmessungen sind noch nicht abgeschlossen. Das ist nicht gut, gar nicht gut. Die Quersumme ist sieben, und da sollten wir heute woanders sein.«

Eine hinter den dicken Mauern vorbeiziehende U-Bahn ließ das Besteck in dem Kaffeepott auf dem Waschbecken klappern.

Noah beugte sich über Oscars Kastenbett, auf das er Toto abgelegt hatte. Er wusste, sie hatten wahrlich andere Probleme als einen kranken Welpen, aber sich um ihn zu kümmern schien eine beruhigende Wirkung auf ihn zu haben, vermutlich weil Totos schlechte Verfassung ein lösbares Problem darstellte, im Gegensatz zu denen, in denen er momentan steckte: ohne Gedächtnis, von Unbekannten gejagt, in einer fremden Stadt.

»Hier«, rief Oscar und warf ihm einen Plastikbeutel zu. »Kanülen findest du im Schubfach unter der Matratze.«

NaCl 0.9 %, las Noah auf dem Aufdruck.

»Ich sag ja, er ist zu früh von der Mutter weg. Vielleicht hilft eine Infusion.«

Noah schüttelte den Kopf. »Ich weiß nicht, wie man ein Tier an den Tropf hängt.«

Oscar, der sich gerade seines viel zu großen Anzugs entledigte, lächelte spöttisch. »Was bist du denn für ein Wissenschaftler?«

Ich habe keine Ahnung. Wenn überhaupt, forsche ich wohl zum Thema »Wie man sich Feinde macht«.

Nachdem Oscar sich erstaunlich gepflegte Kleider angezogen hatte, watschelte er zum Bett, nahm Noah die Utensilien aus der Hand und legte Toto mit geübten, flinken Handgriffen einen Zugang.

»Wo bist du überhaupt gewesen, Oscar?«, fragte Noah, während er den Welpen streichelte. Nicht einmal beim Einstich der Nadel hatte er eine Reaktion gespürt.

»Was?«

»Vorhin, im Laden. Du warst auf einmal weg.«

Wie schon zuvor im Hotel.

»Ach so, das meinst du.« Oscar stand auf und zog sich den

einzigen Stuhl des Verstecks von dem provisorischen Schreibtisch heran. Den Tropf befestigte er an der Lehne, dann griff er sich die ausgezogene Anzughose vom Boden und durchsuchte ihre Taschen.

»Hier, sieh mal.« Er reichte Noah einen zerknitterten Computerausdruck. »Die haben da einen kostenlosen Internetrechner in der Computerabteilung, den ich manchmal benutze, auch wenn die uns da sicher mit Spy-Software überwachen, aber egal. Ich hab dich gegoogelt.«

David Morten. US Scientist.

Unter dem Eintrag in der Suchzeile sah Noah mehrere Reihen briefmarkengroßer Fotos. Die meisten zeigten ein und dasselbe Porträtbild.

»Das bin ich«, bemerkte er ungläubig. Er sah sich selbst und wollte sich doch nicht wiedererkennen. Oscar nickte und las von einem weiteren Blatt vor: »Laut Wikipedia bist du Dr. David Morten, neununddreißig Jahre alt, US-amerikanischer Biophysiker sowie Molekular- und Nanobiologe. Studium der Physik an der Tufts University, Promotion in Princeton über flüssige Mikrochips und ihre Anwendung für die medizinische Patientenkontrolle. Anerkannter Experte für Infektionskrankheiten, Träger des Albert Lasker Awards for Basical Medical Research und zahlreicher weiterer Auszeichnungen, insbesondere für deine Forschungen am Pest- und Herpeserreger.«

Das sagt mir gar nichts. Ich habe nicht die geringste Erinnerung an das Leben dieses Mannes.

»Was hast du sonst in Erfahrung gebracht?«, fragte Noah.

»Über dich? Nicht sehr viel. Ich hatte ja nicht lange Zeit, bis mir deinetwegen die Kugeln um die Ohren flogen, aber neben diesem dürftigen Eintrag hab ich auf den ersten Blick kaum etwas Nennenswertes über dich im Netz gefunden. Kein vollständiger Lebenslauf, keine Nachrichtenmeldungen, dass du vermisst wirst oder so, und nur wenige Fotos von dir, alle hinter deinem Schreibtisch geschossen, nichts Privates.«

»Konntest du auch die anderen Namen überprüfen?«

John Greene. Samuel Brinkman.

»Nein, aber diese Schönheit hier.« Lächelnd reichte Oscar ihm das Laserdruckerbild einer attraktiven jungen Frau Ende zwanzig. Dunkelblond, oval geschnittenes, zartes Gesicht, ein strahlendes Lächeln, das fast bis zu den Backenzähnen reichte. Obwohl die Aufnahme eindeutig ein gestelltes Bewerbungsbild war, war es dem Fotografen nicht gelungen, das natürliche, unkomplizierte Wesen der Frau komplett zu unterdrücken.

»Das ist Celine Henderson, die Reporterin. So wie es aussieht, arbeitet sie wirklich für die *New York News*. Und sie hat Tonnen von Spuren im Netz hinterlassen: Facebook-Posts, YouTube-Videos, Blogeinträge, ihre Artikel. Nichts, was man mal auf die Schnelle fälschen kann.«

So wie mein Leben.

Noah wandte nachdenklich den Kopf ab.

Ich kann mich an das Hotelzimmer erinnern, an den Duft und an den sterbenden Mann vor dem Kamin. Ich erinnere mich an den Schuss, der mich getroffen hat, und an meine Flucht durch das Adlon. Und manchmal höre ich die Stimme eines alten Mannes in meinem Kopf, der mir Ratschläge gibt, doch leider sagt er mir nicht, wie ich wirklich heiße. Wer ich wirklich bin.

Eine überraschende Frage, die Oscar ihm stellte, riss ihn aus seinen Gedanken: »Eine Mittelohrinfektion, wird die durch Bakterien oder Viren verursacht?«

Er begriff sofort, worauf sein Begleiter hinauswollte. Als Koryphäe müsste er diese Frage im Schlaf beantworten können. Aber er war unsicher.

»Dagegen nimmt man Antibiotika, oder? Also eine bakterielle Infektion.«

»Mööp.« Oscar imitierte das Geräusch eines Gameshow-Buzzers bei einer falschen Antwort. »Forscher haben in dem entzündlichen Ohrsekret beides nachgewiesen. Viren und Bakterien. Tja«, er rieb sich nachdenklich seine Nase, »wie ein Träger des Albert-Lasker-Preises klingst du mir nicht gerade.«

Noah nickte bestätigend. »Ich fühle mich auch nicht wie ein Virologe. Alles in mir schreit: Ich bin nicht Dr. Morten.«

»Ich denke, du bist es doch.«

Noah fuhr sich aufgebracht durch die Haare und versuchte, nicht laut zu werden. »Ich weiß, wie man mit bloßen Händen tötet, Oscar, und es macht mir nichts aus. Gar nichts. Ich trauere den Menschen, die ich heute umgebracht habe, keine Sekunde hinterher. Ich kann schneller töten als kopfrechnen. Feuer eine Waffe ab, und ich erkenne am Klang, welches Modell es ist. Gib mir ein Mikroskop, und ich weiß nicht, wie herum ich es halten soll. Passt das zu einem Ivy-League-Absolventen?«

»Nein. Und dennoch bist du vermutlich Dr. David Morten. Und du bist es wieder nicht.«

Noah sah seinen kauzigen Begleiter an, als hätte dieser endgültig den Verstand verloren, daher beeilte Oscar sich zu erklären: »Es ist deine Tarnidentität. Die dürftigen Daten über dich riechen doch nach einem fingierten Lebenslauf. Hätte ich Zeit gehabt, die anderen Namen der Pässe zu checken, hätte ich bestimmt etwas ähnlich Lückenhaftes gefunden.«

Um seine Gedanken zu sortieren, legte Noah den Kopf in den Nacken und starrte zur Decke. Es klang verrückt, aber es ergab Sinn.

Nur wenn das stimmt, wenn ich wirklich unter einer falschen Legende gelebt habe, dann ist die wichtigste Frage, die sich jetzt stellt …

»Weshalb?«, ergänzte Oscar Noahs Gedanken. »Zu welchem Zweck hast du dir diese Scheinidentität zugelegt?«

Sie sahen sich eine Weile stumm an, dann wandte Oscar sich ab und ging barfuß über den mit Teppichstückwerk ausgelegten Fußboden zur Spüle, wo er den Hahn laufen ließ, um das erste, leicht rostige Wasser abzulassen, bevor er eine Tasse darunterhielt.

»Wer waren diese Männer?«, fragte er mit dem Rücken zu Noah. »Wer wollte dich umbringen?« Oscar drehte sich um und nahm einen gewaltigen Schluck aus einem bauchigen Steingutgefäß, das er mit seinen kleinen Fingern kaum festhalten konnte.

»Ich habe keine Ahnung.«

Noah erzählte ihm von der merkwürdigen Tätowierung, die er auf der Hand der beiden Leichen entdeckt hatte.

»Room 17?«

»Ja.«

Oscar schien nervös, stellte die Tasse wieder neben der Spüle ab. »Hast du den Artikel noch?«

»Welchen?«

»Den, in dem sie den Maler des Bildes suchen. In dem die amerikanische Telefonnummer stand, die du vorhin gewählt hast.«

Noah öffnete den Reißverschluss seiner Jacke und tastete alle Taschen ab, bis er fündig wurde. Hastig riss Oscar ihm das Papier aus der Hand. Seine Augen überflogen das angeblich 1-Million-Euro-würdige Gemälde, von dem Noah sich sicher war, es aus einem früheren Leben zu kennen. Ob er es selbst gemalt hatte?

Da schrie Oscar spitz auf. »Der Bach des Ostens.«

»Was?«

»Sieh nur!« Oscar hielt die Zeitungsseite mit einer Hand und pochte mit dem Zeigefinger seiner anderen etwa auf die Mitte des Textes. »Der Name des Werkes. Hier steht es schwarz auf weiß. Wieso hab ich das nicht gleich gesehen?«

Er stapfte zu den Spanholzplatten an der Wand, die sich unter der Last unzähliger Bücher bogen, und zog scheinbar wahllos mehrere von ihnen aus dem Regal heraus, die er nach kurzem Blick auf den Einband achtlos zu Boden warf.

»Hab ich's doch geahnt«, triumphierte er nach einer Weile, drehte sich um und präsentierte ein in einem schwarzen Schutzumschlag steckendes Buch.

»*Was* geahnt?«

Oscar schlug das Buch auf. Staub wirbelte auf, als er mit zittrigen Händen die Seiten umblätterte.

»Hey, ich rede mit dir. Was hast du gewusst?«, fragte Noah, der nun doch lauter geworden war. Am liebsten hätte er seinen Begleiter an den Schultern gepackt und geschüttelt, aber schließlich antwortete ihm Oscar von ganz alleine.

»Ich weiß jetzt, wer hinter dir her ist.«

30. Kapitel

»Okay, nun sag schon. Wer hat es deiner Meinung nach auf mich abgesehen?«, fragte Noah, auch wenn er sich kaum vorstellen konnte, dass der Name seines Gegenspielers in dem schwarzen Buch stand, das Oscar aus der Regalwand des Verstecks gezogen und aufgeschlagen hatte.

»Schon mal was von den Bilderbergern gehört, Großer?«

»Nein.«

»Kein Wunder. Wenn man zu lange da oben bleibt …« Oscar zeigte zur Raumdecke des Verstecks. »Du hast zu viel *CLEAR* eingeatmet. Von nichts eine Ahnung.«

Er setzte sich auf den Stuhl mit dem Tropf, schlug das Buch wieder zu und kratzte sich den zotteligen Haaransatz im Nacken.

»Okay, hör mir gut zu«, sagte er aufgeregt. »Das, was ich dir jetzt erzähle, ist ein offenes Geheimnis. Es gibt Bücher, Filme, sogar einige Zeitungsartikel darüber, von zigtausend Seiten im Internet ganz zu schweigen. Aber niemand nimmt davon Notiz.«

Wegen CLEAR. Ja, ja.

Noah, der seine Hand mit gleichmäßigen Bewegungen durch Totos warmes Fell gleiten ließ, signalisierte Oscar mit einem Zucken seiner Augenbrauen, dass er ihm zuhörte, auch wenn sein Bedarf an mit geheimnisvollem Unterton vorgetragenen Verschwörungsmärchen langsam gedeckt war.

»Stell dir vor, du bist wieder in den USA und willst ein schönes Wochenende mit deiner Familie in deinem Stammhotel, dem Westfields Marriott in Chantilly, Virginia, verbringen.«

Familie? Hab ich eine? Vielleicht bin ich verheiratet? Habe ich Kinder? Wartet irgendjemand auf mich?

Noah versuchte sich wieder auf Oscars Worte zu konzentrieren.

»Es ist Mai, daher wundert es dich nicht, dass das Hotel ausgebucht ist, weil vier Hochzeiten auf einmal gefeiert werden, wie dir die Reservierungszentrale bedauernd mitteilt. Also ziehst du ins Nachbarhotel, aber weil dir die Bar im Marriott so gut gefällt, stattest du deiner üblichen Unterkunft am Abend mal einen Besuch ab.«

Rote Flecken zeigten sich auf dem Teil von Oscars Wangen, der nicht vom Bart besetzt war.

»Nun nehmen wir einmal an, es passiert ein kleines Wunder, und man würde dich wirklich bis zur Bar vorlassen. Was würdest du sagen, wenn du dort den Chef der US-Zentralbank in trauter Runde mit dem amerikanischen Verteidigungsminister und dem Vorsitzenden der Deutschen Bank sitzen sähest?«

»Ich würde mir am nächsten Tag eine Zeitung kaufen.«

»In der aber nichts von dem Treffen einiger der mächtigsten Persönlichkeiten unserer Zeit stünde, obwohl neben dem *Wall Street Journal* auch ausgewählte Chefredakteure und Reporter vom französischen *Figaro* bis zur *Washington Post* vor Ort sind, und das garantiert nicht für eine Hochzeitsberichterstattung.«

»Sondern?«

»Wegen der Bilderberg-Konferenz.«

»Nie davon gehört.«

»Dabei findet sie jährlich statt, und das seit 1954.«

Oscar stand auf und fuhr sich mit beiden Händen durch die Haare.

»Die Teilnehmerliste dieser streng geheimen Treffen, die gewöhnlich drei Tage dauern, immer in hermetisch von der Außenwelt abgeschotteten Hotels, liest sich so, als hätte jemand die Ranglisten der bedeutendsten Politiker, der reichsten Wirtschaftsmoguln sowie der einflussreichsten Journalisten genommen und sie mit den bekanntesten Namen aus Adel, Militär und Wissenschaft gemixt: David Rockefeller, Josef Ackermann, Donald Rumsfeld, Tony Blair, Margaret Thatcher, Helmut Kohl, Bill Gates – sie alle waren schon einmal dabei, ebenso wie Merkel und Clinton, Ford und Kissinger oder die spanische Königin und Prinz Philippe von Belgien. Allein das unangekündigte Aufkreuzen einer einzigen dieser Personen in einer Hotellobby hätte normalerweise einen Tross von Paparazzi zur Folge. Bei einer Bilderberg-Konferenz sitzen im Schnitt hundertdreißig Berühmtheiten auf einem Haufen, und doch finden die Treffen sich nicht einmal als Randnotiz in den Abendnachrichten wieder.«

Wieder erschütterte eine U-Bahn die Wände, diesmal fühlte es sich an, als schösse sie durch einen Tunnel unter ihren Füßen.

»Teilnehmende Journalisten müssen sich verpflichten, kein Wort über den Inhalt der Konferenz nach draußen dringen zu lassen. Zum Glück haben sich einige wenige Mutige nicht daran gehalten, sonst wüssten wir überhaupt nicht, was die Reichen und Mächtigen hinter verschlossenen Türen besprechen.«

»Und worum geht es?«, fragte Noah in der Hoffnung, Oscar würde endlich zum Punkt kommen.

»Du glaubst mir nicht, das sehe ich dir an, Großer. Aber alles, was ich dir erzählt habe, kannst du nachprüfen. Das habe ich mir nicht ausgedacht. Nicht einmal das mit den vier Hochzeiten im Marriott. Das war tatsächlich die vorgeschobene Ausrede für die Sperrung des Hotels. In Wahrheit wurde dort die fünfzigste Bilderberg-Konferenz abgehalten, auf der es wie immer um ein beherrschendes Thema ging.«

»Das wäre?«

»Eine neue Weltordnung.«

»Oh Mann.«

Noah presste die Lippen aufeinander, um nicht zu fluchen. *Quersummen, Chemtrails, Geheimlogen* – was kam als Nächstes?

»Schlag nach, Seite siebzehn«, forderte Oscar ihn auf und reichte ihm das Buch, das er aus dem Regal gezogen hatte: *Andreas von Rétyi. Bilderberger. Das geheime Zentrum der Macht.*

»30. Mai bis 2. Juni 2002 im Westfields Marriott. Ein Thema war die Lage im Irak. Kurz nach der Konferenz war Bin Laden für eine Weile als Staatsfeind Nummer eins abgelöst, und Saddam Hussein wurde zum gefährlichsten Mann der westlichen Welt aufgebaut. Mit gefälschten Beweisen nicht existierender Giftgasanlagen, die nur ein Jahr später sogar einen Krieg rechtfertigen sollten.«

»Und *das* soll auf dieser Bilderberg-Konferenz beschlossen worden sein?«, fragte Noah, ohne das Buch mit dem schwarzen Schutzumschlag zu öffnen.

»Woher soll ich das wissen, wenn immer nur Fragmente durchsickern? Aber die enormen Sicherheitsvorkehrungen und die paranoiden Geheimhaltungsvorschriften sprechen dafür, dass dort sicher nicht über ein Kinderhilfsprojekt abgestimmt wurde. 2011 wollte ein italienischer EU-Abgeordneter durch den Haupteingang des Suvretta House, einem Luxushotel bei St. Moritz, ohne Einladung zur Konferenz. Ihm wurde von Sicherheitsbeamten die Nase blutig geschlagen. Ein Aufschrei der angeblich freien Presse? Fehlanzeige.«

Oscar hatte sich in Rage geredet, fuchtelte mit den Armen.

»Jahr für Jahr tagt ein nicht gewähltes Parlament und bestimmt in geheimer Sitzung die Geschicke unserer Welt. Allein das 48. Bilderberg-Treffen in Brüssel: Dominique Strauss-Kahn, Multimilliardär George Soros, Königin Beatrix, Jean-Claude Trichet und der griechische Außenminister Papandreou in einem Raum mit den Firmenchefs von Thyssen-Krupp, Fiat, Xerox, Goldman Sachs, Shell, Deutsche Bank, Nokia sowie dem Pharmariesen Novartis, außerdem anwesend der damals stellvertretende Chefredakteur der Zeit, Matthias Naß – und dem war *das* keine Titelstory wert? Kein Sterbenswort von dem Journalisten, der schon dreizehnmal eingeladen wurde! Er hält sich an den vereinbarten Maulkorb.«

Noah hob die Hand, um sich eine Pause in Oscars Redefluss zu erkämpfen, und zeigte auf die Zeitungsseite, die Oscar vor Aufregung zu Boden gefallen war.

»Was hat das alles mit dem Artikel und Room 17 zu tun?«

Und mit mir?

»Der Artikel, richtig.« Oscar bückte sich und hob das Papier auf, das die Kette der Mordanschläge erst ins Rollen gebracht hatte. Seitdem Noah die Reporterin der *New York News* angerufen hatte, waren sie auf der Flucht vor professionell ausgebildeten Killern.

Aber weshalb wollen sie den Urheber dieses anonym zugestellten Bildes ermorden?

Auch Oscars weitere Ausführungen machten Noah in dieser Frage nicht schlauer.

»Die Bilderberger nennen ihre Organisation nach dem Hotel, in dem 1954 die allererste Geheimsitzung tagte. Damals lud Prinz Bernhard der Niederlande die Mächtigsten der Mächtigen in sein eigenes Nobelquartier, das *Hotel de Bilderberg,* nach Oosterbeek. So viel zu den Fakten. Jetzt kommen die Gerüchte.«

»Oscar, bitte …«, versuchte Noah eine weitere Aufzählung von vermeintlichen Weltverschwörungsbeweisen zu unterbinden. Ohne Erfolg.

»Bereits auf diesem ersten Treffen war man sich angeblich einig, dass nur eine unabhängige, vom Willen der Masse losgelöste Macht das größte Problem der Welt in den Griff bekommen könne.«

»Welches Problem?«

»Den Menschen.«

Oscar ließ seine Antwort eine Zeit lang bedeutungsschwanger in der Luft schweben.

»Die Theorie ist ganz einfach: Egal ob Hunger, Kriege, Klimawandel, Armut, Müll oder Energiekrise – der Verursacher all dieser Katastrophen sind Menschen. Viele Menschen. Viel zu viele Menschen.«

Vielleicht war es Zufall, dass mit diesen Worten das Pfeifen in Noahs Ohr wieder einsetzte, wenn auch deutlich leiser als unmittelbar nach der Explosion der Gasflasche im Elektronikmarkt, aber vielleicht hatten Oscars Worte auch die akustischen Vorboten einer Erinnerung angeschoben.

»Beim Bau der ägyptischen Pyramiden waren wir noch unter uns, lauschige dreißig Millionen lebten auf dem Planeten. Heute sind es über sieben Milliarden. Und alle 2,6 Sekunden kommt ein weiterer dazu, der Fleisch und Getreide braucht, Benzin verbrennen will, Wasser trinken muss. Dabei reichen unsere Ölvorkommen nur noch wenige Jahre, und eine Milliarde Menschen sind bereits jetzt von sauberer Trinkwasserversorgung abgeschnitten. Wenn alle so verschwenderisch leben würden wie in den USA – und Europa sowie China sind auf dem besten Weg dorthin –, dann bräuchten wir schon jetzt zweieinhalb weitere Planeten, um die Versorgung sicherzustellen. Die Weltmeere sind leergefangen, die Urwälder gerodet, die Felder überdüngt, ausgedörrt oder von Überschwemmungen zerstört. Wie soll es erst in fünfzehn Jahren aussehen, wenn wir die 9-Milliarden-Marke sprengen? Oder in sechzig, wenn sich die Menschheit noch einmal verdoppelt hat?«

Noah sagte nichts. Das Pfeifen hinter seinen Trommelfellen wurde lauter.

»Die Analyse der Bilderberger ist im Grunde genommen gar nicht mal falsch«, setzte Oscar seinen Vortrag fort. »Die Masse an Menschen ist das größte Problem unseres Planeten, also wäre es widersinnig, die Masse demokratisch über ihr eigenes Schicksal abstimmen zu lassen. Das wäre ja so, als ließe man Inhaftierte im Todestrakt über die Todesstrafe entscheiden.«

Noah hätte sich am liebsten einen Finger ins Ohr gesteckt, um zu überprüfen, ob der anschwellende Sinuston nicht doch von außen kam.

»Und was ist der genaue Plan dieser Bilderberger?«

Und was hat das mit mir zu tun?

»Ich habe keine Ahnung. Aber Ende der siebziger Jahre soll sich von den Bilderbergern eine extremistische Gruppierung abgespaltet haben, denen die Ansätze zur Lösung des Überbevölkerungsproblems nicht radikal genug waren. Komplett Verrückte, ebenso reich wie skrupellos. Sie haben heute offiziell nichts mehr mit den Bilderbergern zu tun, gleichwohl sie sich nach dem Zimmer benannt haben, in dem ihr ältestes Mitglied 1954 im Hotel de Bilderberg übernachtet hatte.«

»Room 17?«

»Genau. Und jetzt schau dir noch mal den Namen des Bildes an, dessen Maler gesucht wird. Fällt dir etwas auf?«

»Der Bach des Ostens?«

»Darauf will ich hinaus.«

Noah schluckte, es knackte in seinem Ohr, und auf einmal war es weg. Kein Pfeifton mehr. Dafür hörte er alles doppelt. Fast gleichzeitig. Sowohl die Stimme des alten Mannes in seinem Kopf: *»Der Bach des Ostens … Ostbach …«*

Als auch die Stimme Oscars, der aufgeregt sagte: »Ostbach. Auf Niederländisch: Oosterbeek. Der Sitz des ersten Bilderberg-Hotels.«

»Was hat das zu bedeuten?«, flüsterte Noah.

Oscar zuckte mit den Achseln. »Dass du so richtig in der Scheiße sitzt, wenn du dich mit denen angelegt hast.«

31. Kapitel

Versuch Nummer vier. Celine drückte die Ansage weg, die ihr nun schon zum wiederholten Mal erklärte, dass der angerufene Teilnehmer nicht erreichbar wäre.

»Ausgeschaltet«, sagte sie und wollte Amber das Handy zurückgeben, das sie von ihr bekommen hatte, doch die mysteriöse Unbekannte wehrte ab. »Bitte, lassen Sie mich gehen.«

Ihre Kehle war trocken, Celine brauchte dringend etwas zu trinken. Außerdem hatte sie heute noch keine Folsäure für das Baby eingenommen, und sie war schon lange nicht mehr auf der Toilette gewesen. Viel länger konnte sie ihre Blase nicht mehr strapazieren.

»Versuchen Sie es in zwei Minuten wieder«, sagte Amber unbekümmert.

Celine stöhnte entnervt. »Das ist doch sinnlos.«

»Menschen dabei zuzusehen, wie sie mit einem Holzstock auf einen anfliegenden Ball prügeln, ist auch nicht besonders sinnvoll, und dennoch tun es Millionen von Baseballfans jedes Wochenende. Und Sie werden so lange auf Wahlwiederholung drücken, bis Noah irgendwann abnimmt.«

»Können Sie sein Handy denn nicht orten?«

»Mit unseren technischen Möglichkeiten könnten wir ein Telefon selbst dann orten, wenn es im Marianengraben liegt. Mir geht es nicht um Noahs Aufenthaltsort, den kenne ich. Momentan versteckt er sich in einem Seitenarm eines aufgegebenen U-Bahn-Schachts, etwa zwanzig Meter unter der Berliner Erde.«

»Wozu brauchen Sie mich dann?«

Celine warf das Handy wütend vor sich auf den Tisch. Da es

an der Rückseite leicht gebogen war, begann es auf der Platte im Kreis zu rotieren.

Amber wartete, bis es ausgetrudelt war, dann sagte sie sanft: »Vor kurzem haben wir versucht, Noah mit einer List hereinzulegen. Kein Geringerer als der Herausgeber Ihrer Zeitung gab sich als ein enger und gewichtiger Vertrauter aus, um ihn zur Aufgabe zu überzeugen. Noah hat diesen Taschenspielertrick jedoch so mühelos durchschaut, wie er danach die Männer ausschaltete, die ihn in Gewahrsam nehmen sollten.« Amber seufzte. »Ich will nicht noch mehr Personal und vor allem keine weitere Zeit vergeuden. Er soll sich ergeben.«

»Weshalb?«

»Er hat Informationen, die für uns von allerhöchster Bedeutung sind.«

»Was für welche?«

Amber verzog die Mundwinkel zu einem spöttischen Grinsen.

»Auf der Jagd nach Noah sind allein heute drei Menschen getötet worden. Sind Sie sicher, Sie wollen wirklich wissen, wonach ich suche?«

Celine schluckte. »Und wie soll ausgerechnet *ich* ihn dazu überreden, sich zu stellen? Er kennt mich doch gar nicht.«

»Aber ich kenne ihn. Und ich kenne seine Fähigkeiten, die zugleich seine Achillesferse sind. Noah kann intuitiv zwischen Gut und Böse unterscheiden. Wecken Sie den Beschützerinstinkt in ihm, und Sie haben eine Chance, die Sache zu überleben.«

Celine zuckte ängstlich zurück, als die Frau unerwartet nach ihrer Hand griff. »Schsch, keine Sorge. Ich verstehe, dass Sie mich nicht leiden können. Ich mag Sie auch nicht besonders.«

Sie lächelte, und Celine hasste alles an ihr. Ihre weißen,

geraden Zähne, die hohe Stirn, das langgestreckte Gesicht mit den tiefen, großen Augen und den geschwungenen Wangenknochen, das Männer sicher schön fanden, sie aber an eine Ameise erinnerte. Sie hasste ihren Gucci-Stil und ihre gefeilten Fingernägel, das Parfum und vor allem diese warme, leicht brüchige Stimme, die ein volles, kehliges Lachen erwarten ließ. Vor allem aber hasste sie sie für ihre arrogante Ehrlichkeit.

»Ich halte Sie für ein Landei, Celine, das in der großen Stadt Karriere machen wollte und nun mit einem Braten in der Röhre irgendwo in der Mittelmäßigkeit stranden wird. Sie verachten mich, weil ich mich wie eine russische Studentin auf Millionärsfang kleide und Sie mir auf den ersten Blick ansehen, dass ich mit jedem Mann schlafe, der mich weiterbringt, während Sie noch von der großen Liebe träumen, die vor den Augen Ihrer Kinder und Ihrer Eltern den Thanksgiving-Truthahn tranchiert. Wir beide werden in diesem Leben also keine Freundinnen mehr werden, was Ihnen egal sein könnte, wenn dieser Raum eine Lüftung hätte.«

»Um Ihrem Parfum zu entgehen?«

»Um nicht zu ersticken.«

Amber oder wie immer sie heißen mochte blickte auf ihre Armbanduhr, während Celine sich unwillkürlich an die Kehle griff.

»Rufen Sie Noah an und überzeugen Sie ihn, sich in unser Gewahrsam zu begeben, bevor die anderen ihn finden.«

»Die anderen?«

Welche anderen zum Teufel?

»Sie haben noch knappe drei Stunden, bevor Sie Ihren eigenen Atem inhalieren, Celine. Ich an Ihrer Stelle würde keine Minute davon mit Fragen vergeuden, auf die Sie die Antwort ohnehin nicht hören wollen.«

Amber klimperte mit ihren langen Wimpern und wies mit dem Kinn zu dem Telefon auf dem Tisch. Eine affektierte Geste, für die Celine sie noch mehr zu hassen begann, während sie nach dem Handy griff.

32. Kapitel

Dreimal kurz, einmal lang.

Der Klingelton ließ beide zusammenschrecken.

»Hast du es etwa angelassen?«, fragte Oscar, hörbar besorgt darüber, dass sie dadurch gefunden werden konnten.

»Nein.« Noah zog das Satellitentelefon aus der Jacke, die er neben dem unruhig schlafenden Toto aufs Bett gelegt hatte. »Ich hab es ausgemacht.«

Was vermutlich nur eine unzureichende Vorsichtsmaßnahme war. Es lag auf der Hand, dass es kein Zufall sein konnte, wie er in den Besitz dieses Telefons gelangt war. Handy, Koffer, Ausweise, Bargeld – all das hatte ihm jemand untergeschoben, und wenn Noah an der Stelle dieses unbekannten Drahtziehers wäre, hätte er einen Trojaner in die Handysoftware eingeschleust, die dem Besitzer den ausgeschalteten Zustand nur vortäuschte, selbst wenn das Gerät vom Akku getrennt war.

Oder ich hätte den Koffer, die Ausweise und sogar die Euro-Scheine verwanzt.

Noah ärgerte sich über sich selbst. Er hatte noch keine Gelegenheit gehabt, in Ruhe über seine nächsten Schritte nachzudenken, aber jetzt wurde ihm klar, dass er all diese Gegenstände, die ihm im Adlon untergejubelt worden waren, sofort wieder loswerden musste.

»Ausgeschaltet?«, echote Oscar.

»Ja.«

»Und wieso klingelt es dann?«

»Weil ich eine Erinnerung bekommen habe.«

Leider nur eine elektronische.

Augenscheinlich funktionierte der Alarmmodus des Telefons

auch im deaktivierten Zustand. Ein stilisierter Monatskalender füllte die obere Hälfte des Displays, ein kurzer Texteintrag die untere.

»So, 15.2. Abfahrt HBF. ICE Reservierungscode QRX1 …«

»Abfahrt?«, fiel ihm Oscar ins Wort.

»Ja.«

»Vom Hauptbahnhof?«, fragte Oscar weiter. »Mit einem Intercity Express?«

»Wenn dafür die Kürzel stehen.«

»Um welche Uhrzeit? Und wohin?«

»Keine Ahnung. Um den Rest zu lesen, muss ich mich erst wieder einloggen.«

»Spinnst du?«, protestierte Oscar, als er sah, dass Noah tatsächlich die On-Taste auf dem Telefon so lange gedrückt hielt, bis sich das Adler-Firmenlogo wieder zeigte.

»Mach es sofort aus, wenn uns nicht gleich wieder alles um die Ohren fliegen soll.«

»Das wird nicht passieren.«

»Wieso bist du dir da so sicher?«

»Weil sie schon längst hier wären, wenn sie es wollten.«

Oscar machte große Augen. Dann schlug er sich die Hand vor die Stirn. »Na klar, du hast recht. Wenn die Radikalen der Bilderberger dahinterstecken, haben die alle Möglichkeiten. Keine private Organisation auf der Welt verfügt über mehr Geld, Macht und Technik als die.«

»Ich weiß nichts von Bilderbergern und auch nichts von Room 17, Oscar. Ich weiß nur, dass die Männer, die mich töten wollten, es geschafft haben, lautlos durch die verschlossene Tür in unser Hotelzimmer zu dringen. Sie arbeiten in einem zentral gesteuerten Team, scheuen keinen Angriff im offenen Feld und sind Nahkampfexperten. Pack den Besitz illegaler Präzisionswaffen und ihre Fähigkeit, ein fahrendes Objekt unbemerkt zu verfolgen, dazu, dann ist klar, wir haben es hier nicht mit einer billigen Söldnertruppe zu tun, sondern mit erfahrenen, hochgerüsteten Profis, denen sicher genügend Militärtechnik zur Verfügung steht, um dieses Telefon zu orten, egal ob an oder aus.«

»Room 17«, nickte Oscar bestätigend. »Sag ich doch.«

Noah ließ das unkommentiert. Je länger er mit diesem Spinner zusammen war, dem er sein Leben zu verdanken hatte, desto mehr verstärkte sich sein Eindruck, dass zwischen all dem Unkraut, das Oscar in seinem Verschwörungs-Gewächshaus heranzüchtete, auch eine Knospe der Wahrheit heranwuchs. Natürlich klangen Geschichten über geheime antidemokratische Zirkel der Supermächtigen zunächst einmal absurd. Aber welche andere Erklärung gab es für die *»Room 17«*-Tätowierung auf den Handballen der Toten? Für den *Bach des Ostens* in der Zeitungsanzeige? Er fragte sich auch, weshalb ausgerechnet dieses Bild einen Sturm der Erinnerungen in seinem ansonsten wie leergefegten Kopf ausgelöst hatte. Sobald er das wusste, würde er vermutlich auch die Erklärung für alles andere haben, was ihm derzeit widerfuhr.

»Und? Wohin geht's?«, hörte er Oscar fragen, der ihm über die Schulter sah, während Noah den Kalender öffnete.

»Hmm.«

»Was hmm?«, äffte Oscar ihn nach.

»Ich hab hier nur den siebenstelligen Reservierungscode. Und die Nummer des ICE: 646. Aber keine Abfahrtszeit, kein Reiseziel …«

»Und kein Internet in dem Knochen, nehme ich mal an?«

»Zumindest hab ich kein entsprechendes Browsersymbol im Menü gefunden.«

Oscar schnaubte. »Dann bleibt uns nichts anderes übrig, als die Auskunft der Bahn anzurufen, wenn wir wissen wollen, wohin der Zug fährt.«

Noah wollte schon einwenden, dass er garantiert nicht wie ein Opferlamm am Strick in das offen stehende Schlachthaus lief, indem er den Hinweisen folgte, mit denen ihn jemand ganz eindeutig ins Verderben lotsen wollte – da schnitt ihm ein lautes Klingeln die Worte ab, bevor sie ausgesprochen waren.

»Wer ist das?«, fragte Oscar und starrte ängstlich auf das Satellitentelefon in Noahs Hand, denn diesmal war es nicht die Erinnerungsfunktion des elektronischen Kalenders, der sie hatte zusammenzucken lassen, sondern ein eingehender Anruf mit unterdrückter Rufnummer.

33. Kapitel

Celine war so überrascht, ein Freizeichen zu hören, dass sie beinahe wieder aufgelegt hätte. Als Noah sich mit harter, fester Stimme schließlich meldete, wünschte sie, sie hätte es getan. Sie sah nervös zu der Erpresserin, die ihr gegenübersitzend per Freisprecheinrichtung mithörte, zupfte mit feucht werdenden Fingern den Saum ihrer Bluse gerade und wusste nicht, wie sie das Gespräch beginnen sollte. In ihrem Kopf herrschte eine ungemütliche Leere, alle Zuversicht war verschwunden.

Was soll ich ihm sagen? Wie soll ich mich verhalten, damit er nicht gleich wieder auflegt?

Schließlich war es Noah, der die Unterhaltung in Gang setzte.

»Wer sind Sie?«

Celines Blick flog zu Amber, die ihr aufmunternd zunickte.

»Wir, ich … wir haben heute schon einmal telefoniert.«

»Ich will wissen, wer Sie *wirklich* sind.«

»Ich sage die Wahrheit. Mein Name ist Celine Henderson, ich arbeite als Redakteurin bei der *New York News*.«

»Weshalb haben Sie mich ins Adlon gelockt?«

Noah feuerte die Fragen wie Pistolenschüsse ab.

»Ich wusste nicht, dass man Ihnen etwas antun will«, versuchte Celine den ersten Ansatz einer Erklärung. »Im Moment sitze ich selbst einer Frau gegenüber, die mich töten will, wenn ich Sie nicht überrede.«

War das zu früh? Celine biss sich auf die Zunge. Schon nach wenigen Sekunden hatte das Gespräch ein Stadium erreicht, in dem sie, wäre sie am anderen Ende, bereits aufgelegt hätte.

»Überrede wozu?«, fragte Noah.

»Dass Sie sich stellen.«

Die Worte kamen Celine unangemessen kindlich vor, so als würden sie Räuber und Gendarm auf dem Pausenhof spielen.

»Hallo?«, fragte sie ängstlich.

Pause. Kein Atmen, kein Rauschen. Nichts.

»Sind Sie noch dran?«

»Welchen Grund sollte es geben, mich auf Wunsch einer Fremden an jemanden auszuliefern, der mich töten will?«, meldete sich Noah zurück.

»Es gibt keinen Grund.«

Eine weitere stumme Pause, in der Celine die Augen schloss.

Sie fühlte förmlich, wie der Mann mit sich rang, ob er lieber auflegen oder weitere Informationen abrufen wollte.

Sie wusste nicht, ob Amber bluffte *(aber wieso sollte jemand, der von der Existenz geheimer Kühlschrankzimmer wusste, in dieser Beziehung lügen?)*, ihr war nicht klar, ob das Kratzen im Hals und die leichte Atemnot von der Aufregung oder tatsächlich von der fehlenden Lüftung herrührte *(allerdings gab es tatsächlich keine sichtbaren Fugen, der Automat schien perfekt mit den Wandkanten abzuschließen)* – doch in einem Punkt war sie sich sicher: Die kommenden Sekunden würden über ihre Zukunft entscheiden. So oder so. Daher spürte sie ein Gefühl tiefer Erleichterung, als Noah sich gegen das Auflegen entschied.

»Okay, Celine. Ich will, dass Sie mir jetzt blitzschnell antworten, ohne zu zögern, haben Sie verstanden?«

»Ich weiß nicht …«

Wieder biss sie sich auf die Lippen. Sie wusste, dass sie etwas Falsches gesagt hatte.

Nicht zögern. Er will, dass du NICHT zögerst.

»Soll ich auflegen?«

»Nein, bitte nicht.«

»Gut, also los. Welche Haarfarbe hat die Frau bei Ihnen?«

Ein rascher Blick zu Amber, die amüsiert wirkte.
»Schwarz.«
»Lang- oder Kurzhaarfrisur?«
»Eher lang.«
»Welche Waffe ist auf Sie gerichtet?«
»Gar keine.«
»Wie sollen Sie getötet werden?«
Celine stockte. Mittlerweile hatte sie begriffen, worauf das Fragenfeuerwerk hinauslief. Sie war die Kandidatin eines verbalen Lügendetektortests. Je länger sie sich Zeit ließ, desto eher entstand der Eindruck, sie würde sich eine Lüge zurechtlegen, daher beeilte sie sich zu sagen: »Ich sitze in einer luftdichten Geheimkammer.«
Jetzt legt er auf.
»Wie sind Sie da reingekommen?«, wollte Noah wissen.
»Durch einen Kühlschrank.«
Verdammt, JETZT legt er auf!
»Wie war das?«
Celine erklärte es ihm, zweifelte aber, dass es ihr in der Aufregung auch nur annähernd plausibel gelungen war. Amber grinste jetzt eindeutig belustigt und spielte an ihrer Kette. Wieder sah Celine die Nummer 17 auf dem Aufhänger blitzen. Wieder hatte sie keine Zeit, einen Gedanken daran zu verschwenden.
»Was haben Sie heute gegessen?«
»Ein Knäckebrot.«
»Was sonst?«
»Nichts.«
»Es ist jetzt früher Abend in New York, noch eine Lüge, und ich lege auf.«
Celine starrte das Telefon auf dem Tisch an und presste sich beide Hände auf den Bauch. »Ich krieg morgens nichts runter.«
»Sind Sie krank?«

»Im Gegenteil. Ich bin schwanger.«

»Welche Medikamente nehmen Sie?«

»Folsäure und Vomex.«

»Erstes oder zweites Trimester?«

»Erstes.«

»Junge oder Mädchen?«

»Dafür ist es noch zu früh.«

Die dritte Pause, aber diesmal fühlte sie sich weniger bedrohlich an. Eher wie nach dem Erreichen eines Etappenziels.

Hab ich die Prüfung bestanden?

Dafür sprach, dass Noahs Sprachrhythmus sich verändert hatte und die Fragen jetzt etwas ruhiger kamen. »Wie heißt Ihr Mann?«

»Ich bin unverheiratet.«

»Der Vater?«

»Steven Dillon, er ist Anwalt.«

»Wird er auch bedroht?«

»Nein, das heißt …« Sie sah Amber verneinend den Kopf schütteln und ergänzte dann: »Ich denke nicht, wir haben keinen Kontakt.«

Noah stellte noch einige weitere, meist persönliche Fragen, aber erst nach der letzten hatte Celine das Gefühl, den Test bestanden zu haben.

»Das erste Wort, das Ihnen in den Sinn kommt, wenn Sie an die Frau denken, die Sie bedroht.«

»Schlampe«, antwortete Celine und sah Amber direkt ins Gesicht, die mit einem Mal nicht mehr besonders amüsiert wirkte.

»Geben Sie sie mir!«, forderte Noah.

34. Kapitel

Über sechstausend Kilometer entfernt wurde das Telefon auf laut gestellt.

»Hallo, Noah«, hörte er eine angenehm volle, sinnliche Stimme, fast einen Tick zu männlich. Sie sprach aus einiger Entfernung. Vermutlich lag das Telefon zwischen den beiden auf einem Tisch.

»Schön, Sie zu sprechen«, sagte die Frau, die angeblich eine unbeteiligte Reporterin opfern wollte, wenn sie nicht bekam, was sie verlangte. Noah beunruhigte weniger die Skrupellosigkeit als vielmehr die Tatsache, dass die Erpresserin es mit dieser psychologischen Kriegsführung überhaupt probierte. Letzteres bewies, wie überzeugt sie war, damit Erfolg zu haben, was nichts anderes bedeutete, als dass sie ihn vielleicht sogar besser kannte als er sich selbst. Sie wusste von seinen Fähigkeiten, eine Lüge zu erkennen. Und sie kannte ganz offensichtlich seine Schwächen, denn in der Tat machte die Todesangst, die er aus den ehrlichen Antworten der Schwangeren herausgehört hatte, es schwer, die Forderungen der Erpresserin zu ignorieren.

»Wer sind Sie, und was wollen Sie von mir?«, fragte er.

»Ich bin die Rückseite der Quizkarte. Die Antwort. Ich kann Ihnen erklären, in was für einen Schlamassel Sie ungewollt hineingeraten sind, Noah. Deshalb will ich Sie treffen.«

Ja. Wahrscheinlich.

Er stand auf und fixierte ein graues Rohr an der Decke, aus dem Oscar seine Wasserversorgung bezog. »Hören Sie gut zu. Ich habe in den letzten Stunden viel über mich gelernt. Unter anderem, dass ich über eine gesunde Menschenkenntnis verfüge.«

»Ich weiß.«

»Ich sehe, wenn das Böse vor mir steht. Und ich höre, wenn mich jemand anlügt. Daher weiß ich, dass Celine bedroht wird, wohingegen Sie gerade mit falschen Karten spielen.«

»In Bezug worauf?«

»Sie werden sie und mich nicht am Leben lassen, egal was ich mache.«

»Tja, wenn Sie das so sehen«, die Erpresserin seufzte gelangweilt, »haben wir schon nach wenigen Minuten einen Zustand erreicht, für den ich mit meinem Exmann ein halbes Jahr brauchte: Wir haben uns nichts mehr zu sagen.«

»Oh, Mrs. Supercool versucht mich zu verunsichern.«

»Nein, Mrs. Ich-sitz-am-längeren-Hebel will nicht, dass noch weitere ihrer Leute getötet werden. Nicht, dass ich besonders feinfühlig wäre, aber ich ziehe eine saubere Lösung immer der dreckigen vor. Sie haben also die Wahl: Entweder Sie spielen noch eine Weile die Ein-Mann-Armee, bevor Sie schließlich doch gestellt werden, oder wir kürzen die Sache ab, und Sie ergeben sich gleich jetzt.«

Noah kicherte, was ihm einen verstörten Blick von Oscar einbrachte. »Glauben Sie ernsthaft, ich begebe mich in die Höhle des Löwen, ohne zu wissen, worum es überhaupt geht?«

»Ich wünschte, ich könnte Ihnen reinen Wein einschenken, Noah, zum Beispiel, indem ich Ihnen sage, wie Sie wirklich heißen, aber das geht leider nicht.«

»Weshalb?«

»Weil Sie dann etwas sehr, sehr Dummes tun würden.«

»Woher wollen Sie das wissen?«

Der nächste Zug erschütterte das Fundament des Verstecks. Noah meinte die Vibrationen direkt durch seinen Körper wandern zu spüren.

»Beantworten Sie mir eine Frage, Noah. Wenn ich Ihnen

sagen würde, dass hinter Ihrem Auge ein etwa sechs Zentimeter langer Wurm lebt, der sich in Ihrer Bindehaut eingenistet hat, was würden Sie als Erstes tun?«

»In den Spiegel schauen.«

»Sehen Sie. Manche Reaktionen sind vorhersehbar. Nur dass Ihre Reaktion, sobald ich all Ihre Fragen beantwortet hätte, für uns alle katastrophale Folgen haben würde.«

»Geben Sie mir wenigstens etwas. Sonst bleibe ich hier, und Sie müssen mich holen.«

Er hörte die Frau tief durchatmen und glaubte ein feines Lächeln in ihrer Stimme zu hören, als sie schließlich sagte: »Sie haben etwas, das einer sehr mächtigen Organisation gehört.«

»Den Bilderbergern?«

Sie lachte, während Oscar erstarrte.

»Sie wollten *eine* Information, Noah, die haben Sie bekommen. Jetzt müssen Sie Ihre Entscheidung treffen.«

Noah nickte und nahm das Telefon vom Ohr. Er öffnete den Kalender, ohne das Gespräch zu unterbrechen, dann setzte er das Telefonat fort. »Kommen Sie gerade ins Internet?«

»Ja.«

Noah nannte ihr die ICE-Zugnummer aus dem Kalendereintrag. Er hörte nicht, dass die Frau nach dem Handy griff, über das sie gerade sprachen, also stand dort entweder ein Computer im Raum, oder sie verfügte über ein zweites Smartphone.

»Was wollen Sie wissen?«

»Die Abfahrt des Zuges ist heute vom Berliner Hauptbahnhof. Wohin fährt er und um welche Uhrzeit?«

Es dauerte eine Weile, bis die Frau am anderen Ende ihn mit den gewünschten Informationen versorgte. Als sie das Ziel nannte, war er nicht im Geringsten verblüfft.

»Wie lange dauert die Fahrt?«, wollte er als Letztes wissen.

»Knapp sechseinhalb Stunden.«

»Dann schlage ich vor, Sie beeilen sich. Ich treffe Sie, wenn wir dort angekommen sind, auf der Frauentoilette in der Haupthalle.«

Aus den Augenwinkeln heraus sah er, wie Oscar protestierend die Arme hochriss.

»Das ist zu gefährlich«, sagte sie.

»Das war es die ganze Zeit.«

Die Frau lachte höhnisch auf. »Glauben Sie wirklich, Sie wären noch am Leben, wenn ich Ihren Tod gewollt hätte?«

Nein. Dieser Gedanke war Noah auch schon gekommen. Wieso hatte der Killer nicht einfach ins Wasser geschossen, als Oscar vor ihm im Whirlpool untergetaucht war? Welcher Profi warnte einen anderen mit einem in dieser Situation unnötigen Laserpointeraufsatz? Außerdem war der Verkäufer kleiner gewesen als er. Die Kugel, die er tragischerweise abgefangen hatte, hätte Noah niemals im Kopf getroffen.

Sie wollten ihn töten, das spürte er. Aber zuvor wollten sie mit ihm reden. Oder, was wahrscheinlicher war, ihn foltern, bis er Informationen preisgab, an die er sich selbst nicht mehr erinnerte.

»Es geht mir um die anderen. Sechseinhalb Stunden in einem Zug sind eine zu lange Zeit, in der Sie auf sich alleine gestellt wären«, sagte die Frau.

Die anderen?

»Von wem sprechen Sie?«, fragte Noah.

»Die Fragerunde ist vorbei, Schätzchen. Die nächsten Informationen bekommen Sie erst, wenn Sie mir gegenüberstehen.«

»Also schön, ich komme«, traf Noah seine Entscheidung. Und weniger, um die Reporterin zu schützen, als um herauszufinden, wie weit sein Gegner gehen würde, um ihn zu fassen zu bekommen, forderte er: »Ich will, dass Sie Celine mitbringen. Sollten Sie ohne die Reporterin in Amsterdam aufkreuzen, sind *Sie* es, die dieses Treffen nicht überlebt.«

35. Kapitel

»So ein Mist, verfluchter«, schimpfte Adam Altmann und starrte auf die Coladose in seiner Hand.

Das darf doch nicht wahr sein.

Er konnte blind mit nur einer Hand eine Pistole auseinandernehmen, wieder zusammensetzen und mit Munition füllen. Beim Pokern ließ er mühelos ganze Kartenstapel im Ärmel verschwinden, doch mit Verpackungen stand er auf Kriegsfuß. An eingeschweißten CDs suchte er vergeblich nach der Reißlasche, und bei Getränkebüchsen wie der, die er gerade aus dem Automaten gezogen hatte, riss er regelmäßig die Verschlusslasche ab, *bevor* er die Öffnung damit aufhebeln konnte.

Und jetzt?

Entnervt stellte er die volle, aber nutzlose Dose neben den Gartenstuhl, auf dem er am Rande des Innenhofs Platz genommen hatte. Am liebsten hätte er seine Waffe gezogen und auf sie eingeschossen, aber die Pistolen hatte er am Eingang abgeben müssen. Niemand durfte die Schleusen von Pariser Platz Nummer 2 mit Waffen passieren, weshalb Altmann sich im Augenblick komplett nackt fühlte.

Nackt und durstig.

»Was wollen Sie hier?«

Altmann stand auf und sah sich um. Er wusste, die Frau, deren Stimme er gerade in seinem Ohr gehört hatte, musste sich irgendwo hinter den Kalksandsteinmauern dieses hässlichen Gebäudekomplexes aufhalten.

»Wo stecken Sie?«, fragte er, während er hinter den wenigen zum Hof ausgerichteten Bürofenstern, in denen noch Licht brannte, eine verdächtige Bewegung auszumachen versuchte.

Fehlanzeige. Keine Jalousie, deren Lamellen sich teilten. Kein Schatten an der Wand. Nicht einmal eine Putzfrau huschte durch die Räume. Der Einzige, der hier Lebenszeichen absonderte, war er, und zwar in Form von Dampfwolken, die sein heißer Atem in der kalten Nachtluft schlug.

»Hey, hier unten ist es grad sehr lauschig.« Er zeigte auf einen zwölf Meter hohen Totempfahl, von dem er nur wenige Schritte entfernt stand. Das Kunstwerk sollte an das besondere Verhältnis der USA zu der indianischen Kultur erinnern. Nur blöd, dass es außer den wenigen Angestellten niemand zu sehen bekam, da Gäste grundsätzlich keinen Zutritt zu dem amerikanischen Botschaftsgelände hatten und der gesamte Komplex besser gesichert war als der Hochsicherheitstrakt eines Gefängnisses.

»Wieso kommen Sie nicht zu mir runter, und wir machen es uns gemütlich?«

Er griff sich in den Nacken, die Stelle seines Körpers, in die die Kälte immer als Erstes ihre Zähne schlug.

»Wir haben beide unsere Prinzipien, Adam«, antwortete die Stimme. »Sie mögen keine Zwischenfälle bei der Arbeit. Ich vermeide persönliche Kontakte mit meinen Agenten.«

»Und dennoch haben Sie einem Treffen zugestimmt.«

»Weil Sie es gewünscht haben.«

»Ich wollte Ihnen dabei in die Augen sehen.«

»Falsch. Sie waren ärgerlich darüber, wie der Einsatz abgelaufen ist, und wollten mit mir ungestört darüber sprechen. Und der Hof der Botschaft ist dank modernster Störsender der dem Adlon nächstgelegene Ort, um eine abhörsichere Unterhaltung zu führen.«

Altmann nickte. Das ergab Sinn. Als die Frau ihm vorgeschlagen hatte, sich in der Botschaft zu treffen, hatte er damit gerechnet, das Berliner Hauptquartier kennenzulernen, doch vermutlich war er nicht einmal in dessen Nähe. Die Einsatzleitung konnte irgendwo sein, vielleicht sogar in einer anderen Stadt.

»Also, Adam. Wir beide haben nicht viel Zeit, was wollen Sie?«

»Informationen.«

»Das ist neu. Bislang war Ihnen der Grund Ihres Einsatzes immer egal.«

Stimmt. Altmann hatte nie die Motive hinterfragt. Wenn sein Auftraggeber jemanden tot sehen wollte, gab es sicher berechtigte Gründe dafür. Er vertraute auf das System, auch wenn die Spezialeinheit, die ihn beschäftigte, von keiner offiziellen Stelle kontrolliert wurde und ihre Ausgaben in keinem Rechnungsbericht auftauchten. Gefahrenabwehr war einfach zu wichtig, um sie durch demokratische Spielereien zu gefährden.

»Warum auf einmal so neugierig, Adam?«

»Adam, Adam, Adam …«, äffte er sie in Gedanken nach. *Weshalb tut sie auf einmal so vertraut?* Langsam ärgerte er sich, dass er nicht einmal ihren Namen kannte, während sie Zugang zu seiner kompletten Personalakte hatte.

»Ich bin nicht neugierig, sondern wütend«, sagte er. »Wenn ich als Babysitter bestellt werde, will ich keinen Kampfhund im Laufstall finden.«

»Wie meinen Sie das?«

»Noah wurde mir als exzentrischer Wissenschaftler verkauft, nicht als Close-Combat-Experte. Um so kämpfen zu können, muss der liebe Doktor eine Menge Studenten getötet haben.«

»Was wollen Sie? Seinen Lebenslauf?«

»Nennen Sie mir wenigstens den Grund für meinen Einsatz.«

»Wieso ist der auf einmal so wichtig?«

Altmann hätte ihr die Wahrheit sagen können. Dass er noch nie zuvor jemanden mit solch einer Perfektion hatte töten sehen. So schnell und artistisch, so … *ja, künstlerisch*, ein anderes Wort fiel ihm nicht ein. Er hätte ihr erklären können, dass er da Vinci auch nicht in der Sixtinischen Kapelle erschossen hätte, doch vermutlich hätte sie diese Analogie nicht nachvollziehen können, deshalb bluffte er: »Wenn Sie mir nicht sagen, weshalb Noah erledigt werden soll, müssen Sie sich einen anderen für den Job suchen.«

Während des bisherigen Gesprächs war er ziellos durch den Innenhof der US-Botschaft gewandert und stand nun vor einem schutzummantelten Baum; einer Eiche, einem Ahorn oder so etwas. Altmann konnte weder Pflanzen noch Vögel bestimmen, abgesehen von Spatz oder Taube vielleicht, was ihm insgeheim etwas peinlich war. Wieder einmal nahm er sich vor, einen diesbezüglichen Volkshochschulkurs zu besuchen, sobald dieser Einsatz vorbei war.

»Ich höre«, sagte er, den Blick in die blattlose Krone des Baumes gerichtet. Die Stimme seufzte. Adam meinte zu spüren, wie die Frau das Für und Wider einer Antwort abwog. Schließlich entschied sie sich, ihm einen Informationsfetzen zuzuwerfen.

»Noah hat ein Video. Die Wirkung seiner Veröffentlichung wäre verheerend. Sie würde nicht nur unser Land, sondern ganze Kontinente ins Chaos stürzen.«

»Was ist auf diesem Video zu sehen?«, fragte Altmann und erhielt eine Gegenfrage zur Antwort.

»Was wissen Sie über die Pandemie?«

Er schlenderte weiter zu einem sanft angeleuchteten Steinquader, auf dem ein weiteres Kunstwerk thronte. Dabei fasste er die Mail zusammen, die von den CDC, den *Centers of Desease Control*, letzte Woche als Memo an alle Einsatzkräfte herausgegangen war:

»Die Manila- oder auch Bertrand-Grippe, benannt nach Luke Bertrand, einem US-amerikanischen Touristen. Infizierte sich während einer Rundreise durch die Philippinen. In einem von ihm besichtigten Slum namens Isla Puting Bato in Metro Manila wurde ein totes Schwein aus dem Meer angetrieben und ohne Einhaltung von Hygienestandards zubereitet und gegessen. Bertrand hat nach eigenen Aussagen nichts davon zu sich genommen, gilt aber seit jenem Tag als Patient Nummer null.«

Die Stimme applaudierte mit einem Zungenschlag. »Sie sind bestens informiert, Adam. Dann kennen Sie auch den ersten Verbreitungsweg.«

»Selbstverständlich.«

Im CDC-Memo hatte gestanden, dass Bertrand ein *Superspreader* gewesen war, also die Person, die die Kettenreaktion der Verbreitung in Gang setzte. Nach seinem Slumausflug übernachtete er in einem Viersternehotel Manilas, wo er sich von einem Hotelarzt wegen starken Nasenblutens untersuchen ließ, dem ersten Symptom, das typischerweise den Beginn der ansteckenden Phase markierte. Allein in der Lobby infizierte er sieben Personen: eine dreiköpfige australische Familie, einen japanischen Geschäftsmann und drei Russen. Trotz starker Atemwegsprobleme und Fieber trat Bertrand seinen Heimweg nach Los Angeles über Frankfurt und Atlanta an, womit er auf den weltgrößten Verkehrsknotenpunkten mit Tausenden von Menschen in Kontakt geriet.

»Seit vier Wochen schon herrscht Pandemiestufe sechs auf der WHO-Skala«, sagte die Frau in seinem Ohr. »Über zweitausend offiziell bestätigte Tote, die sich auf alle Kontinente verteilen. Tendenz exponentiell steigend.«

»Stimmen diese Zahlen?«, fragte Altmann, der mittlerweile das Objekt auf dem Steinsockel identifiziert hatte. Es war kein Kunstwerk, sondern ein Mahnmal: ein Stück eines der zerfetzten Stahlträger des World Trade Center. Altmann sah zu dem Totempfahl zurück, dachte an die fast ausgerotteten Ureinwohner und fragte sich, ob es an ihm lag, dass er an den Tod erinnert wurde, wohin er nur blickte, selbst auf einem menschenleeren Innenhof der amerikanischen Botschaft.

»Die meisten Medien gehen von einer wesentlich höheren Dunkelziffer aus, die von den offiziellen Stellen nicht gemeldet wird, um Panik in der Bevölkerung zu vermeiden.«

Noch während er sprach, weiteten sich Altmanns Augen im Moment der Erkenntnis. »Ist es das?«, fragte er die Stimme. »Enthüllt das Noah-Video das wahre Ausmaß der Pandemie?«

Die Frau zögerte kaum merklich, schließlich rang sie sich ein zustimmendes Grunzen ab. »So könnte man es auch ausdrücken.«

Altmann hatte auf einmal das unerklärliche Verlangen, sich seine schwarzen Lederhandschuhe auszuziehen und mit den Fingerspitzen die Inschrift auf der Gedenktafel für die Tausenden Verstorbenen des 11. September zu berühren. Derweil mahnte ihn die Einsatzleiterin zur Eile.

»Sie dürfen keine weitere Zeit verlieren, Adam. Die Lage gerät zusehends außer Kontrolle. Seit der Sperrung des New Yorker Flughafens denken die Behörden über ein Verbot sämtlicher Interkontinentalflüge nach. Zwölf Krankenhäuser in Atlanta, Chicago, New York, Los Angeles, Denver und Miami stehen bereits unter Quarantäne. Bei allen anderen, die noch zugänglich sind, platzen die Isolierstationen aus allen Nähten. Auch außerhalb der USA herrscht teilweise der Ausnahmezustand. So gibt es in Polen, Ungarn und Spanien kaum noch Influenzamittel, in Teilen Asiens wurde der Schul- und Universitätsbetrieb auf Eis gelegt. Nur Deutschland entzieht sich der Hysterie. Noch.«

»Verstehe«, sagte Altmann und zog sich seine Handschuhe wieder an. Er fröstelte. Sein Nacken war hart wie Stein. Wenn er nicht bald wieder ins Warme kam, würde er Kopfschmerzen bekommen.

»Sie haben von dem Anschlag auf Zaphire gehört, der ist

misslungen. Leider. Denn dieser Irre hat vor laufenden Kameras verkündet, er wolle das Mittel nur noch in Entwicklungsländer ausliefern. Jetzt stürmen die Menschen die Apotheken und Kliniken aus Angst, leer auszugehen, weswegen der Präsident eine nationale Ausgangssperre erwägt. Es gibt jetzt bereits einen Engpass. Wir stehen kurz vor Massenunruhen. Ich darf Ihnen keine weiteren Details nennen, aber wenn das Video erst einmal online ist, wird sich alles noch einmal drastisch verschlimmern. Es wird unter Garantie zu bürgerkriegsähnlichen Zuständen kommen, weltweit. Überlegen Sie selbst: Schon jetzt entlädt sich die Angst der Zivilisten in ausländerfeindlichen Übergriffen. Menschen asiatischer Herkunft werden auf der Straße zusammengeschlagen, weil man sie mit dem Virus aus den Philippinen in Verbindung bringt. Hamstereinkäufe, Schlangen vor Supermärkten, Prügeleien vor Apotheken – all das passiert bereits, *ohne* dass die Bevölkerung das ganze Ausmaß kennt. Was geschieht erst …«

»… wenn das Video den Menschen den realen Grund für ihre Ängste zeigt?«, ergänzte Altmann und ließ seinen Blick noch einmal über die Fenster zum Innenhof gleiten. Aus irgendeinem Grund war er sich sicher, von der Stimme beobachtet zu werden, auch wenn es dafür keine sichtbaren Hinweise gab.

»Die staatlichen Organisationen würden zusammenbrechen«, begann die Frau aufzuzählen. »Eine koordinierte medizinische Versorgung der Bevölkerung wäre nicht mehr möglich, weswegen sich die Pandemie noch ungebremster ausbreiten würde als ohnehin schon.«

»Von wie vielen Toten reden wir?«, wollte Altmann wissen und machte sich auf den Weg zum Ausgang.

»Wenn wir keine Infrastruktur mehr haben, um das tödliche Virus im Keim zu ersticken?«

»Ja.«

»Dreieinhalb.«

»Millionen?«

»Milliarden.«

Altmann schnappte nach Luft und blieb kurz vor den Glastüren stehen, durch die er in das Atrium und damit zurück zum Ausgang der Botschaft gelangen würde.

»Die *Hälfte* der Weltbevölkerung?«

Er sah zu dem Baum zurück, den er nicht bestimmen konnte. Zu dem Totempfahl, der wie ein mahnender Riesenfinger in den Himmel stach, und zu dem 9/11-Denkmal, das an Tausende von unschuldig Ermordeten erinnerte.

»Verstehen Sie jetzt, weshalb es so wichtig ist, Noah zu eliminieren?«, fragte die Stimme in seinem Ohr. »Und zwar schnell. Bevor es zu spät ist und er sich wieder erinnern kann, wo er das Video versteckt hat.«

* * *

Durch die geschwungenen Glasscheiben des Atriums beobachtete sie, wie Altmann das Gebäude Richtung Brandenburger Tor verließ und nach einem Taxi winkte. Jetzt erst löste sie sich von ihrem Platz und ging zu den Fahrstühlen. Zwei Stockwerke tiefer, im Keller der Botschaft, wurde sie von einem surrenden Geräusch empfangen.

Noch wurde es von der Tür am Ende des Ganges gedämpft, aber je näher sie dem Lagerraum kam, desto mehr verwandelte sich das Surren in ein sägendes Kreischen.

Sie wartete eine Pause ab, klopfte an, als es leiser geworden war, und trat ein.

»Wie ist es gelaufen?«, wurde sie von einem älteren Mann mit grauweißem Haar und übermüdeten Augen begrüßt.

Zu einem schwarzen Anzug trug er ein krawattenloses blaues Hemd und weiße Turnschuhe. Er stand zwischen zwei meterhohen Metallregalreihen hinter einem Campingtisch, der sich unter mehreren Aktenordnern bog.

»Lassen Sie sich bitte nicht stören«, antwortete sie und zeigte auf den Hefter in seiner Hand.

Der Mann nickte, dann legte er ihn auf einen Schreibtisch und riss die ersten zwanzig Seiten heraus.

»Hat er es dir abgekauft?«, wollte er wissen.

»Fürs Erste. Aber das wird nicht lange vorhalten. Altmann ist zu schlau für solche Spielchen«, sagte sie und sah dem Mann dabei zu, wie er die Seiten durch einen Aktenvernichter schob.

Sie seufzte innerlich.

Bei seinem Tempo braucht er noch Jahre, um die Beweise zu vernichten.

Ob im Pentagon, dem Weißen Haus oder hier in der Botschaft: Überall machten Mitarbeiter in diesem Augenblick Überstunden, um die Schredder mit Noah-Dokumenten zu füttern. Nicht nur auf amerikanischem Hoheitsgebiet, sondern in jedem Land, in dem es staatliche Stellen gab, die von dem Projekt gewusst hatten.

»Sollen wir ihn ersetzen?«, fragte der Mann über den Lärm des Reißwolfs hinweg.

»Noch nicht. Eine Chance hat er noch.«

Zum Abschied hatte sie Altmann die Informationen über Noahs nächsten Aufenthaltsort durchgegeben, den die Abhörabteilung in Erfahrung gebracht hatte.

Der ältere Mann machte eine Pause. »Und wenn Altmann eins und eins zusammenzählt?«

Sie zuckte mit den Achseln. »Was würde das für einen Unterschied machen?«

»Stimmt«, nickte der Mann und schob mit verkniffener Miene einen weiteren Papierstapel durch den Schredder. »Es ist eh schon zu spät.«

36. Kapitel

Der Boden sackte um einige Zentimeter nach unten und löste ein Gefühl des Fallens aus, was Zaphire aus seinem traumlosen Schlaf hochschrecken ließ.

Verdammt. Fünf Menschen standen um sein Bett herum, drei Ärzte und zwei Schwestern, alle glotzten ihn an, und er hatte nichts Besseres zu tun, als alle paar Minuten wegzunicken.

»Was haben Sie mir denn da in die Venen gejagt?«, herrschte Zaphire den Anästhesisten an, dessen Namen er sich einfach nicht merken konnte, obwohl er ihn persönlich eingestellt hatte. *Slomko, Zlapko, irgendetwas Slawisches.* »Mit dem Zeug könnten Sie einen tollwütigen Gorilla beim Yoga die Lotusblüte machen lassen.«

Keine Reaktion. *Was für ein humorloses Pack.* Leben konnten sie retten, aber zum Lachen gingen sie in den Keller.

Egal. Hauptsache, *er* konnte noch lachen.

Eigentlich hätte er tot sein müssen. Die Kugel des Attentäters war unterhalb seiner Achsel in die linke Brustseite eingedrungen. Auf geradem Weg hätte sie sein Herz durchschlagen, aber zum Glück hatte sich die siebente Rippe dem Geschoss in den Weg gestellt, es verformt und das Projektil in deformiertem Zustand in die Lunge gejagt. Zaphire wusste, dass er sich einen Steckschuss eingefangen hatte. Er hatte es in der Sekunde gespürt, in der er Cezet einen Schwall Blut ins Gesicht gehustet und gleichzeitig einen tiefen, stechenden Schmerz tief unten im Bereich des linken Lungenflügels gefühlt hatte.

Wozu ein medizinisches Grundstudium in Harvard doch alles taugt, hatte er noch gedacht, als er mit flatternden Augenlidern im Innenhof des Hotels in einen blinkenden Rettungswagen geschoben wurde. Dann hatte der Schmerz sämtliche Gedanken wie eine Papiertüte zerfetzt.

Die Nadel!

Jetzt fiel es ihm wieder ein. Zaphire hob drohend den Arm und fuchtelte in Richtung der Ärzte und Schwestern. »Wer von euch Pferdemetzgern hat mir ohne Betäubung eine Nadel in die Brust gedonnert?«

»Das war ich, Sir. Entschuldigen Sie bitte, aber …«

Stealth. Natürlich. Wer auch sonst, wenn nicht sein Leibarzt, den Cezet bei öffentlichen Auftritten immer auf Stand-by hielt.

»Mund zu, Stealth. Da gibt es nichts zu entschuldigen. Im Gegenteil. Wenn ich Sie nicht ohnehin schon so übertrieben gut bezahlen würde, hätten Sie sich eine Gehaltserhöhung verdient. Ich nehme doch mal an, mein linkes Lungentriebwerk hatte sich verabschiedet?«

»In der Tat, es ist Luft in den Hohlraum zwischen …«

»Ja, ja. Weiß ich, Pneumothorax, bin ja nicht blöd. Wie viel Blut hab ich verloren? Zwei Liter?«

»In etwa.«

Zaphire grunzte nachdenklich. Das ergab Sinn. Deshalb hatte Stealth ihn mit einem Trokar bearbeitet, einer Nadel mit dreikantiger Spitze, die sein humorbefreiter, spindeldürrer Leibarzt ihm ohne jede Narkose zwischen die Rippen kurz unterhalb der Einschusswunde gerammt hatte. Ein Höllenschmerz, aber dadurch war die Lunge entlastet und er vor dem sicheren Tod bewahrt worden.

»Wir haben neunhundert Milliliter Blut absaugen können«, erklärte Stealth.

»Wie schön für Sie.«

Zaphire spürte, wie er wieder unsagbar müde wurde, und fragte nach der Uhrzeit. Er verzog das Gesicht, als eine der Schwestern es ihm sagte.

»Ich bin *zwei Stunden* lang operiert worden? Himmel, was ist in dieser Ewigkeit denn alles passiert?«

»Nun, wir mussten die gesamte Brusthöhle nach Rippensplittern absuchen und …«

»Davon rede ich nicht. Ich will wissen, ob man den Schützen gefasst hat.«

»Nein, Sir.«

Zaphire lachte, womit er sich einen Blitzeinschlag einhandelte. Die Mittel des Anästhesisten waren ja nicht von schlechten Eltern, aber wenn er sein Zwerchfell strapazierte, schossen ihm Schmerzpfeile vom Brustkorb direkt ins Gehirn.

»Natürlich«, fluchte er. *Einhundert Security-Guards, aber wieder will keiner etwas gesehen haben.*

Der Anschlag in Los Angeles war nicht der Anfang, sondern nur ein weiterer Höhepunkt einer Serie gewesen, allerdings besaß das Attentat von heute Nachmittag eine neue Qualität. Bislang hatten die Schweine immer nur seine Fabriken zerbomben wollen, um die Produktion der Medikamente zu stoppen, die er zum Selbstkostenpreis in Entwicklungsländer liefern ließ. Ab heute schienen sie entschlossen, das »Übel« an der Wurzel ausreißen zu wollen.

Was für verzweifelte Pisser.

»Computer«, bellte Zaphire in den Raum.

Die Ärzte sahen sich fragend an. Stealth wagte einen Einwand. »Ich finde es noch zu früh …«

»Und ich finde, Sie atmen mir hier die Luft weg. Hopp, hopp, hopp, bringen Sie mir einen Rechner. Und ein Telefon.«

Die sanft geschwungenen Wände des Krankenzimmers vibrierten, und plötzlich sackte der Boden erneut unter seinem Bett nach unten. Im gleichen Augenblick verstärkte sich das sanfte Dröhnen, das sie unaufhörlich umgab, so stetig und permanent, dass man es beinahe vergessen konnte.

Zaphire hatte nicht gesehen, wie einer der Anwesenden den Rufknopf gedrückt hatte, dennoch öffnete sich die Schiebetür, und eine junge Frau betrat die Krankenstation, deren Anblick zum ersten Mal für gute Laune bei ihm sorgte. Sie trug flache Sneakers zu eng anliegenden Röhrenjeans. Ihre schwarze Haut glänzte beinahe so sehr wie der Bildschirm des Tablet-Computers, den sie ihm reichte.

»Hallo, Cezet, schön, dass du da bist.«

Wie immer bewunderte er sie für ihre gerade, hochgewachsene Körperhaltung, die ihn an eine Balletttänzerin erinnerte.

»Wo sollte ich denn sonst sein, Dad?«

Cezet tätschelte ihm liebevoll die Hand und strich ihm eine Haarsträhne aus dem altersfaltigen Gesicht. Zaphire lächelte breit, auch weil die Ärzte und Schwestern endlich die Intensivstation verließen und er allein mit seiner Tochter war.

Schon dem Namen nach war Cezet weder ein gewöhnlicher Bodyguard noch eine gewöhnliche Tochter. Zaphire hatte die Somalierin in Dadaab kennengelernt. Damals war sie sieben Jahre alt. Ursprünglich war das Flüchtlingscamp im Nordosten Kenias für neunzigtausend Menschen ausgelegt. Als Zaphire es Ende der neunziger Jahre mit einem Ärzteteam besuchte, vegetierten hier schon über vierhunderttausend Seelen in unvorstellbarem Elend vor sich hin. Frauen und Kinder, Kranke und Hungernde, die ihr Leben im bürgerkriegszerrütteten Somalia zurückgelassen hatten, um in Dadaab auch noch den Rest ihrer kümmerlichen Existenz zu verlieren. Als Zaphire die Krankenstation, ein schlichtes Planenzelt, besichtigte, war der blutverschmierte Fußboden mit alten Spritzen, dreckigen Verbänden und sonstigem Krankenhausmüll übersät gewesen. Mehrere Pritschen standen durcheinander, auf allen lagen Menschen schwarzer Hautfarbe. Einige von ihnen bereits tot, manche atmeten fiebrig, ein Jugendlicher krümmte sich vor Schmerzen in seinem eigenen Kot – und kein Mediziner weit und breit. Somalische Milizen hatten mehrere Anschläge auf Hilfskonvois verübt und das begleitende Ärzteteam verschleppt.

Zaphire wies seine Männer an, die mitgebrachten Hilfsgüter aus dem Flugzeug zu verladen, bevor seine Ankunft sich auch noch bis in den letzten Winkel des Camps herumgesprochen hatte. Schon zu diesem Zeitpunkt war kaum mehr ein Durchkommen zum Krankenlager; Hunderte standen in der Schlange: Männer auf Krücken, Frauen mit Babys, Kinder, deren Hände von Macheten amputiert worden waren, von eitrigen Infektionen Gezeichnete, die die Wartenden ansteckten.

Zu viele. Viel zu viele, hatte Zaphire gedacht. Die Flut des Elends war zu groß. Und in Afrika, dem Kontinent mit der höchsten Geburtenrate der Welt, wurde es täglich größer. Die Ärmsten der Armen produzierten immer mehr dem Tod und Elend Geweihte. Konnte man den jungen, ausgehungerten Kriegern überhaupt einen Vorwurf machen, dass sie sich gegenseitig in Bürgerkriegen abschlachteten? Was war denn die Alternative?

Zaphire standen die Tränen in den Augen, als ein Schuss vor dem Zelt die vierzig Grad heiße Luft zerriss. Kurz danach stürmte ein kleines Mädchen durch die Planen. Sie zog eine geflochtene Trage hinter sich her, auf der ihre Mutter lag. Der Körper der jungen Frau hatte durch die Cholera so viel an Gewicht verloren, dass selbst eine Siebenjährige ihn über Kilometer hinweg hatte schleppen können. Leider vergeblich. Zaphire erkannte sofort, dass er der Frau nicht mehr helfen konnte. Die Mutter war bereits tot, was er der Tochter klarzumachen versuchte, die bitterlich weinend ihre Waffe nun auf ihn richtete; eine tschechische *CZ 75*, wie sich später herausstellen sollte. Der Ursprung ihres Spitznamens.

CZ. *Cezet.*

Das Mädchen, das nur Somali sprach, hielt einen Tag und eine Nacht Totenwache und musste am nächsten Morgen mit Gewalt von seiner Mutter gelöst werden. Am Tag der Beerdigung stieg auch bei der Kleinen das Fieber, sie hatte sich angesteckt, ihre Überlebenschancen sanken stündlich. Zaphire entschloss sich, Cezet in die USA auszufliegen, was er sich bis heute als sentimentale Schwäche vorwarf, hatte er doch alle seine Beziehungen spielen lassen müssen, nur um die Einreiseerlaubnis für ein einziges Kind zu erhalten, während Tausende zurückbleiben mussten. Nach ihrer Genesung in einer seiner Privatkliniken adoptierte er sie (was in den USA für einigen Wirbel sorgte) und machte die kleine, energische Kriegerin später zu seinem Bodyguard (was den Wirbel noch verstärkte).

»Du siehst gut aus, Dad.«

»Findest du? Na ja, wenn du meinst, dass mich eine Kugel verschönert, kannst du mich das nächste Mal ja einfach wieder in der Schusslinie stehen lassen, Suri.«

Sie verzog das Gesicht, wie immer, wenn ihr Vater sie mit ihrem richtigen Vornamen ansprach, den sie nicht leiden konnte, weswegen Zaphire ihn nur benutzte, wenn er sie ärgern wollte.

»Ein zweites Mal wird es nicht geben, Dad. Ich werde ab sofort noch besser auf dein Leben achten und gleich damit beginnen.«

Mit diesen Worten griff sie sich die Enden eines Gurts, der lose neben der Matratze baumelte, zog sie über Zaphires Hüfte und schnallte ihn damit fest.

»Der Pilot sagt, wir erwarten Turbulenzen über dem Atlantik«, kam sie seinen Protesten zuvor.

Zaphire aktivierte knurrend den Tablet-Computer.

»Kann der Schwachkopf die nicht einfach umfliegen? Wie lange sind wir denn noch in der Luft?«

Er öffnete die Google-Suchmaske und überflog im Nachrichtenmenü die neuesten Schlagzeilen, in denen sein Name auftauchte:

- **Zaphire angeschossen!**
- **Zaphire will Impfung nur an Bedürftige verteilen – kostet ihn dieser Plan das Leben?**
- **Zaphire nach Attentat außer Landes geflogen. Notoperation in der fliegenden Krankenstation von Worldsaver!**

Er öffnete den letzten Artikel und war erstaunt, darin sogar einen überraschend detailgetreuen Innenplan der Boeing 747 zu finden, in der er gerade transportiert wurde und die in der Tat einen komplett eingerichteten Operationssaal samt Intensivstation beherbergte. Der Bericht schloss mit den schwülstigen Worten: *Zaphires fliegende Krankenstation hat in über 25 Krisenregionen der Welt schon Tausenden von Menschen das Leben gerettet. Eigentlich wollte der Milliardär nach seinem Auftritt in Los Angeles zu einer Privataudienz beim Papst aufbrechen, um mit ihm über die Auswirkungen der Manila-Grippe auf die Ärmsten der Armen zu sprechen. Doch nun ist er es selbst, der in seinem eigenen Operationsflugzeug mit dem Leben ringt.*

Zaphire rollte mit den Augen und ließ das Tablet sinken. »Du hast mir noch nicht geantwortet, Cezet. Wann landen wir in Rom?«

»Gar nicht, Dad. Es gab eine Änderung im Flugplan.«

»Was? Ohne sie mit mir abzusprechen?«

Wüsste er nicht, dass die Schmerzen beim Aufstehen ihn schier zerreißen würden, hätte es ihn vor Wut nicht mehr im Bett gehalten. »Und wohin fliegen wir dann?«, entrüstete er sich.

»Nach Amsterdam. Ich bin mir sicher, es ist in deinem Sinn.«

»In *meinem* Sinn? Wir wollen Milliarden von Menschenleben

retten. Was zum Teufel will ich dann in Holland bei den beknackten Käsefressern?«, zischte er.

Cezet griff nach Zaphires Hand und drückte sie fest. »Reg dich jetzt bitte nicht auf, Dad. Aber Noah ist wieder aufgetaucht.«

Stufe II

So um die zehn Prozent.
Ich hatte darüber eine Auseinandersetzung
mit einem Kollegen, der mir vorwarf,
ich sei zu optimistisch. Ich arbeite hart
daran, dass es elf werden. Wir sind
auf dem falschen Kurs, und es gibt keine
Anzeichen dafür, dass wir ihn ändern.

Paul R. Ehrlich, Professor für Biologie
an der Universität Stanford, auf die Frage
eines Reporters der *Süddeutschen Zeitung*,
wie hoch er die Chancen sehe, dass die
westliche Zivilisation dieses Jahrhundert
übersteht.

Die breite Datenbasis (...) lässt
den Schluss zu, dass die Menschen
zu langsam reagieren.

Jørgen Randers, Professor für Klimastrategien
an der BI Norwegian Business School,
in seinem Bericht an den Club of Rome »2052«

1. Kapitel

Manila, Philippinen

»Wo gehen wir hin?« Alicia schirmte das Köpfchen ihres Babys mit der Hand gegen die heftige Mittagssonne ab, die senkrecht von oben in den Trampelpfad zwischen den Wellblechhütten knallte. Noels Atem ging rasselnd, aber gleichmäßig. Sein Gewicht war kaum zu spüren. Drei Stunden war es her, seitdem ihr Baby das letzte Mal geschrien hatte. Drei Stunden seit dem letzten Versuch, ihm etwas Milch zu geben. Sie wusste nicht, wie viel Noel getrunken hatte, ob er überhaupt etwas aus ihren viel zu schlaffen Brüsten hatte saugen können. Sie wusste nur, dass der Marsch, den sie gerade zu bewältigen versuchten, ganz sicher nicht dazu geeignet war, seinen Gesundheitszustand zu verbessern.

Der Weg, den Jay eingeschlagen hatte, führte sie bergab in den *Sumpf* hinein. Der ärmste Abschnitt Lupang Pangakos, der bei starken Regenfällen als Erstes überflutet wurde. Wegen des hohen Grundwasserspiegels war der Boden stets weich, oft sogar matschig und damit die Brutstätte von Insektenlarven und Krankheitserregern. In den letzten Monaten aber hatte eine ungewöhnliche Dürre geherrscht, weswegen Alicia sich heute nicht durch Moskitoschwärme hindurchkämpfen musste, während sie Jay den Hang hinabfolgte.

»Ist es noch weit?«, fragte sie bang, fest entschlossen, nur noch wenige Schritte zu gehen, selbst wenn Jay dann wütend wurde.

»Wir sind gleich da, Mama«, antwortete ihr Sohn in dem Tonfall, der sie so sehr an seinen Vater erinnerte. Freundlich, aber keine Widerrede duldend. So bestimmt wie vorhin, als er sie zu dem Aufbruch ins Ungewisse gedrängt hatte.

»Wollen wir nicht lieber hierbleiben?«, hatte sie Jay gefragt, nachdem das Flugzeug sie und die Menschenmenge mit Desinfektionsmittel besprüht hatte und sie zurück in die Hütte geflohen waren, wo sie sich notdürftig mit einem Lappen und etwas Wasser reinigen konnten. Der Geruch der in den Augen brennenden Flüssigkeit hatte Alicia an ihre Arbeit in der Bankiersvilla erinnert. Mit einem ähnlich riechenden Mittel hatte der Pooljunge einmal im Monat das Bassin gereinigt.

»Wir sollten besser abwarten, Jay.« *Bis die Hubschrauber nicht mehr über unseren Hütten kreisen. Bis die Zugänge wieder frei sind und wir gefahrlos das Viertel verlassen dürfen.*

Doch Jay hatte davon nichts wissen wollen.

»Ich entscheide, was wir jetzt tun«, hatte er zu ihr gesagt und damit klargestellt, wer jetzt der Mann in der Familie war.

Alicia hatte Jay tief in die dunklen Augen geblickt. Der Ausdruck darin war so ernst gewesen, dass es ihr unmöglich gewesen war, über seine Feststellung zu lachen. »Du bist erst sieben«, hatte sie erwidern wollen, doch die Worte kamen ihr nicht über die Lippen. Einerseits, weil sie ihn nicht verletzen wollte. Andererseits, weil er recht hatte. Mit seiner Tätigkeit auf der Deponie war Jay der Hauptversorger, und damit standen ihm alle Rechte als Familienoberhaupt zu. Auch das Recht, seiner verzweifelten Mutter den Weg zu weisen, selbst wenn Alicia nicht wusste, was sie hier in dieser Gegend verloren hatten. Wenn Lupang Pangako die Endstation des Lebens war, dann war der *Sumpf* der Wartesaal der Hölle. Und ganz sicher nicht der Ausgang aus diesem Schrecken.

Weiter oben im Viertel gab es zeitweise Strom, einige Hütten hatten Radio und Fernseher, ihre Bewohner versuchten es sich hübsch zu machen, mit Postern an den Wänden und bunt bemalten Türen. Hier im *Sumpf* hörte man selten Musik, kaum einmal ein Kinderlachen. Hinter den Vorhängen versteckten sich Alte und Kranke, die von ihren Familien bereits aufgegeben waren. Wenn sich ein Gesicht zeigte, dann das eines hungrigen Kindes oder einer zahnlosen Prostituierten, die ihre Dienste anbot.

Noch waren die meisten Hütten verrammelt und verschlossen, aber wenn es Nacht wurde, schickten die Männer die Kinder auf die Straße, um ihre Frauen für eine Handvoll Centavos an die Arbeiter zu verkaufen, die von der Müllkippe zurückkamen.

Ob ich auch einmal hier enden werde?, fragte sich Alicia und versprach Gott in einem stummen Gebet, dass sie dieses Schicksal gerne ertragen würde, wenn nur ihre Kinder ein besseres Leben hätten.

Aber wieso sollte Gott sich auf diesen Handel einlassen?

Vulgäres Gelächter schreckte Alicia auf.

Eine Gruppe Halbstarker kam ihnen entgegen. Plötzlich spürte sie, wie sehr sie außer Atem war und dass sie kaum mehr genug Kraft aufbringen würde, um den Fußmarsch fortzusetzen.

»Können wir eine kurze Pause machen?«, rief sie ihrem Sohn hinterher. Die Jugendlichen lachten noch lauter, gingen aber weiter, ohne sie zu behelligen.

»Nicht nötig«, antwortete Jay und blieb vor einer leicht schräg in die Gasse ragenden Bretterhütte stehen. »Wir sind da.« Mit diesen Worten zog er einen Vorhang zur Seite. Dann verschwand er im Inneren des Verschlags.

»Warte! Jay!« Alicia wischte sich den Schweiß aus der Stirn. Die Behausung, in die sie ihm mit eiligen Schritten folgte, war unerwartet geräumig.

Sie roch streng nach Schweiß und Ausscheidungen, war aber auf den ersten Blick sauber, zumindest für die Verhältnisse, die sonst im *Sumpf* herrschten; ungewöhnlich hoch gebaut, mit einer kleinen Nische über der Kochstelle, die man über eine Holzleiter erreichen konnte. Auf einer Art Hochbett saß ein hagerer, dunkelhäutiger Mann und schnitt sich die Fußnägel. Er hatte raspelkurze Haare und weit auseinanderstehende Augen. Direkt unter ihm stand eine unglaublich dicke Frau vor einem Bunsenbrenner und rührte in einem Kochtopf.

Ihr Bauch quoll über eine viel zu eng anliegende Jogginghose. Statt eines Oberteils trug sie nur einen schwarzen Büstenhalter, dessen Träger tiefe Gräben in das Fleisch zogen. Zu ihren Füßen balgten sich zwei Kleinkinder um eine Puppe ohne Arme.

»Was wollt ihr?«, fragte die Dicke, ohne sich umzudrehen. Auch der Mann hatte kaum zu ihnen herabgesehen, als sie die Hütte betreten hatten. Anscheinend kam öfter unangemeldeter Besuch in ihre Hütte.

»Sie haben ein Baby«, stellte Jay mit Blick auf einen Cola-Kasten fest, der fast mittig im Raum stand. Über die Verschalung für die Flaschen hatte jemand eine zerschlissene Decke gestopft, darauf lag ein schlafender Säugling.

Viel wohlgenährter als Noel, dachte Alicia mit wehmütigem Blick auf den Babyspeck an Bauch und Schenkeln des nackten Jungen.

»*Eines?*«, lachte der Mann dreckig von oben herab. Er trug nichts als eine verdreckte Unterhose an seinem dürren Leib. »Chona hat den halben Slum bevölkert.«

»Und wer ist dran schuld?«, fauchte die Dicke zurück. »Wer kann denn seinen Schwanz nicht in der Hose lassen, Bituin?« Dann, zu Jay gewandt: »Wieso fragst du so blöd?«

»Wir brauchen Milch.«

»Jay«, entfuhr es Alicia, die begriffen hatte, was ihr Sohn im Schilde führte. Schamröte stieg ihr ins Gesicht. Was fiel ihm nur ein? Deshalb hatte er ihr nicht gesagt, wohin er sie führte.

Nie im Leben hätte sie zugestimmt, eine Amme für Noel zu suchen.

»Das kommt gar nicht in Frage«, sagte sie, sehr zur Belustigung von Chona und Bituin, die gehässige Blicke austauschten.

Wie konnte er sie nur so demütigen? Sie als unnütze Mutter vorführen. Nicht imstande, für das eigene Kind zu sorgen.

»Bitte, Mama. Noel braucht Milch. Und die da …«, Jay zeigte auf Chona, »… hat welche.«

»Ja, meine Frau steht gut im Saft«, lachte Bituin und nahm sich mit der Nagelschere den großen Zeh seines rechten Fußes vor. »Was man von deiner Mutter nicht behaupten kann, Kleiner.«

Eines der Kleinkinder begann zu schreien, weil das andere die armlose Puppe nicht wieder hergeben wollte.

»Halt's Maul«, sagte Chona zu ihrem Mann und gab dem plärrenden Kind einen sanften Tritt, wodurch das Geschrei nicht besser wurde.

»Werden Sie uns helfen?«, fragte Jay.

»Kommt drauf an«, sagte Chona und schluckte schwer, so wie jemand, dem die Magensäure hochsteigt.

»Worauf?«, wollte Jay wissen.

»Auf den Preis.« Sie rieb Daumen und Zeigefinger aneinander.

Alicia tippte Jay auf die Schulter und sagte ärgerlich: »Lass uns gehen. Sofort!«

Du hast es gut gemeint, aber das hier sind Verbrecher. Und niemals würde ich mein Baby Gesindel wie diesem anvertrauen.

»Wie viel?«, fragte Jay ungerührt.

»Fünf.«

»Pesos?«

»Dollar.«

»Amerikanische«, ergänzte Bituin von oben herab und ließ geräuschvoll die Schere auf- und zuschnappen.

»Komm endlich, Jay«, sagte Alicia, die sich sicher war, bald die Fassung zu verlieren, wenn sie diesem Pack noch länger zuhören musste. Nicht, dass sie Noel auch nur in die Nähe der Frau gelassen hätte, aber wenn dieser Abschaum ihnen schon nicht helfen wollte, dann konnte er das rundheraus sagen und musste keine Spielchen mit ihrem Sohn spielen.

Fünf Dollar!

»Die machen sich nur über uns lustig«, sagte sie zu Jay.

»Nein, tun wir nicht.«

Die Dicke wischte sich die Hände an ihrer Hose ab. »Sie wollen Milch. Wir wollen hier raus.«

»Raus?«, fragte Jay.

»Ja. Nichts von den Sperren gehört? Bituin hat einen Kumpel am Kontrollposten.«

»Für fünf Dollar lässt er mich durch«, bestätigte der Halbnackte die Worte seiner Frau und deutete mit der Schere auf Jay. »Du kannst auch in Centavos bezahlen. Die Bituin-Bank macht dir heute einen guten Umrechnungskurs. 1 zu 50.«

»Es sind höchstens 1 zu 40,6«, widersprach Jay. Wann immer er in der Nähe eines Fernsehers war, bat er dessen Besitzer, auf einen Nachrichtenkanal zu schalten. Dabei interessierten ihn vor allen Dingen die Laufbänder an den Bildschirmrändern. Egal ob Wetterdaten, Aktien- oder Wechselkurse – Jay war fasziniert von Zahlen.

»Was ist er? Ein Klugscheißer?«, fragte Chona gehässig.

Nein. Ein Rechenkünstler, dachte Alicia und hätte, wenn sie nicht Noel vor der Brust getragen hätte, der fetten Kuh wohl eine heruntergehauen.

Jays Talent war ihr schon früh aufgefallen. Einmal, sie hatte gerade erst bei der Bankiersfamilie angefangen, hatte sie Jay zum Einkaufen mitnehmen dürfen. Es mussten Vorräte für ein Festessen besorgt werden, und die Haushälterin war dankbar für jede helfende Hand gewesen. Drei gewaltige Einkaufswagen voll, beladen wie der Karren eines Maulesels. Das Band an der Kasse brach unter dem Gewicht der Einkäufe schier zusammen, und mit dem Kassenbon hätte man eine Mumie einwickeln können. Als die Kassiererin den Betrag sagte, schüttelte Jay, der damals gerade mal fünf Jahre alt gewesen war, energisch den Kopf und nannte eine um neununddreißig Pesos und acht Centavos niedrigere Summe. Die Angestellte, die Haushälterin und alle Wartenden in der Schlange lachten ihn aus, doch auf dem Rückweg zur Villa studierte Jay im Wagen den Kassenzettel und fand zur Verblüffung aller heraus, dass die Kassiererin fälschlicherweise das Zitronengras doppelt abgebucht hatte.

»Eins zu 50, eins zu 40,6. Was macht das schon für einen Unterschied?«, höhnte Chona.

»Exakt siebenundvierzig Pesos«, sagte Jay wie aus der Pistole geschossen.

»Lass gut sein, Jay. Wir haben es so oder so nicht.«

Weder 50 noch 500.

Das wenige, das sie sparte, ging für seinen Unterricht drauf. Einmal im Monat bezahlte sie Gustavo, einen fast greisen ehemaligen Mathematiklehrer, dafür, dass er Jays Talent weiter förderte. Es waren nur wenige Pesos, und sie sparte sie sich vom Munde ab, doch sie war davon überzeugt, dass sie das Geld nicht besser anlegen konnte. Nie war Jay so glücklich, wie wenn er von Gustavo zurückkam. »Zahlen sind meine Freunde, Mama«, hatte er ihr einmal gesagt, als sie ihn fragte, weshalb er so gerne komplizierte Brüche im Kopf rechnete oder Hunderttausenderbeträge multiplizierte. »Man kann sich immer auf sie verlassen.«

»Kein Geld?«, fragte die dicke Frau auf Alicias Bemerkung hin. Das Baby war aufgewacht und schrie aus voller Kehle. »*Kein Geld* hab ich schon genug im Leben.« Chona zeigte zu ihrem Mann. »*Kein Geld* sitzt da oben und stinkt aus dem Maul.«

Sie bückte sich und nahm den nackten Säugling aus dem

Cola-Kasten. »Schert euch zum Teufel«, sagte sie und zog sich den Büstenhalter von der Brust, um ihr Kind anlegen zu können.

»Ja, haut ab. Sucht euch eine andere Dumme«, rief ihnen Bituin lachend hinterher.

Nachdem sie wieder draußen waren und ihre Augen sich an das helle Tageslicht gewöhnt hatten, hielt Alicia ihren Sohn am Arm fest, bevor dieser den Rückweg antreten konnte.

»Warte«, sagte sie. Jay drehte sich zu ihr, und sie gab ihm eine schallende Ohrfeige.

Er verzog keine Miene. Wirkte nicht einmal überrascht. Stattdessen nickte er, als habe er die Bestrafung erwartet. Erneut stieg Alicia die Schamröte ins Gesicht. Erschrocken hob sie ihre Hand vor den Mund. »Es tut mir leid. Bitte verzeih mir, Jay. Du hast es ja nur gut gemeint.«

Sie strich ihm die Haare aus der Stirn. »Ich wollte dich nicht schlagen, aber bitte: Tu so etwas nie wieder.«

Jay musterte sie schweigend.

»Dir muss doch klar sein, dass ich mit solchen Menschen nichts zu tun haben will, oder?« Sie zeigte auf die Hütte, aus der sie gerade erst gekommen waren.

Jay schüttelte den Kopf. »Dein Stolz macht Noel nicht satt.«

Alicia kämpfte gegen die Tränen.

»Das mag sein«, sagte sie nach einer Weile, die sie gebraucht hatte, um sich zu sammeln. »Nur ist Stolz das Einzige, was wir noch besitzen.«

Beschämt senkte sie den Blick zu Boden.

Wieso habe ich das nur gesagt? Will ich auch ihm noch alle Hoffnung nehmen?

»Wart's ab, Mama«, hörte sie Jay sagen und spürte seine Hand an ihrer Wange. »Wart's ab. Ich werde das Geld schon irgendwie besorgen.«

2. Kapitel

Berlin

Es wird schlimmer. Nicht besser.

Noah hatte es sich erst nicht eingestehen wollen, am liebsten gar nicht darüber nachdenken, aber jetzt, als er vor dem Wohnwagen stand, neben der Lieferantenzufahrt des Hauptbahnhofs, konnte er es nicht länger leugnen: Seine Erinnerungslücken wurden mit der Zeit größer, nicht kleiner.

Zwar durchzuckten hin und wieder Erinnerungsblitze sein Gehirn, so wie das Bild von dem sterbenden Mann in der Suite im Adlon; und manchmal hörte er die altväterliche Stimme in seinem Kopf, die er so wenig einem Gesicht zuordnen konnte, wie es ihm einfallen wollte, wo er aufgewachsen war, wie seine Eltern aussahen und ob er eine Familie hatte, die auf ihn wartete. Doch viel schlimmer war, dass sich neben diesen bekannten Löchern im Netz seiner Erinnerung auf einmal neue auftaten.

Es wurde schlimmer. Nicht besser.

Es war, als wäre die Kugel vor vier Wochen nicht in seine Schulter, sondern in sein Gedächtnis geschlagen und hätte dort eine Wunde gerissen, aus der statt Blut Erinnerungen unkontrolliert aus seinem Körper sickerten. Zum ersten Mal war ihm das noch im Versteck aufgefallen, als er eilig einige Sachen in den Koffer packte und plötzlich nicht mehr wusste, weshalb er dies tat. Erst als Oscar mit den Worten *»In Amsterdam könnte es noch kälter sein«* einen weiteren dicken Pullover hineinlegte, fiel es ihm wieder ein. Und jetzt war es schon wieder passiert.

Noah hatte seinen Weggefährten fragen wollen, was zum Teufel sie hier wollten, um fünf Uhr früh, in einer nach Urin und Abfall stinkenden Unterführung zum Hauptbahnhof, wo ihr Zug doch in wenigen Minuten abfuhr, aber plötzlich war ihm der Name seines Begleiters entfallen. Und während die Angst, sich Stück für Stück selbst zu verlieren, wie eine Welle über ihm zusammenschlug, hatte der kleine, rundliche Kerl Noahs Rucksack geschultert und war alleine in dem Wohnmobil verschwunden.

Holger? Otto? Ottmar?

Erst als er wenige Minuten später ohne den Rucksack wieder aus dem Wohnwagen herauskletterte, fiel es ihm wieder ein: »Was hast du mit Toto gemacht, Oscar?«

Noah folgte Oscar mit dem Koffer in der Hand um den Wohnwagen. Splittverkrusteter Schnee knirschte unter ihren Stiefeln. Der Wind hatte nachgelassen, weswegen die gefühlte Temperatur etwas gestiegen war. Dennoch war die Kälte selbst mit der warmen Unterwäsche, die Noah in dem Koffer gefunden hatte und die er jetzt unter der Anzughose trug, kaum zu ertragen. Auch Oscar hatte sich umgezogen. Zu Noahs Verblüffung hatte er unter seinem Bett mehrere Kleidungsstücke von erstaunlich guter Qualität hervorgezogen: eine angestaubte, aber intakte Daunenjacke, einen braunen Rollkragenpulli, Jeans, lammfellgefütterte Stiefel. Auf die Frage, weshalb er die Sachen in diesem strengen Winter nicht schon längst getragen hatte, hatte Oscar nur lapidar geantwortet: »Aus dem gleichen Grund, weshalb ich sie *jetzt* anziehe. Ich will nicht auffallen.«

Tatsächlich wirkte Oscar in seinem neuen Aufzug beinahe normal. Nur sein ungestutzter Bart erinnerte noch an seinen Lebenswandel.

»Hey, ich rede mit dir«, rief Noah ihm hinterher. »Was hast du mit dem Hund gemacht?«

»Jenny kümmert sich um ihn.«

Jenny? Ein weiterer Name ohne Bedeutung.

Oscar nickte. »Sie war etwas angesäuert, dass wir sie aus dem

Schlaf gerissen haben, eigentlich erwartet sie die ersten Patienten frühestens in zwei Stunden, aber dann hat sie Toto gesehen und sich sofort an die Arbeit gemacht. Sie tippt auf einen fiesen Wurmbefall.«

»Ist sie Tierärztin?« Noah sah zurück zum Wohnwagen, durch dessen vorhanggesicherte Fenster gelbliches Licht fiel. Erst jetzt, beim Weggehen, erkannte er auf der anderen Seite des Mobils einen schlammverschmutzten Schriftzug: *HundeDoc.*

»Sie ist eher eine Sozialarbeiterin. Jenny kümmert sich um die Straßenkinder in Berlin. Da die aber zu Erwachsenen kein Zutrauen haben, sucht sie den Zugang über die Tiere. Mit Erfolg. Ein Penner kann aus den Augen bluten und wird nicht zum Arzt gehen. Ein Hund aber ist sein wertvollster Besitz, meist der einzige Freund. Der darf nicht krank werden.«

Oscar klärte Noah darüber auf, dass Jenny mit ihrem HundeDoc-Mobil direkt in die Brennpunkte fuhr, um die Tiere der Obdachlosen kostenlos zu behandeln. Dabei lernte sie viel über die Sorgen und Nöte der Straßenkinder, durfte manchmal deren eigene Wunden versorgen, und hin und wieder (wenn auch selten) gelang es ihr, dem einen oder anderen einen Platz in einer Wohngemeinschaft zu organisieren. Paradoxerweise war sie es jetzt, die wegen ihres Jobs auf der Straße lebte, denn mittlerweile hatte sie so viel zu tun, dass sie mehrmals in der Woche in ihrer fahrenden Tierarztpraxis übernachtete, so wie heute. Trotzdem würde sie Ende des Jahres aufhören. Der Senat hatte wegen der Wirtschaftskrise die Zuwendungen gestrichen.

»Was ist mit einem Handy?«, fragte Oscar auf ihrem Weg zum Bahnhofsportal.

»Was soll damit sein?«

»Brauchen wir nicht ein Prepaid-Telefon oder so was? Eines, das sie nicht zurückverfolgen können wie den Satelliten-Knochen, den du mit dir rumschleppst?«

»Um wen damit anzurufen?«

»Auch wieder wahr.«

Noah und Oscar betraten die Glaskathedrale im Eingangsbereich des Hauptbahnhofs, der selbst für die frühe Uhrzeit ungewöhnlich leer wirkte. Und noch etwas war auffällig: Die wenigen Gestalten, die mit hochgezogenen Schultern und schnellen Schrittes ihren Weg zu den Gleisen suchten, trugen fast ausnahmslos Mundschutz. Die meisten waren aus Papier, als wären sie Chirurgen auf dem Weg in den OP. Die Apotheke, das einzige Geschäft neben dem Zeitungsladen, das rund um die Uhr geöffnet hatte, warb sogar mit einem handbeschrifteten Pappaufsteller für den »Virus-Stopp – *Schützen Sie sich und ihre FAMILE!*«.

Noah, der vor dem Schaufenster stehen geblieben war, dachte darüber nach, was eine *FAMILE* sein sollte, bis er den Rechtschreibfehler erkannte. Etwa in der gleichen Sekunde, in der ihm der Mann auffiel, der für einen Moment im Spiegelbild der Schaufensterscheibe zu sehen gewesen war.

Noah drehte sich zur Seite, doch da war die Gestalt bereits im Treppenaufgang zu den Gleisen verschwunden.

»Hey, guck nicht so ernst«, sagte Oscar, der Noahs Blick zurück zu dem Eingang, durch den sie gekommen waren, missverstand. »Ich weiß, du hast Pattrix dein Wort gegeben, aber bei Jenny ist der Köter wirklich in besseren Händen.«

Noah achtete nicht auf Oscars Worte. Er sah nur das Schild über dem Treppenaufgang, dessen Pfeil nach oben wies.

Gleis 9.

Auf dem in weniger als zwei Minuten der Zug nach Amsterdam einfahren würde.

Was für ein Zufall.

Er gab seinem Begleiter ein Zeichen, leise zu sein und ihm zu folgen.

»Was ist denn nun schon wieder?«, flüsterte Oscar, nachdem sie einen gläsernen Fahrstuhl erreicht hatten. »Mit der Treppe geht es doch viel schneller.«

»Vorsichtsmaßnahme«, quittierte Noah knapp. Tatsächlich verloren sie gut eine Minute, die es dauerte, bis der Lift seine Türen geöffnet hatte, um sie nach oben zu befördern, aber das gab Noah die Gelegenheit, Oscar seinen Verdacht zu erläutern.

»Ein Killer auf dem Bahnsteig? Und wir folgen ihm? Mann, wie konnte ich nur so blöd sein, mich von dir zum Mitkommen überreden zu lassen.«

In Wahrheit war es Noah gewesen, der Oscar dringend gebeten hatte, in seinem sicheren Versteck zu bleiben, doch das hatte Oscar empört ausgeschlagen. *»Du magst zwar genügend Saft in den Muskeln haben, Großer. Aber ich bin zurzeit so was wie dein Gehirn, und das sollte man auf Reisen besser nicht zu Hause lassen.«*

»Hast du nicht gesagt, sie würden uns bis Amsterdam in Ruhe lassen?«, fragte Oscar. Die Türen des Fahrstuhls öffneten sich. Sie befanden sich am äußersten Bereich des Bahnsteigs, in dem die Lokomotive halten würde, etwa zwanzig Schritte von dem Mann entfernt, der sich vor einem Glasaushang über die Position der einfahrenden Waggons informierte.

»Die einen schon.«

»Die *einen?* Willst du mir etwa sagen, da sind noch *andere* hinter dir her?«

Noah wiederholte, was die Frau am Telefon ihm gesagt hatte.

»Glauben Sie wirklich, Sie wären noch am Leben, wenn ich Ihren Tod gewollt hätte?«

»Oh Mann«, schnaubte Oscar. »Die Bilderberger zu verärgern hat dir wohl nicht gereicht.«

Ohne darauf zu antworten, zog Noah ihn hinter einen Fahrkartenautomaten. In diesem Bereich des Bahnsteigs waren keine weiteren Fahrgäste zu sehen, die ihr merkwürdiges Verhalten hätten beobachten können. Noah fragte sich, ob der Bahnhof um diese Uhrzeit immer so leer war oder ob es an der Angst vor Ansteckung lag, weswegen Menschen im Augenblick öffentliche Einrichtungen mieden.

Vorsichtig wagte er sich aus der Deckung und spähte nach vorne. Der Mann vor dem Aushang erinnerte ihn an die Gestalt, die er aus der Suite im Adlon hatte kommen sehen, wobei er nicht zu sagen vermocht hätte, woran genau er das festmachen wollte. *An der geraden Körperhaltung? Der hochgewachsenen Statur? An dem dunklen, knielangen Mantel?* Vielleicht war es auch einfach der Umstand, dass der Fremde weder Koffer noch Handgepäck mit sich führte, was für einen Reisenden einigermaßen ungewöhnlich war. Allerdings brauchten Geschäftsleute heutzutage kaum mehr als ihr Smartphone.

Noah sah, wie der Mann mit dem schütteren, leicht ergrauten Haar sich etwas in den Mund schob, ein Bonbon oder einen Kaugummi. Dann hörte er den Zug einfahren. Der Mann löste sich vom Aushang und ging den Bahnsteig hinunter, dem bremsenden ICE entgegen.

Je länger Noah den Unbekannten beobachtete, der sich immer weiter von ihnen entfernte, desto mehr zweifelte er daran, eine Gefahrenquelle ausgemacht zu haben. Doch dann machte der Mann einen kleinen, aber verhängnisvollen Fehler: Er neigte den Kopf etwas zur Seite, gerade in dem Moment, als er einen beleuchteten Getränkeautomaten passierte. Nur deshalb hatte Noah das Funkeln sehen können; den kleinen, reflektierenden Metallpunkt in seinem Ohr, vermutlich nicht größer als ein Stecknadelkopf.

Ein Miniaturempfänger?

Noah kniff die Augen zusammen. Sah den Unterkiefer des Mannes, der sich bewegte, und war sich mit einem Mal sicher, dass diese Person keinen Kaugummi kaute.

Er redet mit jemandem.

Da versperrte ihm eine vierköpfige Familie, die in großer Eile die Treppen hinaufgehastet gekommen war, die Sicht.

Noah zögerte keine weitere Sekunde. Er lief den Eltern mit ihren beiden kleinen Söhnen entgegen (der *FAMILE,* wie es ihm unsinnigerweise durch den Kopf schoss) und blieb dann im Windschatten eines Stahlbetonträgers direkt im Rücken des Mannes stehen. Noah konnte seine Augen in den verdunkelten Scheiben der ICE-Waggons erkennen.

Der Mann berührte mit seinen Fingern *(wieso trägt er bei der Kälte keine Handschuhe?)* einen kreisrunden Punkt auf der Zugtür und trat einen Schritt von der Bahnsteigkante zurück, als diese sich mit einem Zischen öffnete. Zum Glück stiegen weder ein Schaffner noch Fahrgäste aus. Auch die Familie hatte einen anderen Waggon gewählt, was den Zugriff erleichterte.

Keine Zeugen.

Noah startete den Angriff, als der Mann den Fuß auf die unterste Stufe des Einstiegs setzte. Er rannte zum Zug, packte das vermeintlich sicher stehende Bein und zog es nach hinten, wodurch der Mann mit einem etwas jämmerlich klingenden »Wahh« nach vorne kippte. Damit es für etwaige Augenzeugen wie ein Missgeschick stolpernder Fahrgäste aussah, warf auch Noah sich nach vorne und begrub den knochigen Kerl unter sich. Obwohl er seine freie Hand die ganze Zeit fest um die in seiner Jackentasche versteckte Pistole gehalten hatte und es ein Kinderspiel gewesen wäre, sie abzufeuern, hatte Noah nicht geplant, den Mann bereits beim Einstieg zu töten. Erst wollte er wissen, um wen es sich handelte.

Wer ist der Killer, der mich verfolgt? Wer hat ihn auf mich angesetzt? Und weshalb? Auf ihm liegend, halb im Zug, halb auf der Treppe, hörte er den Fremden fluchen. Roch dessen Atem.

Alkohol? Im Einsatz?

Dann sah er das elektronische Gerät in dessen Ohr. Und in diesem Moment erkannte er seinen Irrtum.

Fehler. Ich habe einen Fehler gemacht.

Nicht nur sein Gedächtnis funktionierte nicht mehr. Auch die Fähigkeit, Gefahrensituationen richtig einzuschätzen – Gut von Böse zu trennen –, schien ihn langsam, aber sicher zu verlassen.

Es wird schlimmer. Nicht besser.

»Es tut mir sehr leid«, entschuldigte sich Noah und rappelte sich hoch, absichtlich ungeschickt, um die Zeit zu gewinnen, die er zum Wegstecken seiner gezogenen Waffe benötigte.

»Mist, verdamm mich«, stöhnte der Mann, der sich in den Zug gezogen hatte und hier in sitzender Position sein Schienbein rieb. »Was zum Teufel ist denn nur in Sie gefahren?«

»Ich ... ääh ...«

Ich habe mich geirrt. Ich dachte, Sie wollten mich töten.

»Es war ein Versehen.« Noah reichte ihm die Hand, die der Mann wütend ausschlug und sich alleine hochrappelte.

Natürlich hatte er etwas im Ohr. Und natürlich hatte er mit jemandem geredet.

Aber nicht mit einer Einsatzzentrale. Sondern mit einem Familienmitglied, einem Freund, einer Geliebten oder dem Geschäftspartner, mit dem er gestern etwas zu viel getrunken hatte – mit irgendjemandem, der in der Leitung des Telefongesprächs hing, das der Mann über ein Headset geführt hatte, das im Wesentlichen aus einem kleinen, hochmodernen Bluetooth-Empfänger in seinem Ohr bestand.

»Trottel«, sagte der Mann und klopfte sich seinen Mantel wieder gerade.

Er warf Noah noch einen abschätzigen Blick zu, dann humpelte er kopfschüttelnd zu den Abteilen der ersten Klasse.

* * *

An seinem Platz angekommen, knöpfte der Mann den Mantel auf und ließ sich mit wütender Miene in den Sitz fallen. Während der Zug wieder anfuhr, beruhigte sich seine Atmung. Seine Gesichtszüge wurden weicher. In dem Moment, in dem sie den Bahnhof verließen, hörte Adam Altmann auf zu schauspielern.

Er nahm das Empfangsteil des Headsets aus dem Ohr, wobei er darauf achtete, den eigentlichen Sender nicht zu berühren, über den er mit der Einsatzleitung verbunden war. Sobald der Schaffner kam, würde er bei ihm einen Kaffee bestellen, um den ekligen Geschmack des Alkoholsprays loszuwerden.

Die Lichter der langsam erwachenden Großstadt flogen an seinem Fenster vorbei, und Altmann konnte sich eines Lächelns nicht erwehren.

Zufrieden tätschelte er die Waffe in seiner Jackentasche, die er seinem Zielobjekt in dem Tumult entwendet hatte. Es würde eine Weile dauern, bis Noah die nutzlose Replik bemerkte, die jetzt an ihrer Stelle in seiner Jackentasche steckte.

3. Kapitel

Celine wunderte sich über nichts mehr. Nicht über den abrupten Aufbruch aus dem Kühlschrankzimmer hinauf auf das Dach des NNN-Buildings, wo sie bereits ein Hubschrauber erwartet hatte. Sie wunderte sich nicht über den Flug aufs Meer hinaus, während dem niemand ihre Fragen hatte beantworten wollen:

Wohin bringt ihr mich?

Was wollt ihr von mir?

Wer seid ihr?

Keiner wechselte auch nur ein einziges Wort mit ihr. Weder Amber noch der asiatisch aussehende Pilot und erst recht nicht der breitschultrige Wachmann, der ihr die Kabelbinder um die Handgelenke geschnürt und sie mit gezogener Waffe auf die hinterste Reihe des Helikopters gezwungen hatte.

Celine hatte nach vorne durch die Scheiben des plexiglasummantelten Cockpits auf das endlose Wasser vor ihr gestarrt und darüber nachgedacht, was sie während des Telefonats zwischen Amber und Noah aufgeschnappt hatte: *Amsterdam. Bahnhof. Toilette.*

Wollten die etwa mit diesem Hubschrauber über den Atlantik?

Sie hätte sich nicht einmal darüber gewundert.

An einem Tag wie diesem, an dem Dr. Malcom ihr erst eine Hiobsdiagnose erstellt hatte und sie kurz danach von einem amnesiekranken Obdachlosen aus Europa kontaktiert worden war, war der luxuriöse Privatjet, mit dem sie nun in elftausend Meter Höhe durch die Luft schoss, nur eine logische Fortsetzung der bizarren Ereignisse.

Vor drei Stunden hatten sie auf Martha's Vineyard die Maschinen gewechselt, direkt auf dem Rollfeld des Inselflughafens, von drei Männern in dunklen Anzügen abgeschirmt, die mit ihnen an Bord gegangen waren und sich seitdem in dem vorderen, durch eine Tür abgetrennten Kabinenteil auf Abruf bereithielten. Celine wunderte sich auch darüber nicht. Nicht mehr. Dafür blieb ihr vor Sorge und Angst keine Zeit.

Vor dem Start der Gulfstream hatte sie sich noch zu dem verzweifelten, geradezu lächerlichen Versuch hinreißen lassen, an Ambers Gefühle als Frau zu appellieren. Sie hatte gehofft, ein Vertrauensverhältnis zu ihr aufbauen zu können, wenn sie ihr von der Risikoschwangerschaft erzählte. Ein Fehler, der ihr nur Spott und Häme einbrachte.

»Herrje, ich hab gehört, man solle im ersten Schwangerschaftsdrittel Langstreckenflüge unbedingt vermeiden«, hatte Amber gesagt und dabei zynisch gelächelt, als der Privatjet im strömenden Regen abhob. »Also tue ich Ihnen ja sogar einen Gefallen, wenn unser Ausflug am Ende verhindert, dass Sie Ihr Leben lang mit einem Mongo gestraft sind.«

Da hatte Celine zum ersten Mal geweint. Zornestränen.

Der Kabelbinder war längst entfernt, aber weil ihr Gurt sich nicht öffnen ließ, hatte sie nicht aufspringen und Amber ins Gesicht schlagen können. Sie spuckte vor Wut auf den Boden, was keine nennenswerten Spuren hinterließ, da das gesamte Flugzeug mit einem cremefarbenen Hochflorteppich ausgelegt war – farblich abgestimmt auf die Holzeinfassung der Kabine und die Ledersessel, in denen sie sich gegenübersaßen.

Amber war nur lachend aufgestanden und hatte sich an der Bordbar einen Gin Tonic gemixt.

Im Augenblick nippte sie bereits an ihrem zweiten und blätterte desinteressiert in einem Modemagazin. Celine, die sich mit einem Mal unendlich müde fühlte, hatte derweil entdeckt, dass sie mit dem in ihrer Armlehne eingelassenen Bedienelement einen Breitbildfernseher an der Kabinenwand aktivieren konnte.

Sie drückte auf ON, und als Erstes erschien Werbung. Bevor sie eine lachende Hausfrau, die mit einer sprechenden WC-Ente durch ihr Bad tanzte, wieder wegschalten konnte, war der Spot auch schon zu Ende, und das NNN-Logo schob sich in den Bildschirm.

Ausgerechnet Nachrichten!

Der Fernseher war auf stumm geschaltet, weshalb Celine nicht hören konnte, was der akkurat gescheitelte Sprecher sagte, doch das war wegen der eingeblendeten marktschreierischen Bildunterschriften auch gar nicht nötig.

- JFK-OUTBREAK
- Terminals unter Quarantäne
- Zufahrten blockiert
- Handy- und Internetsperre
- Versiegelung der Klima- und Lüftungsanlagen
- Absolutes Start- und Landeverbot

Mehrere Bildsequenzen wechselten in rascher Abfolge. Celine sah einen Grundriss des Flughafens, dann Außenaufnahmen. Ein sechsköpfiges Team in weißen Ganzkörperanzügen und Gasmasken vor dem Gesicht näherte sich einem provisorischen Zelteingang vor der Ankunftshalle des Terminals 2.

Neben den Außenaufnahmen der Presse gab es auch Filmmaterial aus dem Inneren der Terminals.

Trotz der Kommunikationskontrolle schien es einem der wartenden Fluggäste gelungen zu sein, ein Handy-Video zu drehen und ins Internet zu stellen, wahrscheinlich kurz bevor jeglicher Funkverkehr auf dem JFK lahmgelegt worden war.

Die Bilder sahen mit ihren flimmernden Querstreifen und blassen Farben aus, als wären sie von einem Fernseher abgefilmt worden. Sie zeigten einen aufgeregten Pulk von Menschen, die vor einer Notausgangstür auf mehrere Polizisten einredeten. Plötzlich kam Bewegung in die Menge, die sich anscheinend mit

Gewalt ihren Weg nach draußen bahnen wollte, dann aber auseinanderstob, als einer der Polizisten seine Waffe zog. Da sich einige sogar auf den Boden warfen, vermutete Celine, dass der Beamte einen Warnschuss abgegeben hatte. Auch der Urheber dieser Aufnahmen schien jetzt zu flüchten; die Bilder wurden verwischt. Kurz bevor das Video endete, erfasste die Kamera, jetzt aus größerer Entfernung, noch einmal die Polizisten vor dem Notausgang. Nur ein einziger Mann stand noch immer vor ihnen. Außer einem zwei Zentimeter breiten weißen Kranz im Nacken hatte er kaum noch Haare auf dem schmalen Kopf.

Dreh dich um, rief Celine ihm in Gedanken zu. Doch er tat es nicht. Die Aufnahme riss ab, der Nachrichtensprecher zeigte seinen professionellen »Die Lage ist schlimm, aber als Profi wahre ich den Abstand«-Blick, und Celine konnte den Verdacht, der ihr die Kehle zuschnürte, nicht überprüfen: *Habe ich gerade meinen Vater gesehen?*

Vermutlich nicht. Wahrscheinlich spielte ihre Psyche ihr einen grausamen Streich. Eine Projektion, ausgelöst durch die Sorge um Ed, die durch ein nun eingeblendetes Diagramm weiter verstärkt wurde:

1. Stadium: Infektion. Übertragung durch die Luft?
2. Stadium: Inkubation. Oft ohne erkennbare Symptome.
3. Stadium: Ausbruch der Krankheit. Nasenbluten. Patient ist ansteckend.

Es folgten noch vier weitere Phasen, in denen der Verlauf der Manila-Grippe und ihre Symptome bis zum Eintritt des Todes detailliert geschildert wurden. Bei *Blutaspiration in der Lunge* hörte Celine auf zu lesen.

Sie schloss die Augen und sah das Gesicht ihres Vaters vor sich, sein Lächeln, das ihr so vertraut war wie der zimtartige Geruch seines Aftershaves *(Du riechst nach Weihnachten, Daddy)* und die Goldfüllung seiner Backenzähne, die immer aufblitzte, wenn er lachte, so wie jetzt in ihren Gedanken, in denen ihr Vater die Arme ausstreckte, die Augen weit aufriss und plötzlich Blut aus seinen geweiteten Pupillen quoll.

Sie stöhnte und öffnete die Augen. »Grauenhaft«, entfuhr es ihr.

Amber sah belustigt über den Rand ihrer Zeitschrift hinweg, dann drehte sie sich kurz zu dem Fernseher in ihrem Rücken. »Sie nennen das grauenhaft?«, fragte sie, während sie sich wieder Celine zuwandte. »Da sehen Sie mal wieder, wie verschieden wir sind. Ich nenne es das Beste, was uns seit langem passiert.«

Wie bitte?

»Tausende von Menschen in Angst um ihr Leben, durch bewaffnete Polizisten von ihren Angehörigen abgeschirmt?« Celine zeigte auf den Fernseher. »Was soll daran gut sein?«

»Hm.« Amber tat so, als würde sie nachdenken. »Wie erkläre ich einem Schlafenden, dass er träumt?«

»Wie bitte?«

»Na gut, ich versuche es mal ganz einfach. Beginnen wir mit einer Zahl.«

»Welcher Zahl?«

»31 Millionen.«

»31 Millionen was?«

»Flüge. So wie dieser hier. 31 Millionen Starts und Landungen, das ist die Anzahl, die unser Planet jährlich verkraften muss. 31 Millionen Flüge, bei denen über eine Milliarde Liter Kerosin verbraucht wird. Eine einzige 747 verbrennt in den ersten Minuten des Starts fünf Tonnen eines Rohstoffs, der nie wieder nachwachsen wird. Futsch, aus, vorbei. In spätestens zwanzig Jahren haben wir das, was in Jahrmillionen gewachsen ist, aufgebraucht. Dann wird es keine Flüge mehr geben, keinen erdölbasierten Dünger für die Felder, die den Hunger von immer mehr Menschen stillen sollen. Keine Medikamente gegen die Krankheiten der Massen, für deren Herstellung man ebenso Erdöl braucht wie für PVC, Waschmittel, Schmierstoffe. Nichts mehr. Damit ist die Sperrung von JFK der größte Umweltschutzbeitrag der USA in diesem Jahr, selbst wenn sie nur einen einzigen Tag andauern sollte. Anstatt hier also mit verquollenem Blick Trübsal zu blasen, sollten Sie sich lieber über die 1290 Starts und Landungen freuen, die heute nicht die Atmosphäre verpesten.«

Celine tippte sich an die Stirn. »Was sind Sie? Eine durchgeknallte Umweltaktivistin?«

»Nein. Ich bin nur ein Teil des Problems. Oder denken Sie, unser Jet hier fliegt mit Wasser?«

»Darum geht es Ihnen? Um Öl?«

Amber rollte mit den Augen. »Natürlich nicht. Es geht um Schädlingsbekämpfung. Um bösartige Parasiten, die ihren Wirt, den sie befallen haben, so lange aussaugen, bis sie gemeinsam mit ihm sterben.«

»Lassen Sie mich raten: Sie reden von den Menschen.«

Amber machte eine pantomimische Applausbewegung. »Sehr klug, Mrs. Henderson. Öl ist nur eine von unzähligen Ressourcen, die wir endgültig vernichten. Elftausend Meter unter uns zum Beispiel«, sie deutete auf den Kabinenboden, »pflügen in diesem Moment hochgerüstete schwimmende Fabriken den Ozean bis zum Wrack der Titanic durch, doch trotz Sonar, Echolot und Satellitenauswertung finden sie kaum noch Fische für ihre kilometerlangen Schleppnetze. Jede vierte Säugetierart gilt heute als vom Aussterben bedroht, bei Amphibien sind es sogar über vierzig Prozent. Zuletzt hat es einen Exitus solch apokalyptischen Ausmaßes nach einem Meteoriteneinschlag gegeben. Vielleicht haben Sie ja mal davon gehört. Damals hat es die Dinosaurier erwischt.«

Amber grinste, als hätte sie einen gelungenen Scherz gemacht. »Wälder, Tiere, Wasser, Luft, unser Klima. Alles stirbt oder verkümmert auf diesem Planeten. Nur die Population des Verursachers aller Katastrophen, des Menschen nämlich, wächst von Sekunde zu Sekunde, weil das natürliche Regulativ weggefallen ist.«

»Was für ein Regulativ?«

Celine spürte, wie der Jet weiter aufstieg.

»Krankheiten«, erklärte Amber. »Die Pest zum Beispiel. In der Mitte des vierzehnten Jahrhunderts raffte der schwarze Tod in Europa 25 Millionen Menschen hinweg, das war damals ein Drittel der gesamten Bevölkerung.«

»Moment mal.« Celines Mund wurde trocken. Das sanfte Dröhnen des Jets schien lauter geworden zu sein.

Bedrohlicher.

»Wollen Sie etwa sagen, die Manila-Grippe ist eine absichtlich freigesetzte Pest?«

Amber zuckte mit den Achseln und schlug das Modeheft wieder auf. »Ich sage nur, der Planet braucht dringend wieder ein Ereignis, das die Dinge ins Gleichgewicht bringt.«

»Indem Menschen getötet werden?« Wieder wäre Celine am liebsten aufgesprungen, und wieder hielt sie der Gurt zurück.

»Indem die Anzahl der Parasiten auf ein verträgliches Maß reduziert wird.«

Celine verschlug es für einen Moment die Sprache. »Sie … Sie reden hier von Euthanasie.«

Von Massenmord.

»Nein«, sagte Amber tonlos, ohne von der Zeitschrift in ihrer Hand aufzusehen. »Ich rede vom Projekt Noah.«

4. Kapitel

Noah starrte in den Spiegel. Er sah sich weinen, ohne die Tränen auf seiner Haut zu spüren. Er hörte sich reden, ohne zu fühlen, wie sich seine Lippen bewegten. Er verstand die Worte, die er sagte, nicht aber deren Bedeutung.

»Ich bin kein Mörder«, schrie er sich an. »Ich bin etwas sehr viel Schlimmeres. Für mich gibt es keinen Begriff.«

Wieso sagst du das? Was hast du getan?

Sein Spiegelbild wollte ihm keine klare Antwort geben und sagte nur: »Man kann meine Taten nicht ungeschehen machen. Dafür ist es zu spät.«

Nein. Das glaube ich nicht. Es gibt immer eine Lösung.

Er sah sich selbst dabei zu, wie er einen Koffer auf ein Hotelbett warf.

In der Suite. Im Adlon.

Wie der Koffer geöffnet wurde.

»Sie sind bald da. Mir bleibt keine Zeit, um das Video zu verstecken.«

Und plötzlich lachte sein Spiegelbild, und er erkannte die Pässe aus dem Koffer in dessen Hand: *»Rom. Amsterdam. Mombasa. Das ist die Rettung!«*

Der letzte Gedanke hallte ihm schon wieder in jener altväterlichen Stimme durch den Kopf, die Noah anscheinend auch im Traum nicht loswurde. Sie überlappte sich mit seiner eigenen:

»Schnell, bevor …«

Das Geräusch einer klirrenden Fensterscheibe, begleitet von einem lauten Knall, verschluckte das Ende des Satzes. Roter Sirup trat aus einer winzigen Öffnung in der Schläfe seines Spiegelbilds. Noah sah sich blinzeln, sah seine Hand zum Kopf greifen, sah sich fallen.

Als er mit einem dumpfen Schlag aufprallte, direkt vor dem lodernden Kamin der Hotelsuite, hörte Noah einen zweiten Schuss. Und der Schmerz des einschlagenden Projektils riss ihn aus dem Schlaf.

»Kaffee oder Tee?«, fragte Oscar.

Noah, der noch nicht richtig wach war, grunzte etwas Unverständliches und rieb sich die Schulter. Er hatte große Schwierigkeiten, die Augen offen zu halten. Das sanfte Schaukeln des Zuges, untermalt von den Fahrgeräuschen, drohte ihn wieder einschlafen zu lassen. Noah dachte an die Sekunden vor dem Aufwachen, wollte den Traum festhalten, bevor er wieder verschwand.

War das überhaupt ein Traum? Oder eher eine Erinnerung?

Für eine Erinnerung sprach, dass es den Blutfleck, den der erschossene Mann vor dem Kamin hinterlassen hatte, auch in der Realität gab – er selbst hatte ihn gesehen, vor wenigen Stunden, auf dem hellen Teppich in der Hotelsuite des Adlon. Für einen Traum hingegen sprach, dass Noah sich unmöglich selbst beim Sterben zugesehen haben konnte. Zumal er keine Schusswunde im Kopf, sondern in der Schulter hatte.

»Komm schon«, drängelte Oscar und beugte sich zu Noah, der ihm gegenübersaß. Der Zug war so leer, dass sie ein Abteil für sich alleine hatten. »Antworte mir. Schnell, ohne nachzudenken. Trinkst du lieber Kaffee oder lieber Tee?«

»Kaffee«, gähnte Noah. »Was soll …«

»Im Urlaub: Berge oder Meer?«

»Ich weiß nicht …«

»Nicht nachdenken. Einfach antworten. Dalli.«

»Schön, Meer.«

Noah ahnte mittlerweile, worauf dieses Spielchen hinauslaufen sollte, hatte er doch ein ähnliches vorhin mit der Reporterin gespielt. Vermutlich war es leichter, sich darauf einzulassen, als mit Oscar über den Sinn und Unsinn dieses Psycho-Tests nachzudenken.

»Kino oder Theater?«

»Kino.«

»Fisch oder Fleisch?«

»Fleisch.«

»Beatles oder Stones?«

»Beatles.«

»Bier oder Wein?«

»Weder noch.«

»Buch oder E-Book?«

»Buch.«

»Verheiratet oder Single?«

Noah hob das Kinn, öffnete den Mund, schließlich zuckte er mit den Achseln. »Keine Ahnung.«

Oscar verzog das Gesicht, als hätte er in eine Zitrone gebissen. »Verdammt.«

Noah sparte sich die Bemerkung, er hätte ihm gleich sagen können, dass sich sein Gehirn nicht so einfach würde überlisten lassen.

Es wird schlimmer, nicht besser.

Selbst jüngste Erlebnisse verblassten rasch. Er erinnerte sich, dass sie sich nach dem Zwischenfall beim Einsteigen ein Abteil gesucht, zwei Einzelfahrscheine beim Schaffner bar bezahlt und danach die Vorhänge zugezogen hatten – aber das war auch schon alles, was er noch wusste. War er sofort eingeschlafen, oder hatten sie sich zuvor noch unterhalten?

Keine Ahnung.

War es Teil des Traums gewesen, dass der Schaffner einen

Mundschutz trug und von panikartigen Hamsterkäufen in Hollands Supermärkten erzählte, oder die Realität? Noah konnte es nicht sagen.

Er beobachtete seinen Begleiter, dessen Haare wie gewohnt zu allen Seiten abstanden, als wäre er selbst gerade nach einer unruhigen Nacht aus den Federn geschreckt.

Oscar sah aus dem Fenster. Während er die Landschaft an seinen Augen vorbeiziehen ließ, hatte er, vermutlich unbewusst, seine Halskette unter dem Rollkragenpulli hervorgezogen und öffnete immer wieder gedankenverloren den Verschluss des Amuletts, um ihn gleich danach wieder zuschnappen zu lassen.

Draußen war es längst hell geworden. Ihr Zug donnerte mit unverminderter Geschwindigkeit durch einen kleinen Regionalbahnhof; zu schnell, um den Namen des Ortes auf den Schildern erkennen zu können, aber ein Werbeplakat für eine niederländische Telefongesellschaft verriet, dass sie bereits die Grenze passiert hatten.

Wie zum Teufel … Er sah auf die Uhr und erschrak.

»Kurz vor zehn? Mein Gott, wie lange habe ich geschlafen?«

»Über vier Stunden.« Oscar wandte sich ihm wieder zu. »Du hast drei Fahrkartenkontrollen verpasst. Wir sind bald da.«

»Und weshalb hast du mich nicht geweckt?«

»Damit du wieder einen Unschuldigen über den Haufen rennen kannst?« Er grinste. »Bleib ganz ruhig, Großer, dein Körper nimmt sich schon, was er braucht. Schlaf ist die beste Medizin für eine verwundete Seele. Außerdem wollte uns zur Abwechslung grad mal keiner erschießen.«

Oscar stand auf, zog die Vorhänge zur Seite und öffnete die Tür des Abteils.

»Wo willst du hin?«, fragte Noah und erhob sich ebenfalls. Trotz des verhältnismäßig langen Schlafes fühlte er sich kaum ausgeruht.

»Was trinken. Hast du keinen Brand nach dem Aufwachen?«

Noah fasste sich an den Hals. Tatsächlich. Der Schlaf hatte ihn durstig gemacht.

»Der Speisewagen ist ein Waggon weiter«, sagte Oscar. »Lass uns die Sachen gleich mitnehmen, dann müssen wir vor dem Aussteigen nicht mehr zurück.«

Noah griff nach dem Koffer und folgte ihm auf den Gang. »Darf ich sie mal sehen?«, fragte er.

»Sie?« Oscar drehte sich fragend um.

»Deine Frau.« Noah zeigte auf das Amulett. »Es ist doch ein Bild von ihr darin, oder?«

Oscar schob die Unterlippe nach vorne. Erst sah es so aus, als wollte er ihm die Bitte abschlagen, dann aber seufzte er und öffnete den Verschluss des Anhängers. Das in ihm eingefasste, oval geränderte Fotopapier war schon etwas älter und an den Seiten leicht verblichen, worunter die Attraktivität des darauf abgelichteten Gesichts aber nicht gelitten hatte.

»Sie ist schön«, sagte Noah und meinte es so.

Große Augen, hohe Stirn, dunkle Haare, der Blick vielleicht etwas zu melancholisch, aber die Frau auf dem Foto lachte oft und gern, das war klar zu erkennen, auch wenn sie auf dem Bild die Lippen geschlossen hielt. Die Fältchen um die Augen verrieten es.

Oscar lächelte wehmütig. »Oh ja, das ist sie. Manuela war, lass mich überlegen …«, er zog die Stirn kraus, »… ja, sie war Anfang dreißig, als ich das Foto geschossen habe, damals hatten wir gerade unsere Mainzer Praxis eröffnet.«

Mainz?

Oscar klappte das Amulett wieder zu, drehte sich um und watschelte mit erstaunlich schnellen Schritten in Fahrtrichtung durch den Gang.

»Hattest du nicht Frankfurt gesagt?«

Noah lief ihm hinterher, leicht schwankend wegen der Bewegung des Zuges, und wiederholte die Frage, als er seinen Begleiter kurz vor dem Übergang zum Speisewagen wieder eingeholt hatte.

»Frankfurt?« Oscar drehte sich um. Das Amulett war längst wieder unter seinem Pulli verstaut. »Nein. Da hab ich nie gearbeitet.«

Noah verstaute den Koffer in einem Gepäckfach am Eingang des Waggons, dann setzten sie sich an einen Tisch in der Nähe der Küche, die ebenso verlassen wirkte wie der Rest des Speisewagens. Immerhin brannte Licht.

»Hoffentlich kriegen wir hier noch was, so kurz vor Amsterdam«, sorgte sich Oscar, doch Noah war nicht bereit, so schnell das Thema zu wechseln.

»Natürlich. Du hast doch von *CLEAR* geredet und dem Frankfurter Flughafen. Nicht von Mainz.«

Oscar senkte die Speisekarte, die er sich gerade erst aus einem Ständer gezogen hatte. »Hör mal, Großer, ich will dir ja nicht zu nahe treten, aber in deinem Zustand würde ich mich nicht gerade für eine Gedächtnisweltmeisterschaft anmelden. Vermutlich hast du da was durcheinandergebracht. Mainz liegt in der Frankfurter Einflugschneise, das waren sicher meine Worte.«

Noah dachte nach. Er glaubte, etwas anderes verstanden zu haben, aber wie sicher konnte er sein? Vorhin noch hatte er sogar Oscars Namen vergessen, weshalb sollte er sich jetzt an ein so unwichtiges Gesprächsdetail erinnern?

Plötzlich nahm er einen Schatten neben sich wahr, der wie aus dem Nichts aufgetaucht zu sein schien. Instinktiv tastete er nach seiner Waffe, entspannte sich dann aber etwas, als er das Gesicht wiedererkannte.

»Darf ich mich setzen?«, fragte der Mann.

Noah sah sich um. Alle Tische waren frei.

»Ich würde mich gerne bei Ihnen entschuldigen«, erklärte der Fremde mit unbewegter Miene.

»Sie? Das wäre ja wohl eher meine Aufgabe«, antwortete Noah erstaunt. »Immerhin war ich es doch, der Sie beim Einsteigen überrannt hat.«

5. Kapitel

Altmann hatte auf einer Party einmal einen Schauspiellehrer kennengelernt, eine angenehme Ausnahmeerscheinung unter all den Langweilern, die seine damalige Frau sonst regelmäßig zu *Gesellschaften* einlud, wie sie die Ansammlung von Idioten in ihrem Wohnzimmer zu nennen pflegte.

Der zweiundsechzigjährige Mann, der in sich alle Klischees vereinte, die man von einem Schauspiel- und Ballettlehrer erwartete – Lackschuhe, Maßanzug, weißer Schal, homosexuell –, hatte ihm erzählt, welchen berühmten Hollywoodstars er allen ihr Lächeln beigebracht hatte, das wichtigste Accessoire im Blitzlichtgewitter auf dem roten Teppich.

Altmann hatte damals aus einem Impuls heraus die Frage gestellt, ob er von ihm auch das Gegenteil erlernen könne: eine unbewegte Miene, selbst dann, wenn die Umstände ein Lachen geradezu provozierten.

Es war gelungen, wie er in diesem Moment unter Beweis stellte. Am liebsten hätte er gelacht oder zumindest geschmunzelt angesichts des Zwiespalts, in dem sein Gegenüber gerade steckte, aber er zuckte nicht einmal mit den Mundwinkeln. Altmann konnte die Alarmglocken förmlich hören, die in Noahs Kopf läuteten. Und er sah den Kampf, den sein Zielobjekt mit sich selbst austrug. Schon einmal meinte Noah sich geirrt zu haben. Ein zweites Mal wollte er keinen Fehler machen. Doch sein Misstrauen war unverkennbar und äußerte sich in den Fragen, die er ihm stellte.

»Was machen Sie in Amsterdam?«

»Ich bin beruflich unterwegs«, antwortete er auf Englisch mit gespielt deutschem Akzent. Eines seiner Steckenpferde waren

Dialekte, es machte ihm keine große Mühe, wie ein fremdsprachlich gebildeter Deutscher zu klingen.

»In welcher Branche?«

»Vorhänge, Gardinen, Fliegengitter.«

Nur in Filmen hörte man von Agenten doppeldeutige Sätze wie: *»Ich arbeite in der Abfallbeseitigung. Hole den Müll von der Straße.«*

»Und Ihr Gepäck?«, hakte Noah nach.

»Mein Musterkoffer ist bereits beim Kunden.«

Wäre es nicht so traurig, hätte Altmann diese Unterhaltung noch gerne eine Weile fortgeführt, aber er war kein Sadist. Töten machte ihm keinen Spaß. Einer seiner Nachbarn in Washington war Gastroenterologe und hatte ihm bei einem Gartenfest einmal eine Darmspiegelung mit den Worten ans Herz gelegt: »Glauben Sie mir, das ist auch für den Arzt eine beschissene Angelegenheit. Aber sie ist verdammt noch mal leider notwendig.« Besser hätte Altmann seinen Job auch nicht beschreiben können.

Sie bestellten zwei Tassen Kaffee bei einem müden Kellner, der endlich aus seiner Kombüse aufgetaucht war, und eine große Cola für Noahs Begleiter, der noch kein Wort gesagt hatte und nur aus dem Fenster starrte. Oscar, oder wie er sich nannte, war kein primäres Ziel, aber sein Verlust würde sich leider nicht vermeiden lassen.

»Nur noch fünf Minuten«, erinnerte ihn die Frauenstimme in seinem Ohr an die verbleibende Restfahrzeit. Altmann tat so, als müsste er sich kratzen. In Wahrheit öffnete er das Holster an seinem Unterschenkel.

Natürlich hätte er bereits beim Einstieg in Berlin die Gelegenheit gehabt, Noah auszuschalten. Doch das Gespräch mit seiner Einsatzleiterin im Hof der US-Botschaft hatte ihn nachdenklich gestimmt. Altmann spürte, dass sie ihm etwas verheimlichte. Und dass er auf ein riesiges Kuddelmuddel zusteuerte, wenn er Noah aus dem Weg räumte, ohne alle Fakten zu kennen. Hinzu kam, dass er es noch nie zuvor mit einem so versierten Gegner zu tun gehabt hatte. In seinen Augen kam es einer Verschwendung gleich, einen derartigen Künstler ohne Kenntnis der wahren Hintergründe zu eliminieren. Daher hatte er Noah verwanzt und gehofft, über das in der Replik eingebaute Mikrophon etwas mehr über ihn zu erfahren, doch der Kerl hatte die meiste Zeit nur geschlafen, und jetzt war seine Schonfrist abgelaufen.

»Vier Minuten.«

Hier im Speisewagen würde alles etwas schwieriger werden. Hoffentlich musste er nicht auch noch den Kellner ausschalten, der ihnen soeben die Getränke gebracht hatte.

»Ah, Mist. Verzeihung.«

Bei dem Versuch, die Kaffeesahne zu öffnen, war Altmann die Hälfte des Inhalts aus dem winzigen Plastikschälchen gespritzt. Kleine, helle Tropfen glitzerten auf der schwarzen Jacke seines Gegenübers. Auch Oscar schien etwas abbekommen zu haben.

»So was passiert mir ständig.«

»Damit wären wir dann wohl quitt«, sagte Noah. Trotz der lustig gemeinten Bemerkung lächelte er nicht und machte auch keine Anstalten, die Spritzer abzuwischen.

Er ahnt es. Und er macht den Fehler, nicht auf seinen Bauch, sondern auf seinen Kopf zu hören.

Darauf hatte Altmann spekuliert.

Die Killer im Hotel und im Elektronikmarkt (zu wem auch immer sie gehören mochten) hatten fälschlicherweise die offene Konfrontation mit Noah gesucht. Doch dazu war das Objekt ein viel zu erfahrener Kämpfer. Er war ganz eindeutig darauf trainiert, selbst die kleinsten Veränderungen im Bewegungsmuster eines Angreifers zu erkennen. Und genau das war ihm zum Verhängnis geworden. Noah hatte in Berlin die von ihm ausgesandten Signale so gedeutet, wie Altmann es beabsichtigt hatte: die fehlenden Handschuhe, kein Gepäck, den aufblitzenden Knopf im Ohr, die Kieferbewegungen. Und wie vorhergesehen hatte Noah die Gelegenheit im Angriff gesucht – und war dadurch nun selbst zum Opfer geworden.

Im Hotel wie im Elektronikmarkt hatten die Ereignisse ihm keine Zeit zum Nachdenken gelassen. Ein Zustand, in dem er am gefährlichsten war. Jetzt aber gewährte Altmann ihm die Zeit, die Situation in scheinbarer Ruhe zu hinterfragen. Vermutlich hatte Noah selbst die Hand bereits an der Pistole; überlegte, ob er es wagen konnte, einen ganz sicher merkwürdigen, aber vielleicht unschuldigen Mitreisenden einfach so auf Verdacht zu erschießen – und vergeudete damit die wertvolle Zeit, die Altmann wiederum benötigte, um auf den bestmöglichen Moment zu warten: auf den der Einfahrt in den Bahnhof. Wenn jeder der ohnehin nur wenigen Fahrgäste ausschließlich mit sich selbst und dem Ausstieg beschäftigt war.

Und sollte Noah früher einen Angriffsversuch wagen, würde ihm die funktionsuntüchtige Replik in seiner Hand auch nichts nutzen.

Altmann betrachtete die Spritzer auf Noahs Jacke, dachte an seine sonst so geschickten Finger und fragte sich, ob es wohl sein Schicksal war, dass sein Leben immer nur dann funktionierte, wenn es um den Job ging. Wie um ihn Lügen zu strafen, piepste auf einmal sein Handy in der Hosentasche. Er zog es hervor und las im Display eine Nachricht seiner Tochter.

`Bin ich zu spät, Dad? Happy birthday.`

`PS: Brauch mal deinen Rat.`

Diesmal gelang es Altmann nicht, ein Lächeln zu vermeiden.

Ja, etwas spät, Leana. Aber besser spät als nie, oder?

Vermutlich war der Rat, den sie sich erhoffte, mit »In God we trust« beschriftet und nur in großen Scheinen erhältlich.

Aber was soll's. Sie hat an mich gedacht. Wenn auch zu einem unpassenden Moment.

»Etwas Wichtiges?«, fragte Noah misstrauisch.

Altmann war glücklich über die Zäsur, für die der Kellner sorgte, der an ihren Tisch zurückgekommen war, um zu kassieren. Er beglich die Rechnung. Noah zahlen zu lassen wäre ihm zynisch vorgekommen.

»Meine Damen und Herren, wir erreichen jetzt Amsterdam Centraal Station. Wegen eines ungewöhnlich hohen Passagieraufkommens kann es zu längeren Wartezeiten bei etwaigen Anschlusszügen kommen. Bitte wenden Sie sich an das Bahnhofspersonal.«

Die mehrsprachige Borddurchsage war für Altmann der Startschuss. Er löste die Waffe aus dem geöffneten Holster und richtete sie unter einer auf seinem Schoß ausgebreiteten Serviette auf Noahs Magen aus.

Da sie bereits entsichert war, musste er nur noch den Finger krümmen und ...

»Entschuldigung, Sie haben da was.«

Altmann zögerte.

Zu seinem Erstaunen sprach eine tiefe Besorgnis aus Noahs Stimme. Auch Oscar blickte verstört drein.

»Wie bitte?«, fragte er Noah, den Finger weiterhin starr um den Abzug gekrümmt.

»Ihre Nase.«

Altmann zog die Augenbrauen zusammen und führte Zeige- und Mittelfinger seiner noch freien Hand an die Oberlippe.

Was zum Teufel ...

Es fühlte sich nass an. *Dünnflüssig.* Und es roch ...

Rot? Wie kann etwas rot riechen?

Er schluckte und schmeckte Metall. Altmann wurde kalt. Das war keine physische, sondern eine psychische Reaktion.

Dessen war er sich so bewusst, wie er die ersten Symptome erkannte.

»Sie entschuldigen mich«, sagte er, steckte die Waffe wieder zurück und stand hastig auf, beide Nasenflügel zwischen Daumen und Zeigefinger zusammengequetscht wie ein Taucher kurz vor der Rückwärtsrolle vom Boot. Er eilte an dem entsetzten Kellner vorbei auf die Toilette. Nahm die Hand von der Nase. Sah in den Spiegel. Dicke Tropfen fielen in das Waschbecken und zogen rote Tränen.

»Was ist denn da los bei Ihnen?«, hörte er die Einsatzleitung über seinen Knopf im Ohr. Räder quietschten. Der Zug drosselte seine Fahrt.

»Nichts«, antwortete Altmann knapp und starrte auf das Blut an seinen Fingern.

Das hat nichts zu bedeuten. Das ist sicher ganz harmlos.

Aber die Selbstbeschwichtigungsversuche wollten nicht funktionieren. Ein alles verdrängender Gedanke formierte sich in seinem Kopf: *Manila-Grippe.*

Soweit Altmann wusste, blieben ihm noch zehn, vielleicht fünfzehn Stunden, bis die Schmerzen unerträglich wurden.

6. Kapitel

Würde es das Wort *Chaos* nicht geben, es hätte für die Zustände am Amsterdamer Centraal erfunden werden müssen. Der Unterschied zu Berlin und seinem verlassenen Hauptbahnhof hätte drastischer nicht ausfallen können. Den Zug hatten Noah und Oscar dank der polizeibewehrten Absperrungen hinter der Haupthalle noch relativ unbehelligt verlassen können. Aber kaum waren diese passiert, hatten sie Mühe, in der Menge nicht verloren zu gehen.

»Gib mir deine Hand«, schrie Noah seinen Begleiter an und zog ihn wie ein Kind unter einen der gestreiften Säulenbögen, die die altehrwürdige Halle trugen. Unter normalen Umständen war der Bahnhof sicher ein ebenso interessantes Denkmal wie die Grand Central Station in New York. Heute nahm niemand Notiz von der kunstvollen Architektur. Alle schienen nur ein Ziel zu haben: möglichst schnell aus der Stadt zu kommen.

Noah befahl Oscar, ihren gemeinsamen Koffer gut festzuhalten, und sah zu der Anzeigetafel. Sämtliche abfahrende Züge hatten Verspätung, die meisten mehrere Stunden. Eine Vielzahl war gestrichen.

Vor den Ticketschaltern formierten sich Menschen wie Mücken um eine Gartenlampe zu einem undurchsichtigen Schwarm. Überforderte Bahnangestellte schrien auf die Wartenden ein und versuchten vergeblich, sie davon zu überzeugen, sich in Schlangen aufzureihen. Niemand wollte ihnen zuhören. Niemand *konnte* ihnen zuhören, denn zu allem Überfluss machte ein Pulk von Demonstranten mit Trommeln und Kuhglockengeläut jegliche Kommunikation unmöglich. Mit ihrem Lärm heizten die überwiegend jungen Leute, die im Gegensatz zu den meisten Reisenden keinen Mundschutz trugen, die vorherrschende Hysterie nur noch weiter an. Eine Hysterie, die sie paradoxerweise laut den Schriftzügen ihrer Banner zu bekämpfen versuchten. Noah, dem Niederländisch nicht so geläufig schien, konnte nur zwei der skandierten Parolen erahnen:

Das Virus existiert nicht!
Stoppt die Pharma-Lüge!!!

»Wollen wir's hoffen«, brüllte ihm Oscar ins Ohr. »Für uns und für den armen Kerl eben im Zug.«

Sie hatten noch nicht darüber geredet, aber beiden war die mögliche Bedeutung des plötzlich und unvermittelt auftretenden Nasenblutens sehr wohl bewusst. Das Wort »Ansteckungsgefahr« hatte in dem Schweigen, in das sie bis zum Verlassen des Zuges verfallen waren, unausgesprochen in der Luft gelegen.

Der Demonstrationszug änderte seine Route. An seinem äußeren Ende schlurfte eine junge Frau mit rotgefärbten Rastazöpfen und einer Trillerpfeife im Mund nur wenige Schritte entfernt an Noah vorbei. Als sie auf seiner Höhe war, griff er nach dem Ärmel ihres Anoraks.

»Hey«, brüllte sie, musste aber ohnehin stehen bleiben, da der Demonstrationszug wegen der kaum mehr zu bewältigenden Überfüllung ins Stocken gekommen war.

Noah entschuldigte sich und fragte auf Englisch: »Was ist hier los?«

Die Frau sah ihn an, als wäre er ein Außerirdischer. »Hören Sie keine Nachrichten?«

»Wir waren über sechs Stunden im Zug.«

»Wären Sie mal besser dringeblieben. Schiphol wurde dichtgemacht.«

»Der Flughafen?«

Sie strich sich einige ihrer Filzlocken aus der Stirn. »Eine asiatische Reisegruppe wurde mit angeblich schwersten Symptomen bei der Einreise aufgegriffen. Sie wurden sofort festgesetzt, aber einer der Koreaner ist laut Reiseleitung nie auf der Krankenstation eingetroffen. Nun hat die Regierung das Gerücht gestreut, ihm wäre es gelungen, den Flughafen zu verlassen, bevor die Quarantäne vollständig gegriffen hat. Grund genug für die größte Volksverdummungszeitung, die wir haben, den Notstand auszurufen und den Menschen die Flucht aufs Land zu empfehlen.«

»Verstehe.«

»Alles Lüge«, brüllte die Demonstrantin weiter gegen die Umgebungsgeräusche an. Ihre Stimme war schon heiser vom Schreien. »Wie nach dem 11. September. Sie brauchen die Angst, um uns zu kontrollieren. Schauen Sie selbst.«

Die Frau zeigte auf eine mundschutzbewehrte Mutter, die einen Zwillingskinderwagen wie einen Rammbock benutzte, um sich ohne Rücksicht auf Verluste ihren Weg zu den Absperrungen zu bahnen. Er verstand, was sie ihm sagen wollte. Von den Menschen hier wollte keiner abwarten, bis ein Koreaner in der Innenstadt zusammenbrach. Sie hatten Angst vor der Seuche, und da der Flughafen geschlossen war, strömten sie zu den Bahnhöfen, um aus der Stadt zu kommen. Noah wollte sich gar nicht erst vorstellen, wie es auf den Autobahnen und am Hafen aussah.

Ist die kritische Masse erst einmal in Bewegung, ist die Kettenreaktion nicht mehr zu stoppen, meldete sich die altersweise Stimme wieder in seinem Kopf.

Noah sah der Demonstrantin hinterher, die sich mittlerweile wieder mit den anderen Demonstranten exakt in die Richtung bewegte, in der sich laut den Hinweisschildern über ihren Köpfen auch der mit der Erpresserin vereinbarte Treffpunkt befand: die Toiletten am Kopfende der Halle.

Er war unschlüssig, ob das Chaos ihm nutzte oder eher schadete. Noah hatte geplant, sich in die Höhle des Löwen zu begeben, um die Chance zu nutzen, von der Erpresserin etwas über seine Vergangenheit und damit über seine wahre Identität zu erfahren, und jetzt bot ihm die unübersichtliche Lage eine gute Gelegenheit, sich dem Einsatzort möglichst unbemerkt zu nähern. Andererseits konnte er das Gelände nicht auskundschaften, um sich in Ruhe einen Überblick zu verschaffen und eine mögliche Exit-Strategie zurechtzulegen.

»Was ist der Plan?«, fragte Oscar, der gespürt haben musste, welche Gedanken Noah umtrieben.

»Flucht nach vorn«, wollte er gerade antworten, doch ein ungewöhnlich lauter Signalton aus den Lautsprechern unter der Hallendecke schnitt ihm das Wort ab. Die meisten in der Menge hielten nicht einmal für einen Moment inne. Und selbst die, die kurz aufgemerkt hatten, verloren rasch das Interesse, als sie merkten, dass die englische Durchsage nicht für sie bestimmt war:

»Die Mutter des kleinen Noah aus Berlin wird gebeten, ihr Mobiltelefon anzuschalten. Ich wiederhole …«

Oscar und Noah sahen sich an. Langsam, als wollte er einem Gegner seine Waffe übergeben, zog Noah das Satellitentelefon aus seiner Jackentasche hervor.

Kaum hatte er es aktiviert, begann es auch schon zu klingeln.

»Na endlich«, sagte eine Frau. Unverkennbar die Stimme, die mit dem Tode der Journalistin Celine Henderson gedroht hatte, sollte er sich nicht stellen.

»Wo stecken Sie?«, fragte Noah.

»Direkt hinter Ihnen«, antwortete die Stimme – nicht mehr über das Telefon.

7. Kapitel

In dem Gedränge nahm niemand von dem merkwürdigen Gespann Notiz, das sich spannungsgeladen gegenüberstand. Dicht an dicht, wie vor dem Bartresen einer hoffnungslos überfüllten Diskothek.

Sie waren zu viert. Oscar, Noah, die Erpresserin und ein bewaffneter Helfer mit gezogener Pistole; ein etwa fünfundzwanzig Jahre alter hochgewachsener Mann, der Noah an den jungen Elvis Presley erinnerte: dunkle Haare, braune Augen, breite Koteletten und eine komplett bartlose, feminine Gesichtshaut. Nicht die Visage, die man mit der Sorte Killer assoziierte, die jeden falschen Schritt mit einem Schuss in die Wirbelsäule bestrafte.

Aber hat Ted Bundy nicht auch wie ein Showmaster ausgesehen?

Die Menschen, die an ihnen vorbeiströmten, waren mit sich selbst beschäftigt. Alle starrten stur geradeaus oder nach oben zur Anzeigetafel. Wenn doch jemand in ihre Richtung sah, bemerkte er ein eng umschlungenes Liebespaar. Eine außergewöhnlich attraktive Frau, die ihre Hände nicht von dem muskulösen Körperbau ihres hochgewachsenen Liebhabers lassen konnte – zumindest nicht so lange, bis sie Noah entwaffnet hatte.

»Lassen Sie den Koffer einfach stehen«, befahl die Frau, nachdem sie ihm Pistole, Handy, Bargeld und Pässe abgenommen und ihrem Begleiter weitergereicht hatte. Oscar war ebenfalls abgetastet worden, wenn auch deutlich flüchtiger.

»Wohin?«, fragte Noah und musterte seine Gegenspielerin. Ihre hüftlange Daunenjacke, deren silberne Polyesteroberfläche wie Bonbonpapier glänzte, war das einzig winterliche Kleidungsstück an ihr. Ansonsten war sie mit ihren hochhackigen Schuhen komplett unpassend gekleidet, sowohl für die Jahreszeit als auch für eine Entführung. Ihr eng anliegender Bleistiftrock war zerknittert wie nach einer langen Reise. Wenn sie müde war, hatte sie die sichtbaren Anzeichen perfekt weggeschminkt.

»Das werden Sie schon sehen.«

Noah sah, wie Elvis seine Waffe nun auf Oscar ausrichtete und ihm unmissverständlich signalisierte, in Richtung Ausgang zu gehen, doch Noah hielt seinen Begleiter davon ab, sich in Bewegung zu setzen.

»Wo ist Celine?«, fragte er.

Die Frau lachte auf. Kaugummiatem wehte Noah ins Gesicht. Sie standen sich so nah, als wollten sie einander küssen.

»Sie sorgen sich um jemanden, den Sie gar nicht persönlich kennen?«

»Nein.«

Es ging ihm nicht um Celine. Vorhin, während des Telefonats, hatte er nicht nur aus einer emotionalen Schwäche heraus verlangt, die schwangere Reporterin in Amsterdam zu treffen. Sie war sein psychologischer Lackmustest. Hielt sein anonymer Gegner sich an die Abmachung? Oder war Celine schon nicht mehr am Leben? Die Antwort auf diese Fragen würde Noah zeigen, mit welcher Art von Feind er es zu tun hatte. War dieser bereit, einen Deal einzugehen, um an die Informationen zu gelangen, die er benötigte? Dann gab es Verhandlungsspielraum. Oder vertraute sein Gegner schlicht auf die Übermacht physischer Gewalt? Dann durfte Noah keine Zeit verlieren, um ihn bei der nächstbesten Gelegenheit auszuschalten.

Natürlich war nicht auszuschließen, dass Celine mit dieser Frau unter einer Decke steckte und sein Gespür ihn getrogen hatte. Aber so suspekt wie ihm der Mann im Speisewagen erschienen war, so sicher war er sich, dass von Celine keine Gefahr ausging – im Gegensatz zu dem aufgetakelten Püppchen und ihrem schießbereiten Schergen unmittelbar vor ihm.

»Mrs. Henderson ist bei uns«, sagte die Frau schließlich, als ihr klar geworden war, dass Noah sich ohne diese Auskunft keinen Zentimeter vom Fleck bewegen würde.

Die Demonstranten hatten mittlerweile einen Sprechchor angestimmt, immer mehr Menschen erzeugten einen immer größeren Krach.

»Sie wartet an einem sicheren Ort auf Sie.«

»Ich will sie sprechen.«

»Das habe ich mir gedacht.«

Die Frau griff in ihre Jacke und hielt ihm wenig später ein Funktelefon vor das Gesicht. Ohne es aus der Hand zu geben, klopfte sie mit dem langen, perfekt manikürten Nagel ihres Daumens aufs Display. »Sagen Sie Hallo zu Celine, Mr. Noah.«

Die Qualität des übertragenen Bewegtbilds war nicht besser als das einer herkömmlichen Skype-Verbindung, dennoch erkannte Noah eindeutig die Frau, deren Foto ihm Oscar in seinem Versteck gezeigt hatte.

»Geht es Ihnen gut?«, fragte er Celine, die im Gegensatz zu ihrer Entführerin ungeschminkt und vollkommen übermüdet schien. Ihre Stirn glänzte, die Augen waren schmal, und ihre dunkelblonden Haare, die etwas kürzer geschnitten waren als auf dem Foto, klebten an leicht geröteten Wangen.

»Geht so. Ich lebe.«

Ihre Worte waren bei dem Lärm in der Bahnhofshalle nicht zu verstehen, aber Noah hatte sie von den Lippen ablesen können.

Alles klar.

Er hatte erfahren, was er wissen wollte, weswegen er nicht protestierte, als die Frau die Verbindung kappte.

Celine war noch am Leben. Sie wollen also mehr als meinen Tod.

Noah wusste, es gab nun keinen Zweifel mehr daran, dass er über ein geheimes Wissen verfügte, an das er sich selbst nicht mehr erinnerte. Ein Wissen, für das es sich zu töten lohnte. Für dessen Wiedererlangung Überseeflüge organisiert und ganze Privatarmeen in Gang gesetzt worden waren.

Aber was kann das nur sein? Und wie weit werden sie noch gehen, um es zu erfahren?

»Wenn ich bitten darf.«

Die Frau ging voraus. Ihr Scherge bildete die Nachhut.

Für die dreißig Meter bis zum Hauptausgang benötigten sie fast fünf Minuten. Noah spürte keine Waffe in seinem Rücken, woraus er schloss, dass der Killer ein Profi war. Wäre er ihm zu nahe gekommen, hätte Noah ihn mühelos entwaffnen können. Außerdem wussten seine Entführer, dass unter diesen Umständen eine Flucht beim besten Willen ein Ding der Unmöglichkeit war. Die ihnen entgegenströmenden Menschen bildeten eine natürliche Barriere.

Als sie es schließlich ins Freie geschafft hatten, war Noah komplett durchgeschwitzt, und seine Schussnarbe pochte vor Schmerzen.

Auch Oscar rang nach Luft. Es war etwas wärmer als in Berlin, dafür sorgte feiner Nieselregen für einen unangenehmen Sprühnebel. Vor dem Bahnhof lichtete sich die Menschenmasse, aber in der Zufahrtsstraße herrschte ein komplettes Verkehrschaos. Taxis, Busse und private Pkw stauten sich in ungeordneten Bahnen. Nichts bewegte sich mehr, selbst die Straßenbahnen waren auf ihrem Schienenbett eingekeilt.

In einiger Entfernung konnte man Polizeisirenen hören und Blaulichter sehen, die den trüben Winterhimmel zum Flackern brachten, aber auch für die Einsatzkräfte gab es anscheinend kein Durchkommen.

Und jetzt?

Noah drehte sich um, sah noch einmal zurück zu dem Haupteingang des Bahnhofs, der mit seinen beiden Uhrentürmen und der roten Backsteinarchitektur wie ein englisches Stadttor wirkte.

»Hier entlang.«

Sie folgten wieder der selbstsicher vorausgehenden Frau, den Schergen weiter im Rücken, und schlängelten sich durch die wartenden Autos über die Hauptstraße, bis sie auf der anderen Seite der Prins Hendrikkade angelangt waren. Bauzäune säumten den Weg, dahinter stapelten sich stahlblaue Container. Auf mehrsprachig verfassten Schildern entschuldigte sich die Stadtverwaltung für die Unannehmlichkeiten wegen der Renovierungsmaßnahmen an der Metrolinie.

Wir bauen, damit Sie sich wohlfühlen!

Die Frau schob eine Metallgitterabsperrung zur Seite, und Noah und Oscar folgten ihr auf das schlammige Baugelände. Im Gegensatz zu der Hauptstraße herrschte auf dem eingezäunten Bereich gähnende Leere. Mit ihren High Heels hatte sie einige Mühe, ihr Tempo auf dem unebenen Boden zu halten, aber dafür, dass sie nahezu mit jedem Schritt einsank, hielt sie erstaunlich zielstrebig auf den aschgrauen Kastenlieferwagen zu, der neben einem Stapel schwarzer Kunststoffrohre parkte. Seine Fahrerkabine schien verlassen.

»Du fährst«, sagte die Frau und warf ihrem Komplizen ein Schlüsselbund zu.

»Oh nein«, stöhnte Oscar, als die hinteren Flügeltüren von einem weiteren Helfer von innen geöffnet wurden.

»Was?«, fragte die Frau.

»Hier können wir nicht einsteigen.«

Ihr Blick wanderte zu Noah. »Hat er sie noch alle?«

Er zuckte mit den Achseln.

Sicher bin ich mir da auch nicht immer.

»Wo liegt dein Problem?«, fragte er Oscar, dessen Wangen wieder rotfleckig vor Nervosität geworden waren.

Sein Weggefährte zeigte zu einem Hinweisschild, das den Bauabschnitt VI markierte, in dem der Transporter parkte. »Wir kommen von Bahngleis F6.«

»Und?«

»F. Der sechste Buchstabe im Alphabet. Also sechs und sechs. Und hier ist Abschnitt VI. Die dritte Sechs. Macht zusammen: sechs, sechs, sechs. Unheilige Zahlen, verstehst du? Wir dürfen da nicht einsteigen. Das wird böse enden.«

Ach ja?

Noah kletterte über einen Metalltritt in den Kastenwagen, in dem es nach frischer Farbe und Verdünner roch. Zwei Aluminiumbänke standen sich parallel gegenüber, Ketten hingen von der Fahrzeugdecke herab. Der zweite Komplize, der die Türen von innen geöffnet hatte, forderte ihn mit einer Maschinenpistole im Anschlag unmissverständlich auf, sich selbst mit den am Ende der Ketten befestigten Handschellen zu fesseln.

Anders als Elvis war der Mann maskiert. Kleine, gelbstichige Augen funkelten ihn durch die Schlitze einer Skimaske an.

»Fassen Sie mich nicht an«, zischte Oscar draußen. Noah drehte sich zu ihm herum und sah, wie sein Begleiter versuchte, die Hand des bewaffneten Entführers abzuschütteln, der ihn in den Transporter drängen wollte. »Ich geh da nicht rein.«

»Nun hab dich nicht so!«, rief Noah und reichte ihm von oben die Hand, doch Oscar schüttelte den Kopf.

»Bis hierhin und nicht weiter, Noah. Ich mach das nicht mehr mit.«

»Erschieß den Clown«, sagte die Frau lakonisch. Elvis hob seine Waffe.

»Halt, nein. Warten Sie. Ich regle das.«

Noah wollte wieder aussteigen, wurde aber von dem Maskierten davon abgehalten. »Hiergeblieben, oder du fängst dir auch eine Kugel!«

Noah stöhnte vor Schmerz, als sich ein Finger in seine verletzte Schulter bohrte, dennoch bewegte er sich weiter Richtung Ausstieg.

»Scheiße, Oscar. Mach keinen Mist.«

»Das ist kein Mist, Noah. Überleg einfach mal, an welche Zahl dich der Buchstabe W erinnert. An eine römische VI, richtig?«

Elvis spannte seinen Hahn und drückte Oscar die Pistole direkt auf die Schläfe – mit der einzigen Folge, dass er jetzt noch schneller redete.

»Weshalb wohl beginnt jede Internetadresse mit www, hä?«

»Oscar, bitte …«

»Knall ihn ab.«

Ihre Stimmen überschlugen sich. Noah holte mit der flachen Hand aus, um Oscar, der jetzt in Reichweite stand, eine Ohrfeige zu verpassen.

»Also mit sechs, sechs, sechs. Soll das etwa ein Zufall …«

Drei Schüsse brachten Oscar zum Schweigen. Zwei in den Kopf und ein dritter, nach einer kurzen Feuerpause, direkt in den Magen. Etwas Warmes spritzte Noah ins Gesicht, und auch die Frau blieb nicht verschont. Ihre Daunenjacke war mit Blut besudelt.

»Was zum Teufel …?«

Die Entführerin stand mit offenem Mund da und starrte zu Noah hoch. Alles war so schnell gegangen, dass sie sich nicht erklären konnte, weshalb ihre beiden Komplizen auf einmal tot waren, während Noah mit einer Maschinenpistole von der Ladefläche des Transporters herab auf ihren Kopf zielte.

8. Kapitel

»Kennst du deinen Gegner, musst du den Ausgang Tausender Schlachten nicht fürchten.«

Der gesichtslose alte Mann mit der sonoren Stimme in seinem Kopf hatte sich wieder zurückgemeldet und Noah das gesagt, was er bereits wusste: *»Sie wollen dich nicht töten. Also gehst du kaum ein Risiko ein. Tu so, als ob du Oscar zur Vernunft bringen willst, täusche eine Ohrfeige an, greif dir eine der Ketten hinter dir, und zieh sie dem Maskenmann um den Hals, damit er sich im Reflex an die Kehle greift, was dir den Zugriff auf seine Maschinenpistole ermöglicht. Der Rest ist ein Kinderspiel.«*

Peng. Peng. *Zweimal in den Kopf von Elvis.* Und peng. *Eine in den seines maskierten Komplizen.*

Letzterer hing leblos mit dem Kopf in der Kettenschlinge, während Elvis' toter Körper in eine bizarre Position gefallen war. Es sah fast so aus, als wäre er vor Oscar auf die Knie gegangen und würde den Schlamm zu dessen Füßen küssen.

»War das jetzt wirklich nötig?«, fragte die Frau mit deutlich veränderter Stimme. Jetzt spielte sie nur noch die coole Amazone. In Wahrheit, das verrieten auch ihre schreckgeweiteten Pupillen, rief der unerwartete Rollentausch ein nur schwer zu kontrollierendes Angstgefühl in ihr hervor. Jetzt war *sie* es, die in das Halbdunkel des Transporters steigen und sich auf Noahs Anweisung die Ketten anlegen musste. Er überprüfte ihren sicheren Halt, dann drehte er sich zur Wagenspitze.

Eine mit blickdichter Plastikfolie abgeklebte Scheibe diente als Sichtbarriere zwischen dem Laderaum und der Fahrgastkabine. Noah schlug das Glas mit dem Lauf der Maschinenpistole ein und riss die Scheibe samt Gummidichtung aus der Fassung.

Dann richtete er das Wort an Oscar, der immer noch wie festgewachsen draußen im Nieselregen stand.

»Kannst du fahren?«

Sein Begleiter hob den Kopf und schien durch Noah hindurchzusehen. Oscars Blick war wieder so glasig wie auf der Taxifahrt, kurz nach ihrer Flucht aus dem Adlon.

»Traust du dir das zu?« Noah machte eine knappe Kopfbewegung in Richtung Lenkrad.

Verdammt, hat der überhaupt einen Führerschein?

Oscar beugte sich zu Elvis und löste ihm den Fahrzeugschlüssel aus der Hand. Er agierte wie in Trance, mit zeitlupenartigen Bewegungen. Noah trieb ihn nicht zur Eile. Wenn jemand die Schüsse gehört haben sollte, wäre er längst unterwegs. Viel wahrscheinlicher aber war, dass die Baustelle am Wochenende unbesetzt war, sonst hätten die Entführer sie nicht als Parkplatz gewählt. Und die Menschen in dem Chaos vor dem Bahnhof hatten gewiss andere Probleme, als sich um eine Fehlzündung Gedanken zu machen.

Während Oscar um den Kastenwagen schlurfte, stieg Noah wieder aus und zog Elvis' Leiche in den Transporter hinein. Hier durchsuchte er dessen Jackentaschen und nahm alles wieder an sich, was die Frau ihnen vorhin entwendet hatte: Geld, Pässe, Handy und beide Pistolen. Seine eigene und die des Entführers. Oscar hatten sie lediglich eine kleine, speckige Lederbrieftasche abgenommen. Noah steckte sie unter den schweigenden Blicken der Frau ein. Dann löste er den maskierten Komplizen aus den Ketten und kontrollierte sowohl bei ihm wie auch bei Elvis die Innenflächen der Hände.

Room 17.

Bei allen die gleiche Tätowierung.

Schloss sich hier der Kreis? Allerdings schien es ein Kreis des Irrsinns zu sein.

»Sechs, sechs, sechs. Ich hab gesagt, es wird böse enden«, hörte er Oscar beim Öffnen der Fahrertür sagen. Es klang, als führte er ein verzweifeltes Selbstgespräch.

Noah schob den Maskenmann unter die Bank, unter der er zuvor die Leiche von Elvis verstaut hatte. Nachdem er von innen die Flügeltüren verriegelt hatte, setzte er sich seiner angeketteten Entführerin gegenüber.

»Fahr!«, rief er Oscar zu, der, unverständliches Zeug flüsternd, hinter dem Lenkrad Platz genommen hatte. Mit seinem kurzen Oberkörper und dem riesigen, lockigen Schädel wirkte er wie ein Teddybär, der kaum über das Armaturenbrett reichte.

»Wohin?«, fragte Oscar und startete den Motor. Er klang mechanisch.

Typisch für Menschen, die unter Schock stehen.

Der Wagen erzitterte. Dieselgeruch mischte sich mit dem des Farbverdünners.

»Das sage ich dir gleich. Such erst einmal einen Ausgang von der Baustelle, aber nicht die Hauptausfahrt. Es muss eine geben, die vom Centraal Bahnhof weit abgelegen ist.«

Sonst hätten sie die Baustelle nicht zum Parkplatz ihres Fluchtfahrzeugs bestimmt. Mit mir im Stau zu stehen war sicher nicht der Plan.

Stotternd setzte sich der Transporter in Bewegung. Wegen der Unebenheiten des Schlammwegs schaukelte er wie eine Pferdekutsche. Die Stahlketten, an denen Noah und Oscar jetzt hätten hängen sollen, schlugen von innen gegen die nackte Fahrzeugwand.

»Nennen Sie mir das Ziel«, forderte Noah die Frau auf. Sie schien sich etwas gefangen zu haben, allerdings machte die erzwungene Körperhaltung es ihr schwer, gelassen zu wirken. Die Ketten waren so kurz, dass ihre darin gefesselten Hände neben ihrem Kopf hingen.

»Was wollen Sie tun, Rambo? Mich erschießen, wenn ich es Ihnen nicht sage?«

Die Sitzbänke in dem Transporter standen sich so dicht gegenüber, dass Noah sich nur leicht nach vorne beugen musste, um die Frau filzen zu können.

Ihr Körper unter der Daunenjacke fühlte sich knochig an. Die Brüste, die sie sich, ohne mit der Wimper zu zucken, abtasten ließ, waren unnatürlich fest und vermutlich chirurgisch vergrößert. Außer dem Handy, mit dem sie die Verbindung zu Celine hergestellt hatte, trug sie nichts bei sich. Keine Waffen. Keine persönlichen Gegenstände, die einen Rückschluss auf ihre Identität erlaubt hätten.

Noah griff sich die Maschinenpistole, die er für einen Moment auf der Bank abgelegt hatte, und setzte ihren Lauf direkt auf dem Knie der Frau an. »Wer sind Sie?«

»Celine nennt mich Amber, offenbar erinnere ich sie an eine ehemalige Schulfreundin. Sie können den Namen gerne benutzen, er ist so gut wie jeder andere.«

Der Wagen wurde langsamer. Noah blickte nach vorne und sah, dass der unbefestigte Weg an einer Baugrube vorbeiführte.

»Also schön. Wenn Sie auch meine nächste Frage so unzureichend beantworten, *Amber*, werde ich Ihnen ins Knie schießen.«

»Was wollen Sie denn wissen?«

»Fangen wir an: Für wen arbeiten Sie? Die Bilderberger? Room 17?«

Interesse flackerte in ihrem Blick auf. »Ist es das, woran Sie sich erinnern?«

»Oscar hat mir davon erzählt.«

»Dann darf ich es nicht kommentieren.«

Noah schoss.

Nicht ins Knie. Das hätte ihm kaum noch Steigerungsmöglichkeiten für die Folter gelassen. Vorerst hatte er sich damit begnügt, Amber durch den Stöckelschuh hindurch den kleinen Zeh zu zertrümmern.

Minimale Einwirkung. Maximaler Effekt.

Ambers Augen drohten aus ihren Höhlen zu springen, als der Schmerz wie eine Säurewelle durch ihren Körper spülte. Sie schrie. Genauso wie Oscar, der dabei in die Bremse stieg, während Amber sich in den Ketten aufbäumte. Und jämmerlich brüllte.

»Was hast du getan?«, rief Oscar erschüttert. In seinem Blick lag etwas weitaus Schwergewichtigeres als pures Entsetzen: Abscheu.

Ich habe keine Zeit verloren.

»Fahr weiter!«, brüllte Noah zurück. Er musste selbst schreien, weil er anders das waidwunde Gejaule von Amber nicht hätte übertönen können, das noch lauter wurde, als er ihr den Schuh abstreifte.

»Wie konntest du nur …?«

Auf eine Frau schießen, die vor drei Minuten noch deinen Tod befohlen hat?

Noah ging nicht auf Oscars Vorwürfe ein. Er musste sich voll und ganz auf das Objekt der Befragung konzentrieren.

»Also, noch mal von vorne«, sagte er, als Ambers Schmerzensschreie in ein albtraumhaftes, ersticktes Wimmern übergegangen waren. »Für wen arbeiten Sie?«

»Dasch, dasch …« Ihr Mund hatte sich mit Speichel gefüllt, die S-Laute zischten beim Sprechen. »Isch kann esch nicht schagen.«

Die Qualen, die sie litt, verzerrten ihr schönes Gesicht zu einer hässlichen Fratze. Schweiß trat ihr auf die Stirn. Offenbar traute sie sich nicht, den verletzten Fuß abzustellen, nicht einmal mit dem Hacken. Blut rann von ihm auf den Blechboden des Kastenwagens.

»Nun fahr endlich weiter«, brüllte er Oscar an, der schließlich gehorchte, wenn auch nur unter Protest.

»Du bist verrückt. Du bist komplett verrückt geworden.«

Sagt mir der Mann, der in einem U-Bahn-Tunnel lebt.

Immerhin schien der Schuss den Schleier der Trance zerrissen zu haben, in den Oscar bis eben noch gehüllt gewesen war. Seine Haltung war nicht mehr gleichgültig, seine Stimme nicht länger emotionslos. Ganz im Gegenteil: Er war wütend, was sich auf seinen Fahrstil übertrug. Der Wagen schaukelte noch mehr wegen der jetzt deutlich höheren Geschwindigkeit.

»Und ich muss auch verrückt geworden sein!«

Noah drehte sich zu Amber, hob den Zeigefinger und führte ihn gefährlich nah an ihren nicht mehr vorhandenen kleinen Zeh.

»Nischt!«, schrie sie und versuchte das Bein zurückzuziehen.

»Dann sagen Sie mir, wer ich bin und was Sie von mir wollen.«

Noah ließ den Finger drohend in der Luft hängen.

»Dasch …« Sie schluckte, dann sprach sie wieder verständlicher, wenn auch unter schwerem Atem: »Dasch geht scho nicht.«

»Weshalb?«

»Weil Schie …, weil Sie Ihr episodisches Langzeitgedächtnis verloren haben.«

»Was soll das heißen?«

Sie schluckte erneut, dann wischte sie sich mit dem Handrücken den Schweiß ab. Ihr Fuß schwebte weiterhin in der Luft.

»Ihr Faktenwissen ist intakt, richtig? Auch der prozedurale Bereich, also der Sektor in Ihrem Gehirn, in dem komplexe Verhaltensmuster abgespeichert sind.«

Zum Beispiel wie man tötet? Foltert? Quält?

»Nur in Ihre persönliche Vergangenheit …«, sie hustete und musste ihre Ausführungen kurz unterbrechen, »… können Sie nicht mehr zurückreisen. Wir sind der Meinung …«

»Wer ist wir?«

Sie schloss die Augen, versuchte, ihre Atmung zu kontrollieren, als eine weitere Schmerzwelle sie zu durchlaufen schien.

»Darauf will ich doch hinaus. Ich darf Ihnen nicht sagen, wer wir oder wer Sie sind, weil Sie darauf von alleine kommen müssen.«

Noah berührte ihren Zehenstumpf. Nur sanft, aber bereits das bewirkte eine Reaktion, als hätte er einem gesunden Menschen einen Fußnagel herausgedreht.

»Nääähhhh …« Sie hechelte wie ein Hund. Riss an den Ketten. Keuchte Unverständliches. Noah sah wieder nach vorne, entdeckte einen grünen Pfeil an einem Schild, der an ein Exit-Symbol erinnerte, und wies Oscar an, diese Richtung einzuschlagen.

»Also, noch einmal von vorne«, setzte er an, als Amber wieder in der Lage schien, halbwegs verständliche Worte zu sprechen. »Sie sagen mir jetzt alles, was ich wissen will.«

»Nein«, stöhnte sie.

»Nein?«

Diesmal näherte er sich mit der Spitze der Maschinenpistole dem Schmerzradius ihres zertrümmerten Zehs.

»Hören Sie, bitte. Jede Information, die ich Ihnen gebe, blockiert die eigene Denkarbeit. Sie müssen sich von ganz alleine erinnern.« Amber spie die Sätze förmlich aus. Spucke traf ihn im Gesicht wie vorhin das Blut der beiden Killer.

»Woran?«

Zu seinem Erstaunen gab sie sogar eine Antwort, wenn auch keine zufriedenstellende: »An Informationen, die wir sehr schnell und sehr dringend benötigen.«

»Geht es um ein Video?«

Wieder das Flackern in ihrem Blick. »Haben Sie das von Oscar?«

»Ich habe davon geträumt«, gab er zu.

Willst du aufrichtige Informationen, musst du selbst ehrlich sein.

Für einen unwirklichen Moment fragte er sich, ob Amber auch die Stimme in seinem Kopf hören konnte. Aus irgendeinem Grund versuchte sie zu lächeln.

»Gut, sehr gut«, sagte sie, weiterhin schwer keuchend. »Dann scheint es mit dem Triggern ja doch zu funktionieren.«

Sie musste Noah nicht erklären, wovon sie sprach. Die Suite, der Koffer, die Pässe, die Zugreservierung – sie hatten ihm Häppchen aus seiner Vergangenheit zugeworfen in der Hoffnung, damit Erinnerungen aus dem verschütteten Steinbruch seines Gedächtnisses zu lösen.

»Und was hatten Sie vor?«

Wenn Elvis noch atmen und der Maskenmann noch blinzeln könnte? Wenn ich an deiner Stelle wäre?

»Es gab einen genauen Ablaufplan für den Fall, dass Sie wieder auftauchen«, sagte sie mit schwerer Zunge. »Schritt eins war, Sie unbemerkt aus der Stadt zu lotsen, bevor Sie getötet werden.«

Noah wurde durch eine Bodenwelle, über die Oscar fuhr, aus dem Sitz gehoben. Auch Amber konnte ihr Gleichgewicht nicht halten und senkte versehentlich den Fuß. Sie schrie so laut auf, dass Oscar sich beim Fahren umdrehte.

»Gut. Schritt eins war erfolgreich, ich bin in Amsterdam. Wie lautet Schritt zwei Ihres Plans?«, setzte Noah das Verhör fort.

»Wir sollten Sie in einen Bungalow bringen«, antwortete sie ihm stöhnend. »Im Wald.«

»Damit ich mich dort an irgendetwas erinnere?«

»Keine Ahnung.« Amber schluckte, fuhr sich wieder über die Stirn und verteilte den Schweißdunst. Noah erkannte einen kleinen Pickel am Haaransatz, der erste Makel an ihrem Körper, wenn man von dem zerschossenen Zeh einmal absah.

»Ich bin in viele, aber nicht in sämtliche Vorgänge eingeweiht.

Ich weiß nicht, was genau dort geschehen soll. Der genaue Zielort wurde uns erst nach unserer Landung mitgeteilt.«

Der Zielort.

Noah kratzte sich nachdenklich den Haaransatz am Nacken und betrachtete die Maschinenpistole in seiner rechten Hand.

Fünf Tote. Eine entführte Journalistin. Verschleppt in einem kurzfristig organisierten Nacht-und-Nebel-Flug aus den USA über den Atlantik.

»Es muss eine irrsinnig wichtige Information sein, gemessen an dem Aufwand, den Sie betreiben.«

Amber kniff die Augen zusammen, aber diesmal nicht vor Schmerz. »Sie haben ja keine Vorstellung«, sagte sie.

Noah nickte. »Genau das ist mein Problem.«

Ich habe keine Vorstellung. Überhaupt keine.

»Wo genau liegt dieses Haus?«

Amber sah ihm stumm in die Augen.

Er tat so, als wollte er ihrem blutenden Zehenstumpf einen weiteren Stups geben, doch das war nicht mehr nötig.

»Schon gut, schon gut«, rief sie. »Am Radio ist seitlich ein Knopf. Links außen. Er ist mit NAV beschriftet.«

»Das Navigationssystem?«

»Ja.«

Amber sprach so laut, dass auch Oscar sie hören konnte. »Schalten Sie das Navi ein. Das Ziel ist eingespeichert.«

9. Kapitel

Halsschmerzen.

Waren sie Einbildung oder real? Altmann war sich nicht sicher. In den letzten Jahren war er morgens immer öfter mit Symptomen aufgewacht, die sich hin und wieder als Vorboten einer Erkältung entpuppten, meist aber als harmlose Begleiterscheinung des Älterwerdens. Wie der mit fortschreitendem Alter stärker werdende Mundgeruch am Morgen.

Nur, dass ich leider nicht in meinem Bett liege.

Altmann streckte dem Toilettenspiegel die Zunge heraus. Sie war belegt, aber war sie das nicht immer?

»Wo sind Sie jetzt?«, fragte die Stimme in seinem Ohr.

Vermutlich am Arsch, aber das werde ich gleich genauer wissen.

Er öffnete sein Jackett. In der Maßanfertigung war eine geschickt versteckte Reißverschlusstasche untergebracht, die keine von außen sichtbaren Beulen warf, wenn sie gefüllt war.

»Ich bin auf dem Klo eines China-Restaurants, etwa fünfhundert Meter vom Bahnhof entfernt.«

Als Altmann beim Aussteigen aus dem Zug die Menschenmengen hinter den Absperrungen gesehen hatte, war er direkt über die Gleise nach Süden gelaufen, an den obligatorischen baufälligen Bahnhütten vorbei zu einer Waggonwaschanlage, hinter der er durch ein Loch im Maschendrahtzaun schlüpfte. Nach weiteren hundert Metern, die ihn über einen ausschließlich mit Neuwagen besetzten Großparkplatz führten, erreichte er eine Kopfsteinpflasterstraße mit Gebäuden, die nur Abrissbirnen verschönern konnten. Die meisten Läden und Restaurants waren geschlossen, selbst das 24-Stunden-Automatenkasino, obwohl solche Sammelstellen armer Schlucker normalerweise als

Letztes auf dem Friedhof der Rezession zu Grabe getragen wurden.

Bretter verrammelten die Fenster der Import-Export-Geschäfte, Mietshaustüren waren zu wilden Plakatwänden umfunktioniert. Graffiti sorgten für die einzigen Farbtupfer in dieser trostlosen Gegend, die so unbelebt war, dass ein Mann, der sich ein rotfleckiges Taschentuch vor Mund und Nase presste, hier keine Panik auslösen konnte.

»Ich bin allein«, ergänzte Altmann und zog einen schwarzen Stift aus der Tasche. Er war der einzige Gast im *Lee Wah*. Das ältere chinesische Ehepaar hinter dem Tresen hatte keine Miene verzogen, als er zehn Euro auf den Tisch legte, ein Bier bestellte und sich auf die Toilette verzog. Wenn, waren sie höchstens erstaunt gewesen, dass sich überhaupt jemand zu ihnen verirrt hatte.

»Fieber?«, fragte die Stimme.

»Bin gerade dabei.«

Altmanns Finger schwitzten, als er sich die Spitze des Stifts, der nur auf den ersten Blick wie ein Kugelschreiber wirkte, auf die Stirn setzte. Er mochte diese James-Bond-Spielerei nicht und hatte den HPX5, wie das Multifunktionsgerät offiziell hieß, erst dreimal benutzt. Neben einem Thermometer enthielt es einen Geigerzähler und eine HD-Kamera im Clipbügel.

Er wartete auf das Piepen.

»38,2 Grad«, teilte er der Einsatzleitung das Ergebnis mit.

»Erhöhte Temperatur«, sagte die Frau. »Muss nichts bedeuten.«

Ja. Muss nicht. Aber kann.

Er legte den Kopf in den Nacken, in einen Winkel, der es ihm gerade noch so erlaubte, die Innenfläche seiner Nasenlöcher zu begutachten. Die Flimmerhärchen waren rot verkrustet, aber immerhin schien kein frisches Blut nachzuschießen.

Vorhin, auf der Zugtoilette, hatte er den halben Papiervorrat aus dem Spender gerissen und gedacht, es würde gar nicht mehr aufhören.

»Wo ist meine nächste Anlaufstelle?«, fragte Altmann und schluckte. Das Kratzen im Hals war nicht besser geworden.

Wo kann ich mich testen lassen?

»Haben Sie Ihre Mittel genommen?«

Als Angehöriger des Staatsdienstes (wenn auch nur inoffiziell) war er als einer der Ersten mit ZetFlu versorgt worden.

»Natürlich«, bestätigte Altmann.

Und nicht nur die.

Er war nicht gerade ein Hypochonder, aber wenn es um Medikamente ging, stand er der Aussage »Viel hilft viel« näher als »Vertrau den Selbstheilungskräften deines Körpers«.

»Drei am Tag. Zwei Wochen lang.«

»Zweiundvierzig Tabletten?«, fragte die Frau. Sie klang irritiert.

»Ja.«

»Wir haben Ihnen doch nur achtundzwanzig zugeteilt?«

Das stimmte. Aber auf dem Beipackzettel hatte gestanden, man dürfe bis zu drei Tabletten am Tag zu den Mahlzeiten einnehmen. Seine offizielle Ration hätte nur für morgens und abends gereicht, weswegen er sich zusätzlich und auf eigene Kosten das ZetFlu-Originalpräparat von seinem Nachbarn aus Washington hatte besorgen lassen.

Viel hilft viel.

Derselbe Arzt, der ihm auf der Party mit der Darmspiegelung in den Ohren gelegen hatte.

Lieber Gott, ich schwöre, ich lass mir sofort von ihm in den Hintern leuchten, wenn das hier alles nur ein dummer Zufall ist.

Altmann erklärte der Stimme, wie er an die zusätzlichen Tabletten gelangt war.

»Soll das heißen, Sie sind mit Medikamenten in Berührung gekommen, die für die Normalbevölkerung gedacht waren?«

Normalbevölkerung?

Er schluckte. Sein Hals schmerzte eindeutig intensiver als noch zu Beginn ihrer Unterhaltung. »Gibt es da Unterschiede?«

Altmann erinnerte sich dunkel an den Skandal während des Ausbruchs der Schweinegrippe vor einigen Jahren, als herausgekommen war, dass hochrangige Politiker und Angehörige des Militärs einen qualitativ besseren Impfstoff erhalten hatten als der Rest der Bevölkerung. Damals ging es um das Trägermittel, das in der billigen Variante häufiger Allergien auslöste.

»Gibt es etwa schon wieder ein Mittel für Privat- und eins für Kassenpatienten?«, versuchte er zu witzeln.

»Beantworten Sie meine Frage, Adam. Haben Sie andere Tabletten genommen als die, die wir Ihnen gegeben haben?«

»Ja, aber ich verstehe nicht …«

Die Stimme der Frau verlor auch noch den letzten Hauch von Emotion. Als sie ihre letzten Sätze sprach, war es, als wehte ein eisiger Wind durch die Leitung. »In diesem Fall kann ich nichts mehr für Sie tun.«

»Bitte? Was soll das schon wieder heißen?«

»Sie sind jetzt auf sich allein gestellt. Leben Sie wohl, Adam.«

Es knackte in seinem Ohr, dann rauschte es kurz, und schließlich hörte er gar nichts mehr.

»Hallo? Hey, hören Sie mich?«

Nichts. Die Verbindung war abgerissen. Tot.

Altmann hörte nichts außer einem monotonen Tropfen.

Fassungslos starrte er in das Waschbecken, auf das er sich stützte.

Seine Nase hatte wieder angefangen zu bluten.

10. Kapitel

Unter anderen Umständen hätte Celine das Haus gemocht. Von dicht stehenden Eichen umgeben, schien es aus dem Holz gebaut, das der Wald zur Verfügung stellte.

Die Autofahrt von dem kleinen Privatflughafen, dessen Landebahn beim Anflug aus der Luft viel zu klein für ihren Jet gewirkt hatte, war schon nach zwanzig Minuten zu Ende gewesen.

Sie hatten sich nicht die Mühe gemacht, ihr die Augen zu verbinden. Sie hatte auch nicht im Kofferraum liegen müssen, sondern ganz normal auf der Rückbank der schwarzen Limousine Platz nehmen dürfen. Lediglich der Kabelbinder war wieder zum Einsatz gekommen, außerdem waren die Türen von innen verriegelt gewesen, damit sie nicht an den Kreuzungen im Ort oder später, als sie in den Waldweg abbogen, aus dem Auto hätte springen können.

Offenbar ging Amber nicht davon aus, dass sie jemals Gelegenheit dazu erhalten würde, irgendjemandem von dieser Entführung berichten zu können. Über das Stadium, sich darüber Sorgen zu machen, war Celine ohnehin schon lange hinaus.

Sie saß auf einem Sofa, die Hände im Schoß an den Handgelenken gefesselt, in dem Wohnzimmer eines einstöckigen Bungalows vor einem gemütlich flackernden Kamin. Hinter der geschlossenen Küche schien es weitere Räume zu geben, die zu betreten Amber ihrem Aufpasser strengstens untersagt hatte.

Celine hörte den Wind an den Schindeln rütteln. Sie meinte am Zuckeln der Flamme zu erkennen, dass es draußen wieder zu schneien begonnen hatte, sicher war sie sich aber nicht.

Undurchsichtige Plissees vor den Fensterscheiben versperrten ihr die Sicht zu einer majestätischen Tanne, die sie bei ihrer Ankunft in der Zufahrt gesehen hatte.

Der perfekte Weihnachtsbaum, hatte sie noch gedacht und sich wehmütig an das vergangene Fest erinnert; das erste, bei dem ihr Vater sich mit der Lichterkette auf dem Dach des Hauses von ihr hatte helfen lassen. Dabei schob er einen Hexenschuss vor, weil das in seinen Ohren besser klang, als zuzugeben, dass sein Rheuma ihn nicht mehr auf die Leiter lassen wollte.

Celine fragte sich, wer sich in diesem Augenblick um ihren Vater kümmerte, wenn seine Gliedmaßen durch das lange Sitzen auf den Metallstühlen im Flughafen kalt und taub werden würden, und ob er überhaupt seine Herztabletten bei sich hatte. Schließlich wollte er nur seinen Bruder abholen und hatte sich sicher nicht auf einen längeren Aufenthalt eingestellt.

»Wollen Sie was trinken?«, fragte ihr Bewacher nun schon zum zweiten Mal. Er war jung, nicht älter als zwanzig, schätzte Celine. Die Pistole, mit der er hin und wieder auf sie zielte, wirkte in seiner Hand wie eine Hantel. Viel zu schwer für den Knaben.

Knabe. Ja, das war das richtige Wort für den Grünschnabel, der ein eng anliegendes Hemd und eine Röhrenjeans trug und darin ein wenig verloren wirkte. Er war tätowiert – ein Armband in Form einer Stacheldrahtschlinge, einmal ums rechte Handgelenk herum –, aber es wirkte aufgesetzt und machte ihn noch mehr zum Möchtegern. Das Gleiche galt für seine mit Gel in Form gebrachten schwarzen Haare, die bis zu den Schläfen hochrasiert waren und von da in alle Himmelsrichtungen abstanden. Immerhin hatte er keine Pickel und keinen Oberlippenflaum, was zu seiner Gesamterscheinung gepasst hätte. Dafür roch er nach Schweiß wie ein pubertierender Teenager nach dem Schulsport.

»Wie alt bist du?«, fragte Celine und reckte die gefesselten Hände über ihrem Kopf in die Höhe. Sie war nicht müde. Alles, was sie wollte, war, dass der Knabe ihr auf die geschwollenen Brüste starrte, die sich in dieser Haltung noch besser durch ihre Bluse abzeichneten. »Bist du schon lange dabei?«

»Das geht Sie nichts an.«

Sie spürte, dass er sich darüber ärgerte, von ihr wie ein Grünschnabel ausgefragt zu werden. Gleichzeitig wusste er nicht, wie er den nötigen Respekt einfordern sollte, ohne sich damit lächerlich zu machen.

»Hast du schon viel Erfahrung?«, fragte sie doppeldeutig und spreizte die Beine. Sie trug keinen Rock, doch die Geste war eindeutig.

»Halten Sie Ihr Maul«, befahl der Knabe.

Celine registrierte zufrieden, dass sie ihn nervös machte, wie das Zucken in seinem Augenlid und die fahrigen Bewegungen bewiesen.

Und Nervös ist die kleine Schwester von Unvorsichtig.

Alles, was sie wollte, war, in die Reichweite seiner Waffe zu gelangen. Weiter reichte ihr Plan noch nicht.

»Ich hatte viel zu lange keinen Sex«, sagte sie aus einem Impuls heraus und schloss die Augen.

Das war zu schnell. Zu offensichtlich.

Die Pause zwischen ihnen, die nur durch das Knistern des Kamins gefüllt wurde, zog sich, und Celine war sich sicher, es vermasselt zu haben, als der Schweißgeruch auf einmal intensiver wurde.

Sie schlug die Augen wieder auf. Der Knabe war näher gekommen. Sie lächelte ihn an. Seine Unterlippe vibrierte beim Sprechen, als fröstele er.

»Sind Sie nicht schwanger?«, fragte er argwöhnisch.

Die Wahrheit war, dass sie ihr Pünktchen nicht mehr spürte, seitdem sie gelandet waren. Auch etwas, worüber sie nicht nachdenken wollte.

»Noch nie was von Hormonen gehört? Die explodieren gerade in meinem Körper. Kann eine Frau ganz wuschig machen.«

Celines Lächeln wurde zu einem lasziven Grinsen. »Hast du nicht gehört, was deine Chefin vorhin gesagt hat?«

»Ich hoffe, wir sind rechtzeitig zurück, bevor die Welt untergeht.« Mit diesen Worten hatte Amber gemeinsam mit den beiden Killern, die mit ihnen aus der Maschine gestiegen waren, den Waldbungalow verlassen und sie allein mit dem Knaben zurückgelassen.

Wie lange war das jetzt her? Vier Stunden? Hoffentlich ließen sie sich noch etwas mehr Zeit.

Sie zwinkerte ihm zu: »Meinst du nicht, wir sollten jede Minute unseres verbleibenden Lebens auskosten?«

Celine leckte sich die Lippen und grinste ihr laszivstes Grinsen. Noch nie zuvor hatte sie sich so billig gefühlt. Und so große Angst gehabt.

Begründete Angst.

Und doch schien es so, als ginge ihr der Knabe wirklich auf den Leim.

Es klappt, oh Gott. Er öffnet sein Hemd.

»Meinen Sie das ernst, Lady?«

Oh ja. Todernst sogar.

»Natürlich, Kleiner. Lass uns etwas Spaß haben. Muss ja niemand wissen, oder?«

Der Knabe zog einen Brustbeutel unter dem Hemd hervor.

»Okay, warte kurz«, sagte er. »Ich hab alles dabei.«

Kondome? Ist er wirklich so naiv? Vielleicht kann ich es ihm überstreifen und dabei …

Nein. Konnte sie nicht.

Denn es waren keine Verhütungsmittel, die er darin aufbewahrte. Sondern ein kleines Tütchen mit …

Oh Gott. Nein.

… einem weißen Pulver, dessen Inhalt er sich in die Mulde zwischen Daumen und Zeigefinger schüttete. Er hob die Hand zur Nase, nahm einen kräftigen Zug und: »Ahhhhh.«

Seine Augen verdrehten sich, sein ganzer Körper erzitterte. Er stampfte mit dem Fuß auf und rief wie von Sinnen: »Ja, ja. Mann, okay, ist das geil.« Bei jedem Wort stampfte er lauter. Dabei schlug er sich mit der Waffe in der Hand immer wieder auf den Oberschenkel und lachte. Schließlich hörte er abrupt damit auf.

Herr im Himmel.

Als er wieder zu Celine sah, war er ein anderer Mensch. Das Kokain oder was immer er sich durch die Nasenschleimhäute in die Blutbahn gejagt hatte, verwandelte ihn.

Wie das Mondlicht einen Werwolf.

»Also gut, du Schlampe. Wie du willst.«

Er baute sich grinsend vor ihr auf. Rotz hing aus seinem linken Nasenloch.

Celine wich zurück, sah zu dem Kaminbesteck, das viel zu weit von ihr entfernt stand. Rüttelte an ihren Handgelenken. Spürte das Blut, das aus den Einschnitten des Kabelbinders durch die Haut sickerte. Spürte ihre Angst.

»Wie hart hättest du's denn gerne?«

Oh Gott. Ich habe den Kettenhund von der Leine gelassen.

Sie hatte sich geirrt. Der Mann vor ihr war kein Knabe. Er war auch nicht unerfahren. Das, was sie fälschlicherweise als Nervosität und Unsicherheit interpretiert hatte, das Zittern und der Schweiß, waren in Wahrheit Entzugserscheinungen gewesen.

»Na, dann werd ich's dir mal besorgen, du Hure«, sagte er und zog grinsend die Nase hoch.

Der mit einem Mal um Jahre gealtert und brutal wirkende Schlägertyp öffnete seine Hose.

»Mit dir und der Missgeburt in deinem Bauch wird das mein erster Dreier in dieser Woche.«

11. Kapitel

Noah, Oscar und die Frau, die sie Amber nannten, waren mittlerweile seit knapp drei Stunden unterwegs. Unter normalen Umständen – also ohne Straßensperren, Staus und demonstrationsbedingte Umleitungen – hätten sie die Strecke in weniger als der Hälfte der Zeit geschafft. Aber allein Oscars Suche nach einer geeigneten Ausfahrt von der Großbaustelle hatte eine Viertelstunde in Anspruch genommen. Immerhin hatte der gelangweilte Pförtner nicht einmal von seinem Fernseher aufgesehen, als er aus seinem Baustellencontainer heraus blind die Schranken für ihren Transporter öffnete.

So waren sie ungehindert an dem Kopfende einer engen Sackgasse herausgekommen und hatten damit vermutlich den größten Stau rund um den Bahnhof umfahren.

Von hier an konnte das Navi wieder ein brauchbares Satellitensignal aufschnappen und wies ihnen den eingespeicherten Weg: zu dem kleinen Ort Oosterbeek. In eine Waldstraße ohne Hausnummer, etwas mehr als fünfundneunzig Kilometer südöstlich von Amsterdam gelegen.

»Ich wusste es!«, hatte Oscar triumphiert, als er das Ziel ihrer Reise von dem Bildschirm abgelesen hatte.

Oosterbeek. Der Bach des Ostens.

Seine Verschwörungstheorien hatten neue Nahrung erhalten – und zwar von einer Sorte, die Noah nur schwerlich als unausgegoren abtun konnte: Mächtige, einflussreiche und allem Anschein nach sehr vermögende Menschen waren hinter ihm her.

Die Bilderberger? Room 17?

Es ging anscheinend um ein Video, für das es sich zu töten lohnte.

Von einer Konferenz?

Aufgenommen von einem Virologen. Einem Wissenschaftler, in dessen Körper er angeblich steckte, ohne sich daran erinnern zu können.

Dafür aber an den Toten im Adlon.

Die Fahrt, während der Noah versucht hatte, seine Gedanken zu sortieren, war größtenteils über Autobahnen und relativ unspektakulär verlaufen. Aus dem fensterlosen Frachtraum heraus hatte er nicht viel von der Gegend, durch die sie bislang gefahren waren, sehen können. Wann immer er nach vorne geschaut hatte, schien sich die Landschaft vor dem Transporter nicht verändert zu haben: überall Schnee, Bäume, weite Felder.

Und Autos. Dicht an dicht.

Auch außerhalb Amsterdams waren die Straßen ungewöhnlich voll. Oscar hatte nie die Möglichkeit, die Höchstgeschwindigkeit zu überschreiten, teilweise konnte er selbst auf der Überholspur nur im Schritttempo kriechen, wobei er den Verkehr überraschend souverän meisterte.

Die Ratten verlassen die sinkende Stadt, dachte Noah und betrachtete Amber. Sie war vor Erschöpfung im Sitzen eingeschlafen. Ihr Kinn ruhte auf dem Brustbein, dünnflüssiger Sabber tropfte aus dem Mundwinkel in den Fellkragen ihrer Jacke.

Davor hatte er ihre Fesseln gelöst, um sie mit dem Verbandszeug aus dem Erste-Hilfe-Kasten (den Oscar nach längerer Suche unter seinem Fahrersitz gefunden hatte) besser versorgen zu können. Immerhin war der Blutverlust gestoppt, aber sie würde dringend eine professionelle Wundversorgung benötigen. Und eine Tonne Schmerzmittel, sobald sie wieder aufwachte, womit jeden Moment zu rechnen war.

Ihre Augenlider flatterten bereits, die Atmung wurde immer unregelmäßiger, und die linke Hand zuckte scheinbar im Takt zu dem Rhythmus eines Liedes, das gerade im Radio lief; irgendein unangemessen fröhlicher Schlager einer holländischen Band, der Noah auf die Nerven ging, aber es war schon schwierig gewesen, überhaupt einen Sender zu finden, auf dem nicht unentwegt geredet wurde. Die meisten unterbrachen ihr Programm alle zwei Minuten für Sondermeldungen und ratterten auf Niederländisch eine Eilmeldung nach der anderen herunter. Auch wenn Noah nur jedes dritte Wort verstand, war er sich sicher, dass sich die Reporter ständig wiederholten.

Manila. Grippe. Quarantäne. ZetFlu.

Am aktuellsten war wohl die Entwicklung über einen prognostizierten Medikamentenengpass. Angeblich gab es ein wirksames Gegenmittel, das jedoch erst ab morgen Mittag flächendeckend für die Versorgung der Bevölkerung zur Verfügung stand. Apotheken und Kliniken, die es bereits führten, mussten wahre Belagerungszustände infolge eines Ansturms besorgter Bürger aushalten. Der US-Präsident bereitete sich auf eine Ansprache an die Nation vor. Wenn Noah die Meldungen richtig verstanden hatte, war es mancherorts bereits zu Schlägereien und Tumulten gekommen. Ein Reporter hatte sogar das Wort »Bürgerkrieg« in den Mund genommen.

»Viele Menschen. Viel zu viele Menschen.«

Er schloss die Augen und fragte sich, weshalb sein Gedächtnis auf einmal wieder so gut funktionierte, wenn auch nur in Bezug auf die Sätze, die ihm Oscar vor wenigen Stunden in sein Hirn gepflanzt hatte. *»Ende der siebziger Jahre soll sich innerhalb der Bilderberger eine Splittergruppe gebildet haben, denen die Ansätze zur Lösung des Überbevölkerungsproblems nicht radikal genug waren.«*

War es denkbar, dass er Teil dieser Gruppe war?

Wollten sie mich deshalb nicht sofort töten? Weil ich einer von ihnen bin?

War seine Amnesie in Wahrheit keine Folge der Schussverletzung, sondern eine Nebenwirkung gefährlicher Stoffe, mit denen er experimentiert hatte? Hatte er Room 17, wenn es denn diese radikale Unterorganisation der Bilderberger wirklich gab, mit einer Biowaffe versorgt?

Und kann ich deshalb so gut kämpfen? Weil ich nicht nur ein Wissenschaftler, sondern ein Massenmörder bin?

Er spürte, wie Oscar in die Bremse trat, während er die Stimme seines Spiegelbilds aus dem Traum wieder hörte:

»Ich bin kein Mörder. Ich bin etwas sehr viel Schlimmeres. Für mich gibt es keinen Begriff.«

Noah schloss die Augen in der Hoffnung, die Stimmen in seinem Kopf zum Schweigen zu bringen, doch das Gegenteil trat ein: Die Erinnerungsfetzen stießen jetzt wie Rangierwaggons gegeneinander.

»Darf ich es behalten?« / »Man kann meine Taten nicht ungeschehen machen, dafür ist es zu spät.« / »... keine Zeit, um das Video zu verstecken ...« / »Rom. Amsterdam. Mombasa. Das ist die Rettung!«

»Noch fünf Minuten«, rief Oscar von vorne und gähnte. Noah riss die Augen auf und war wieder voll da.

Sein Mund war trocken, daher suchte er in seinen Taschen nach dem Stück Zucker, das er vorhin aus dem Speisewagen mitgenommen hatte, und stieß auf Oscars Brieftasche. Er zog sie hervor, um sie ihm nach vorne reichen zu können, dabei öffnete sie sich in der Mitte und gab den Blick auf die Kreditkartenschlitze frei.

Nichts.

Kein Ausweis, keine Papiere, keine Karten.

Wie nicht anders zu erwarten.

Auch das Bargeldfach war leer. Nur dort, wo üblicherweise die Scheine aufbewahrt wurden, stach die Ecke eines durchsichtigen Schutzumschlags hervor. Neugierig geworden, zog Noah den Umschlag heraus und betrachtete die stark abgegriffenen Fotos durch die Klarsichtfolie.

Der gleiche melancholische Gesichtsausdruck.

Noah erkannte die Frau sofort wieder. Es war ihr Gesicht, das Oscar in dem Amulett um seinen Hals trug. Ihr Porträt, das er jeden Abend vor dem Einschlafen küsste.

Er zog das größte Foto aus der Hülle, um zu sehen, ob ein Datum auf der Rückseite notiert war – und erstarrte.

Sein Blick wanderte zu Oscars Hinterkopf.

Was hat das zu bedeuten?

Noah wendete die Aufnahme. Und wieder, um noch einmal die Rückseite zu betrachten.

Das ist kein Foto.

Zumindest war es keines von Oscars Frau. Es sei denn, Manuela arbeitete als Fotomodell und nicht als Ärztin.

Er besah sich die Kanten der Aufnahme, und sein Verdacht wurde bestätigt. Das Hochglanzbild war sorgsam aus einem Versandhauskatalog ausgeschnitten. Nur so war die Werbung für Damenunterwäsche zu erklären, die die Rückseite zierte. Die Anzeige war nur zu einem Drittel lesbar, der Rest war der Schere zum Opfer gefallen.

Noahs Blick schnellte wieder nach vorne, dann überprüfte er rasch die anderen Bilder. Das gleiche Ergebnis. Zwei stammten aus Katalogen, eines war einer Illustrierten entnommen; vermutlich einer Frauenzeitschrift, wie ein angerissener Artikel über das perfekte Make-up im Frühling nahelegte.

Noah steckte das Portemonnaie wieder ein und griff nach seiner Waffe.

Wer bist du?, fragte er sich stumm, während Oscar den Wagen anhielt.

»Wir sind da«, hörte er ihn sagen. Sie standen in einer direkt von der Landstraße ausgehenden Zufahrt. Reifen hatten Spurrinnen in den Schnee gezogen. In fünfzig Meter Entfernung bog der schmale Weg, kaum breit genug für ihren Transporter, an einer hochgewachsenen Kiefer um die Ecke. Die letzte Strecke war nicht mehr eingezeichnet, die Zielfahne wehte bereits im Display. Noah vermutete, dass es hinter der Tanne nicht mehr weit bis zu dem Haus war, in dem laut Amber seine Erinnerungen auf ihn warten sollten.

»Und jetzt?«, fragte Oscar bei laufendem Motor.

Jetzt sollte ich dich ins Kreuzverhör nehmen, dachte Noah.

Er hatte einen Verdacht. War sich sogar ziemlich sicher, dass er richtiglag, beschloss aber, die Frage nach Oscars wahrer Identität für einen Moment hintanzustellen und sich erst einmal um Amber zu kümmern, die in diesen Sekunden wieder zu sich kam.

12. Kapitel

Plötzlich hörte es auf. Das Grunzen, der hechelnde Atem, das lüsterne Kichern. In dem Moment, in dem er ihr den Slip bis zu den Knien gezerrt und in den Schritt gegriffen hatte, war es vorbei. Nur der Schweißgeruch *(sein unerträglicher Gestank)* war immer noch da. Unverändert. Wie der Druck, der auf ihrem Körper lastete.

Celine lag auf dem Teppich vor dem Sofa (ihr Bewacher hatte sie an den Haaren von der Couch gezogen), die gefesselten Hände vor dem Busen verschränkt, genau unter der Brust des auf ihr liegenden Mannes. Der nicht mehr grunzte. Nicht mehr hechelte. Nicht kicherte.

Was ist los? Was hat er vor?

Seitdem er sich dieses Zeug durch die Nase gezogen hatte, war ihr Aufpasser wie von einem Dämon besessen gewesen. Er hatte ihr die Bluse zerrissen, sie betatscht, seinen Penis aus dem Reißverschluss geholt und in die Hand gespuckt. Erst war er wütend geworden, weil das Glied nicht steif werden wollte, dann hatte er wieder gelacht und eine blaue Pille aus seiner Hosentasche gefingert.

Viagra?

Celine kannte sich nicht aus, weder mit Drogen noch mit Potenzmitteln, und sie war auch viel zu sehr in Sorge um ihr Baby, um darüber nachzudenken. Seit Beginn der Schwangerschaft war ihr Unterleib viel mehr als nur ihr Intimbereich. Es war Pünktchens Reich. Die Vagina der Zugang. Die Vorstellung, jemand Fremdes würde gewaltsam dort unten eindringen, war an Abscheu und Ekel nicht zu überbieten.

Doch was hätte sie tun sollen, nachdem sie so dumm gewesen

war, die Büchse der Pandora zu öffnen? Wie hätte sie verhindern können, dass der Kerl die Beine auseinanderdrückte und seinen immer noch schlaffen Penis an ihrer Vulva rieb?

Die Pistole hatte er auf einem Stuhl abgelegt, zwei Schritte entfernt, und damit in einem für Celine nicht erreichbaren Universum. Sein knabenhaft dünner, fast schon androgyner Körper mochte nicht mehr als sechzig Kilogramm wiegen, aber dadurch, dass er auf einmal erschlafft war wie ein nasser Sack, erschien er ihr doppelt schwer.

Das ist eine Falle. Er stellt sich tot.

Ihre Angst lähmte sie. Sie wagte es nicht, sich zu bewegen. Wollte nichts sagen. Was auch? *»Hey, Sie? Wieso hören Sie auf, mich zu vergewaltigen?«*

Sie rechnete mit einem perfiden Plan. Oder einfach nur mit einer bösartigen Laune des Besessenen.

Sie rechnete nicht damit, Glück zu haben.

Denn Glück brauchen nur die Faulen, das ist doch dein Motto, nicht wahr, Papa?

Celine wandte den Kopf nach links und sah nichts als Haare.

Gegelte Dreckshaare.

Der Kopf ihres Aufpassers hing über ihrer rechten Schulter, sein Mund direkt an ihrem Hals, wie der eines Vampirs, der seinem Opfer in den Nacken beißen will.

Und sie spürte dort etwas Warmes. Etwas Feuchtes.

Sabber?

Übelkeit stieg in ihr auf, schlimmer als die nun schon vertraute Morgenübelkeit, weil sie durch den Schweißgeruch in ihrer Nase noch zusätzlich verstärkt wurde.

Celine wagte einen ersten zaghaften Versuch und drückte ihre zu Fäusten geballten Hände gegen den Brustkorb des Bewachers, immer in Erwartung, dessen perverse Lebensgeister wiederzuerwecken. Doch nichts geschah.

Ist es denn möglich, dass …?

Sie hatte schon mehrfach von Männern gehört, die beim Sex einen Herzinfarkt erlitten, aber dafür war der Knabe hier doch viel zu jung. Andererseits hatte er Drogen genommen. Koks und Viagra. *Oder Schlimmeres.*

Celine wollte ihr Glück nicht strapazieren, immerhin war es schon ein Vorteil, nicht länger die reibenden Bewegungen zwischen ihren Beinen spüren zu müssen. Allerdings lief ihr Sabber den Hals herab, und wegen des sandsackartigen *(toten?)* Gewichts auf ihrem Körper fühlte sie sich wie lebendig begraben.

Ist er bewusstlos?

Hoffnung breitete sich aus und mit ihr der Wille, sich endlich von dieser widerlichen Last zu befreien. Sie stemmte den Oberkörper des Mannes nach oben und drehte sich dabei unter ihm weg.

Sie hatte ihn schon ein gutes Stück bewegt, als ihr die Kräfte zu schwinden drohten, einfach weil der Ekel zu groß wurde: Sein schlaffer Kopf schwebte über ihrem, die halb geöffneten Lippen berührten ihre Stirn. Speichel tropfte ihr aufs Gesicht. Doch dann gab sie sich einen Ruck und stemmte das Gewicht *(das tote Gewicht, bitte, lieber Gott, lass ihn tot sein)* mit aller Gewalt von sich, so lange, bis der Körper zur Seite kippte. Es gab einen dumpfen Schlag, als der Hinterkopf des Mannes auf dem Boden aufkam, so als wäre ein Buch aus einem Regal gefallen, dann war sie befreit.

Keuchend rang Celine nach Luft. Erst jetzt bemerkte sie, dass sie vor Anstrengung nicht geatmet hatte. Wegen des Sauerstoffmangels rauschte es in ihren Ohren, so laut, dass sie das Knistern des Kamins nicht mehr hören konnte.

Aber der Geruch war noch da. Himmel, wieso muss ich den Schweiß immer noch riechen?

Sie stützte sich auf, drehte sich zu dem Mann, der sie um ein Haar vergewaltigt hätte, und der Anblick seiner starr aufgerissenen, nicht blinzelnden Augen trieb sie in die Flucht. Hatte sie zuvor noch kurz überlegt, ihm den Puls zu fühlen, wollte sie jetzt einfach nur weg. Weg von ihm.

Sie versuchte aufzustehen, aber die Erschöpfung hielt sie am Boden, mit den Knien und Händen auf dem Teppich abgestützt.

Im Vierfüßlerstand. Sie erinnerte sich an eine Bildunterschrift zum Thema Gebärpositionen in einem ihrer Schwangerschaftsbücher. Allerdings war sie weit davon entfernt, in dieser Haltung *(mit gefesselten Handgelenken!)* Leben in die Welt zu setzen. Eher im Gegenteil. Sie hatte keine Zweifel, wenn sie nicht schnell genug beim Stuhl war *(an der Pistole!)*, würde sie ein Leben verlieren.

Ihr eigenes.

Celine krabbelte durch das Wohnzimmer mit dem Rücken zum Eingang, dem Stuhl entgegen, und rechnete fest damit, zu spät zu kommen. Nicht schnell genug die Finger um den Griff schließen zu können. Ins Leere zu greifen, weil der Vergewaltiger wieder zu sich und ihr zuvorgekommen war. Umso befreiender war das Gefühl, als die Waffe plötzlich in ihrer Hand lag. Schwer. Kalt. Und furchteinflößend. Wie die Atemgeräusche hinter ihr.

Sie wirbelte herum und schrie.

Ich hab es gewusst. Mein Gott. Ich hab es doch gewusst.

Er war nicht tot. Nur eingeschlafen. Kurz eingeschlafen.

Viel zu kurz.

Jetzt war er wieder wach, wenn auch noch leicht benommen.

»Wasch …?«

Celine krümmte den Finger.

Mit unerwarteter Geschwindigkeit klärten sich die Sinne ihres Bewachers. Er sprang auf.

Celine kniff ein Auge zusammen. Biss sich auf die Lippe. Sah das wutverzerrte, sabberverschmierte Gesicht näher kommen. Sah, wie sich die Eingangstür öffnete.

Und schoss.

In letzter Sekunde.

Daneben.

Sie hatte noch nie eine Waffe abgefeuert. Noch nie die brachiale Gewalt des Rückstoßes erlebt. Noch nie einen Menschen getötet.

Er konnte in Celines Augen sehen, dass es ihr erstes Mal war.

Bereits in der Sekunde, in der sie den Finger gekrümmt hatte, wünschte sie sich, es ungeschehen machen zu können. Er konnte es spüren. Es schmecken. Riechen.

Der Geruch der Verzweiflung hatte die gleiche Grundnote wie die Angst: ein bitterer Duft, der die Nasengänge verklebte. Er durchdrang selbst den scharfen Gestank, der nach dem Abfeuern der Schusswaffe im Zimmer hing.

Celines Blicke suchten einen Anker im Raum. Am liebsten, auch das konnte er erkennen, wollte sie die Zeit anhalten. Wollte ihr ganzes Leben wie einen alten Videofilm zurückspulen und die Kassette noch einmal von vorne laufen lassen in der Hoffnung, in der Wiederholung einen besseren Film zu sehen. Einen, in dem sie nicht verriss. Einen, in dem sie wie geplant ihrem Vergewaltiger den Kopf wegschoss.

Und nicht Amber.

Noah hatte sie gezwungen vorzugehen. Trotz ihres kaputten Fußes. Als Schutzschild.

Die Entführerin starb stumm. Mit geschlossenen Lippen, ohne ein Stöhnen, ohne ein Wimmern.

Genauso wie der halbnackte Aufpasser, dem Noah eine Kugel ins Gehirn jagte, als dieser die Waffe, die Celine Henderson aus der Hand gefallen war, vom Boden klauben wollte.

14. Kapitel

»Ich halte das nicht mehr aus!«

Oscars Kopf schien zu platzen. Dunkelrot angelaufen, die Wangen aufgebläht, beide Hände an die Schläfen gepresst, spießte er Noah mit den Augen auf. Er stand in der offenen Tür. Feuchtkalte Luft drängte an ihm vorbei in den Bungalow hinein.

»Das mach ich nicht mehr mit. Ich kann nicht mehr.«

»Du solltest draußen warten«, entgegnete Noah, nachdem er sich vergewissert hatte, dass sowohl Amber als auch der Wachmann wirklich tot waren.

»Oh, tut mir leid, dass dich meine Anwesenheit beim Töten stört.«

Oscar stand an der Schwelle zur Hysterie. Noah hatte sich schon gefragt, wann die Erlebnisse der letzten Stunden ihren Tribut fordern würden. Jetzt war es so weit. Ein falsches Wort, nur noch ein kleiner Schubs, ein Schritt weiter in Richtung Abgrund, und sein Begleiter würde in ein seelisches Loch stürzen.

»Scheiße, so geht das doch nicht weiter. Das ist jetzt …« Oscar nahm wie ein Erstklässler seine Finger beim Abzählen zu Hilfe. »… die erste, zweite … Mann, die *siebente* Leiche. Verdammt, ich verlier langsam den Überblick.« Er lachte, wie nur ein Mensch lacht, der seine Gefühle nicht mehr unter Kontrolle hat.

»Still!«, herrschte Noah ihn an. Am liebsten wäre er zu ihm zurückgegangen und hätte ihm eine Ohrfeige verpasst, aber jetzt gab es Wichtigeres zu tun. Celine hatte Vorrang. Sie kauerte auf dem Boden, ihr Gesicht hinter den gefesselten Händen versteckt. Mit erhobenen Armen, zum Zeichen, dass er keine Waffe mehr hielt (die Maschinenpistole hatte er auf dem Küchentresen abgelegt, die Pistole, die er Elvis abgenommen hatte, und die Waffe, die er seit dem Adlon bei sich führte, beulten seine Jackentaschen aus), näherte er sich der weinenden Journalistin so langsam wie möglich.

»Ich bin Noah«, sagte er, als ihm einfiel, dass sie ihn noch nie gesehen hatte. Wegen der immer noch geöffneten Tür war die Temperatur im Wohnzimmer stark gesunken. Trotz des Feuers im Kamin konnte man schon seinen Atem sehen. »Ich tue Ihnen nichts.«

»Nichts?«, rief Oscar und fuchtelte mit den Armen ziellos in alle Richtungen. »Das hier nennst du NICHTS? Du betrittst einen Raum, und Menschen sterben wie die Schmeißfliegen.«

Wütend schmiss er die Tür zu, dass die Gläser in der Wohnzimmervitrine klirrten. Das Feuer im Kamin loderte auf, Noah spürte bereits, wie es wärmer wurde.

Er stieg über den Toten hinweg und kniete neben Celine nieder. Unter seiner sanften Berührung zuckte sie zusammen. Ihre verschränkten Finger öffneten sich, bildeten einen schmalen Zaun vor den Augen.

»Hallo.«

Erst jetzt schien sie seine Gegenwart zu registrieren. Hastig versuchte sie, ihren Slip wieder nach oben zu ziehen, was ihr wegen der Kabelbinderfesseln nicht gelingen wollte.

»Ich brauch ein Messer«, sagte Noah zu Oscar.

»Wieso? Willst du ihr zum krönenden Abschluss die Kehle durchschneiden? Hast du noch nicht genug für heute?«

Ohne sich zu ihm umzudrehen, hob Noah den Arm und gab seinem Begleiter damit ein unmissverständliches Zeichen, endlich leise zu sein. »Mach es für sie nicht noch schlimmer.«

»Sagt der Richtige«, maulte Oscar, aber Noah konnte hören, wie er in Richtung Küche watschelte.

»Es ist vorbei«, sagte er leise zu Celine. »Die Frau und die Männer, die Sie entführt haben, können Ihnen nichts mehr tun.«

Eine Schublade wurde aufgezogen. Besteck klapperte. Die vertrauten, alltäglichen Geräusche schienen Celine ein wenig zu beruhigen. Ihre Lippen zitterten, aber sie formulierte ihren ersten Satz: »Was ist passiert?«

Du wurdest in ein fremdes Land verschleppt und beinahe vergewaltigt. Aber das ist nicht die Antwort, die du hören willst, nicht wahr?

»Ich weiß es nicht«, gab er zu. »Ich habe keine Ahnung, wo wir hier reingezogen wurden.«

Ich stochere mit einer Taschenlampe im Nebel und kann den Weg nicht finden.

Noah strich ihr eine feuchte Haarsträhne aus den Augen. »Wo bleibt die Schere?«, rief er und drehte sich um.

Die offene Küche war leer.

Oscar?

»Hey, was ist los?«

Er stand auf. Sofort begann die Reporterin wieder zu zittern. Weitere Tränen schossen ihr in die Augen.

»Keine Angst«, flüsterte Noah. Dann, lauter: »Oscar, verdammt, wo bist du?«

Nichts. Nur das Knistern im Kamin.

Er sah zu Amber. Zu dem toten Wachmann. Zu Celine. Und dann hörte er ihn. Aufgeregt. Kieksend.

Entfernt.

»Schnell. Komm her. Sofort.«

Seine Stimme klang dumpf wie durch eine schwere Tür hindurch.

»Wo bist du?«, rief Noah. Er ging zur Küche und nahm sich die Maschinenpistole vom Tresen.

Oscar antwortete wie aus weiter Entfernung: »Hier, hinten, Großer. Komm schnell. Das solltest du dir besser mal ansehen.«

15. Kapitel

Manila, Philippinen

»Du schon wieder?«, fragte sie Jay, als der Siebenjährige ihre Hütte betrat. Chona war allein. Ihr Mann saß nicht mehr auf dem Bett und schnitt sich die Fußnägel. Auch die Kinder stritten sich nicht mehr zu den Füßen der übergewichtigen Frau. Nur noch das Baby lag in der Cola-Kiste und schlief wieder. Jay war froh, dass Bituin sich irgendwo anders herumtrieb. Mit der Dicken hier wurde er schon fertig, aber der dürre Kerl mit den Chamäleonaugen war ihm nicht geheuer.

»Hab ich dir nicht gesagt, du sollst verschwinden?« Chona musste zu ihm aufsehen, da sie sich auf den platt getrampelten Lehmboden gesetzt hatte. Sie hielt eine Taschenlampe in der Hand, die sie prüfend an- und ausschaltete. Wahrscheinlich hatte sie gerade erst neue Batterien eingelegt. Ein Schatz, vor allem hier unten im *Sumpf.* Jay konnte sich vorstellen, wie sie sich derartigen Luxus verdiente. Ganz sicher war er nicht der einzige Mann, der mit ihr Geschäfte machte. Ganz sicher aber einer, der nicht selbst an ihre Brust wollte.

»Ich habe das Geld«, sagte er.

Chona sah ihn argwöhnisch an. »Fünf Dollar?«, fragte sie und leckte sich die Zähne.

Jay nickte. In Wahrheit waren es gerade einmal hundertachtzig Pesos. Seitdem Vater tot war, ging er nicht mehr zu Gustavo, sondern sparte das Geld, das Mama ihm für den Unterricht gab. Er hatte es nicht erwähnt, weil er sie nicht traurig machen wollte. Aber jetzt, da ein weiterer Mund zu füttern war, durfte man das Geld nicht für Zahlen ausgeben. Zahlen konnte man nicht essen.

»Fünf Dollar für einen Monat Milch«, schlug Jay vor.

Chona legte die Taschenlampe beiseite und rappelte sich hoch. Mit ihr stieg eine süßliche Schweißwolke auf. Jay hielt die Luft an und starrte auf ihren gewaltigen Busen. Weil sie so fett war, schien er fast übergangslos mit dem Bauch zu verschmelzen.

»Gib mir das Geld«, sagte sie gierig und streckte die Hand aus. Jay schüttelte den Kopf und verlagerte das Gewicht auf den Fuß mit dem Turnschuh, in dem er die Scheine versteckt hatte.

Er hörte Stimmen von draußen näher kommen und einen Hund kläffen, weshalb er sich zum Eingang drehte, aber der Vorhang wurde nicht zur Seite gezogen. Niemand kam herein. Die Stimmen entfernten sich wieder.

»Du bekommst dein Geld erst, wenn wir da sind.«

»Wenn wir *wo* sind?«, fragte Chona.

»Oben. Bei meiner Mutter.«

Jay hatte sich aus der Hütte geschlichen, als Alicia für eine kurze Weile eingedöst war. Der lange Marsch in den *Sumpf* und zurück, ihre Sorge um Noel, der sich kaum noch regte, und die anhaltenden schlechten Nachrichten von der Ausgangssperre, die weiterhin über das ganze Viertel verhängt war, hatten seine Mutter erschöpft. Und selbst wenn sie noch bei Kräften gewesen wäre, hätte sie ihn kein zweites Mal begleitet, so viel stand fest. Jay wusste, die einzige Chance, seine Mutter dazu zu bewegen, die Hilfe dieser widerlichen Frau anzunehmen, war, wenn er sie vor vollendete Tatsachen stellte und ohne Vorwarnung mit Chona im Schlepptau nach Hause kam. Er hatte von Weiberdingen keine Ahnung, wusste nicht, wie das mit dem Stillen funktionierte und ob die Dicke sofort loslegen konnte, aber er würde es bald herausfinden.

»Gehen wir«, sagte er.

»Sonst noch was?« Chona zeigte ihm einen Vogel. »Hausbesuche gibt's bei mir nicht.«

»Na dann …« Jay griff nach dem Vorhang. Der Bluff funktionierte.

»Warte«, hörte er sie hinter sich sagen. Er drehte sich um und verschwendete eine kostbare Sekunde damit, sich zu fragen, wie die Taschenlampe so schnell in ihre Hand gewandert sein konnte.

Er spürte einen stechenden Schmerz an der Schläfe. Dann wurde es schwarz.

16. Kapitel

Oosterbeek, Niederlande

Von der zum Wohnzimmer offenen Küche führte ein Durchgang zu den weiteren Räumen des Bungalows. Noah stieg durch eine kleine, hölzerne Tür neben dem Kühlschrank drei Stufen nach unten, wobei er den Kopf einziehen musste, um nicht gegen die niedrige Decke zu stoßen.

Celine, die sich geweigert hatte, alleine zurückzubleiben, hielt sich dicht hinter ihm. Alles in Noah hatte sich dagegen gesträubt, in Begleitung einer fremden, zudem schwangeren Person in unbekanntes Terrain vorzudringen. Aber wer konnte schon sagen, wo für sie weniger Gefahren lauerten: im vorderen Bereich des Hauses oder in den hinteren Räumen, in denen Oscar sich gerade aufhielt und auf sein Rufen nicht mehr reagierte? Celine unbeaufsichtigt im Wohnzimmer zurückzulassen wäre vermutlich eine schlechtere Option gewesen, als sie mitzunehmen. Und immerhin schien die Aufregung ihren emotionalen Panzer aufgebrochen zu haben; sie agierte nicht mehr wie in sich selbst versunken, sondern wirkte beinahe kampfbereit. Das Küchenmesser, mit dem Noah ihre Fesseln gelöst hatte, hatte sie jedenfalls nicht mehr hergeben wollen.

»Oscar?«

Noah rief ein zweites Mal den Namen seines Begleiters.

Nach den ersten Schritten hatte ein Bewegungsmelder das automatische Deckenlicht aktiviert. Sie gingen durch einen bildergesäumten Flur. Dezente Kohleradierungen wechselten sich mit knalligen Öllandschaften ab. Die meisten Rahmen hingen schief. Noah kannte keinen der Maler, hätte noch nicht einmal zu sagen vermocht, welcher Stilrichtung oder Epoche die Bilder zuzuordnen waren.

So viel zum Thema 1-Million-Dollar-Künstlergenie.

»Hier entlang.«

Oscars Stimme war jetzt näher, aber weiterhin nur dumpf verständlich. Abgeschirmt durch eine lederbeschlagene Tür am Kopfende des Ganges. Sie war angelehnt, und helles, gleißendes Licht fiel in den Flur, als Noah sie aufzog.

Das Fenster zum Sterben, war der erste Gedanke, der ihm durch den Kopf schoss.

Er stand in einem von bauchigen Halogenlampen ausgeleuchteten Raum, der früher einmal aus zwei Zimmern bestanden haben musste. Dort, wo einst die Zimmergrenze verlief, teilte jetzt eine Glaswand den Raum in zwei Abschnitte. Einen vorderen schmalen Besucherbereich und eine dahinterliegende, etwas großzügiger bemessene Intensivstation.

»Wer ist das?«, fragte Oscar, ohne den Blick von dem Kranken hinter der Scheibe zu wenden.

Hinter dem Fenster zum Sterben.

»Ich habe keine Ahnung«, sagte Noah.

Ein Satz, der langsam zu meinem Lebensmotto wird.

Ein alter Mann (Noah schätzte ihn auf über siebzig, aber das war in Anbetracht seines elenden Zustands nur schwer zu sagen) dämmerte flach atmend auf einem rollbaren Krankenhausbett vor sich hin. Außer dem stetigen Rauschen einer Lüftung drang kein Geräusch aus der vermutlich hermetisch versiegelten Krankenstation zu ihnen nach draußen. Eine zylindrische Plexiglaskammer, die etwa in der Mitte der Scheibe eingelassen war und die an ein überlebensgroßes Reagenzglas erinnerte, fungierte als Schleuse. Jemand hatte sich große Mühe gegeben, den Patienten von jeglichem Kontakt mit der Außenwelt abzuschirmen. Eine verständliche Maßnahme. Dem Mann waren sämtliche Haare ausgefallen. Blutiger Speichel tropfte auf ein bereits fleckiges Kopfkissen. Seine geschlossenen Augen waren unnatürlich tief eingesunken.

»Manila-Grippe«, keuchte Celine. Noah wunderte sich, dass sie nicht schon längst das Weite gesucht hatte.

Der Kranke war lediglich mit einem dreckigen Nachthemd bekleidet. Eine Decke gab es ebenso wenig wie einen Arzt oder Pfleger.

Wie hat Amber dieses Haus genannt? Den Sitz meiner Erinnerungen?

Noah sah sich im Vorraum um.

Eher der Sitz des Todes.

Nicht nur der Patient befand sich im Auflösungszustand. Der Bereich, in dem sie standen, sah aus, als wäre er erst vor kurzem fluchtartig verlassen worden.

Zwei weiße Ganzkörperschutzanzüge lagen neben aufgerissenen Medikamentenpackungen auf dem Boden. Achtlos zurückgelassen, vielleicht aus Angst vor dem, was das Krankenzimmer beherbergte. Oder weil die medizinische Wissenschaft hier schlicht nichts mehr ausrichten konnte.

»Was sollen wir tun?«, wollte Celine wissen.

»Jedenfalls nicht reingehen«, antwortete Oscar.

Der Alte lag unverkennbar im Sterben. Seine dünnen, knochigen, mit Infusionsnadeln gespickten Arme waren über mehrere Schläuche mit einem Geräteturm verbunden. Herzfrequenz, Temperatur, Blutdruck und andere Vitalwerte liefen wie Börsenkurse über die Displays.

»Ich glaube, er wacht auf«, rief Celine, die sich zwischen Noah und Oscar gestellt hatte.

»Nein, er atmet nur schwer«, widersprach Oscar, korrigierte sich aber im nächsten Moment. »Halt, Sie haben recht. Da.«

Der Alte schlug die Augen auf.

»Großer Gott.« Celine hielt sich beim Anblick der rot unterlaufenen, wie blind wirkenden Pupillen die Hand vor den Mund.

Oscar klopfte gegen die Scheibe. »Hey, hallo. Können Sie uns hören?«

Der Mann hob den Kopf und glotzte in ihre Richtung. Noah hatte das Gefühl, von einer Horrormaske angestarrt zu werden, aus der sich jeden Augenblick die blutigen Augen lösen und zu Boden fallen würden.

Aber der Alte blinzelte nur. Und bewegte seine Lippen.

»Er redet«, erklärte Celine überflüssigerweise. Wegen der schallisolierenden Wirkung der Trennscheibe konnte Noah kein Wort verstehen. Er suchte nach einem Schalter und wurde neben der Eingangstür fündig. Nachdem er ein schwarzes Drehrädchen im Uhrzeigersinn bewegt hatte, knackte ein Lautsprecher über seinem Kopf und fing mitten im Satz mit der Übertragung an:

»… mir zurückgekommen? Warum?«

Er sprach nicht sehr laut, aber die Lautsprecher waren von guter Qualität, so dass der Mann problemlos zu verstehen war.

»Nein, wir sind nicht zurückgekommen«, versuchte Noah zu erklären. »Wir haben Sie gerade erst gefunden.«

»Wir?«

Der Alte richtete sich auf. Sein Nachthemd öffnete sich vor der Brust. Dicke, im Halogenlicht der Deckenstrahler feucht glänzende Blutergüsse überzogen seinen Oberkörper.

»Wer seid ihr?«, fragte er.

»Halt, tun Sie das besser nicht«, rief Noah dem Mann zu, als er sah, wie dieser sich die Infusionsschläuche aus dem Arm riss, um aufzustehen.

»Wieso nicht? Wozu sollen die denn jetzt noch gut sein?«

Barfuß schlurfte er auf sie zu, was ihn seine letzten Kräfte zu kosten schien. Er schwankte, knickte mehrfach ein und drohte zu stolpern. Als er die Scheibe erreicht hatte, konnte Noah nur noch ein schwaches Lebenszeichen in seinen Augen erkennen. Und das war Wut.

»Du?«, fragte der Alte ungläubig. Sein zahnloser Mund blieb offen stehen.

Noah trat einen Schritt zurück. Nicht aus Furcht oder Abscheu, sondern weil er in dem Gesicht des Mannes nach einem Anhaltspunkt suchte. Doch er erinnerte sich nicht, ihm jemals begegnet zu sein. Ganz im Gegensatz zu dem Sterbenden hinter der Scheibe.

»Ich … ich dachte, du bist *tot!*«, sagte der Alte. Er presste die Hand gegen die Trennscheibe. Aufgeplatzte Adern bildeten ein Hämatom auf seiner Handinnenfläche.

»Wieso lebst du noch?«, fragte er. »Konntest du mir nicht einmal diesen Trost lassen, bevor ich sterbe?« Er sah zu Oscar, dann zu Celine und schließlich wieder zu Noah.

»Dich tot zu wissen hätte mir meinen eigenen Tod versüßt, du …«

Er schluckte.

»… du dreckiger Verräter.«

Noah schüttelte den Kopf.

Ich bin nicht tot. Ich fühle mich nur so.

»Kennen wir uns?«, fragte er.

Eine Zornesfalte wuchs auf der Stirn des Alten.

»Ob wir uns kennen?« Der Patient ballte die Hand an der Scheibe zur Faust. »Was ist das jetzt? Ein letzter kranker Scherz, bevor ich sterbe?«

Eine Träne löste sich aus seinem rechten Auge. »Alles hast du verraten. Alles, wofür wir gekämpft haben.« Er zog die Nase hoch. »Du Feigling.«

Der Alte rotzte gegen die Glaswand. Grün gelblicher Schleim glitt die Scheibe abwärts. Trotz der Isolierung meinte Noah den säuerlich-fauligen Geruch der Spucke riechen zu können. Den abgestandenen Atem, mit dem der Alte seine Beschimpfungen ausspie.

»Ich hab deinen Brief gelesen.«

Welchen Brief?

»Du sagst, du kannst es aufhalten? Unsere jahrelange Arbeit? Das große Ziel? Pah!«

Wieder zog der Alte die Nase hoch, doch für eine Spuckattacke befand sich nicht genug Speichel in seinem Mund.

»Was für einen Brief?«, fragte Noah und sah dem Mann dabei zu, wie er sich umdrehte und ihnen einen Blick auf sein freiliegendes, kotverkrustetes Gesäß bot. Schwankend schlurfte er zu dem Beistelltisch des Krankenbetts zurück. Dabei hinterließ er eine Spur an dunklen Tropfen auf dem hellen Fußbodenbelag. Ob er Körperflüssigkeiten aus einer offenen Wunde am Oberschenkel verlor oder ob er einfach nur inkontinent war, hätte Noah nicht zu sagen vermocht.

»Den hier«, krächzte der Alte, kaum dass er die Schublade aufgezogen und ein Stück Papier entnommen hatte. Er musste sich setzen. Die kurzen Wege hatten ihn sichtbar geschwächt. Er schien Gleichgewichtsprobleme zu haben und sank seitlich aufs Bett zurück. Das Papier zitterte in seiner Hand.

»Hier hab ich ihn, deinen Verräterbrief.«

»Was hat er vor?«, fragte Celine, dem Gesichtsausdruck nach ebenso schockiert von dem Anblick des Alten wie Oscar.

Der Sterbende hielt das Papier jetzt in beiden Händen. »Am liebsten würde ich auf ihn kacken«, sagte er mit schwindender Stimme. Noch leiser, und Noah würde sie in dem Rauschen der Lüftung nicht mehr verstehen können.

»Aber selbst dazu fehlt mir die Kraft. Und Feuer haben mir die feigen Ärzte nicht zurückgelassen, also muss es auch so gehen.«

Er öffnete den Mund und hob ein letztes Mal den Kopf, um

Noah direkt in die Augen sehen zu können. »Sieh selbst, was ich von deinem Geschmiere halte, du Abschaum.«

Er riss an der oberen Kante einen Streifen von dem Papier.

Und dann begann er, das Dokument aufzuessen, das Noah einen Rückschluss auf seine wahre Identität hätte geben können.

»Ich muss da rein.«

Noah schritt zur Plexiglasschleuse.

»Nicht ohne *den* da.« Oscar zeigte auf einen der Schutzanzüge am Boden. Dann kniete er sich hin und hob eine leere Zet-Flu-Schachtel auf.

»Der Kerl da drin steht kurz vor dem Exitus. Die Phase der zerebralen Blutungen ist noch nicht erreicht, aber er ist unter Garantie hochinfektiös.«

Ich weiß.

»Dafür ist keine Zeit mehr.«

Noah besah sich den Zugang. Die Schleuse zum Krankenzimmer war mit einem elektronischen Nummernschloss ausgestattet, dessen Kombination er natürlich nicht kannte.

»Sie wollen doch nicht allen Ernstes wegen eines dämlichen Briefes Ihr Leben verlieren?«

»Falsch.« Noah drehte sich zu Celine. »Ich hab mein Leben schon verloren. Ich will es zurück.«

Er sah zu dem Alten auf dem Bett, der gerade einen zweiten Streifen vom Brief abriss.

»Ihr haut ab«, befahl Noah. »Nehmt euch den Transporter vor dem Haus. Fahrt in die nächste Klinik und lasst euch versorgen.« Er hoffte, dass die Schleuse hier noch dicht hielt und sie nicht schon längst alle kontaminiert waren.

»Wir bleiben bei dir«, sagte Oscar, und es klang beinahe trotzig.

»Auf keinen Fall. Das ist zu gefährlich.«

»Ich werde nicht zulassen, dass du da reingehst und dich ansteckst, Großer.«

»Oh doch, das wirst du.«

Noah hob die Maschinenpistole und zielte abwechselnd auf Celine und Oscar.

»Bist du verrückt geworden, Großer?«

»Ihr habt beide gesehen, wozu ich fähig bin.«

Celine nickte. Sie wich zurück.

»Tu das nicht«, protestierte Oscar im Rückwärtsgang. »Bitte.«

Sein Flehen half nichts. Noah drängte die beiden in den Flur und verriegelte die Tür von innen. Er wartete, bis sich ihre Schritte im Gang verloren hatten, dann drehte er sich um und zerschoss die trennende Glaswand zum Krankenzimmer.

18. Kapitel

Celine fühlte mit einem Mal nur noch Schmerzen. Eben noch hatte sie sich gefürchtet. Hatte Angst gehabt, dem gnomartigen Kauz nach draußen zu folgen, durch das Wohnzimmer mit den Leichen hindurch zur Ausgangstür, vor der die Frau liegen würde, die sie getötet hatte. Unbeabsichtigt, in höchster Not, aus Versehen. Sicher. Aber sie hatte sie getötet.

Noch erzeugte dieser Fakt nur ein dumpfes, beinahe taubes Gefühl. Es war wohl der Schock, der Celines Bewusstsein dämpfte und sie wie auf Watte durch den Flur des Bungalows gehen ließ. In ein paar Stunden, vielleicht auch erst nach Tagen, das wusste sie von ihren eigenen Reportagen über traumatisierte Unfallopfer, würden die seelischen Dämme brechen. Gut möglich, dass sie unter der Last der Erkenntnis, einem Menschen das Leben genommen zu haben, zerbrechen würde. Selbst wenn dieser Mensch ein skrupelloser Killer war, der sie früher oder später getötet hätte, wenn Celine ihm nicht zuvorgekommen wäre. All diese Gedanken wurden durch einen jähen Schmerz gestoppt.

Es geschah, kurz bevor Oscar das Ende des Flurs erreicht hatte und gerade die Stufen hinauf zurück zur Küche gehen wollte.

»Wollen wir Noah denn einfach so alleine …«, begann Celine ihren Satz. Und dann, ohne jegliche Vorwarnung, raubte ihr der Krampf jegliche Luft zum Atmen. Zum Weitergehen. Zum Sprechen.

»Hm«, stöhnte sie auf und presste sich beide Hände gegen den Unterleib, genau in dem Moment, in dem sie eine Salve von Schüssen hörte.

»Was ist mit dir?«, fragte Oscar und warf einen nervösen

Blick zurück zum Quarantänezimmer, in dem Noah offenbar die Glaswand zerschossen hatte.

Unfähig zu antworten, klammerte sich Celine an den Pfosten eines Bücherregals. Sie litt seit der Pubertät unter heftigen Regelschmerzen, daher kannte sie das Gefühl, wenn eine Hand von innen ihre Eingeweide zusammenquetschte.

Aber ich bekomme ja wohl kaum meine Tage …

Ein furchtbarer Gedanke verstärkte ihre Schmerzen.

Großer Gott …

Celines Blick fiel auf ein kleines Messingschild mit einer stilisierten Badewanne an der Tür neben dem Regal. Es waren nur zwei Schritte, aber die trieben weitere Schmerzwellen durch ihren Körper.

Um Himmels willen, bitte nicht …

Sie ignorierte Oscars besorgte Fragen, strauchelte in das Badezimmer, schaltete das Licht an und schloss die Tür von innen.

Bitte, lieber Gott. Lass es nicht das sein, was ich denke.

Von vier Deckenstrahlern funktionierte nur noch ein einziger, dessen dünnes Licht auf sandfarbene Fliesen fiel. Es gab eine kleine Sitzbadewanne, eine abgetrennte Dusche, ein WC und Bidet und ein geschwungenes Waschbecken aus Naturstein. Das Badezimmer war geschmackvoll eingerichtet, jedoch lange nicht mehr gereinigt worden. Staubschichten überzogen die mit Kosmetika vollgestellten Glasablagen, die Armaturen und den hohen Spiegel über dem Waschbecken. Schmutzige Handtücher lagen in der Wanne und auf dem Boden. In dem Klo, dessen Deckel Celine eilig öffnete, schwamm braunes Wasser. Fauliger Geruch stieg ihr in die Nase.

Oscar klopfte, fragte, ob alles okay wäre.

Nein. Oh Herr im Himmel, ich fürchte, nein.

Celine riss sich den Gürtel ihrer Hose auf, zog sich die Hose über die Knie und setzte sich auf die eiskalte Brille.

Wegen der Krämpfe musste sie sich nach vorne beugen. Sie vergrub den Kopf in ihren Armen.

Und weinte.

Ich bin entführt worden. Man hat versucht, mich zu vergewaltigen. Und ich habe eine Frau erschossen. Was erwartest du, Celine?

Der Urin drückte von innen gegen ihre Blase, doch sie traute sich nicht, sich zu erleichtern.

Was, wenn noch etwas anderes aus meinem Körper will?

Dr. Malcom hatte ihr gesagt, dass es oft ganz harmlose Komplikationen gäbe, ein Ziehen normal wäre, wenn zum Beispiel die Bänder der Gebärmutter sich dehnten.

Aber verdammt, tut das denn so weh?

Bisher hatte es das noch nie getan.

Schließlich konnte Celine es nicht mehr halten. Als sie fertig war, blieb sie noch eine Weile sitzen. Mit der Entspannung ihrer Blase hatten auch die Krämpfe nachgelassen.

Die Wehen?

Sie konnte etwas tiefer einatmen, sich leichter aufrichten und wusste nicht, ob das ein gutes oder schlechtes Zeichen war.

Auf dem Halter neben dem Klo gab es kein Toilettenpapier, aber auf dem Waschbecken stand ein Kosmetiktuchspender. Sie musste aufstehen, um ein Tuch herauszuziehen, mit dem sie sich abwischte.

Dann schloss sie die Augen. Zerknüllte das Tuch. Öffnete wieder die Hand. Und dann die Augen.

Nein. Bitte. Nein!

Der körperliche Schmerz war nicht mehr so intensiv. Dafür wuchsen die seelischen Qualen.

Ist das Blut?

Celine hielt das Kosmetiktuch unter das Licht des Deckenstrahlers.

Es war nur ein kleiner roter Streifen auf dem Papier, nicht

sehr dunkel, aber *zu* dunkel für Urin, selbst in Anbetracht der Tatsache, dass sie die letzten Stunden viel zu wenig getrunken hatte.

»Oh nein«, sagte sie laut.

Krämpfe. Blutungen. Erstes Trimester.

Sie sah in das Klo, aber das Wasser war ja schon vorher dunkel gewesen.

Bitte, lieber Gott. Lass es nicht das sein, wonach es aussieht.

Natürlich konnte es eine harmlose Schmierblutung sein. Eine Pseudoperiode. Aber wie wahrscheinlich war es, dass das nichts zu bedeuten hatte? Nach allem, was vorgefallen war? In den ersten zwölf Wochen verloren über 30 Prozent aller Frauen ihr Kind. Wenn es eine Tatsache war, die sie aus ihren Schwangerschaftsbüchern behalten hatte, dann ausgerechnet diese.

Ich habe Schmerzen. Ich blute. Und ich kann Pünktchen schon seit langem nicht mehr spüren.

Celine sank zu Boden. Krallte ihre Hände in einen staubigen Badevorleger. Und weinte.

Es dauerte, bis die Tränen versiegt waren. Bis sie merkte, wie die Kälte von den Fliesen in ihren Körper kroch. Ihr erster Gedanke war, dass das nun auch gleichgültig war, selbst wenn sie sich eine Lungenentzündung holte. Doch dann, nach weiteren Minuten, wurde sie wütend.

Auf Kevin Rood, der sie manipuliert hatte. Auf Amber, die sie entführt und in diese aussichtslose Lage gebracht hatte. Und auf Noah, der sich lieber selbst mit einer tödlichen Krankheit anstecken wollte, als sie aus dem Wahnsinn zu befreien, an dem er sicher nicht unschuldig war.

Und diese Wut vertrieb ihr Selbstmitleid.

Ein Gedanke formierte sich in ihrem Kopf. Ein einziges Wort, das ihr umso mehr Kraft gab, je häufiger sie es wiederholte.

Nein.

Erst stumm, dann flüsternd. Schließlich laut und deutlich: »Nein!«

Das ist nicht der Plan. Das lasse ich nicht zu.

»Nein.«

Ich werde hier nicht verrecken. Irgendwo in Holland, auf einem dreckigen Klo. Fernab von meiner Heimat. Von meinen Freunden. Meinen Eltern.

»Nein.«

Sie berührte sich zwischen den Beinen, besah sich ihre Finger.

Kein Blut. Da kommt kein Blut mehr.

Celine rappelte sich auf, zog die Hose wieder hoch und sah in den Spiegel.

Ich werde nicht aufgeben.

Sie berührte ihren Bauch, der sich fest, aber nicht mehr verkrampft anfühlte.

Ich werde DICH nicht aufgeben.

Sie wischte den Staub von dem Spiegel und biss trotzig die Zähne zusammen.

»Nein.«

Das hier ist nicht das Ende. Das darf es nicht sein.

Celine ging zur Badezimmertür, in dem festen Vorsatz, sofort ins Krankenhaus zu fahren, um sich und ihr Baby untersuchen zu lassen, und wunderte sich über die Dunkelheit, die sie im Flur empfing. Bevor sie auf der Toilette verschwunden war, hatten die Deckenlampen der Küche hell geleuchtet. Ihr Licht hatte bis tief in den Gang hineingereicht, in dem Celine sich jetzt nahezu blind vorantastete.

»Oscar?«, rief sie. Hatte der Kerl sie etwa alleine zurückgelassen? »Wo steckst du?«

Und wenn schon. Ich brauche ihn nicht. Ich schaffe das auch ohne Hilfe.

Celine erreichte die zur Küche hinaufführenden Stufen und suchte nach einem Lichtschalter an der Wand. Sie hatte ihn gerade gefunden, als eine unbekannte Stimme sie aufschreien ließ.

»Nicht«, sagte ein Mann, nur wenige Meter von ihr entfernt. »Lassen Sie es bitte dunkel.«

Nein, dachte Celine, doch nicht länger mit trotziger Zuversicht. Sondern mit blankem Entsetzen.

»Wer sind Sie?«, wollte sie den Fremden fragen, aber die Angst schnürte ihr die Kehle zu.

»Er ist bewaffnet«, hörte sie Oscar von der Couch rufen. Auch seine Stimme zitterte, jedoch nicht so stark wie ihre Knie. Celine war nicht mehr in der Lage, auch nur einen Schritt zu gehen. Die Angst war wieder zurück, und sie hatte eine lähmende, gleichzeitig aber auch klärende Wirkung. Einerseits stand sie wie festgewurzelt im Raum. Andererseits schienen sich ihre Augen schnell an das Dämmerlicht gewöhnt zu haben, für das der ausglühende Kamin im Wohnzimmer sorgte. Eine graue Silhouette schälte sich aus der Dunkelheit. Ein unbekannter, hochgewachsener Mann stand am Küchentresen und hielt etwas metallisch Glänzendes in der Hand.

»Mann, die Suche nach Ihnen hat mich richtig hungrig gemacht«, sagte er und hustete.

Dann hörte Celine ein Geräusch, das gut zu den Schmerzen gepasst hätte, unter denen sie im Bad zusammengebrochen war. Es hörte sich an, als ob ein stumpfes Messer durch Metall schnitt.

19. Kapitel

Todesangst ist ein seltsames Ding, hörte Noah die altväterliche Stimme sagen, als er über das zerbröselte Sicherheitsglas hinweg in den ehemaligen Quarantänebereich trat. Er wusste nicht, ob es die Stimme des alten Mannes auf dem Bett war, der in Abwehrhaltung die Arme vor dem Kopf verschränkt hielt.

Halte einem halb erfrorenen Obdachlosen eine Pistole an die Schläfe, und er wird dich trotz seiner aussichtslosen Lage anbetteln, um Himmels willen am Leben bleiben zu dürfen.

Die Stimme, die er über die Lautsprecher gehört hatte, schien eine andere gewesen zu sein als die in seinem Kopf, aber wer wusste schon, wie der Todgeweihte früher geklungen hatte, als das Virus sich noch nicht in seinem Körper ausbreitete?

Selbst die, die nichts mehr vom Leben haben, wollen es nicht verlieren.

Auch der Alte wollte nicht sterben, obwohl der letzte Vorhang bereits im Fallen war. Nur noch ein, maximal zwei Tage, und die Manila-Grippe würde einen weiteren Strich auf ihrer Todesliste machen können. Doch im Augenblick hatte der Kranke keine Angst vor dem Virus, sondern vor Noah.

»Bleib mir vom Leib!«, brüllte er und begann schneller zu kauen.

Noah trat an das Bett und riss ihm den halb zerknüllten Brief aus der Hand. Dann presste er ihm Daumen und Zeigefinger in die Kieferhöhlen. Es brauchte keinen starken Druck, um ihn dazu zu bringen, den zerkauten zweiten Streifen wieder auszuspucken. Den ersten hatte er bereits heruntergeschluckt.

»Du jämmerlicher Scheißkerl«, weinte der Alte, nachdem er

nicht mehr würgen musste. »Du kannst es eh nicht mehr stoppen, hörst du?«

Noah räumte mit seinem Ellenbogen den Beistelltisch ab, glättete das Papier und fügte den Streifen wieder an die Abrisskante an. Der Brief war in einem besseren Zustand, als er erwartet hatte. Bis auf den Kopf und wenige Stellen, bei denen der Speichel die Tinte verwaschen hatte, war der Hauptteil gut zu entziffern.

»Hast du mich gehört? Du hast versagt. Du hast es nicht aufhalten können.«

Noah versuchte die Beschimpfungen des Alten auszublenden und konzentrierte sich ganz und gar auf den Brief vor seinen Augen:

Lieber Vater,

ich bin zu Dir geflogen, um Dich in letzter Minute umzustimmen. Wenn Du meinen Abschiedsbrief hier liest, dann wird es mir wohl nicht gelungen sein, und ich bin bereits weitergereist, um Projekt Noah ohne Deine Mithilfe zu beenden.

Er sah auf. Dem Alten in die Augen.

Vater?

War es denkbar, dass er seine eigenen Eltern nicht erkannte, wenn er ihnen gegenüberstand? Er las weiter.

Anfangs war ich so überzeugt wie Du, und ich kann es nicht leugnen, im Grundsatz noch immer ein Anhänger unserer Idee zu sein. Aber wie Du weißt, hat sich einiges in meinem Leben verändert. Ich habe die Ketten meiner Kindheit gesprengt, die Isolation überwunden und mich verliebt. Der Wunsch, Kinder in diese Welt zu setzen, ist ungeplant ge-

wachsen und lässt sich nicht mit Logik unterdrücken. So kitschig es klingen mag, aber das hat mir die Augen geöffnet. Alles, woran wir glauben, ist richtig. Alles, was wir tun, ist falsch. Es muss einen anderen Weg geben als Projekt Noah, das bis in alle Ewigkeit mit meinem Namen einhergehen wird, war ich es doch, der das letzte fehlende Puzzleteil zur Erreichung des großen Ziels erforscht und entwickelt hat.
Wie Du jetzt weißt, habe ich unsere letzte Konferenz auf Video aufgenommen. Ich werde dieses Band jemandem geben, der in der Lage ist, es zu veröffentlichen, auf eine Art, die von der Mehrheit der Menschen gehört und nicht als Verschwörungstheorie abgetan werden wird.
Stufe drei muss gestoppt werden. Es tut mir leid, ich kann nicht anders.

Dein Dich liebender Sohn

David

Noah las den Brief ein zweites Mal, dann faltete er ihn zusammen und steckte ihn ein.

Benommen von dem, was er eben über sich erfahren hatte, wandte er sich ein letztes Mal dem sterbenden Mann auf dem Krankenbett zu, der seine Augen wieder geschlossen hielt.

»Was habe ich getan?«, fragte er ihn.

Ich, David Morten.

Er bekam keine Antwort.

»Bin ich schuld an allem?«

An dieser Krankheit? An der Seuche, an der alle sterben? An der du gerade stirbst?

Keine Reaktion. Die Atmung des Alten ging wieder flach. Er schien nicht mehr bei Bewusstsein, aber da irrte Noah.

»Bitte, geh nicht«, hörte er ihn sagen, als er dabei war, das Krankenzimmer zu verlassen.

Es war mehr ein Röcheln, kaum zu verstehen.

Noah drehte sich um. »Wieso?«

Der Alte hob den Kopf, was ihm eine unendliche Kraftanstrengung abzuverlangen schien. Er hustete. Blut sprühte aus seinem zahnlosen Mund. Er zeigte auf die rechte, dann auf die linke Jackentasche Noahs, die beide von Waffen ausgebeult wurden.

»Tu mir wenigstens noch einen letzten Gefallen, du dreckiger Scheißkerl.«

20. Kapitel

»Papa, schalt sofort den Fernseher ein«, rief Cezet unnötigerweise. Als sie in Zaphires privaten Kabinenbereich im oberen Deck der 747 stürmte, lief NNN bereits auf den Bildschirmen.

»Sei still und setz dich«, befahl er seiner Tochter, die es vorzog, neben dem Bett stehen zu bleiben, obwohl die Anschnallzeichen erleuchtet waren und das Flugzeug immer wieder von Windböen erfasst wurde. Die Boeing kreiste im Luftraum über Amsterdam, und die Piloten warteten auf neue Anweisung, nachdem sie wegen der Ausnahmezustände am Boden keine Landegenehmigung erhalten hatten. Ihr Rat war es, nach Berlin zu fliegen, wo die Lage noch nicht so außer Kontrolle geraten war wie in anderen Teilen Europas.

Zaphire lag, einen halben Meter Kissen im Rücken, in der Mitte der Boxspringmatratze, einen Laptop auf dem Schoß und die Fernbedienung in der Hand. Die linke Hälfte seines Brustkorbs fühlte sich an wie gelähmt, seine Augen tränten, er war müde und benebelt von den Morphinen, die in ihm ihre schmerzstillende Arbeit verrichteten. Aber er durfte sich jetzt keine Ruhe gönnen. Nicht zu diesem Zeitpunkt, unmittelbar vor Beginn der Katastrophe.

Seitdem er aus der Krankenstation in sein Schlafzimmer verlegt worden war, hatte er nichts anderes getan, als sich über die Lage der Welt zu informieren, die sich sekündlich zu verschlechtern schien. Jetzt trat auch noch der amerikanische Präsident mitten in der Nacht mit sorgenfinsterer Miene vor die Kamera. Philipp Baywater saß nicht hinter seinem Schreibtisch im Oval Office. Möglicherweise hatte er sich aus der Air Force One zugeschaltet, vielleicht hatte er auch schon einen sicheren Bunker aufgesucht.

»Wird er es wagen?«, flüsterte Cezet über die Begrüßungsfloskeln hinweg.

»Ich fürchte schon«, sagte Zaphire. Dann drehte er den Ton lauter, und mit dem auffälligen Südstaatenakzent, der von so vielen Comedians weltweit parodiert wurde, begann der mächtigste Mann der Welt seine Ansprache an die Nation:

»Heute muss ich Ihnen eine heikle Botschaft übermitteln. Die Nachrichten der letzten Wochen haben uns besorgt, die Meldungen der letzten Stunden in Angst und Schrecken versetzt. Flughäfen schließen, Krankenhäuser sind überfüllt, Apotheken rationieren die Medikamentenausgabe. In einigen Teilen des Landes ist der Notstand ausgerufen, Landstriche werden abgeriegelt, und die Nationalgarde ist damit beschäftigt, Recht und Ordnung in diesen schweren Zeiten zu sichern.«

Schwere Zeiten?

Zaphire spürte nichts als Verachtung, wenn er diese hohlen Phrasen hörte.

Erzähl mal den dreihundert Millionen Menschen auf der Welt, die wegen deiner Umweltpolitik durch Dürre, Unwetter und Flutkatastrophen ihre Existenz verloren haben, etwas von schweren Zeiten. Oder mach einfach noch drei Jahre so weiter, dann haben wir eine halbe Milliarde Klimaflüchtlinge auf der Welt.

»Unser Land hat viele Krisen bewältigt, viele Angriffe abgewehrt.«

»Ja. Auf den Benzinpreis«, höhnte Zaphire. Cezet nickte zustimmend. Ihre schwarze Haut glänzte in dem bläulichen Licht des abstrahlenden Fernsehbilds, als wäre sie in Öl getaucht.

»Doch unser jetziger Feind, die Manila-Grippe, scheint tückischer zu sein als all unsere Gegner zuvor. Ich sage ausdrücklich scheint.«

»Worauf will er hinaus?«, fragte Cezet in die bedeutungsschwangere Pause, die der Präsident ließ, mit erhobenem Zeigefinger und strengem Gesichtsausdruck.

»Denn dieses hochansteckende, tödliche Virus, das für Hunderttausende von Toten verantwortlich sein soll, existiert nicht.«

»Was?« Cezet schrie vor Entsetzen in den Fernseher. Zaphire hingegen verzog keine Miene.

Sieh mal einer an. Das hätte ich dem Feigling gar nicht zugetraut, dachte er, als Baywater noch einen drauflegte.

»Es gibt keine Manila-Grippe. Sie ist nichts weiter als eine Erfindung der Medien und der Pharmaindustrie.«

Zaphire drehte den Ton leiser und griff zum Bordtelefon neben seinem Bett, um dem Piloten die Kursänderung mitzuteilen. So leid es ihm tat, aber Noah war jetzt zweitrangig. Wenn er noch etwas retten wollte, hatte die Privataudienz beim Papst absolute Priorität.

21. Kapitel

Rom, Italien

Normalerweise nahm Dr. Bertani die Treppe. Enge Räume konnte er nicht leiden, schon gar nicht, wenn sie sich bewegten, weswegen er Städte wie New York oder Hongkong mied, in denen man ohne Aufzug ungefähr so aufgeschmissen war wie in Los Angeles ohne Auto. Zu den Zellen im dritten Untergeschoss gelangte man jedoch ausschließlich mit dem Fahrstuhl. Eine baupolizeiliche Todsünde, aber wer sollte die fehlenden Fluchtwege monieren, wenn keine offizielle Stelle von diesem Teil des Gebäudes überhaupt Kenntnis hatte? Der *Intensiv-Keller*, wie sie ihn nannten, war in keinem Bauplan verzeichnet. Und die Architekten und Arbeiter, die ihn erbaut hatten, waren lange tot. Seit über zweitausend Jahren.

Die Neo Clinica in Rom, ein psychiatrisches Privatkrankenhaus im Stadtteil Trastevere, war auf den Grundmauern eines stattlichen Patrizierpalastes erbaut, deren Fund nie dem Amt für Denkmalschutz gemeldet worden war. Ideale Voraussetzungen, um unliebsame Patienten wegzuschließen.

So wie Kilian Brahms in Zelle 4 A.

Dr. Bertani stieg aus dem Fahrstuhl, glücklich, wieder festen Boden unter den Füßen zu haben, und schaltete das Licht an. Beim Gang über den grün gestrichenen Betonboden quietschten seine Turnschuhe. Hier unten war es so kalt wie in seinem Weinkeller in Genzano di Roma, wo ihm ein kleiner Bungalow gehörte, von dessen Terrasse aus man bei gutem Wetter die Schiffe auf dem Tyrrhenischen Meer sehen konnte. Wie gerne säße er jetzt dort im Schatten unter seiner geliebten Stechpalme, mit einem guten Glas Brunello in der Hand und frischem Genzaneser Brot. So ließe sich der Untergang ganz bestimmt leichter ertragen.

Stattdessen muss ich hier unter Tage arbeiten.

Er hatte Zelle 4 A erreicht und löste den einfachen Querriegel vor der eingebeulten Tür. Von nun an atmete er nur noch durch den Mund. Die Zeit hatte ihn gelehrt, wie man die verbrauchte Luft hier unten am besten ertrug. Die Lüftung arbeitete noch, wurde aber nicht mehr gewartet, seitdem man sich entschlossen hatte, den römischen Standort aufzugeben. Keine guten Voraussetzungen für ein gesundes Raumklima in den hutschachtelgroßen Zellen, in denen die Patienten schlafen, essen, trinken und den Abort benutzen mussten.

»Guten Tag, Kilian.«

Dr. Bertani trat über die Schwelle in den grell erleuchteten Raum. Kilian Brahms schien nie das kalte Deckenlicht zu löschen, selbst beim Schlafen nicht.

Sein Patient verhielt sich ruhig wie immer. Der Journalist hatte noch nie Ärger gemacht, seitdem sie ihm Zeichenblock und Bleistifte überlassen hatten. Er trug einen ausgewaschenen Pyjama und schwarze Sportsocken und saß in seiner üblichen Position auf dem Boden: im Schneidersitz, den Block auf dem Schoß. Zuerst hatten sie gedacht, er würde unentwegt Striche und Kreise zeichnen. Erst später war ihnen die Bedeutung von Brahms' Notizen klar geworden.

Einsen und Nullen.

Er schrieb an einem Computerprogramm.

»Damit kann man das Video auf jedes Portal laden«, hatte Brahms auf Nachfrage erklärt. *»Wenn es klappt, könnte es die Welt retten.«*

»Darf ich Sie stören?«, stellte Bertani die rhetorische Frage, mit der jede seiner Visiten begann. Brahms sah auf. Das ehemals wohlgenährte Gesicht war in den letzten Wochen schmaler und grau geworden; er wirkte krank, aber das hatte er bereits bei seiner Einlieferung getan.

»Lassen Sie mich gehen?«, fragte er. Wie üblich sein erster und meist auch einziger Satz.

Bertani nickte. Sonst hatte er stets bedauernd mit den Achseln gezuckt *(»Sie wissen, das dürfen wir nicht«)*, aber heute war die Sachlage anders. Alles war auf einmal anders.

»Was ist passiert?«, fragte Brahms argwöhnisch. Seine Finger trommelten nervös auf dem Zeichenblock. Es war unschwer zu erkennen, dass er dem Sinneswandel seines Arztes nicht traute.

Bertani räusperte sich. »In einer unserer ersten Sitzungen haben Sie mir von dem Präsidenten erzählt.«

»Ja.«

»Was, sagten Sie, wird er tun?«

»Leugnen«, antwortete Brahms verwundert. Dann, mit Nachdruck: »Er wird die Seuche leugnen.«

»Weshalb?«

»Aus Angst. Er weiß nicht, wie man es sonst aufhalten soll.«

»Was?«

Brahms schälte sich aus dem Schneidersitz und stand auf. »Room 17.« Er wankte und stützte sich an der nackten Wand ab. »Ist es so weit?« Mit einem Mal wirkte er aufgeregt. »Hat er es tatsächlich getan?«

Bertani nickte. »Genau, wie Sie es vorausgesagt haben.«

Er löste ein Telefon von dem Gürtel seiner weißen Jeans. »Ich will, dass Sie einen Anruf für mich tätigen.«

»Wozu?«

Der Psychiater nahm Brahms an der Schulter und führte ihn zu seinem Bett, wo er ihn mit sanftem Druck zum Hinsetzen bewegte. »Wollen Sie Stufe drei stoppen, oder nicht?«, fragte er.

Brahms' Augenlider zuckten. »Ja. Natürlich. Mit wem soll ich sprechen?«

Dr. Bertani reichte ihm das Telefon, das bereits eine eingespeicherte Nummer wählte.

»Sie kennen ihn, Kilian. Sie haben ihn sterben sehen.«

22. Kapitel

Oosterbeek, Niederlande

Es war die Konservendose, die ihm zeigte, dass er einen Fehler gemacht hatte. Noah war zerstreut gewesen, hatte sich nicht konzentriert, sondern beim Verlassen des zerstörten Quarantänezimmers darüber nachgedacht, ob der Alte die Maschinenpistole benutzen würde, die er ihm zurückgelassen hatte. Von all den Waffen, die er in seinen Besitz gebracht hatte, war ihr Abzug mit dem wenigsten Kraftaufwand zu lösen und die Feuerkraft am stärksten. Dennoch war er sich nicht sicher, ob der sterbende Patient seinem Leben selbst ein Ende setzen würde.

Todesangst ist ein seltsames Ding.

Erst in der Küche war Noah seine Nachlässigkeit bewusst geworden. Vielleicht war er einfach zu müde. Vielleicht hatte er zu lange nichts gegessen. Und letztlich war es müßig, über die Ursache nachzudenken: Noah hatte nicht aufgepasst und seinen Rückweg nicht genügend gesichert. Er war einfach davon ausgegangen, dass der Bungalow leer sein würde, wenn er in den Wohnbereich zurückkam.

Und das war der Fehler.

Er war nicht alleine. Jemand war mit ihm im Raum. Jemand, der Hunger hatte.

Ein gravierender Fehler.

Die Dose auf der Arbeitsplatte war geöffnet, ihr aufgeschlitzter Deckel ragte wie das Blatt einer Kreissäge nach oben. Die Kante, wo der Öffner angesetzt hatte, war rotgerändert; Spritzer von Raviolisoße klebten wie Blutstropfen auf dem hellen Holz des Küchentresens.

»Oscar?«, rief er und spähte ins Wohnzimmer. »Celine?« Das Licht im Kamin flackerte nur noch auf Sparflamme; die Lampen, die vorhin noch gebrannt hatten, waren ausgeschaltet. Was im Grunde genommen logisch war, wenn die beiden vor dem Weggehen das Licht ausgemacht hätten. Hatten sie aber nicht.

Denn sie waren noch da. Sie saßen auf dem Sofa. Eng nebeneinander. Ohne sich zu Noah umzudrehen, obwohl er sie ansprach: »Wieso seid ihr noch hier?«

In meiner Nähe! Seid ihr lebensmüde?

Keine Reaktion. Sie antworteten nicht. Das übernahm der Mann im Schatten für sie. »*Ich* habe sie darum gebeten, noch etwas zu bleiben.«

Der im Dämmerlicht gesichtslos wirkende Fremde trug einen dunklen Anzug, so schwarz wie das Leder des Sessels, auf dem er saß, weswegen es so aussah, als würde er mit ihm verschmelzen. Am deutlichsten noch konnte man den Chromlauf einer Pistole sehen, die er auf der rechten Armlehne abgelegt hatte.

Noah, der eine seiner Waffen längst wieder im Anschlag hatte, drückte auf alle Schalter in der Küchenwand gleichzeitig. Warmes Licht flutete den gesamten Bereich der Wohnküche von der Spüle bis zum Kamin.

»Sie?«, fragte er perplex. Wenn es jemanden gab, mit dem er am allerwenigsten gerechnet hatte, dann mit diesem Kerl.

Der Mann auf dem Sessel verzog das Gesicht und schirmte mit der Hand seine Augen ab. Auf seinem Schoß balancierte er einen Suppenteller.

»Bitte«, sagte er. »Mir geht es nicht gut. Ich habe Kopfschmerzen und bin seit kurzem etwas lichtempfindlich. Deshalb habe ich Ihre Freunde gebeten, das Licht zu löschen. Würden Sie auch so lieb sein?«

Als Noah sich nicht rührte, seufzte er und tunkte blinzelnd ein Stück Brot in die Soße auf dem Teller.

Oscar und Celine blickten ängstlich zu Noah.

Was sollen wir jetzt tun?, fragten sie stumm.

Noah trat einen Schritt näher, die Waffe fest umschlossen. »Was wollen Sie?«

Der Mann antwortete mit vollem Mund: »Erst mal essen. Ich hab einen Bärenhunger.« Er zeigte auf die geöffnete Raviolidose auf dem Tresen. »Tut mir leid, dass die so ramponiert ist, aber mit Verpackungen hab ich es nicht so. Wollen Sie sich nicht auch etwas nehmen, Noah oder wie immer Sie heißen? Im Speisewagen haben wir beide ja nichts Ordentliches zwischen die Kiemen bekommen.«

Er tupfte sich Mund und Nase mit einem Papiertaschentuch ab und unterdrückte ein Husten.

»Ich habe mich übrigens noch gar nicht richtig vorgestellt«, sagte er mit dem Anflug eines Lächelns in die Runde. »Mein Name ist Adam Altmann.«

23. Kapitel

»Wie haben Sie uns gefunden?«

Altmann gluckste. »Über die Pistole, die Sie gerade in meine Richtung halten. Die können Sie übrigens weglegen. Das Einzige, was an ihr funktioniert, ist der Peilsender und die Abhörvorrichtung. Sie können von Glück reden, dass Sie Ihrem Willkommens-Komitee am Bahnhof einige Waffen abgenommen haben.«

Altmann hustete trocken. Mit dem Brot in der Hand zeigte er auf die Leichen am Boden. »Mit der Attrappe da hätten Sie das sicher nicht hinbekommen.«

Noah starrte ungläubig auf die Pistole in seiner Hand. Wenn Altmann die Wahrheit sagte, war sie eine perfekte Replik.

»Sie haben sie mir beim Einsteigen zugesteckt!«, stellte er schließlich anerkennend fest, zielte zur Zimmerdecke und zog den Abzug. Statt eines Schusses hörte er nur ein sanftes Klicken.

»Tut mir leid wegen der Rangelei. Damals wusste ich noch nichts von meinem Zustand. Sollte ich das Virus in mir tragen, habe ich Sie vermutlich angesteckt«, sagte Altmann und hob abwehrend eine Hand, als Noah die Attrappe weglegte und die andere Waffe aus seiner Jackentasche zog.

»Keine Sorge, ich tue Ihnen nichts. Hier.« Altmann schmiss Noah seine eigene Waffe vor die Füße. »Jetzt bin ich unbewaffnet.«

»Was wollen Sie?«, fragte Noah, ohne Altmann aus dem Visier zu nehmen. Dessen Waffe kickte er mit dem Fuß zu Oscar, aber es war Celine, die sie mit spitzen Fingern vom Boden aufhob.

»Oh, zuerst wollte ich Sie töten«, antwortete der Auftragskiller. »Nun will ich das Gegenteil.«

»Wer sind Sie?«

Altmann stellte den nunmehr leeren Teller auf der Lehne ab und beugte sich nach vorne. »Ich arbeite für die Regierung der Vereinigten Staaten. Oder besser gesagt: Ich habe für sie gearbeitet. Mein Job war es, Konflikte zu lösen, die auf demokratischem Weg nicht aus der Welt zu schaffen sind.«

»Weswegen sind Sie hinter uns her?«, schaltete sich Oscar in das Gespräch. Wieder einmal verblüffte er Noah mit seinen perfekten Englischkenntnissen.

Altmann warf ihm einen Blick zu. »Es gibt kein *uns.*« Er zeigte auf Noah. »Es gibt nur *ihn.*«

»Und wieso soll er sterben?«, fragte Celine mit schriller Stimme. »Wieso ist alle Welt hinter ihm her?«

»Das war mir auch lange Zeit nicht klar«, sagte Altmann. Sein Blick wanderte von Celine über Oscar zu Noah. »Ich bekomme niemals konkrete Informationen über den Lebenslauf und den Hintergrund meiner Zielpersonen. Sie wollen ja auch nicht vom Kellner den Kosenamen des Kaninchens erfahren, bevor er es Ihnen serviert.«

Er zog die Nase hoch. »Sorry, wenn ich darüber nachdenke, war das ein geschmackloser Vergleich. Klingt ja so, als wollte ich Sie essen, Noah.« Er kicherte.

»Wie auch immer. Worauf ich hinauswill: Nach allem, was ich gesehen und gehört habe«, er tippte sich mit dem Zeigefinger an die Schläfen, »und das war eine ganze Menge, seitdem Sie über die Attrappe quasi verkabelt waren, ist hier eine gewaltige Verschwörung im Gange. Ein weltweiter Bioanschlag, den Sie womöglich angezettelt haben.«

Er fragte Noah nach einer Ibuprofen und einem Glas Wasser, doch der ignorierte Altmanns Bitte.

»Was wollen Sie von mir?«, wiederholte er schlicht seine Frage und überprüfte das Magazin. Innerhalb einer halben Sekunde hatte er sich davon überzeugt, dass es ausreichend gefüllt war.

Altmann atmete tief aus. Mit einem Mal wirkte er unendlich erschöpft: »Sie sind mir ein Rätsel, Noah. Ich bin mir ziemlich sicher, dass Sie ein Wissenschaftler sind, der ein Virus entwickelt hat, das sich anschickt, einen Großteil der Weltbevölkerung zu dezimieren. Mich eingeschlossen. Für einen Akademiker verfügen Sie allerdings über erstaunliche Killerfähigkeiten.«

»Das ist keine Antwort auf meine Frage. Ein letztes Mal: Wieso sind Sie hier, wenn Sie mich nicht töten wollen?«

»Ist das denn so schwer zu erraten?«, fragte Altmann und presste sich mühsam aus dem Sitz. Sein Anzug war zerknittert, das Hemd hing vorne aus der Hose. Er wankte leicht, wie ein Kleinkind, das zum ersten Mal auf beiden Beinen steht.

»Retten Sie mich!« Seine Stimme war klar und eindringlich, aber nicht flehend.

»Wie bitte?«

Um ein Haar hätte Noah vor Verblüffung die Waffe sinken lassen.

Altmann schluckte schwer. Heftige Schmerzen schienen ihm Tränen in die Augen zu treiben. »Ich habe ZetFlu genommen, aber es wirkt nicht. Weshalb?«

»Woher soll ich das wissen?«

»Hören Sie auf, mich zu verarschen, Noah, David oder wie immer Sie heißen. Wenn Sie die Seuche erfunden haben, kennen Sie auch das Gegenmittel. Ich will es haben, sofort.«

»Sonst was?«

Altmann seufzte. »Sonst gar nichts. Ich hab mir nicht eine Stunde lang auf einem geklauten Motorrad den Arsch abgefroren, um Sie hier mit dem Tode zu bedrohen. Ich bin von meinen Auftraggebern aus dem Rennen genommen worden und stelle keine Gefahr mehr für Sie da. Allerdings«, er sah auf die Uhr,

»kann ich mir nicht vorstellen, dass der Ersatz für mich nicht längst im Anmarsch ist.«

Wie um den Wahrheitsgehalt dieser bedrohlichen Prophezeiung zu beweisen, zerriss ein Schuss die Stille, die sich nach Altmanns letzten Worten im Bungalow ausgebreitet hatte.

Kurz darauf klingelte das Telefon in Noahs Hosentasche.

24. Kapitel

Manila, Philippinen

Noel schlief. Sein Atem ging so flach und unmerklich, dass sich Alicia alle zwei Minuten über den Fahrradkorb beugte, den Jay im Müll gefunden und zu einer provisorischen Wiege umgebaut hatte, um zu prüfen, ob der Säugling noch lebte. Noel lag darin auf einem Lager aus Zeitungen und Styropor und hatte seit Stunden weder geschrien noch die Ärmchen bewegt.

Er sieht so friedlich aus, dachte Alicia, wusste aber, dass das Licht sie täuschte.

Alles wirkt friedlich bei Kerzenschein.

Es war schon lange dunkel geworden, und es gab mal wieder keinen Strom. Ein weiterer Tag ging seinem trostlosen Ende zu.

So wie das Kind vor meinen Augen.

»... Es ist wahr. Alicia? Hey. Hast du mich verstanden?«

»Wie bitte?« Sie löste ihren Blick von dem Säugling und sah zu Marlon, dem sie tatsächlich kaum zugehört hatte, seitdem er vor zehn Minuten die Hütte mit den Worten »Ich habe einen Plan« betreten hatte.

»Es tut mir leid. Was hast du gesagt?«

Marlon saß breitbeinig auf dem Sack, der Jay als Bett diente, und rollte entnervt mit den Augen.

»Ich sagte, ich war bei Edwins Leuten, und die haben es bestätigt: Wir sind komplett eingekesselt. Ein Kurier hat versucht, durch den Stacheldrahtzaun an der Westseite zur Deponie durchzubrechen. Miro, du kennst ihn.«

»Der Kleine?«

Er war höchstens fünf und hatte noch alle Milchzähne.

»Genau der. Er wurde von einer Straßenpatrouille entdeckt. Sie haben ihm in den Kopf geschossen, als er sich ergeben wollte.«

Alicia schüttelte den Kopf.

Hatten sie von ihm Geld verlangt, das er nicht besaß?

Sie dachte darüber nach, ob der Kleine für fünf Dollar getötet worden war, wenn das tatsächlich das Wegegeld sein sollte, wie das schreckliche Ehepaar im *Sumpf* behauptet hatte.

»Das glaube ich nicht, Marlon.«

»Das solltest du aber«, hörte Alicia hinter sich sagen. Sie schnellte herum.

»Jay«, rief sie ärgerlich, als ihr Ältester plötzlich in der Hütte stand. »Wo um Himmels willen bist du nur die ganze Zeit gew…?« Ihre Hand wanderte erschrocken vor den Mund, und statt den Satz zu vollenden, fragte sie: »Was ist passiert?«

»Nichts, Mama.«

»Nichts?« Sie nahm die Kerze von der Ablage und leuchtete ihrem Sohn ins Gesicht. »Mein Gott, du blutest ja. Und was ist mit deinen Sachen?«

Tatsächlich war Jays rechte Gesichtshälfte von der Schläfe bis zum Kinn mit Blut verschmiert und sein T-Shirt zerrissen. Und er war barfuß, obwohl seine Turnschuhe nicht mehr neben seinem Bett standen, er also mit ihnen die Hütte verlassen haben musste, während sie kurz eingeschlafen war.

»Ich wurde überfallen«, gestand Jay zähneknirschend.

»Überfallen? Von wem?«

»Nicht so wichtig«, erklärte Jay und warf Alicia einen flehenden Blick zu, ihn nicht weiter zu bedrängen. Nicht vor Marlon. Offenbar war es ihm peinlich, in Gegenwart seines Cousins wie ein Kleinkind bemuttert zu werden.

»Du hast nach einem Ausweg gesucht«, sagte Marlon anerkennend. Es klang mehr nach einer Feststellung als nach einer

Frage. Jay nickte knapp, aber Alicia war sich nicht sicher, ob ihr Junge damit nur das Thema beenden wollte. Normalerweise konnte sie ihm an der Nasenspitze ansehen, ob er sie anlog oder nicht, doch bei Kerzenschein und mit dem vielen Blut im Gesicht war das nicht möglich.

»Hauptsache, du bist wieder da«, sagte sie und widerstand dem Impuls, Jay durch seine widerspenstigen Haare zu fahren. Sie griff nach einem Topf und füllte etwas Wasser aus einer Plastikflasche hinein. Dann tauchte sie einen Lappen in das Wasser und reichte ihn Jay, damit er sich säubern konnte.

Ein Hubschrauber näherte sich im Tiefflug, und keiner sprach ein Wort, bis die Rotorgeräusche wieder leiser wurden.

»Wie geht's ihm?«, erkundigte sich Jay mit Blick auf Noel in dem Korb.

Alicia seufzte und rang nach Worten.

»Wir müssen ihn sofort von hier wegbringen«, antwortete Marlon schließlich für sie. Jay stimmte ihm zu.

»Ja, aber wohin nur?«

Und wie?

Marlon stand auf.

»Erinnert ihr euch an die Impfung letztes Jahr?«

Jay nickte, und auch Alicia wusste, wovon Marlon sprach. Eine Hilfsorganisation hatte in einem Zelt im Ort eine kostenlose Arztstation aufgebaut und ausschließlich Arme und Bedürftige gegen Polio, Tetanus und Diphtherie geimpft.

»Die Ärzte von Worldsaver sind wieder da. Diesmal mit etwas, was gegen die neue Grippe hilft, sie haben es im Fernsehen gezeigt.«

Ein Gegenmittel?

»Aber wieso sperren sie uns denn hier ein, wenn es Medikamente gibt?«, fragte Alicia erstaunt und sah erneut nach Noel, auf dessen Nasenspitze kleine Schweißperlen glitzerten.

Wieso stehen wir unter Quarantäne, wenn doch gar keine Gefahr von uns ausgeht?

»Weil sie nicht genügend von dem Wirkstoff haben«, antwortete Marlon. »Es gab Anschläge auf die Fabriken ihres Eigentümers. Du weißt schon, der mit dem komischen Namen.«

Zaphire. Alicia erinnerte sich.

»Seitdem kommen sie mit der Produktion der Tabletten nicht mehr nach. Und die Reichen haben Angst, dass für sie nichts mehr da ist, wenn sich ganz Quezon City auf den Weg macht.«

Er rieb sich die Augen. Mit einem Mal wirkte Marlon unendlich müde, und Alicia fragte sich, wann er das letzte Mal länger als vier Stunden geschlafen hatte.

»Schön und gut«, hörte sie Jay sagen, der die Lust daran verloren hatte, sich das Blut aus dem Gesicht zu waschen. »Die Ärzte sind also zurück. Doch wie zum Teufel sollen wir es zu ihnen schaffen, ohne erschossen zu werden?«

»Wir müssen durch die Grube«, sagte Marlon.

Die Grube? Nein! »Du bist wohl verrückt geworden«, protestierte Alicia. »Das kannst du unmöglich ernst meinen.«

Nicht im Traum steige ich da runter.

»Doch«, sagte Marlon und sah abwechselnd zu Jay und zu Alicia. »Ich weiß, es klingt nach einem Selbstmordkommando, aber ich kenn mich da unten aus. Wir können es schaffen.«

Er schlug sich in die Hände, dass die Kerzenflamme flackerte. »Wir müssen nur irgendwo eine Taschenlampe auftreiben.«

25. Kapitel

Oosterbeek, Niederlande

»Hallo?«

Ein einziges, mühsam herausgepresstes Wort, und Noah wusste, wie der verängstigte Anrufer sich fühlte. Der Mann klang wie ein Kind, das zum ersten Mal allein zu Hause ist und plötzlich Geräusche im Keller hört.

»Ist da jemand?«

Noah ahnte, wie sehr der Unbekannte sich fürchtete, eine Antwort auf seine Frage zu bekommen.

Noah saß auf dem Fahrersitz des Transporters und jagte ihn mit der höchstmöglichen Geschwindigkeit den engen Waldweg auf die Ausfahrt zur Landstraße zu. Die Leichen von Ambers Schergen hatte er zuvor von der Ladefläche gezogen und unter der Kiefer abgelegt.

»Pass auf!«, schrie Celine, als er mit schleifender Bremse von der Ausfahrt auf die Landstraße schoss.

Sie saß neben ihm auf dem Beifahrersitz, Oscar hielt Altmann hinten auf den Bänken im Frachtraum mit einer Pistole in Schach. Eine vermutlich unnötige Sicherheitsvorkehrung in Anbetracht der Tatsache, dass der Auftragskiller es ohne fremde Hilfe kaum bis zum Fahrzeug geschafft hatte.

»Wer sind Sie?«, fragte Noah den Anrufer, dessen im Display angezeigte Nummer mit +3906 begonnen hatte. Es war schon der zweite Versuch. Beim ersten war Noah nicht drangegangen. Erst hatte er der Ursache des Schusses auf den Grund gehen müssen. Er war nicht, wie zuerst vermutet, von Altmanns angekündigter Ablösung, sondern von dem Alten im Quarantänebereich abgegeben worden. Noah hatte sich von seinem Freitod überzeugt und aus einem Impuls heraus die beiden am Boden liegenden Schutzanzüge in eine Plastiktüte gesteckt und mitgenommen. Dann hatten sie den Bungalow verlassen.

»Mein Name ist Kilian Brahms«, beantwortete der Anrufer Noahs Frage. Er klang verstört. »Wieso gehen Sie an *sein* Telefon?«

»An wessen Telefon?«

Noah trat auf die Bremse und brachte den Transporter mitten auf der Straße zum Stehen. Vor ihnen erstreckte sich ein Kilometer freie Strecke, aber hinter einem Hügel erleuchteten blitzlichtartige Lichter den Himmel.

Sie sperren die Straße ab.

»Und wieso verstellen Sie Ihre Stimme? Wollen Sie so klingen wie er?«

»Wie wer?«, fragte Noah.

Der Mann hustete. »Wie David Morten. Haben Sie ihn ermordet?«

»Nein.«

Noah sah auf das Display des Navigationssystems. Celine hatte sich an den Namen des Flughafens erinnert, wo der Jet stand, mit dem sie entführt worden war, und der Computer hatte die kürzeste Strecke berechnet. Leider schien sie über eine von der Polizei oder gar dem Militär abgeriegelte Route zu führen.

Er legte den Rückwärtsgang ein. Wenn er sich recht erinnerte, hatten sie vor zweihundert Metern einen Abzweig zu einem Waldweg passiert.

»Woher wissen Sie, dass er tot ist?«, fragte Noah, das Handy zwischen Schulter und Kinn eingeklemmt, mit Blick in den rechten Außenspiegel.

»Ich hab gesehen, wie er starb. In dem Hotel.«

»Sie waren im Adlon?«

»Ich leg jetzt besser auf, bevor …«

Noah hatte vor dem Abzweig gestoppt und lenkte in den Wald. Das Navigationsgerät erkannte den Strich auf der Karte, warnte aber davor, dass sie das Streckennetz verlassen würden.

»Hallo? Sind Sie noch dran?«, fragte Noah.

Aus dem Telefon hörte er ein Surren in der Leitung, dann eine Stimme im Hintergrund, die irgendetwas in einer ihm fremden Sprache *(Spanisch? Italienisch?)* zu dem Mann sagte, der sich nach einem kurzen Rascheln wieder zurückmeldete.

»Okay, passen Sie gut auf …«

Noah hörte Kilian Brahms etwa eine Minute dabei zu, wie der Mann ihm Anweisungen gab, die er selbst offenbar gerade erst erhalten hatte. Ohne ein weiteres Wort drückte Noah das Gespräch daraufhin weg.

»Wer war das?«, fragte Celine, eine Hand am Gurt, die andere an einem Haltegriff über der Tür.

Sie rasten über einen betonhart gefrorenen Boden, der, wenn überhaupt, nur von Forstfahrzeugen benutzt wurde und sicher nie in einem derart wahnwitzigen Tempo.

»Das werden wir gleich herausfinden«, antwortete Noah und suchte im Rückspiegel den Augenkontakt mit Altmann. »Haben Sie einen Laptop oder ein internetfähiges Smartphone?«, fragte er ihn.

Altmann nickte und griff in seine Hosentasche.

»Ist ein Videokonferenzprogramm installiert?«

»Hier.« Altmann reichte über Oscar das flache Handy mit der bereits geöffneten Applikation nach vorne.

»Danke.«

Noah bat Celine, es so zu halten, dass er das Display sehen konnte, ohne die Hände vom Lenkrad nehmen zu müssen. Er öffnete die Telefonliste seines eigenen Handys und nannte Celine die vierzehnstellige Nummer des Anschlusses, von dem aus er gerade angerufen worden war. Sie tippte sie in Altmanns Smartphone und drückte auf den grünen Button für den Verbindungsaufbau.

»Das ist eine italienische Vorwahl«, bemerkte Oscar von hinten. Altmann pflichtete ihm bei. Noah fielen die Einreisestempel in den Reisepässen ein.

Rom. Amsterdam und … verdammt. Was war noch mal die dritte Stadt, die ich besucht habe?

Er bog nach links in einen noch schmaleren Waldweg. Der Pfad war selbst einspurig kaum befahrbar, Zweige kratzten am Lack des Transporters. Noah musste das Tempo deutlich drosseln.

Es wird schlimmer. Nicht besser.

Plötzlich tutete es so laut, dass er zusammenzuckte. Als am anderen Ende abgenommen wurde, dauerte es noch fünf Sekunden, bis das Display ein taugliches Bild zeigte.

Noah konnte einen braunhaarigen Mann im Alter von höchstens dreißig Jahren erkennen. Auf dem langen, dünnen Hals thronte ein rundlicher Kopf wie ein Luftballon auf einem Stil. Kaltes Halogenlicht strahlte ihm direkt ins Gesicht, weswegen er die Augen zusammenkniff. Er war krankhaft blass, was die roten Flecken an Hals und Stirn noch verstärkte, vermutlich litt er an Neurodermitis oder Schuppenflechte. Seine Ohren waren knallrot, als wäre er gerade aus der Kälte gekommen, sein Pyjama hingegen passte zu dem Eindruck, dass er gerade erst aufgewacht war. Er hatte lange, gerade gewachsene Zähne, bis auf einen oberen Schneidezahn, der wie der Schnabel eines Vogels durch die wundgekaute Oberlippe brach. Zwei Dinge waren für Noah offensichtlich: Der Mann war in äußerst schlechter Verfassung. Und er hatte Kilian Brahms noch nie zuvor gesehen.

Zumindest erinnere ich mich nicht daran.

»Können Sie mich sehen?«, fragte Brahms über die auf Freisprechanlage geschalteten Lautsprecher des Handys. Seine Stimme wurde von dem Brummen des Diesels verschluckt, nur Celine neben ihm konnte mithören.

»Ja. Sie mich auch?«

»Nein, ich hab hier nur wildes Flackern auf dem Bildschirm.«

»Sie müssen die Kamera drehen«, riet Celine.

Sie drückte auf einen Button, mit dem der Selbstporträtmodus des Handys aktiviert wurde, so dass die Kamera, die bis jetzt das Armaturenbrett gefilmt hatte, nun Noahs Gesicht einfing. Brahms' Reaktion war dramatisch.

»Ach du Scheiße!«, schrie er. Seine Augen wurden größer und drohten vor Entsetzen aus ihren Höhlen zu quellen. Er riss den Mund auf und blähte die Nasenflügel, dabei stocherte er mit dem Zeigefinger vor der Linse der Kamera in der Luft herum.

»Das ist unmöglich«, krächzte er. »Völlig unmöglich.«

»Was haben Sie?«, fragte Noah.

»Sie sind es tatsächlich.«

»Wer?«

»David Morten.«

»Wir kennen uns?«

»Ja, wir hatten eine Verabredung.«

»Wann?«

»Vor einem Monat, in Berlin. Im Hotel Adlon. Aber ... aber das ist unmöglich.«

»Weshalb?«

Eine heftige Bodenwelle erschütterte den Wagen und seine Insassen.

»Weil Sie schon tot waren, als ich in Ihr Zimmer kam.«

26. Kapitel

Der Pfad wurde wieder breiter, sie passierten eine Waldarbeiterhütte und einen Wegweiser, der vermutlich für Spaziergänger aufgestellt war. Weiter vorne konnte Noah die Landstraße ausmachen, von der sie abgebogen waren. In der Hoffnung, die Absperrung umfahren zu haben, beschleunigte er wieder.

»Weswegen wollten wir uns treffen?«, fragte er den Mann, der ihn gerade für tot erklärt hatte. Das Bild von der blutenden Leiche vor dem Kamin kam ihm wieder in den Sinn, doch es war nicht mehr so deutlich wie in dem Moment des Flashbacks, als er sich beim Betreten der Suite erinnert hatte.

Mein Gedächtnis. Es wird schlimmer. Nicht besser.

»Wegen Stufe drei.« Kilian Brahms kratzte sich sein Doppelkinn. »Sie wollten über Stufe drei reden.«

»Was ist das?«

Brahms zwinkerte verblüfft. »Ich verstehe nicht, wieso Sie mir diese Fragen stellen. *Sie* waren es doch, der mich aufgeklärt hat.«

»Worüber?«

»Was soll das? Ist das ein Test?«

»Nein, kein Test. Ich habe mein Gedächtnis verloren, Kilian, und uns läuft die Zeit davon. Bitte, sagen Sie mir alles, was Sie wissen.«

Sein Gesprächspartner öffnete den Mund, blickte unschlüssig an der Kamera vorbei, dann sagte er: »Okay, womit soll ich anfangen?«

»Von vorne. Woher kennen wir uns?«

Die Reifen des Transporters rollten wieder auf asphaltiertem Untergrund, seitdem Noah nach rechts aus dem Waldweg geschert war. Auf der entgegenkommenden Spur staute sich der Verkehr bis zu der Sperrung, die jetzt in Noahs Rückspiegel lag. Der Grund dafür war nicht zu erkennen, möglicherweise war die Straße wegen eines Unfalls abgeriegelt, aber Noah bezweifelte das.

»Ich bin so etwas wie ein Reporter«, erläuterte Brahms. Je länger er sprach, desto mehr hörte man seinen britischen Oxford-Akzent heraus. »Ich arbeite für AF, Anonymous Force. Wir kämpfen für die Informationsfreiheit, hacken die Datenbänke der Reichen und Mächtigen, versorgen die Welt mit Informationen, die die Medien uns vorenthalten.«

»Und ich habe Ihnen ein Geheimnis anvertraut?«

Das Navi hatte die Strecke bis zum Sportflughafen mit fünfzehn Minuten neu berechnet.

»Oh ja. Und was für eins.« Brahms lachte gequält. »Sie wollten mir ein Video zeigen.«

»Von den Bilderbergern?«, fragte Noah lauter als beabsichtigt.

Er sah im Rückspiegel, wie Oscar interessiert den Kopf reckte.

»Von einer Splitterorganisation.«

»Room 17?«

Celine warf Noah einen überraschten Blick zu. »Amber trug einen Anhänger mit der Zahl 17«, flüsterte sie.

Und die Killer ein Tattoo.

»Ich dachte, Sie können sich an nichts erinnern?«, fragte Brahms misstrauisch.

Weil der Verkehr vor ihm immer dichter wurde, konnte Noah nicht mehr so häufig aufs Display sehen. »Einiges habe ich bereits in Erfahrung gebracht«, antwortete er. »Was ist auf dem Video zu sehen?«

»Projekt Noah. Wie es beschlossen wurde. Der gesamte Plan.«

Noah?

Er hob eine Hand vom Lenkrad, um einen Blick auf die

Tätowierung zu werfen, als befürchte er, sie könnte verschwunden sein, ähnlich wie sein Gedächtnis.

Brahms holte tief Luft, bevor er zu einem kurzen Monolog ansetzte: »1972 prophezeite eine Zusammenkunft aus Wissenschaftlern, Industriellen, Politikern und Kulturschaffenden, die sich Club of Rome nennt, zum ersten Mal den Kollaps unserer Erde, weil der Raubbau an der Natur mit der rasant wachsenden Weltbevölkerung nicht mithalten kann. Während der Club of Rome eine demokratische, friedliebende und offen arbeitende Vereinigung ist, die mit ihren aufrüttelnden Prognosen auf einen Sinneswandel in der Bevölkerung abzielt, hat sich mit Room 17 eine radikale Geheimorganisation gebildet, die die Menschheit mit Gewalt auf ein verträgliches Maß reduzieren will.«

»Um wie viel?«, fragte Noah, dem diese Ausführungen bekannt schienen, auch wenn er sich nicht sicher war, bei welcher Gelegenheit Oscar sie ihm unterbreitet hatte.

»Die Hälfte«, konkretisierte Brahms mit belegter Stimme.

Noah sah zu Celine, die vor Schreck das Telefon hatte sinken lassen. Jetzt hob sie wieder die Hand, wenn auch zitternd.

»Dreieinhalb Milliarden Menschen?«, fragte Noah. »Wie soll dieser aberwitzige Völkermord verübt werden? Mit Hilfe des Manila-Virus?«

»Ja und nein«, sagte Brahms. »Manila ist nur eine von drei Stufen.«

Während Noah sich auf das immer bizarrer werdende Gespräch konzentrierte, musste er regelmäßig abbremsen, weil Autos aus der Gegenrichtung zum Wenden auf seine Spur ausscherten.

»Was geschicht in den ersten beiden Stufen?«

»Geschah, David. Vergangenheit. Stufe eins und zwei von Projekt Noah sind bereits gezündet. Wir sind alle infiziert.«

»Wer *wir?*«

»Nahezu die gesamte Menschheit.«

Auf dem Bildschirm hob Brahms oberlehrerhaft den Zeigefinger. »Ich weiß, es klingt unglaublich. Aber wenn Sie die Bilderberger kennen, wissen Sie, dass zu ihnen die einflussreichsten und vermögendsten Personen unseres Planeten zählen. Wirtschaftsbosse, Staatspräsidenten, Medienmoguln. Die Regierungen der einzelnen Länder sind nur Ablenkung fürs Volk. Das wahre Parlament, das die Entscheidungen für uns trifft, wurde von niemandem gewählt. Vergessen Sie die UNO, das Europaparlament, den Sicherheitsrat. Es gibt nur eine einzige schlagkräftige Weltregierung, doch die ist nicht so dumm, sich dem Willen des Volkes zu unterwerfen.«

Auch das kam Noah bekannt vor.

Brahms machte eine Pause und ergänzte: »Das waren Ihre eigenen Worte. Erinnern Sie sich wirklich nicht?«

Noah schüttelte den Kopf, während er im Schritttempo unter einer Bahnunterführung durchfuhr.

»Aber dass Room 17 so etwas wie eine von den Bilderbergern abgespaltete, und jetzt nicht mehr zu kontrollierende Armee ist, wissen Sie schon?«

»Ich habe davon gehört.«

Ohne den Blinker zu setzen, bog er, um dem Stau zu entgehen, direkt hinter der Unterführung auf einen geteerten Wirtschaftsweg, der zwei hügelige Felder teilte. Sofort versuchte das Navi, eine neue Route zu berechnen.

»Sie sind die Radikalsten unter den Radikalen«, erklärte Brahms. Das Sprechen schien ihm gutzutun. Die Unsicherheit vom Beginn ihrer Unterhaltung war kaum noch zu hören.

»Ihre Ziele haben nichts mit denen des Club of Rome zu tun. Auch nicht mehr mit denen der Bilderberger. Room 17 will eine Weltordnung schaffen, in der die reichen Wirtschaftsnationen ihr Leben auf Kosten der Unterprivilegierten fortführen können.

Wenn die Industrienationen der westlichen Welt so weiterleben wie bisher, erleben wir selbst nach konservativen Hochrechnungen 2052 den totalen Zusammenbruch. Das Öl ist versiegt, die Erde um mehr als vier Grad erhitzt, das Leben in den Großstädten wegen der Umweltverschmutzung kaum mehr möglich.«

So routiniert, wie Brahms mittlerweile klang, schien er diesen Vortrag schon oft gehalten zu haben – zumindest gedanklich vor einem imaginären Publikum. Nur ein leichtes Zittern hie und da am Wortende und einige übertriebene Betonungen verrieten, wie nervös er war – und wie sehr ihm das, was er zu sagen hatte, auf der Seele brannte.

»Schon jetzt stoßen wir jedes Jahr doppelt so viele Mengen Treibhausgase aus, wie Wälder und Meere absorbieren können. Schon heute kosten uns die Wirbelstürme, die Hochwasserfluten und Erdrutsche mehr Geld, als wir mit der Ausbeutung der Rohstoffe verdienen. Und schon heute leiden eine Milliarde Menschen unter Trinkwasserknappheit, während jeder Amerikaner pro Tag achttausend Liter verbraucht. Das sind Ihre Zahlen, David. Die Fakten kann jeder im Internet nachlesen, trotzdem weiß ich erst seit unserem Gespräch, dass die Herstellung eines einzigen Kilogramms Schweinefleisch zehntausend Liter Wasser verbraucht. Und in China sind sie erst auf den Geschmack gekommen. Wenn alle so leben würden wie die Amerikaner und Europäer, hätten wir schon heute nicht mehr genügend Wasser zur Verfügung, um die Ackerflächen der Erde zu bewirtschaften. Wie soll es da erst 2050 aussehen, wenn wir neun Milliarden ernähren müssen?«

Noah, der in nördlicher Richtung fuhr und laut Kompass direkt auf den noch vier Kilometer entfernten Sportflughafen zusteuerte, sagte: »Es muss doch eine andere Möglichkeit geben, die Katastrophe zu vermeiden, außer einem weltweiten Massenmord.«

Brahms lachte. »Oh, natürlich gibt es die. Wir könnten verzichten: auf Massentierhaltung und Fastfood, auf schnelle Autos, Billigflieger und Massentourismus, auf Mineralwässer, die mit Dieselschiffen um den ganzen Globus gekarrt werden, auf Internetbestellungen, die schon am nächsten Tag in unserem Briefkasten liegen, portofrei, obwohl Transport und Verpackung die Umwelt belasten, meist doppelt, weil man sich gleich drei Paar Schuhe bestellt hat mit der festen Absicht, zwei davon wieder zurückzuschicken. Kurz: Wir könnten auf das unkontrollierte Wirtschaftswachstum verzichten. Würden wir alle so leben wie die Indianer in den Urwäldern am Amazonas, deren Lebensraum wir gerade wegholzen, um auf das verödete Ackerland Rinder zu stellen, die wir zu Hundefutter verarbeiten, dann gäbe es auf unserem Planeten für weitere neun Milliarden Platz, ohne dass auch nur ein einziges Atomkraftwerk gebaut werden müsste.«

»Aber das will niemand«, flüsterte Noah.

Celine schüttelte ungläubig den Kopf. Noah fragte sich, ob auch sie gegen das Bild von meterhohen Leichenbergen ankämpfen musste, die sich infolge einer Masseneuthanasie an den Straßenrändern türmten.

»Niemand in der westlichen Welt. Ganz im Gegenteil: Als in Deutschland vor Jahren das Wirtschaftswachstum zu sinken drohte, forderte die damalige Kanzlerin die Bevölkerung dazu auf, ihre noch fahrtüchtigen Autos in die Schrottpresse zu fahren. Bürger eines der reichsten Länder der Welt bekamen Geld ausgezahlt, eine sogenannte Abwrackprämie, und zwar dafür, dass sie Rohstoffe vernichteten, um mit dem Kauf eines neuen Autos weitere Rohstoffe zu verbrauchen, während in den ärmsten Ländern der Welt die Kinder verhungern, weil es an Sprit und Transportfahrzeugen für die Hilfsgüter fehlt.«

In weiter Entfernung konnte Noah einen Mast mit einer

Wetterfahne und damit die ersten Zeichen des Flughafens erkennen. »Sie klingen so, als ob Sie Room 17 befürworten.«

Wieder lachte Brahms zynisch auf.

»Das Paradoxe ist, dass diese Verbrecher sich für Umweltschützer halten. Sie wollen die Zahl der Menschen auf ein verträgliches Maß reduzieren, damit wir weiterhin billig tanken, unsere Scheiße mit Trinkwasser runterspülen und selbst im Winter unter Heizpilzen vor dem Restaurant sitzen können. Sie halten sich nicht für Verbrecher, sondern für Realisten. Da der Mensch von Natur aus ein Egoist ist und seinen Lebensstil nicht ändern wird, muss die Anzahl der Menschen verringert werden, wenn wir uns nicht komplett ausrotten wollen.«

»Und der Plan, mit dem das umgesetzt wird, hat drei Stufen und nennt sich Projekt Noah?«

»Ganz genau.«

»Was geschah auf der ersten Stufe?« Es hatte zu nieseln begonnen, und Noah aktivierte den Scheibenwischer.

Brahms senkte den Kopf und gab den Blick auf eine gräulich glatte Betonwand hinter sich frei, dann wischte er sich mit der flachen Hand übers Gesicht. Er schwitzte.

»Unter den Gründungsmitgliedern von Room 17 sind mehrere Eigentümer von Erdölraffinerien und Fluggesellschaften. Erinnern Sie sich an unsere Unterhaltung über die Chemtrails?«

Wieder wanderte Noahs Blick in den Rückspiegel zu Oscar, der Altmann ein Taschentuch reichte.

»Nicht den Kopf in den Nacken legen«, hörte er ihn sagen. »Es ist besser, wenn Sie es einfach laufen lassen.«

Noah konzentrierte sich wieder auf Brahms.

»An einem einzigen Tag starten allein von Atlanta aus so viele Flugzeuge, dass das Netz ihrer Abgase sich quasi über den gesamten Globus spannt. Room 17 hat über Jahre hinweg das Kerosin mit einem manipulierten Herpes-Virus kontaminiert.«

»Herpes?«

Noah wünschte, er hätte die Möglichkeit, noch einmal einen Blick auf den Lebenslauf Dr. David Mortens zu werfen, den Oscar ausgedruckt hatte. An Nanoforschung und flüssige Mikrochips konnte er sich erinnern.

Aber Herpes?

»Ein Erreger, der über Jahrzehnte hinweg unbemerkt im Körper schlummern kann, bis er plötzlich zum Leben erwacht. Er war der Mantel für die nächste, tödliche Komponente.«

»Welche?«

»Pest.«

»Moment mal, soll das heißen, dass wir alle …«

Das Navi, das die letzten Minuten keine Route gefunden hatte, zeigte plötzlich eine Zielfahne. Das Flughafengelände versteckte sich rechts von ihrer Fahrbahn hinter einem deichartigen Wall.

»Mann, langsam komm ich mir blöd vor, Ihnen zu sagen, was ich von Ihnen selbst gehört habe, damals, als Sie mich in Rom besuchten«, stöhnte Brahms. »Ich wollte es selbst kaum glauben, als Sie mir sagten, wir seien alle mit einem Herpes-Pest-Erreger infiziert. Der genetisch veränderte Keim hat sich mittlerweile in unser Erbgut geschlichen. Wir alle tragen eine Zeitbombe in uns. Zum Beweis haben Sie mich auf die vielen Allergien hingewiesen, die vor allen Dingen in den westlichen Ländern seit den achtziger Jahren immer stärker auftreten. Angeblich wären das keine Nebenwirkungen der Umweltverschmutzung, sondern die sichtbaren Zeichen von Stufe eins.«

»Die *ich* gezündet habe?«

»Nein. Das war Ihr Vater.«

Noah dachte an den alten Mann und hörte in Gedanken den Schuss, der sie aus dem Bungalow getrieben hatte.

»*Sie* sind für die dritte Stufe verantwortlich. Sie haben den

Wirkstoff entwickelt, mit dem der schlummernde Herpes-Virus aus seinem Dornröschenschlaf geweckt wird und den Pest-Erreger freisetzt.«

Noah blickte nach hinten, zu Altmann, dem das Blut weiterhin aus der Nase tropfte. Zu Celine, die sich abgewandt hatte und eine Hand auf den Bauch gepresst aus dem Beifahrerfenster sah.

Nein.

Das konnte nicht wahr sein. Das *durfte* nicht wahr sein.

»Aber ich wollte aussteigen?«, fragte er.

»Ja.«

Brahms' Antwort half nicht, die Abscheu, die er vor sich selbst empfand, zu lindern.

»Kurz nach den Impfwellen.«

Impfung?

»Es gibt also ein Gegenmittel?« Noah spürte, wie Celine sich wieder zu ihm drehte.

»Ja, aber nur für auserwählte Menschen. Für die Bilderberger, das Militär, Ärzte, Industrielle, Politiker und Intellektuelle, die für die Zeit danach wichtig sein sollen.«

»Das war Stufe zwei?«, fragte Noah.

»Ganz genau. Die sogenannte Auslese derer, die Room 17 für lebenswert hielt. Um die Entbehrlichen von den Leistungsträgern zu trennen, wurden auf der ganzen Welt Krankheiten erfunden oder durch die Medien hysterisch übertrieben dargestellt. Die Impfstoffe, die angeblich gegen SARS, BSE, Vogel- oder Schweinegrippe verteilt wurden, neutralisierten in Wahrheit den Noah-Erreger; zumindest die Chargen, die den wenigen Glücklichen vorbehalten waren.«

»Von wie vielen Menschen reden wir hier?«

»Die von der Selektion für unverzichtbar erachtet wurden? Ein, zwei Millionen vielleicht. Die meisten, wie der amerikanische Präsident, wurden ohne ihr Wissen geimpft. In dem Glauben, der Schweinegrippe vorzubeugen, retteten sie in Wahrheit ihr Leben vor einer Krankheit, die erst noch ausbrechen sollte und die wir heute als Manila-Grippe kennen. Eine Krankheit mit einer Letalitätsrate von über fünfzig Prozent.«

Dreieinhalb Milliarden. Die Hälfte der Weltbevölkerung.

»Wie wollte ich Stufe drei verhindern?«, fragte Noah und hatte eine Idee, kaum dass die Frage ausgesprochen war. »Mit Ihrer Hilfe, mit Anonymus Force, wollte ich die Welt aufklären und allen das Gegenmittel zur Verfügung stellen, oder?«

»ZetFlu«, hörte er Celine flüstern, und Noah erinnerte sich an die Berichterstattung über ein Attentat auf den Eigentümer des pharmazeutischen Konzerns – *wie hieß er noch?* –, der das Präparat kostenlos auf den Markt bringen wollte.

Hatte ich auch zu ihm Kontakt? Habe ich ihn getroffen und ihm das Gegenmittel anvertraut? Wird er deshalb mit dem Tode bedroht und seine Fabriken zerbombt?

»Es ist etwas komplizierter«, hörte er Brahms' kryptische Antwort. Die Unsicherheit in seiner Stimme schien zurückgekehrt.

»Inwiefern?«

»Sie hatten nicht viel Zeit, als Sie sich mit Zaphire in Kenia trafen.«

Zaphire. Kenia. Nach diesen Worten hatte Noah gerade gesucht.

»Sie konnten ihm das Video nicht zeigen, bevor Sie star…, äh, also bevor Sie verschwanden, und jetzt weiß er nicht, dass ZetFlu bei einigen Menschen nur unter bestimmten Bedingungen hilft.«

Noah nickte und sah zu Altmann. Das erklärte einiges. »Was sind das für Bedingungen?«

Brahms schüttelte traurig den Kopf.

»Wie gesagt, es ist sehr kompliziert. Am besten, ich zeige Ihnen das Video.«

»Sie haben es?«, fragte Noah elektrisiert.

Das Band, weswegen ich von so vielen Menschen gejagt werde?

»Nicht im Moment. Es ist …« Brahms biss sich auf die Unterlippe, senkte den Blick. »Es ist an einem sicheren Ort. Ich hab es an mich genommen, als ich Sie tot im Adlon fand.«

Er schluckte und nannte ihm die Adresse der Neo Clinica in Trastevere. »Sobald Sie in Rom eintreffen, kann ich es Ihnen wiedergeben.«

27. Kapitel

Zwei Minuten später bog der Transporter auf das verwaiste Vorfeld des privaten Sportflughafens. Das Gelände war mit wenigen Blicken zu übersehen: ein Rollfeld, ein Flachdachbau als An- und Abfertigungsterminal, kein Zaun, keine Absperrungen, kein Tower. Die Landebahn war nicht enteist und wirkte sehr kurz, ein Wunder, dass hier ein Jet gelandet sein sollte.

Weniger erstaunlich war, dass der Platz nicht kontrolliert wurde. Für den öffentlichen Verkehr spielte der Freizeitflughafen im Winter keine Rolle.

»Ist das dein Ernst?«, fragte Oscar von hinten, nachdem Noah den Inhalt des Gesprächs für alle grob zusammengefasst hatte. »Du willst wegen eines verwirrten Patienten im Pyjama, der dich aus einer Betonzelle heraus angerufen hat, nach Rom fliegen?«

»Hast du eine bessere Idee?«

Wenn Kilian Brahms die Wahrheit sagte, war dieser Journalist die einzige Chance, etwas über seine Identität und damit etwas über die Möglichkeit zu erfahren, wie sich die Krankheit stoppen ließ.

»Ja, hab ich. Weshalb fahren wir nicht alle in die nächstbeste Klinik?«, fragte Oscar und zeigte auf Altmann. »Ich meine, jetzt, wo der uns hier mit Ebola, Pest, Manila oder weiß der Geier was angesteckt hat.«

Noah wollte Oscar weitere Details aus dem mit Kilian Brahms geführten Gespräch geben, aber Altmann kam ihm mit einer verblüffenden Bemerkung zuvor.

»Es gibt keine Krankheit«, lachte er und presste sich mit beiden Fingern die Nase zu.

»Bitte?«

»Sagt der Präsident. Wenn er recht hat, bin ich nicht ansteckend. Kam, kurz bevor ich bei Ihnen eingetroffen bin, über den Internetticker auf meinem Handy.«

»Ha!« Oscar zeigte auf mehrere blutige Taschentücher am Boden. »Das glauben Sie ja wohl selbst nicht. Es ist höchste Zeit, dass wir uns mit diesem ZetFlu versorgen.«

»Wie oft soll ich es denn noch sagen?«, näselte Altmann. »Ich hab das Zeug genommen. Seh ich so aus wie jemand, mit dem man ein Vorher-Nachher-Video drehen würde?«

»Dann hat dieser Brahms recht, und Sie zählen zu den bedauernswerten Menschen, bei denen ZetFlu nicht wirkt«, schaltete sich Celine in die Unterhaltung ein.

Aber vielleicht sollten wir uns die Pillen sichern. Vielleicht haben wir ja mehr Glück?, hing unausgesprochen in der Luft.

Noah verlor die Geduld. Er öffnete die Fahrertür, stieg aus dem Wagen in die Kälte, ging nach hinten und riss die hinteren Flügeltüren auf. »Ich will niemanden zwingen, mit mir mitzukommen«, sagte er. »Jedem von euch steht es frei, das nächste Krankenhaus aufzusuchen in der Hoffnung, dort versorgt zu werden. Aber sollte ich tatsächlich Dr. David Morten sein, dann findet sich die Antwort darauf, ob und wie wir alle das hier überleben können, entweder in meinem Kopf oder in Italien auf Video, und Letzteres scheint mir derzeit leichter erreichbar zu sein als der Sitz meiner Erinnerungen.«

Schweigen.

»Tja, fragt sich nur, wie wir da hinkommen sollen?«, sagte Celine schließlich mit ausdrucksloser Stimme. Sie war vorne sitzen geblieben und zeigte durch die Windschutzscheibe auf das verwaiste Rollfeld. »Sie ist weg.«

»Wer?«, wollte Oscar wissen.

»Die Maschine, mit der ich entführt wurde. Sieht so aus, als hätten sich die Piloten mit ihr aus dem Staub gemacht.«

»Womit sich dein toller Plan wohl erledigt hat, Noah.« Oscar erhob sich schimpfend. »Oder sollte ich Dr. Morten sagen?« Er stampfte mit dem Fuß auf. »Mit der Karre hier brauchen wir mindestens zwei Tage nach Rom.«

»Aber damit nicht einmal fünf Stunden.«

Altmann zeigte an Noah vorbei auf ein kleines Propellerflugzeug, das wie verloren am Rande der Startbahn auf einem vom Schnee verschonten Rasenstück stand.

»Können Sie die Kiste etwa fliegen?«, fragte Noah und sah Altmann dabei zu, wie er sich von der Bank erhob und mit zittrigen Beinen an einer der Ketten festhielt, mit denen sie noch vor wenigen Stunden hatten gefesselt werden sollen.

»Wollen Sie mich beleidigen? Das ist eine Cessna 182.« Altmann wankte kopfschüttelnd auf Noah zu. »Als Nächstes fragen Sie mich, ob ich weiß, wie man sich die Schuhe bindet.«

28. Kapitel

Rom, Italien

»Ja, okay. Verstehe. Alles klar.«

Dr. Bertani beendete die Verbindung. Der Eigentümer der Klinik, den er sofort nach Kilian Brahms' Videotelefonat mit Noah über die neuesten Entwicklungen unterrichtet hatte, war sehr zufrieden.

»Das haben Sie gut gemacht«, gab Bertani das Lob seines Chefs an den Patienten weiter.

Brahms sah ihn zweifelnd an. Eine Träne löste sich aus seinem rechten Auge. »Ja?«

»Doch, das war perfekt.«

»Aber …«

»Doch, doch.« Bertani tätschelte Kilians Schulter. »Sie dürfen sich keine Vorwürfe machen.«

»Aber wieso?«, fragte Kilian mit erstickter Stimme. Die Tränen strömten jetzt unkontrolliert über beide Wangen.

Bertani nahm ihn tröstend in den Arm.

»Wieso musste ich ihn anlügen?«, weinte er, den Kopf auf die Schulter des Arztes gebettet. Sein Körper wurde von heftigen Schluchzern durchzuckt.

»Pscht«, versuchte Bertani ihn zu beruhigen. »Das haben Sie wirklich ganz ausgezeichnet gemacht.«

»Aber ich weiß doch gar nicht, wo das Video ist.«

Der Psychiater klopfte ihm verständnisvoll auf die Schulter. Langsam wurde ihm die Mitleidsnummer zu viel, trotzdem fügte er beruhigend hinzu: »Manchmal bedarf es einer Notlüge, um die Dinge wieder in die richtigen Bahnen zu lenken.«

»Meinen Sie?«

»Davon bin ich überzeugt.«

Kilian zog die Nase hoch. »Darf ich jetzt gehen?«

»Ja.«

»Ich will endlich meine Familie wiedersehen, wissen Sie.«

»Das werden Sie.«

Schneller, als Ihnen lieb ist.

Bertani zählte innerlich bis drei. Dann schlang er beide Arme um Kilians Nacken und zog sie blitzschnell und so heftig zusammen, dass dessen Genick brach.

Die Blase entleerte sich. Kilian Brahms' Pyjama verfärbte sich dunkel im Schritt, aber Bertani hatte dafür Sorge getragen, dass er mit dem feuchten Stoff nicht in Berührung kam.

Er hatte eine lange Fahrt vor sich und keine Zeit, um sich davor noch umzuziehen.

Stufe III

Ich glaube, dass der Widerstand von heute an immer intensiver wird und in den 2020er-Jahren in Europa und den Vereinigten Staaten einen Höhepunkt erreicht, um dann zwangsläufig in irgendeine Art Revolution zu münden. Dies ist unvermeidlich, da das alte System nicht von selbst verschwindet. Irgendetwas wird man unternehmen, um es mit Gewalt zu vertreiben. (...) Diese Umwälzung könnte natürlich auch durch friedvolle, parlamentarische Debatten auf den Weg gebracht werden, aber so wird es nicht kommen.

Karl Wagner in: »2052. Der neue Bericht an den Club of Rome. Eine globale Prognose für die nächsten 40 Jahre«

Wir können schon sieben Milliarden nicht ernähren!

Joel E. Cohen von der Rockefeller University auf einem Kongress des Amerikanischen Wissenschaftsverbandes AAAS in Washington

1. Kapitel

Oosterbeek, Niederlande

»Wo zur Hö …?« Maria räusperte sich. Um ein Haar hätte sie geflucht. Ein unfehlbares Zeichen, wie fertig sie mit den Nerven war. Die Anlässe, an denen Celine ihre Mutter hatte fluchen hören, konnte sie an einer Hand abzählen.

»Wo zum …, wo steckst du denn nur? Ich habe es tausendmal bei dir versucht!«

Ihre Stimme vibrierte vor Nervosität. Sie hatte unmittelbar nach dem ersten Klingeln abgenommen. Ganz sicher hatte Maria direkt neben dem Telefon gesessen und verzweifelt auf Nachricht gewartet.

Von mir. Von Dad.

»Mir geht's gut, Mum«, log Celine, doch was sollte sie anderes sagen?

»Ich wurde nach Europa entführt, beinahe vergewaltigt, hab aus Versehen eine Frau erschossen und hatte Kontakt mit einem todgeweihten Grippeinfizierten«, waren ganz sicher nicht die Neuigkeiten, die sie ihrer Mutter in deren jetzigem Zustand überbringen sollte.

»Hier herrscht Ausnahmezustand wegen der Pandemie«, erklärte sie und beobachtete Adam Altmann durch die Windschutzscheibe des Transporters hindurch, wie er etwa hundert Meter von ihr entfernt in die Cessna kletterte. Oscar war bereits eingestiegen, nur Noah war noch damit beschäftigt, die Seile zu kappen, mit denen das Flugzeug am Rande des Rollfelds gesichert war.

»Tut mir leid, dass ich nicht früher angerufen habe, aber wir hatten eine Kontaktsperre.«

»Du meinst, so wie auf dem JFK?«

»Genau. Was ist mit Dad?«, fragte Celine und drehte den Zündschlüssel. Der Motor und damit die Lüftung sprangen an. Lauwarme Luft blies ihr ins Gesicht. Noah, der die Zündung gehört hatte, sah zu ihr herüber und hob zum Abschied den Arm. Als sie gesagt hatte, dass sie nicht nach Rom mitfliegen wollte, hatte sie befürchtet, von den Männern dazu gezwungen zu werden. Sicher nicht von Oscar, dem kauzigen Waldschrat, der aus einem Herr-der-Ringe-Film hätte entsprungen sein können und der ihr zwar etwas überdreht, aber insgesamt harmlos erschien. Im Zweifelsfall wäre sie mit ihm alleine vermutlich sogar fertiggeworden. Altmann war da schon ein anderes Kaliber. Sie hatte keine Zweifel, dass er trotz seines grauenhaften Zustands immer noch in der Lage war, sie mit wenigen Handgriffen in die Knie zu zwingen, wenn nicht gar zu töten. Zu ihrem eigenen Erstaunen vertraute sie Noah am meisten, auch wenn sie nicht hätte sagen können, weshalb. Schließlich steckte sie nur seinetwegen in diesem Schlamassel. Aber wenn sie ihn beobachtete und ihm zuhörte, meinte sie in ihm einen Menschen zu erkennen, der verzweifelt nach seiner wahren Identität suchte und der darunter litt, dass andere während dieser Suche nur seinetwegen in Mitleidenschaft gezogen wurden. Daher hatte sie sich am Ende nicht gewundert, dass Noah ihren Wunsch, die Gruppe zu verlassen, anstandslos respektierte und ihr sogar Ambers Handy mitgegeben hatte, das er vor ihrem Aufbruch im Waldbungalow an sich genommen hatte. Das Handy, mit dem sie jetzt mit ihrer Mutter telefonierte.

»Hast du etwas von Dad gehört?«, fragte sie.

»Nein.« Maria schluchzte, dann sagte sie vorwurfsvoll: *»Du* hast mir doch versprochen, dich zu erkundigen, und danach für eine Ewigkeit dein Telefon einfach ausgeschaltet, ohne dich auch nur für eine Sekunde bei mir zu melden. So wie dein Vater. Niemand ruft mich an, keiner informiert mich. Alles, was ich weiß, erfahre ich aus dem Fernsehen. Sie sagen, der Präsident überlegt, die Sperre aufzuheben. Aber die Gesundheitsbehörde rät davon ab, bevor die Impfungen abgeschlossen sind, oder so. Dabei soll die Krankheit gar nicht so schlimm sein. Jeder meldet was anderes, ich versteh das alles nicht, Liebes.«

»Ich auch nicht«, hörte sie eine Frauenstimme im Hintergrund schimpfen. Deborah. Die beste Freundin ihrer Mutter, zumindest, wenn es nach ihrer Nachbarin ging. Deborah Knowles war Witwe und wohnte schräg gegenüber. »Unsere Alarmanlage«, wie Dad gerne über sie witzelte. Seitdem ihr Mann an Krebs gestorben war, verbrachte sie die meiste Zeit damit, auf ein rotes Plüschkissen gestützt am Fensterbrett zu hocken und auf die Straße zu starren. Zu Marias Leidwesen kam sie mehrmals in der Woche unangemeldet vorbei, um über ihre – in der Regel langweiligen – Beobachtungen zu referieren. *»Habe ich es nicht schon immer gesagt, der Sohn der Sterns gerät auf die schiefe Bahn, gestern ist er sogar erst gegen zwei Uhr morgens nach Hause gekommen. Na ja, egal, hast du den schwarzen BMW gesehen, der verdächtig langsam durch unsere Straße gefahren ist? Die kundschaften sicher Zeiten aus, wo wir nicht zu Hause sind. Ach … und halt dich fest: Cathy Bigelow hat einen neuen Verehrer, dabei ist ihr Mann nicht mal ein Jahr unter der Erde …«*

Maria hatte es bislang nicht übers Herz gebracht, Deborah zu sagen, dass sie an dieser Sorte Tratsch nicht interessiert war, doch heute kam ihr der Besuch vermutlich ganz gelegen. Zumindest Celine war erleichtert, dass ihre Mutter im Moment nicht alleine war.

»Was ist das überhaupt für eine Nummer, von der du dich meldest?«, hörte sie sie fragen, während sie den Vorwärtsgang einlegte.

Mit der Antwort »eine NNN-Außenstelle« setzte Celine die Reihe ihrer Notlügen fort.

»Und wann kommst du nach Hause?«

»Bald.«

»Wie bald?«

Celine sah auf die Uhr im Armaturenbrett. Es war kurz nach fünf. Sie seufzte innerlich.

Sobald ich einen Weg gefunden habe, wieder in die USA zurückzufliegen. Vorher muss ich aber erst einmal einen Arzt finden, der nachprüft, ob Pünktchens Herz noch schlägt, und mich vorsorglich gegen die Manila-Grippe behandelt. Falls das überhaupt möglich ist.

»Ich weiß nicht, wie lange es noch dauert«, sagte Celine ausnahmsweise die Wahrheit.

»Aber du beeilst dich?«

»Ja, natürlich.«

Sie legte den Vorwärtsgang ein und wendete das Fahrzeug Richtung Ausfahrt.

»Steckst du in Schwierigkeiten?«, fragte ihre Mutter unvermittelt.

»Ob ich … was?« Celine schluckte. »Wieso fragst du das?«

»Ich bin deine Mutter«, antwortete Maria und klang dabei alles andere als ungezwungen. »Ich darf mir doch wohl um dich Sorgen machen.« Sie lachte gekünstelt. Etwas, was sie noch seltener tat als fluchen.

»Was ist los, Mama?« Celine trat auf die Bremse, um sich vollständig auf das Gespräch konzentrieren zu können. Im Rückspiegel sah sie, wie der Propeller der Cessna sich drehte. Wenn in der Maschine kein Schlüssel gesteckt hatte, wovon nicht auszugehen war, war es ihnen erstaunlich rasch gelungen, das Flugzeug kurzzuschließen.

»Du klingst auf einmal so komisch«, fuhr Celine fort. Plötzlich hustete jemand. Nicht in ihrer unmittelbaren Nähe, sondern über sechstausend Kilometer entfernt.

»Du bist nicht alleine, Mum, oder?«

Deshalb ist sie so aufgelöst. Daher spricht sie so komisch.

»Nein, Mrs. Knowles ist hier …«

»Ich rede nicht von Deborah. Wer ist da noch?«

Etwa jemand, der dir Anweisungen gibt, mich in der Leitung zu halten?

Sie wollte auflegen, doch die Angst um ihre Mutter hielt sie davon ab.

»Was hast du, Liebes? Wieso bist du auf einmal so … Moment, ja, ich … okay.«

Celine hörte, wie ihre Mutter den Hörer weiterreichte.

»Wie geht es dir?«, meldete sich eine vertraute Männerstimme.

Vor Schreck nahm sie den Fuß von der Kupplung. Der Wagen machte einen Satz nach vorne, und der Motor soff ab.

Was zum Teufel hatte *er* im Haus ihrer Eltern verloren?

»Schön, deine Stimme zu hören«, sagte der Chefredakteur. Celines Unterleib verkrampfte sich. Wie so oft in letzter Zeit machte sich ihre Angst an der im Augenblick wertvollsten Stelle ihres Körpers bemerkbar.

»Ich schwöre, wenn du meiner Mutter auch nur ein Haar …«

»Keine Sorge. Ich bin nur vorbeigekommen, um nach dem Rechten zu sehen, als ich hörte, dass sie ganz alleine ist.«

Dieser Scheißkerl. Hatte er seine Mutter gezwungen, sie so lange in der Leitung zu halten, bis ihr Aufenthaltsort lokalisiert war?

»Ehrlich gesagt mache ich mir auch Gedanken, was in den letzten Stunden geschehen ist«, flüsterte er eindringlich.

»Was willst du?«, zischte Celine und griff nach dem Schlüsselbund, um den Motor wieder zu starten.

Es dauerte eine kurze Weile, bis Kevin ihr antwortete, und als er es tat, klang seine Stimme verändert. Er sprach leiser, wie jemand, der sich von einer Gruppe Umstehender abgedreht hat, damit niemand mithören kann. Er wirkte ernsthaft besorgt.

»Hör mir gut zu, Celine. Ich wusste, du würdest zu Hause anrufen. Nur deshalb bin ich hier.«

»Was willst du?«, wiederholte sie ihre Frage.

»Es ist jetzt ganz wichtig, dass du mir vertraust«, bat Kevin.

»*Dir* vertrauen?«

»Ich weiß, es ist sehr viel verlangt. Aber du musst auf mich hören, sonst bist du verloren.«

Celine fragte sich, für wie bescheuert er sie hielt. Glaubte er wirklich, sie würde auch nur ein Wort aus dem Munde eines Mannes glauben, der sie gewaltsam hatte verschleppen lassen?

Sie sah in den Rückspiegel. Mittlerweile war auch Noah in die Cessna geklettert und hatte neben Adam auf dem Kopilotensitz Platz genommen.

»Du kannst deine Spielchen spielen, Kevin. Aber wenn du denkst, über mich an Noah heranzukommen, dann hast du dich geschnitten.«

»Noah ist nicht mehr wichtig.«

»Was soll das heißen?«

»Die Informationen, die er hat, sind für uns nicht mehr von Nutzen. Selbst wenn er sich erinnert, wäre es jetzt schon zu spät.«

»Zu spät, um die Epidemie aufzuhalten?«, fragte Celine.

Kevin lachte traurig. »Du warst schon immer meine beste Reporterin.«

Hinter sich hörte Celine den Motor der Cessna aufheulen. Die Maschine setzte sich langsam in Bewegung.

»Was willst du von mir, Kevin?«

»Helfen. Ich will dir helfen.«

»Für wie blöd hältst du mich?«

»Bitte. Du musst sofort den Flughafen verlassen.«

Also doch. Er hatte sie während des Gesprächs mit ihrer Mutter geortet.

»Weshalb?«

»Weil du sonst stirbst. Sie können jede Sekunde da sein.«

»Sie?«

»Die Killer, die Altmann ersetzen sollen. Bitte, vergiss einfach, was ich dir angetan habe, und lass es mich wiedergutmachen. Die, die hinter euch her sind, haben nichts mit mir und unserer Organisation zu tun. Ich erklär dir alles später, aber wenn du jetzt nicht verschwindest, bevor sie kommen, dann ist es aus.«

Sie sah zur Ausfahrt einige Hundert Meter von ihr entfernt. Sorgenvoll betätigte sie die Zentralverriegelung.

»Nenn mir nur einen Grund, weshalb ich dir glauben sollte«, sagte sie unschlüssig.

Was, wenn die Falle zuschnappte, sobald sie den Flughafen verließ? Andererseits war sie hier auf dem freien Gelände so geschützt wie eine Zielscheibe auf dem Schießstand.

»Weshalb soll ich dir vertrauen?«

Nach einigen stummen Sekunden sagte Kevin zwei Worte: »Die Blumen.«

»Was?«

»Denk an die Blumen.«

»Ich verstehe kein Wort.«

Er räusperte sich.

»Ich weiß, es ist sicher der denkbar ungünstigste Zeitpunkt, dich das zu fragen, aber hast du wirklich nicht geahnt, von wem die Blumen waren, die in der Redaktion eintrafen?«

»Moment mal …?«

Die kamen doch von Steven … oder?

Celine musste an das unangenehme Gefühl denken, das sie überkam, wann immer sie mit Kevin alleine war. An die Art, wie er ihre Hand hielt, immer einen Tick zu lange.

»*Du* warst das?«

Kevin lachte ähnlich unsicher und gekünstelt wie zuvor ihre Mutter. »Dachtest du, dein Ex kommt immer vorbei und stellt die Rosen für dich in die Vase?«

Das glaube ich nicht. Er lügt.

Im Rückspiegel entfernte sich die Cessna immer weiter von ihr.

»Ich will dir nichts Böses, Celine. Wollte ich nie. Es tut mir unendlich leid, dass du hier mit reingezogen wurdest. Ich hätte dich nie mit dieser Story beauftragen dürfen. Ich dachte, das bringt uns einander näher.«

»Näher? Es bringt mich um, du … du Arschloch.«

In dieser Sekunde geschah etwas, was ihre Eingeweide noch mehr verkrampfen ließ: Ein dunkler Wagen tauchte in der Zufahrt zum Flughafen auf.

»Scheiße«, entfuhr es ihr.

»Sind sie schon da?«, rief Kevin, nicht mehr nur besorgt. Er klang panisch.

Celine hielt vor Angst die Luft an.

Was soll ich tun?

Sagte Kevin die Wahrheit, dann waren ihre Sekunden gezählt. Oder war das nur eine Taktik, mit der sie dazu getrieben werden sollte, etwas Dummes zu tun?

Vor meinen Rettern zu fliehen?

Was, wenn Kevin darauf spekulierte, dass sie genau das Gegenteil von dem tat, was er ihr riet, weil sie ihm nicht vertraute?

»Hau ab!«, schrie Kevin.

Celine sah ein letztes Mal in den Rückspiegel.

Die Cessna rollte gerade ans Ende der Startbahn, um in nordwestliche Richtung gegen den Wind starten zu können.

Sie sah wieder nach vorne.

Der dunkle Wagen war stehen geblieben und gab Lichthupe.

Wer bist du? Freund? Oder Feind?

Celine überlegte noch einmal eine letzte Sekunde. Ging alle Optionen durch.

Und traf ihre Entscheidung.

2. Kapitel

Manila, Philippinen

»Ihr wollt *da* durch?«

Jay und Marlon nickten. Sie standen in den Mauern einer dachlosen Betonruine in einer der wenigen, noch nicht so dicht besiedelten Regionen am Südrand des Slums. Beißender Fäulnisgestank kroch in unsichtbaren Wolken aus einem dunklen Loch zu ihren Füßen.

Alicia musste würgen. »Das kann ich nicht.«

Das würde Noel nicht überleben.

Sie presste ihr Baby an ihre Brust.

Niemand würde das überleben.

Noel fühlte sich heiß und fiebrig an, wie die Luft, die sich wie ein nasses Handtuch um ihre Körper legte. Bei dreiundvierzig Grad im Schatten und über neunzig Prozent Luftfeuchtigkeit schwitzte man allein durchs Atmen.

»Ich kann da nicht rein.«

Niemals.

Die *Grube*, wie sie von den Slumbewohnern genannt wurde, war das Gegenstück zur Deponie. Ein zweihundert Meter langer, mit löchrigen Brettern überdeckter Graben, in dem sich die Ausscheidungen Zehntausender Menschen sammelten. Ihre Lage war von weitem auszumachen, denn über ihr schwirrten dunkle, surrende Wolkenformationen aus Fliegen, die sich selbst dann nicht auflösten, wenn man sich mitten in den Schwarm hinein auf einen Balken setzte, um seine Notdurft zu verrichten.

Früher war der Gestank noch besser zu ertragen gewesen. Aber früher hatte es auch verlässliche Monsunphasen gegeben, deren Regenperioden die Grube wenigstens vom gröbsten Unrat gereinigt hatten. Doch in den letzten Jahren hatte sich das Klima verändert. Es regnete immer seltener, und wenn, dann so sturzflutartig, dass die Flüsse über die Ufer traten und die Stadt vom Schlamm erstickt wurde. Dürre und Überschwemmungen waren der Hauptgrund, weshalb immer mehr Bauern in die Slums drängten. Die fliehenden Landbewohner berichteten von verödeten Feldern und von komplett vernichteten Reisernten. Die Männer und Frauen, die eigentlich das Land ernähren sollten, litten nun selbst Hunger und füllten zu Tausenden die Bretterverschläge – und damit die *Grube*.

»Sobald wir unten sind, sind es nur fünfzig Meter bis zur Grenze«, sagte Marlon, der sich wegen des Gestanks das T-Shirt über den Mund gezogen hatte. Jay tat es ihm nach.

Vor einigen Jahren waren im Rahmen eines internationalen Hilfsprojekts einige Hütten mit Kanalisationsschächten an die Grube angeschlossen worden, so wie die nie fertig gestellte Betonzelle, zu der Marlon sie geführt hatte. Aber da die Grube in Lupang Pangako gleichzeitig als Toilette, Müllschlucker und manchmal sogar als Friedhof diente, in die die Leichen der Nacht geschmissen wurden, war das neu installierte Abwassersystem bereits nach einem Monat wieder unbrauchbar gewesen. Auch der Schacht vor ihnen war verstopft.

Marlon leuchtete mit der Taschenlampe hinein, die er gemeinsam mit Jay Gott weiß wo gestohlen hatte, und Alicia sah am Grund Äste, Gestrüpp und eine Fernsehantenne aus dem flüssigen Morast ragen.

»Wenn ihr da runtersteigt, ist das euer Tod«, protestierte sie.

Letzte Woche erst war eine Mutter im Schlamm ausgerutscht und mit ihrem Kind in die Grube gefallen. Der Säugling hatte etwas von der braunen Brühe verschluckt. Sie waren sofort ins öffentliche Krankenhaus gerannt, hatten dort aber das Geld für den Arzt nicht aufbringen können. Der Todeskampf des Babys hatte drei Tage gedauert.

Und du, Noel? Wie lange hältst du durch?

»Wenn wir bleiben, sterben wir erst recht«, keuchte Marlon. Er hustete in den Stoff seines T-Shirts, dann zog er es aus.

Alicia sah ihrem Sohn dabei zu, wie er es seinem Cousin gleichtat und ihr sein zerrissenes Hemd reichte.

»Was soll ich damit?«, fragte sie ihn.

»Wickel es um Noels Kopf.«

Jay bat Marlon, in die Grube zu leuchten. Stahlstreben waren in den feuchten Schacht geschlagen. Jay setzte sich an die Lochkante und schwang die Beine über den Abgrund.

»Was soll das denn bringen?«, fragte Alicia. Tränen stiegen ihr in die Augen. Sie hatte Hunger und Durst, war unendlich müde nach der kurzen Nacht, und selbst das geringe Gewicht ihres kranken Babys zu tragen brachte sie an den Rand der Erschöpfung. Sie wusste, sie würde nicht die Kraft aufbringen, ihren Jungen von diesem Selbstmordkommando abzuhalten.

»Selbst wenn es klappt …«

… wenn wir uns nicht verirren. Nicht von Ratten gebissen werden. Uns nicht den Tod holen …

»Wer sagt uns, dass die Ärzte da draußen uns helfen?«

Ganz ohne Geld.

»Los, Mama, wir haben keine Wahl.«

Jay griff mit beiden Händen nach der obersten Strebe und schwang sich in den Schacht.

Auch Marlon bedrängte sie: »Komm mit uns. Oder willst du untätig zusehen, wie Noel stirbt? Wenn wir erst einmal das Worldsaver-Zelt erreicht haben, wird sich dort sicher auch jemand um dein Baby kümmern. Bei der letzten Impfung haben sie ja auch keinen Peso verlangt.«

Alicia blinzelte die Tränen weg und sah, wie der Kopf ihres

siebenjährigen Sohnes im Schacht verschwand. Marlon nickte ihr noch ein letztes Mal zu, dann verschwand auch er in dem Loch.

Lieber Gott, verzeih mir. Was immer ich auch getan haben mag.

Alicia schloss die Augen und sprach ein stummes Gebet. Dabei wickelte sie Jays T-Shirt um Mund und Nase von Noel, der unter den Streifen der Plastiktüte, mit denen sie ihn vor der Brust trug, keinen Laut mehr von sich gab.

Es tut mir so leid, dachte sie und weinte, weil ihr die Sünde nicht einfallen wollte, für die sie so hart bestraft wurde.

Sie hielt die Luft an.

Dann stieg auch sie hinab in die nach Tod und Verwesung riechende Dunkelheit.

3. Kapitel

Im römischen Luftraum

Der Wind hatte aus dreihundert Grad geweht, was ein Glücksfall gewesen war. Ohne Rückenwind hätten sie es in der vollbeladenen Cessna nicht in weniger als fünf Stunden bis nach Italien geschafft. Die viersitzige Maschine war am Rande des Rollfelds in Oosterbeek nur durch Seile gesichert gewesen. Aufgetankt, wie bei erfahrenen Piloten üblich, die den Tank immer bis zum letzten Tropfen füllten, um bei längeren Wartezeiten eine Kondenswasserbildung zu vermeiden. Das Flugzeug war auch sonst gut in Schuss und mit einem GPS-System ausgestattet, weswegen sie kein einziges Mal auf die Karten in der Pilotentasche hatten sehen müssen.

Nachdem Altmann mit einem Griff unter die Lenksäule die Kabel herausgerissen und mit einem Kurzschluss die Propeller gestartet hatte, waren sie in nordwestliche Richtung gestartet.

Während des gesamten Flugs über hatten sie den Transponder ausgeschaltet gelassen und die Maschine in einer Höhe von unter tausend Fuß gehalten, wodurch sie für die Flugüberwachung nur als kleiner Punkt auf dem Radar sichtbar gewesen waren und von den Bodenkontrollstationen, wenn überhaupt, für ein Ultraleicht- oder Segelflugzeug gehalten wurden.

Hin und wieder, wenn Altmann einen Sportflugplatz entdeckte, hatte er die Cessna in den Sinkflug gebracht. »Falls uns jemand auf dem Schirm hat, soll er denken, wir landen. Das ist harmloser, als wenn wir einen geraden Strich zwischen Amsterdam und Rom ziehen«, hatte er seine Strategie erklärt. Und es hatte funktioniert.

Nach zweihundertachtzig Minuten befanden sie sich nun über der Tyrrhenischen Küste im Sinkflug, etwa dreißig Kilometer von der Tibermündung entfernt, und es hatte keine besonderen Zwischenfälle gegeben. Die größten Probleme hatten sich bereits beim Abflug ereignet, als Adam den Startvorgang hatte abbrechen müssen, weil Celine es sich auf einmal anders überlegt hatte.

Völlig unerwartet war sie ihnen mit dem Transporter nachgefahren und wild gestikulierend auf das Rollfeld vor die Maschine gesprungen. Nachdem sie an Bord geklettert war, zeigte sie auf einen dunklen Wagen, der in der Zufahrt neben dem Hauptgebäude stand und sich merkwürdigerweise nicht in Bewegung setzte, um sie davon abzuhalten, die Cessna in die Luft zu bringen.

»Das sind meine Leute. Sie wissen, dass ich infiziert bin«, sagte Altmann, als sie bereits ihre Reiseflughöhe erreicht hatten. »Sie haben Angst, sich anzustecken. Hätten sie Noah oder Sie alleine vorgefunden … wer weiß. Aber mit mir in der Nähe? Nein.« Er schüttelte den Kopf.

Celine schien danach noch unruhiger zu werden. Wie ein Mensch, der sich sicher ist, einen großen Fehler gemacht zu haben, und Noah konnte ihr den Gedanken, Pest gegen Cholera eingetauscht zu haben, nicht verübeln.

Die meiste Zeit des Fluges über hatte sie geschwiegen und Adams und Oscars Fragen, wie und weshalb sie in diese Sache hineingezogen worden war, nur knapp beantwortet. Und nachdem Noah den Fehler gemacht hatte, sich vorsichtig nach ihrer Schwangerschaft zu erkundigen, war sie endgültig verstummt.

Im Augenblick schlief sie, ebenso wie Oscar, eingelullt von den monotonen Fluggeräuschen, mit den Köpfen gegen die Rücklehnen der Vordersitze gelehnt; anders als Noah, der wegen der Sorge, dass Altmann am Steuer kollabieren könnte, den gesamten Flug über kein Auge zugetan hatte.

Anfangs hatte der Agent wieder erstaunlich kräftig gewirkt, doch als sie die Schweizer Grenze überflogen, waren ihm wieder rote Sturzbäche aus der Nase geschossen.

Seitdem steckten ihm zwei Taschentuchfetzen als Tamponage in den Nasenlöchern. Er schwitzte und litt unter Schüttelfrost, obwohl die Bordheizung auf volle Stufe gestellt war und ihm direkt ins Gesicht blies.

»Wir sind gleich da«, hörte Noah ihn sagen. Alle vier kommunizierten über ein Headset mit schallschluckenden Kopfhörern. Jedes Mal, wenn sich jemand zu Wort meldete, knackte es unangenehm im Ohr, und man hatte Mühe, die Stimme aus dem staubsaugerartigen Mahlstrom der Nebengeräusche herauszufiltern.

»Landung in vier Minuten.«

Es war kurz nach halb zehn, sie flogen durch eine wolkenlose Nacht. Über ihnen leuchteten die Sterne, unter ihnen formierten sich die Lichter Roms zu einem funkelnden Teppich.

»Fällt dir was auf, Noah?«, fragte Altmann. Kurz vor den Alpen, nachdem er für zwanzig Minuten von so heftigen Krämpfen geschüttelt worden war, dass Noah für eine Weile übernehmen musste, waren sie zum Vornamen übergegangen.

Er sah aus dem Seitenfenster und nickte. »Keine Autos.«

Man sah weder Scheinwerfer noch Rücklichter, keinen Strom, der sich von der Stadt weg- oder auf sie zubewegte.

Nur vereinzelt schob sich ein Lichtpunkt über eine der Zufahrtsstraßen.

Noah nahm sich Altmanns Smartphone. Sie flogen so tief, dass der Browser eine Internetverbindung öffnen konnte. Wie erwartet bekam er für die Suchanfrage »Italien+Rom+Ausgangssperre« Hunderte von aktuellen News-Treffern.

»Seit heute Abend achtzehn Uhr darf die Bevölkerung nur noch im Notfall auf die Straße«, klärte er Altmann auf. »Konzerte, Fußballspiele, die Benutzung öffentlicher Verkehrsmittel sind untersagt. Man will die Zusammenkünfte großer Menschenmengen verhindern, und die Hauptstraßen sollen für Krankentransporte frei gehalten werden.«

»So viel zum Thema ›Es gibt keine Seuche‹«, schimpfte Oscar hinter ihnen. Er war durch die Unterhaltung geweckt worden. Auch Celine neben ihm schlug die Augen auf und gähnte.

»Wo sind wir?«, fragte sie mit Blick aus dem Fenster.

»Am Arsch«, antwortete Altmann und kniff die Augen zusammen. Die Landebahn, die bislang nur im Bordcomputer zu sehen gewesen war, erstreckte sich jetzt für alle deutlich erkennbar vor ihnen am Boden.

»Wieso? Was ist los?«, fragte Celine ängstlich.

Sie konnte nicht nachvollziehen, was Altmann ängstigte. Noah schon.

»Zu hell«, sagte er und tippte eine weitere Suchanfrage in das Telefon. Sie hatten sich einen kleinen Flughafen in der Nähe des Zentrums ausgesucht, der im Winter, zumal zu dieser Uhrzeit, ebenso verwaist hätte sein müssen wie der, von dem sie in den Niederlanden gestartet waren. Doch da unten war nicht nur die Landebahn, sondern jedes einzelne Gebäudeteil hell erleuchtet.

»Hab ich es mir doch gedacht«, sagte Noah und las die Meldung vor, die er im Netz gefunden hatte: »Der Aeroporto di Roma-Urbe ist für die zivile Luftfahrt geschlossen. Der italienische Katastrophenschutz hat das Rollfeld beschlagnahmt.«

»Wieso meldet sich der Tower nicht?«, fragte Oscar von hinten.

Altmann grinste fahl. »Weil er es nicht kann. Ich hab den Funk abgestellt.«

»Wieso das?«

»Wir sind unerlaubt in den Luftraum eingedrungen und landen ohne Genehmigung. Das ist schon schwierig genug, dabei will ich mich nicht auch noch von einem aufgebrachten Italiener anbrüllen lassen.«

»Können wir nicht woanders runter?«, wollte Celine wissen.

»Im Dunkeln? Ohne Positionslichter? Auf einer Autobahn etwa? Vergessen Sie's. Außerdem haben wir nicht mehr genug im Tank, um uns was Neues zu suchen.«

»Aber wenn wir hier landen …« Noah deutete auf mehrere Einsatzfahrzeuge, die vor dem Rande eines Flachdachbaus standen und bereits ihre Signallichter angeschaltet hatten.

»Haben wir zwei Minuten, bis sie uns festnehmen, ich weiß.«

»Und jetzt?«

Die Maschine schaukelte im Wind.

»Ich habe keinen Schimmer.«

Noah sah an Altmann vorbei aus dessen Seitenfenster und erkannte ein weiteres rotes Signallicht, etwa dreihundert Meter von der Rollbahn entfernt.

»Ist dort der Tiber?«, fragte er, den Zeigefinger auf das flackernde Alarmlicht gerichtet.

»Müsste er sein, ja. Wieso?«

Noah beugte sich nach hinten. »Ich bräuchte bitte die Plastiktüte, Celine.«

Sie griff hinter ihren Sitz und reichte sie nach vorne.

»Was hast du vor?«, fragte Altmann.

»Du weißt doch, dass ich vorhin noch einmal bei dem Alten im Bungalow war, nachdem er sich erschossen hatte?«

Bei meinem Vater.

»Ja, und?«

»Ich hab dort was mitgenommen, was uns jetzt helfen könnte.«

Noah zeigte ihm den Inhalt der Tüte. Dann erläuterte er den dreien seinen Plan, während Altmann noch eine Runde über dem Flughafen zog.

4. Kapitel

Die Landung glich einem Aufschlag.

Sie schossen die einzige Landebahn Richtung Norden an dem hell erleuchteten Abfertigungsgebäude zu ihrer Rechten vorbei. Bevor sie im letzten Drittel der Piste zum Stehen kamen, riss Altmann den Steuerhebel nach links, wodurch die Cessna von dem Rollfeld auf ein freies Feld raste, das in kompletter Dunkelheit lag. Im Scheinwerferkegel des Flugzeugs wirkte das Gelände wie eine Mondlandschaft.

Trotz der geringen Sicht und der unebenen Strecke beschleunigte Altmann die Maschine, als wollte er gleich wieder durchstarten.

Der Motor röhrte mit einem ungesunden, rasselnden Begleitgeräusch auf, der Krach war selbst unter den schallschluckenden Kopfhörern kaum zu ertragen. Gleichzeitig meinte Noah den Geruch verbrannten Kunststoffs wahrzunehmen, aber das mochte auch eine Täuschung sein. Seine Nase war verstopft, eigentlich dürfte er gar nichts riechen können, und er fühlte sich grippig. Jedes Mal, wenn er schluckte, kratzte es in seinem Hals, was dem Schlafmangel und den Nebenwirkungen der völligen Erschöpfung geschuldet sein konnte. An die zweite, lebensbedrohliche Möglichkeit wollte er im Augenblick besser nicht denken, zumal die nahezu ausweglose Situation seine gesamte Aufmerksamkeit in Anspruch nahm.

Noch konnte Noah nicht sehen, ob das am Flughafen stationierte Militär bereits hinter ihnen her war, aber er ging fest davon aus. Nach einer gefühlten Ewigkeit, tatsächlich war nicht einmal eine halbe Minute vergangen, stoppte Altmann die Cessna abrupt und schaltete den Motor und sämtliche Beleuchtung aus. Noah öffnete die Seitentür und stieg unter der Tragfläche in die überraschend warme Nachtluft hinaus. Dann klappte er seinen Sitz nach vorne und reichte Celine die Hand. Altmann bot Oscar auf der gegenüberliegenden Seite die gleiche Hilfe an.

»Los, los. Beeilung«, sagte er, als alle wieder festen Boden unter den Füßen hatten.

In der gleichen Sekunde zerrissen mehrere sich überlagernde Alarmsirenen das Rauschen, das sich nach dem langen Flug in Noahs Ohren festgesetzt hatte. Er drehte sich zu den Lichtern der Einsatzfahrzeuge herum.

»Sie kommen«, sagte Oscar unnötigerweise.

Noch standen die Kastenwagen und Jeeps mit laufenden Motoren vor dem Hauptgebäude, aber es war mehr eine Frage von Sekunden als von Minuten, bis sie bei ihnen waren, sobald sie erst einmal Fahrt aufnahmen.

Noah nickte Celine zu, die in dem Schutzanzug, in den sie sich – ebenso wie er – noch im Flieger hineingequält hatte, wie eine aus dem Kontrollraum eines Kernkraftwerks entflohene Aufsichtsperson aussah. Erst recht, als sie sich den Mundschutz aufsetzte. Eine Gasmaske wäre für ihre Zwecke geeigneter gewesen, aber die Auswahl auf dem Boden der Krankenstation im Waldbungalow war überschaubar gewesen, also musste es auch so gehen.

Noah drehte sich zu Altmann, dann sah er zu Oscar. »Ihr habt fünf Sekunden Vorsprung.«

»Kann ich nicht …«, wollte Oscar zum Protest ansetzen, aber Altmann gab ihm einen unsanften Schubs.

»Nun quatsch nicht.«

»Wir haben nur zwei Anzüge«, rief Noah ihm noch erklärend hinterher, da waren beide schon losgerannt.

Keine Sekunde zu früh.

Die Flotte der Einsatzwagen formierte sich auf dem Rollfeld zu einer Fahrzeugwand.

Noah zählte bis fünf, dann rannten auch er und Celine los, den beiden hinterher direkt auf das rote Licht zu, das sie aus der Luft am Ufer des Tibers verortet hatten.

Wenn Noahs Plan nicht bereits von Anfang an zum Scheitern verurteilt sein sollte, musste es sich um die Positionslampe eines Bootes handeln, vermutlich um eines der Polizei, des Militärs oder einer Einheit des Grenzschutzes, um die zum Flughafen führenden Verkehrswege auch vom Wasser aus zu sichern.

Hoffentlich ist es kein Boot der Gesundheitsbehörde oder des Katastrophenschutzes.

Um Gewissheit zu erlangen, gab Noah, nachdem er sich ebenfalls den Mundschutz über Lippen und Nase gezogen hatte, beim Rennen einen Warnschuss aus seiner Pistole ab. Und während die Motorengeräusche hinter ihm immer näher kamen, flammte nur wenige Sekunden später, von den Schüssen alarmiert, in ihrer Laufrichtung ein Suchscheinwerfer auf. Sein Licht erfasste das ungleiche Paar, den hageren Altmann vorneweg und Oscar, der, eine Hand beim Laufen in die Seite gepresst, einige Meter hinterherstolperte.

Wie verabredet. Auf das Boot zu.

Noah feuerte einen zweiten Schuss in den sternenklaren Nachthimmel. Celine neben ihm keuchte, aber sie hatte keine Mühe, den Anschluss zu halten, obwohl sie nach dem langen, ununterbrochenen Sitzen im Flieger bestimmt genauso wackelig auf den Beinen war wie er selbst.

»Es geht schief«, sagte Celine, ohne ihr Tempo zu verringern. Noah konnte ihr insgeheim nur zustimmen, als er sah, wie sich die Dinge entwickelten.

Altmann und Oscar waren stehen geblieben, nur wenige Meter von einem jetzt illuminierten Steg entfernt, an dem ein mittelgroßes Polizeiboot mit weißem Rumpf lag, mit einem Suchscheinwerfer auf dem Dach eines dunklen Hartschalenverdecks.

Zwei Männer hatten sich den beiden in den Weg gestellt.

In ihren dunklen Uniformen und den schwarzen Mützen sahen sie einander zum Verwechseln ähnlich. Beide hatten ein schmales, kantiges Gesicht, beide blutjung, wie Noah sah, als sie nahe genug dafür waren. Nur in der Bewaffnung unterschieden sie sich. Einer der beiden Carabinieri trug ein Maschinengewehr. Der andere schien lediglich mit einem Funkgerät ausgerüstet, das er von seinem weißen Schultergurt abgenommen hatte und aus dem für Noah ebenso unverständliche Worte lärmten wie die, die der Beamte mit der Waffe ihm an den Kopf brüllte.

Ich verstehe kein Italienisch, schoss es ihm durch den Kopf.

»Nicht anfassen«, warnte Noah die Männer daher auf Englisch und fügte ein einziges, abschreckendes Wort hinzu, das mittlerweile auf jedem Kontinent der Welt verstanden wurde: »Manila.«

Als die jungen Carabinieri Altmanns blutverschmiertes Gesicht und kurz darauf Noah und Celine in weißen Schutzanzügen hinter den Flüchtenden auftauchen sahen, zogen sie exakt die Schlüsse, die Noah hatte provozieren wollen:

»Sie werden euch für entlaufene Patienten aus dem Flugzeug halten und uns für die Vorhut der Einsatztruppe, die sie mit Blaulicht von hinten anpreschen sehen«, hatte Noah den anderen prophezeit – und recht behalten.

Er hatte weiter darauf gehofft, dass sich die Polizisten nicht anstecken wollten und zur Seite traten, sobald sie Altmann und Oscar direkt auf sich zukommen sahen. Doch diese Rechnung ging nicht auf. Die Beamten wirkten nervös, aber entschlossen, niemanden an sich vorbeizulassen.

»Wir sind von der US-Gesundheitsbehörde«, sagte Noah zu dem Träger des Maschinengewehrs, der abwechselnd auf Oscar und Altmann zielte. »Gehen Sie sofort aus dem Weg, und lassen Sie uns unsere Arbeit machen.« Er zeigte auf Oscar und Altmann. »Wir kümmern uns um die Kranken.«

Der Mann mit dem Maschinengewehr zuckte verständnislos mit den Achseln, dafür schien sein Kollege der englischen Sprache mächtig zu sein. Mit starkem Akzent, aber einwandfreier Grammatik antwortete er mit kurzem Blick zu Oscar und Altmann: »Wir haben Anweisungen, Sie alle festzunehmen.«

Immerhin kein Schießbefehl.

»Was meinen Sie mit ›alle‹? Uns etwa auch?« Er zeigte auf sich selbst. Der Carabiniere nickte.

Noah sah, wie Altmann sich mit dem Unterarm die Nase abwischte. Nur Oscar hielt mit ängstlich angestrengtem Gesichtsausdruck die Arme hoch.

»Hören Sie!«, versuchte Noah es wieder auf Englisch. Der unbewaffnete Carabiniere hob abwehrend die Hand und wollte gerade einen ankommenden Funkspruch annehmen, als zwei Schüsse fielen.

Im ersten Impuls hatte Noah sich umdrehen wollen, obwohl es eindeutig war, dass der Angriff nicht von hinten kam.

Zu laut, zu nah waren die Pistolenkugeln abgefeuert worden.

Die erste hatte den bewaffneten Carabiniere niedergestreckt. Die zweite schien den jungen Mann mit dem Funkgerät direkt in den Hinterkopf getroffen zu haben. Er wankte noch kurz, dann – während ihm bereits Blut aus dem Mund trat – kippte er nach vorne. Noah musste ausweichen, sonst wäre der Tote auf ihn gekippt.

Oscar und Celine schrien gleichzeitig auf. Beide starrten zu Altmann, der auf einmal eine kleine Pistole in der Hand hielt.

»Was haben Sie getan?«, brüllte Celine.

»Das Richtige«, antwortete Altmann knapp und sah zu Noah. Ihre Blicke trafen sich nur für die Zeitspanne eines Wimpernschlags, aber länger brauchte Noah nicht, um die Gedanken des Killers zu lesen.

»Was hast du geglaubt?«, las er in Altmanns Augen. *»Dass ich ein netter Mensch bin, nur weil ich uns nach Rom geflogen habe? Ich töte. Das ist mein Beruf. Und ihr lebt nur noch, weil euer Tod mir keinen Vorteil bringt.«*

Ohne ein weiteres Wort der Erklärung ließ Altmann die Gruppe stehen und rannte den Steg hinunter, die Waffe weiterhin im Anschlag für den Fall, dass noch mehr Polizisten auf dem Boot waren.

Noah drehte sich ein letztes Mal zu dem Flughafen und zu den Einsatzfahrzeugen um, die jetzt nur noch wenige Hundert Meter von der Bootsanlegestelle entfernt waren und deren Signallichter bereits die gesamte Umgebung zum Flackern brachten. Er hörte, wie das Boot startete *(offenbar waren die Carabinieri alleine gewesen),* und das riss auch Oscar und Celine aus ihrer Schockstarre.

Gemeinsam rannten sie über den Steg auf das ablegende Boot zu. Sie sprangen in der buchstäblich letzten Sekunde.

Die Wucht, mit der Altmann anfuhr, ließ alle nach hinten schlagen. Noah fiel auf die Schulter mit seiner Schusswunde und stöhnte vor Schmerzen.

Als er sich wieder aufgerappelt hatte und zum Ufer zurückblickte, waren die Beamten, die aus ihren Kastenwagen gesprungen waren und sich über die Leichen ihrer Kollegen beugten, schon so weit entfernt, dass Noah kaum noch ihre Gesichter ausmachen konnte.

Großer Gott, was haben wir nur getan?, schrie es in ihm, als sie auf dem Wasser des Tibers in südliche Richtung der Innenstadt Roms entgegenrasten.

5. Kapitel

»Das waren fast noch Kinder«, brüllte Oscar. »Sie haben sie ermordet.«

Die Worte prallten wirkungslos an Altmanns Rücken ab, der sich am Steuerrad festhielt und das Motorboot bei voller Fahrt über den spiegelglatten Fluss jagte.

Den Suchscheinwerfer auf dem Verdeck hatte er ausgeschaltet. Um nicht gegen ein Hindernis in der anfangs kurvenreichen Strecke zu fahren oder gar auf Grund zu laufen, hatte er ein schwenkbares Halogenlicht in Fahrtrichtung positioniert.

Stumm blickte er abwechselnd aufs Wasser und hoch in den sternenklaren Himmel.

Noah wusste, weshalb Altmann nicht gezögert hatte, die beiden Carabinieri zu erschießen. Deshalb stellte er erst gar nicht die Frage, auf die Celine, außer sich vor Abscheu und Entsetzen, eine Antwort verlangte: »Was sind Sie nur für ein Mensch, der Unschuldige ermordet?«

Altmann hustete und konnte das Steuerrad nur noch mit einer Hand halten, weil er sich die andere vor den Mund presste. Als der Anfall vorbei war, überraschte er Noah damit, dass er auf Celines Frage reagierte: »Hören Sie auf, von Dingen zu reden, von denen Sie nichts verstehen.«

»Wenn Sie damit Mord meinen, ja, da haben Sie recht. Dafür habe ich tatsächlich kein Verständnis. Ich verstehe aber sehr gut, dass Sie ein Wahnsinniger sind, und ich verstehe, dass ich so schnell wie möglich runter von diesem Boot will«, erwiderte sie.

»Sie hat recht«, stimmte Oscar ihr zu und wandte sich an Noah. »Lass uns bitte anhalten.«

Altmann lachte emotionslos auf und drosselte auf gerader Strecke die Geschwindigkeit. Dann drehte er sich um. »Was haben Sie gedacht, was das hier wird? Ein Wochenendausflug in die Ewige Stadt?«

Eine Zeit lang war nichts weiter als das Tuckern des Diesels und das Plätschern des Wassers zu hören, dann fügte er hinzu: »Ich hatte keine andere Wahl. Sie hätten uns niemals gehen lassen.« Er sprach ohne jede Emotion, als wäre der Tod der beiden jungen Männer nicht bedauerlicher als der des Schlachtviehs, aus dem seine Frühstückswurst hergestellt wurde.

Ein notwendiges Übel.

»Nicht gehen lassen? Und das ist in Ihren Augen Grund genug, jemanden abzuknallen?«, zischte Celine und wollte sich abwenden. Altmann griff nach ihrem Arm.

»Jetzt hören Sie mir mal gut zu. Jetzt ist nicht die Zeit, einer hysterischen Schwangeren und einem verrückten Obdachlosen Nachhilfe in strategischer Feldarbeit zu geben, aber vielleicht halten Sie beide einfach mal kurz die Luft an und erinnern sich, weshalb wir hier sind. Schauen Sie mich an.« Er deutete auf sich selbst, angefangen beim Gesicht, rahmte er mit den Bewegungen seiner Hände den gesamten Körper vom Kopf bis zu den Füßen.

Es ist zu spät, war der Gedanke, der Noah als Erstes durch den Kopf ging.

Im Schimmer der Armaturenbeleuchtung wirkte der Agent wie ein lebendiges Gespenst. Seine Gesichtsmuskeln waren erschlafft, die Haut hing ihm wie eine zu groß gewordene Hülle über den Knochen. Die glasigen Augen tränten fiebrig. Er glühte. Noah konnte die Hitze spüren, die Altmanns Körper von innen zerfraß, ohne dass er ihn berühren musste.

»Vielleicht ist es nur eine schwere Erkältung«, hatte er ihn (und sich selbst) während des Fluges noch beruhigen wollen, doch jetzt gab es keinen Anlass mehr zur Hoffnung. Altmann litt unter den typischen Symptomen, mit denen die ansteckende Phase der Manila-Grippe begann.

»Ich habe das Gefühl, als würde sich Säure statt Blut durch meine Adern fressen«, erklärte er. »Wenn ich spreche, habe ich Angst, einen Teil meiner Eingeweide auszuspucken. Hätte ich eine Morphiumspritze zur Hand, würde ich sie mir sogar direkt ins Auge setzen, wenn das helfen würde. Und eines kann ich Ihnen versichern …« Er sah erst zu Celine, dann zu Oscar. »Euch allen wird es in den nächsten Tagen ganz genauso ergehen, wenn wir diesen Kilian Brahms und das Video nicht finden. Selbst dann sind die Chancen, dass unser Held hier«, er zeigte auf Noah, »sein Gedächtnis und damit eine Lösung des Pandemieproblems findet, äußerst gering. Aber es ist immerhin eine Chance. Und die hätten die beiden Polizisten am Pier zerstört. Also musste ich sie töten.«

»Das ist doch Blödsinn«, fauchte Celine.

Altmann seufzte und sagte zu Noah gerichtet: »Erklär du's ihr, David.« Es war das erste Mal, dass er ihn mit diesem Namen ansprach.

Celine drehte sich zu Noah, mit weit aufgerissenen Augen, eine Mischung aus ungläubiger Überraschung und Furcht im Blick. »Was erklären, Noah? Du bist doch nicht etwa seiner Meinung?«

Sein beredtes Schweigen war Antwort genug.

»Das glaube ich nicht, nein. Sag mir nicht, dass du auf seiner Seite stehst.«

Aus irgendeinem Grund hatte Noah das Gefühl, sich entschuldigen zu müssen, obwohl er wusste, dass Altmann recht hatte. Schlimmer noch. Er wusste, er hätte ebenso handeln müssen. Sein Zögern hatte alle in Gefahr gebracht, im Grunde genommen war es ein Glücksfall, dass sie Altmann schlecht gefilzt hatten und er doch noch eine Waffe an seinem Körper versteckt gehalten hatte.

Er machte sich nicht länger etwas vor. Er und Altmann waren aus einem ähnlichen Holz geschnitzt. Sein Gefühl hatte ihn nicht getrogen, er hatte es in der Sekunde gespürt, die er ihn auf dem Berliner Hauptbahnhof gesehen hatte. Sie waren beide Profis. Keine Psychopathen, denen das Töten Spaß machte. Aber Killer, die in Sekundenbruchteilen eine Güterabwägung trafen: Was war ein Menschenleben wert, und wann musste man es opfern, wenn das Ziel es verlangte?

»Haben Sie etwa auch Ihr Gedächtnis verloren, Miss Henderson?«, fragte Altmann. »Ihr Freund hat vor nicht allzu langer Zeit einen Mann in einem Hotelzimmer hingerichtet. Zwei Personen in einem Elektronikmarkt ausgeschaltet, und abgesehen von dem Dreckstück, das Sie vergewaltigen wollte, hat er auf einer Baustelle in Amsterdam zwei weitere Menschen erschossen.«

»Aber das ist doch nicht vergleichbar«, protestierte Oscar.

»Nein? Die Männer hatten sich ihm in den Weg gestellt und wollten ihn in Gewahrsam nehmen, um ihn an einen Ort zu bringen, zu dem er ihnen nicht freiwillig folgen wollte. Genau wie die Carabinieri. Wo bitte liegt der Unterschied?«

»Das waren Polizisten.«

»Und ich arbeite für die Regierung der USA.«

»Sie hätten den beiden in die Beine schießen können«, versuchte Oscar zu handeln.

Altmann runzelte die Stirn. »Dann wohl eher in den Arm, nur was, wenn ich nicht getroffen hätte?«

»Aber der andere war unbewaffnet«, protestierte Celine, wenn auch mit deutlich weniger Nachdruck als zuvor.

»Haben Sie ihn genauso gut überprüft wie mich? Und was hätte ihn abgehalten, nach dem Maschinengewehr seines Kollegen zu greifen? Für Experimente war keine Zeit.«

Wieder sah Altmann nach oben, und diesmal kommentierte er seinen Blick in den klaren Sternenhimmel:

»Wir haben wahrhaft andere Probleme, als über Moral zu philosophieren.«

»Was zum Teufel gibt es denn da oben?«, überbrüllte Oscar das Röhren des wieder beschleunigenden Motors.

»Nichts«, antwortete Altmann. »Und genau das bereitet mir Sorgen.«

»Wie meint er das?«, fragten Celine und Oscar wie aus einem Mund.

Noah erklärte es ihnen, und als er geendet hatte, sah er, wie sich in ihren Gesichtern die reine Furcht abzeichnete.

Das Mindeste wäre ein Hubschrauber gewesen, der sie verfolgte. Doch davon war nichts zu sehen oder zu hören. Kein Flugzeug, keine Mannschaftswagen auf der parallel zum Tiber verlaufenden Landstraße, kein Speedboot im Nacken. *Nichts.*

Wenn die Italiener sich nicht einmal mehr um Menschen kümmerten, die illegal in ihr Hoheitsgebiet eindrangen und Polizisten töteten, konnte das nur bedeuten, dass die Krise in den letzten Stunden eskaliert war und sie alle ein zu vernachlässigendes Risiko darstellten, an das keine weiteren Ressourcen verschwendet wurden.

6. Kapitel

Sie verließen das Polizeiboot zwanzig Minuten später, in Höhe der Tiberinsel an der Ponte Palatino.

Unter der Brücke roch es wie in einem Pissoir, und der Abfall, der sich an den Uferbefestigungen auf dem nach Jauche stinkenden Brackwasser verfangen hatte, machte die Sache nicht besser.

»Vergiss das Boot«, sagte Noah zu Celine, die nach dem Tau greifen wollte, um es an einem Betonpfeiler anzuleinen. »Um den Rückweg kümmern wir uns, wenn es so weit ist.«

Sie zuckte mit den Achseln und ließ das Seil los.

Angesichts der Umstände, in denen Celine sich befand, und der Zahl der schrecklichen Ereignisse, die wie ein Meteoritenhagel auf sie niedergegangen waren, hielt sie sich erstaunlich gut, jedenfalls weitaus besser als Oscar. Nach der Diskussion mit Altmann hatte er seine Arme eng um die angezogenen Knie geschlungen und auf den nackten Bootsplanken unverständliche Selbstgespräche in seinen Bart gebrabbelt. Celine hingegen hatte eher nachdenklich gewirkt.

Noah hatte sich zu ihr gesetzt und fest damit gerechnet, dass sie in Tränen ausbrechen würde, wenn er sie ansprach, aber sie hatte ihn nur mit der Frage verblüfft, ob sie mit seinem Smartphone versuchen dürfe, ihren Vater zu erreichen, um den sie sich Sorgen machte. Mit dem, das er ihr überlassen hatte, bekam sie in Italien kein Netz.

Noah hatte es abgelehnt. Nicht weil er befürchtete, durch das Funksignal entdeckt zu werden – offensichtlich besaß seine Ermordung nicht mehr die Priorität, die sie noch vor wenigen Stunden gehabt hatte –, sondern weil er nicht wusste, wann sie das nächste Mal Zugang zu einem Stromnetz bekamen, und er um jeden Preis den Akku schützen wollte.

»Und jetzt?«, fragte Celine.

Wie er selbst hatte sie kurz vor dem Anlegen den Schutzanzug ausgezogen, aber den Mundschutz anbehalten. Noah konnte es ihr nicht verdenken, bezweifelte aber den Sinn dieser Maßnahme.

Entweder wir zählen zu den glücklichen 50 Prozent, bei denen das Virus nicht anschlägt. Oder Altmann hat uns längst infiziert.

Er sah noch einmal auf das Display des Handys, auf dem der schnellste Weg zur Klinik angezeigt wurde, dann trieb er die Truppe zur Eile an: »Auf geht's. Die Neo Clinica liegt nur ein paar Minuten von hier entfernt.«

Zu viert stiegen sie eine breite Steintreppe nach oben zur Brücke hinauf, was Altmann erstaunlicherweise ohne Unterstützung gelang.

»Großer Gott, was ist denn hier los?«, fragte Oscar, den Blick sorgenvoll auf das Szenario gerichtet, das sich ihnen bot.

Sie standen auf dem obersten Absatz der Treppe an einem hüfthohen, schmiedeeisernen Geländer, genau dort, wo die Brücke den Lungotevere Ripa kreuzte; die Straße, die den Fluss auf der westlichen Seite begleitete.

Anders als auf dem Tiber, auf dem ihnen nur Boote entgegengekommen waren, die die Stadt verlassen wollten, drängten hier die Menschen auf der Straße ins Innere der Altstadt.

Ein gewaltiger Menschenstrom zog auf den eigentlich dem Straßenverkehr vorbehaltenen Fahrbahnen von Osten Richtung Trastevere. Das, was Noah bereits aus der Luft beobachtet hatte, bestätigte sich auch unten am Boden: Es fuhren keine Autos, nicht einmal die sonst allgegenwärtigen Motorroller wuselten durch die Menge.

Noah fühlte sich absurderweise an ein Open-Air-Konzert erinnert, kurz nach dem Einlass ins Stadion: Männer, Frauen, Alte und Jugendliche, selbst Kinder und Mütter mit Babys auf den Armen eilten über die Straße und die Kreuzung hinweg, als gelte es irgendwo die besten Plätze zu besetzen.

»Hier, streif das über«, sagte Noah und reichte Altmann seinen Mundschutz. »Besser, keiner sieht dein Gesicht«, fügte er als Erklärung hinzu. Da Altmanns Nasenbluten-Attacken nunmehr alle zehn Minuten auftraten, hatte der Agent es mittlerweile aufgegeben, sich unentwegt sein Gesicht zu säubern. Bislang nahm noch niemand von ihnen Notiz. Nicht absehbar, was geschehen würde, sollte jemand in der vorbeiziehenden Menge auf ihn und seine Symptome aufmerksam werden.

Noah konnte nicht verstehen, worüber sich die Italiener meist lautstark unterhielten, aber er korrigierte das Bild von dem Konzert, das er zuerst im Sinn hatte. Die Grundstimmung war unüberhörbar angespannt und wütend. Diese Ansammlung hatte nichts mit friedfertigen Menschen zu tun, die auf der Suche nach etwas Spaß und Abwechslung in eines der ältesten Vergnügungsviertel Roms pilgerten.

Eher mit einem Mob.

Und nirgendwo auch nur ein einziger Polizist.

Noah fragte Altmann, wie er die Situation einschätzte.

»Ein Aufstand gegen die Ausgangssperre«, antwortete er. »Das haben wir in Los Angeles schon mal erlebt. Es fängt mit einigen wenigen Rebellen an, und sekündlich schießen mehr und mehr auch von der Normalbevölkerung auf die Straßen. Die meisten wissen gar nicht, wieso sie sich zusammenrotten. Vermutlich haben die Behörden irgendwo einen Ring um die Stadt gezogen, und jetzt traut sich keiner von der Staatsgewalt mehr in den Kessel hinein.«

Er deutete auf eine Gruppe junger Männer vor ihnen.

Alle trugen Gesichtsbedeckungen, aber nicht aus gesundheitlichen Gründen. Sie waren mit schwarzen Schals vermummt, ihre Hände zu Fäusten geballt. Noah schloss instinktiv seine Hand um die Pistole in der Hosentasche.

»Wohin wollen die nur alle?«, fragte Celine besorgt.

Noah zuckte mit den Achseln. »Leider in unsere Richtung.« »Passt auf, dass wir zusammenbleiben«, fügte er hinzu, dann trat er auf die Straße, und sie ordneten sich in den Strom derer ein, die über die Kreuzung drängten.

7. Kapitel

Noah spürte die Gefahr, lange bevor sie ihn erfasste. Er konnte sie weder hören, sehen noch riechen, trotzdem wuchs das unbestimmte Gefühl der Bedrohung mit jedem Schritt, der ihn und seine Begleiter die schmale, mit grobem Kopfsteinpflaster behauene Gasse in die Altstadt hineinführte. Auch die Menge um ihn schien von einer nervösen, geradezu elektrisierten Anspannung erfasst, wie Tiere auf dem Weg zur Schlachtbank. Ohne zu wissen, was ihnen blühte, aber mit einer bangen Ahnung, dass es nichts Gutes sein konnte.

»Hast du eine Idee, was da vorne los ist?«, fragte Celine hinter ihm. Sie deutete zu dem Platz, in den der Weg in etwa fünfzig Metern mündete. So weit Noah es überblicken konnte, füllte er sich mit Menschen, die hier nicht mehr weiterkamen. *Oder es nicht wollen.*

Einige, vorwiegend Jugendliche, waren auf parkende Autos geklettert, um eine bessere Sicht zu haben, *worauf auch immer*, und Noah überlegte, ob das Ziel dieser nächtlichen Zusammenkunft womöglich eine Kundgebung war, bis er in den Fenstern eines mehrstöckigen Restaurants, das den Platz an seiner Ostseite säumte, die Spiegelung sah.

Rot. Flackernd. Grell.

Die Flammen, die das Restaurant in ein gelbrot changierendes Licht tauchten und deren Spiegelbild Noah sah, schlugen aus dem gegenüberliegenden Gebäude.

Jubelschreie gellten vom Platz zu ihnen herüber, getragen von einem teils zustimmenden, teils entsetzten Gemurmel derer, die direkt vor dem Feuerherd standen.

»Haltet euch an mir fest.«

Noah suchte nach einer Lücke in der Masse, durch die sie sich pressen konnten, und gab Celine und Oscar die Anweisung, dicht bei ihm zu bleiben. »Wir müssen hier raus, bevor …«

In diesem Moment passierte das, was Noah befürchtet hatte: Es wurde still. Nur für eine Sekunde. Nicht einmal lang genug, um seine Ermahnung, zusammenzubleiben, wiederholen zu können, dann brach das Chaos aus.

Ein gewaltiger Ruck ging durch die Menschenmenge, und der Strom teilte sich. Wie nach einer Verwerfung durch ein Erdbeben entstand ein Riss, ein freier Pfad in der Mitte des Weges, weil die Menschen wie auf ein geheimes Kommando an die Seiten gerückt waren und dadurch eine Rettungsgasse bildeten wie nach einem Unfall auf der Autobahn. Allerdings war diese Gasse das zufällige Ergebnis eines unkontrollierten, hektischen Ausweichmanövers, entstanden durch die Gegenbewegung zahlreicher Menschen, die den Platz von einer Sekunde auf die andere so schnell wie möglich verlassen wollten, dabei aber gegen die Wand der nachrückenden Massen anrannten.

»Nicht umkippen«, schrie Noah, weil er genau wusste, was in den kommenden Sekunden geschehen würde: Die Rettungsgasse würde sich wieder schließen und zur Stolperfalle werden, Menschen würden niedergerissen, überrannt, vielleicht sogar totgetrampelt werden, je nach dem Ausmaß der Panik, dessen Ausbruch unmittelbar bevorstand.

»Hilfe … Noah!«, hörte er Oscar schreien, ohne ihn sehen zu können. Hatte er bis eben noch dicht bei ihm gestanden, war er bereits abgedrängt, vermutlich gemeinsam mit Altmann, der rückwärts, wie von einem schwarzen Loch angezogen, in Richtung des Platzes gesaugt wurde.

Noah griff nach Celines Hand, die es geschafft hatte, hinter ihm zu bleiben, aber sie weigerte sich, die Arme zu lösen, die sie sich zum Schutz des Babys vor Schlägen und Stößen fest um den Bauch geschlungen hatte.

»Das funktioniert so nicht«, schrie Noah gegen die immer lauter werdende Masse an.

So wirst du dein Gleichgewicht nicht halten können.

Hilflos musste Noah mit ansehen, wie der Reporterin ein Ellenbogen ins Gesicht geschlagen wurde, sie sich um neunzig Grad um die eigene Achse drehte und dann nach hinten kippte, bis sie aus seinem Blickfeld verschwunden war.

Noah versuchte sich dorthin zurückzukämpfen, wo sie gerade eben noch gestanden hatte, teilte nun ebenfalls Schläge aus, doch es gelang ihm noch nicht einmal, auf der Stelle zu bleiben.

Auch er trieb ab, gefangen im Strom derer, die nunmehr gegen ihren Willen zum Platz gezogen wurden.

»Celine«, brüllte er, aber seine Stimme war nicht einmal ein Flüstern im Vergleich zu dem Lärm der Masse. Frauen, Männer, sogar Kinder hörte er um ihr Leben schreien, gleichzeitig füllte sich seine Nase mit dem Geruch brennenden Holzes.

Noah wollte seine Waffe ziehen, verwarf dann aber den Gedanken. Ein Warnschuss würde die Situation nur noch verschlimmern, das Chaos und damit die Lebensgefahr, in der sie alle schwebten, verschärfen. Also behielt er wie ein Boxer die Hände in Kopfhöhe und reagierte instinktiv auf alles, was sich ihm in den Weg stellte, an ihm riss, gegen ihn drückte oder trat. In den folgenden Sekunden sah er keine Gesichter, nahm keine Menschen, sondern nur schemenhafte Gestalten wahr, die sich an ihn klammerten, ihn zogen, stießen oder kratzten.

Noah schlug um sich, trat aus, hörte Knochen brechen, Menschen schreien und hatte keine Zeit, einen Gedanken daran zu verschwenden, wen seine Hände und Füße trafen – und dennoch, trotz aller Anstrengungen, gelang es ihm nicht, auf den Beinen zu bleiben.

Irgendetwas brachte ihn zu Fall, riss ihm beide Beine gleichzeitig vom Boden. Eine Zeit lang schwebte er, von der Menge getragen. Ein stechender Schmerz schoss seine Wirbelsäule hoch, gleichzeitig wurde sein Brustkorb so heftig zusammengequetscht, dass er keine Luft mehr bekam.

Dann wurde es noch dunkler. Nicht wegen des beißenden Rauchs, der mittlerweile überall in der Luft hing, sondern weil Noah nach unten gedrückt worden war. Er sah Füße, Hosenbeine, einen einzelnen Kinderschuh neben der Hand, mit der er sich auf dem Pflaster abzustützen versuchte, dann trat ihm jemand auf den Kopf und in die Nieren. Er schmeckte Blut, das Tosen in seinem Kopf schwoll an. Er wappnete sich gegen entsetzliche Schmerzen, als sein Kopf unnatürlich verdreht wurde und es in seiner Halswirbelsäule knackte. Noah wollte schreien, doch das ging nicht, weil er immer noch keine Luft bekam, und als er schon dachte, ihm sei das Genick gebrochen worden, fand er sich mit einem Mal auf Händen und Knien gestützt auf dem Pflaster wieder, qualvoll bemüht, etwas Luft in seine Lungen zu pumpen.

»Stronzo«, hörte er eine junge Frau fluchen, die über ihn hinwegstieg, als er gerade versuchte, sich aufzurichten. Sie trug schwere Absatzstiefel, mit denen sie ihm auf die Finger trat.

Um ihn herum lichtete sich die Masse, und Noah gelang es, sich an einem Poller nach oben zu ziehen, der hier aufgestellt war, um Autos an der Durchfahrt auf den Platz zu hindern. Jetzt war er Noahs Rettungsboje.

Auf ihn gestützt, sah er den Weg zurück, den er gekommen war und wo Celine vermutlich gerade um ihr Leben kämpfte.

Während das Nadelöhr, das nun hinter ihm lag, komplett verstopft schien, taten sich auf dem Platz selbst erstaunlich große Lücken auf. Diejenigen, die nicht in eine der abzweigenden Gassen geflüchtet waren (und damit vermutlich in ihr Verhängnis), hatten auf den Autos, in einem stillgelegten Brunnen oder in den Hinterhöfen der Häuser Platz gefunden, deren Eingänge von den offensichtlich mitdenkenden Anwohnern geöffnet worden waren.

Und dann gab es noch eine Gruppe von Menschen, die gar keine Absicht hatten, sich in Sicherheit zu bringen. Die Brandstifter und Plünderer, die das Chaos erst ausgelöst hatten.

Noah hörte eine Explosion, Glas splitterte, dann hellte ein Lichtblitz die Nacht auf. Dichter schwarzer Qualm trat aus dem Dachstuhl des brennenden Hauses, auf das er nun erstmals einen ungehinderten Blick hatte, nachdem er von der Panikwelle auf den Platz ausgespuckt worden war.

Das mehrstöckige Steinhaus brannte vom zweiten Stockwerk an bis zum Dachstuhl. Nur die unteren Etagen waren von den Molotowcocktails verschont geblieben, die in die Fenster der oberen Stockwerke geschleudert worden waren.

FARMACIA, las Noah von einem bauchigen Emaille-Schild, das über den Ladenräumen im Erdgeschoss hing. Türen und Schaufenster der Apotheke waren eingetreten und eingeschlagen von den Menschen, die jetzt über die Scherben und Splitter wieder nach draußen stiegen, Hände und Taschen voll mit Medikamenten, Möbeln und anderem Inventar. Zwei Frauen wuchteten gemeinsam ein leeres Regal ins Freie. Ein korpulenter Mann schleppte mit feistem Grinsen einen Bonbonständer an Noah vorbei.

ZetFlu, dachte er. Einen anderen Grund konnte er sich für den Ausbruch der Gewalt nicht denken.

Vermutlich war die Ausgangssperre verhängt worden, damit es nicht, wie in den USA bereits geschehen, zu unkontrollierbaren Hamsterkäufen des Medikaments kam, und diese Form der Ausgabebeschränkung an die Bevölkerung hatte nun zu bürgerkriegsähnlichen Zuständen geführt: brennende Häuser, ein randalierender Mob, geplünderte Geschäfte.

Was für ein Irrsinn.

Noah sah sich um. Keine Spur von seinen Begleitern.

Die Apotheke, auf die er jetzt langsam zuging, leerte sich rasch. Noah sah nur noch wenige Gestalten im Inneren, und auch die strebten Richtung Ausgang, weil es nichts mehr zu holen gab; vor allem aber, weil die Lage mittlerweile auch im Erdgeschoss zu gefährlich wurde. Noah hörte eine kleine Explosion in einem der hinteren Räume, Glas splitterte, und eine wundrote Flammenwelle schwappte über die schmiedeeiserne Einfriedung eines kleinen Balkons in der ersten Etage, was die Mehrheit der Schaulustigen zurücktrieb.

Niemand, der alle Sinne beisammenhatte, wagte sich jetzt noch in das brennende Haus.

Niemand, abgesehen von einem einzelnen kugelbäuchigen Mann, der gerade die Stufen zum Laden hochstapfte und der wegen seiner kleinen Statur und dem langen Bart an einen Schlumpf erinnerte.

Oscar?

Noah rief ihn beim Namen, und tatsächlich war es sein Weggefährte, der sich auf der Schwelle zu ihm umdrehte.

Was zum Teufel …

Ihre Blicke trafen sich, und Oscar machte mit grimmiger Miene eine Handbewegung, ihm zu folgen. Dann zog er sich den Kragen seines T-Shirts über die Nase und verschwand in der Apotheke, in der kurz zuvor alle Lichter ausgegangen waren.

Verwirrt betrachtete Noah die Gruppe, aus der Oscar sich nur Sekunden zuvor gelöst hatte und die nur wenige Meter entfernt am Fuß der Terrassenstufen stand, die zu der Apotheke führten: zwei Jungen zwischen vierzehn und sechzehn Jahren und eine schmächtige Frau, die vom Alter her ihre Mutter sein konnte. Sie hatte schwarze, lockige Haare, war barfuß, trug ein

Nachthemd und lebte offensichtlich mit ihren Kindern in einem der oberen Stockwerke.

Die Frau wand sich in den Armen ihrer kräftigen Jungen, die sie mit vereinten Kräften abhalten wollten, das zu tun, was Oscar gerade eben getan hatte: ins Haus zurückzukehren. Dabei schrie sie in einem fort: »Bambina mia, Julia. Bambina mia …«

Um Himmels willen.

Noah ahnte, welches Drama sich hier anbahnte.

»Du verdammter Idiot«, fluchte er und versuchte Oscar zu folgen, doch schon an der Schwelle zur Apotheke schlug ihm eine undurchdringliche, schmierige Rauchwolke entgegen. Selbst wenn es gelang, für eine Weile die Luft anzuhalten, würde er Oscar in diesem Qualm nicht finden können. Hustend machte Noah kehrt und suchte nach einem anderen Eingang.

Über das Schaufenster? Einen Seiteneingang? Wo zum Teufel ist das Treppenhaus für die Mieter?

Die Lage verschlimmerte sich sekündlich. Hatte Oscar es noch bis ins Innere geschafft, schien es nun keinen Zugang mehr zu geben. Von einem Ausgang ganz zu schweigen. Selbst einen Meter von der Fassade entfernt war die Hitze, die von dem Haus ausging, kaum zu ertragen.

Also gut.

Noah zog seine Jacke aus und machte sich bereit.

Er wusste, es war Wahnsinn.

Selbstmord.

Aber ihm blieb keine Wahl. Er konnte seinen Freund nicht im Stich lassen.

Also riss auch er sich sein Hemd über Mund und Nase und wollte gerade losstürmen – da trat Oscar, nur wenige Meter von ihm entfernt, aus einem Seitenausgang ins Freie.

Er hustete und brüllte etwas, was wegen des Rauschens der unersättlichen Flammen in seinem Rücken nicht zu verstehen war.

Sein Hosenbein war angesengt und qualmte, auch sein Bart war in Mitleidenschaft gezogen, aber er schien es nicht zu bemerken. Hustend und mit allerletzter Kraftanstrengung schleppte er sich nach draußen.

Sich – und das Mädchen.

Sie hing huckepack auf seinem Rücken, höchstens zehn Jahre alt, mit schwarzen Haaren. Und das Wichtigste: Sie zitterte. Sie weinte. Sie lebte.

»Julia!«, schrie die Frau in Noahs Rücken, die sich endlich aus der Umklammerung ihrer Söhne lösen durfte.

»Mami«, antwortete die Kleine, die Oscar nun behutsam zu Boden gleiten ließ.

Mutter und Tochter rannten aufeinander zu, fielen sich nur wenige Meter von dem brennenden Haus entfernt in die Arme, pressten sich aneinander, lachten und weinten gleichzeitig, schenkten niemandem auf der Welt außer sich selbst noch Beachtung.

Oscar sank erschöpft auf der obersten Stufe zu Boden, schlug die Glut auf seiner Hose aus und wischte sich zufrieden lächelnd den Ruß aus dem Gesicht.

Das war der Fehler.

Noah, noch zwei Armeslängen von ihm entfernt, hörte ein Knarren, so laut, als würde ein Riese eine überlebensgroße Holztruhe öffnen.

Dann sah er nach oben – und noch bevor er zu Oscar rennen, ihm die Hand reichen und ihn aus der Gefahrenzone ziehen konnte, hatte sich das schmiedeeiserne Geländer des Balkons bereits gelöst und fiel zwei Stockwerke nach unten, wo es Oscar unter sich begrub.

8. Kapitel

In dem Moment größter Freude sind wir dem Tode am nächsten, flüsterte die imaginäre Stimme des alten Mannes, und Noah konnte sie nicht abstellen, während er vor Oscar auf die Knie sank wie Sekunden zuvor die Mutter vor ihrer geretteten Tochter.

Denn Gelächter ist der Lockruf des Teufels.

»Mach die Augen auf. Komm schon. Öffne sie.«

Noah hielt Oscars Hand, drückte sie, ballte dessen Finger zur Faust und führte diese zum Mund. Hauchte sie an, als müsste er sie wärmen; als könne er damit irgendetwas bewirken, wo es doch nichts mehr zu bewirken gab.

Oscar lag wie ein zerstörtes Spielzeug auf dem Pflaster. Eine kaputte Puppe, der ein gelangweiltes Kind versucht hatte, die Gliedmaßen vom Rumpf zu reißen. Kein Schlangenkünstler der Welt wäre in der Lage, diese wirbelsäulenberstende Haltung einzunehmen: die Hüfte einmal um die Achse verdreht.

Und das war nicht einmal das Schlimmste.

Das schwere Geländer hatte Oscar die Schulter samt der linken Hälfte des Oberkörpers zertrümmert, zudem einen Arm, den er in letzter Sekunde schützend vor den Kopf gerissen hatte. Mehrere pfeilförmige Zierstreben hatten sich in Brust und Magen gebohrt, hier vermutlich die Lunge durchstochen, dann war der Zaun durch die Wucht des Aufpralls von der Betonterrasse wie von einem Trampolin wieder zurückgeschleudert worden und hätte auf seiner Flugbahn die Treppe hinunter Noah um ein Haar von den Stufen gerissen.

»Du hörst mich, ich weiß das.«

Oscar atmete noch, der Puls ging schwach und unregelmäßig, im Unterschied zu seinem linken Fuß, der hektisch zuckte, als würde ein epileptischer Anfall sich allein auf diesen Teil des Körpers konzentrieren.

»Hilfe!«, schrie Noah und sah sich um. »Ich brauche Hilfe.«

Einige Gaffer hatten sich nach vorne gewagt, zwei von ihnen mit dem Handy am Ohr, hoffentlich, um einen Arzt zu rufen.

Wo bleibt überhaupt die Feuerwehr?

Noah tastete mit einer Hand nach seinem eigenen Telefon, da begannen Oscars Augenlider zu flackern.

»Hey, Kleiner. Wach auf, ja. Bitte. Sieh mich an!«

Noah wusste nicht, wieso er ihm diese Anstrengung abverlangte.

In dieser Welt warten nur noch Schmerzen auf ihn, sagte die Altherrenstimme in seinem Kopf und wurde wider Erwarten von Oscar unterbrochen: »Noah«, krächzte er.

»Ja, ich bin hier. Ich höre dich.«

Er spürte, wie Oscars Finger sich bewegten. Erst öffnete er die Faust, dann die Augen.

»Ich bin bei dir«, wiederholte Noah und strich ihm das Haar zurück. Er versuchte erst gar nicht zu lächeln. Es wäre ihm nicht gelungen.

»Ich …« Oscar wollte etwas sagen. Blut lief ihm aus dem Mundwinkel, tränkte seinen Bart. »Ich muss …«

Noah schüttelte den Kopf.

»Jetzt nicht. Schone deine Kraft.«

»Doch … Jetzt!«

Oscars Atem klang, als versickerte er mit einem Gluckern in einem dunklen Ablauf.

»Es … es gibt keine Manuela«, röchelte er. »Ich hab …«, er musste Anlauf nehmen, um den Satz zu vollenden, »… nie eine Frau gehabt.«

»Ich weiß.«

Noah beugte sich noch weiter zu ihm hinab. Oscar sollte wissen, dass er ihm nichts übel nahm. Wenigstens das musste er ihm versichern, wenn er doch sonst nichts mehr für ihn tun konnte.

»Tut … leid.«

»Das muss es nicht.«

Noah hatte es geahnt, als er die aus einem Prospekt herausgeschnittenen Fotos in Oscars Brieftasche gefunden hatte. Manuela war wie so vieles in dem Leben des Obdachlosen nur Einbildung gewesen.

»Doch, ich …«

Über ihren Köpfen gab es einen lauten Rums, Funken stoben bis zu ihnen nach unten – vermutlich war der Dachstuhl eingebrochen –, und Noah wusste, er sollte sich schleunigst aus der Gefahrenzone bringen, bevor sich noch weitere Gebäudeteile lösten und am Ende auch ihn zerschmetterten, aber er wollte Oscar nicht alleine lassen. Er konnte es nicht.

»Ich wollte nicht sein wie die anderen«, hörte er ihn sagen. Während die Hitze, die vom Haus ausging, unerträglich wurde, fühlte sich Oscars Hand immer kälter an.

»… wollte nicht …« Er hustete. Seine Augen wurden glasig. »… nicht nur ein Penner sein. Verstehst du?«

»Ja.«

Weiteres, jetzt dunkleres Blut quoll ihm aus dem Mund. Oscar zog die Nase hoch, atmete rasselnd aus. Hustete wieder. Dann löste er seine Hand aus Noahs Umklammerung und tastete nach dem Amulett unter seinem Pullover.

»Das Foto … Manuela … sie ist nur ein Fotomodell. Hab mir ihre Bilder aus Katalogen ausgeschnitten. Ich war … auch nie Arzt. Nur Entwicklungshelfer. Bin viel rumgekommen, aber das Elend hat mich fertig …« Er verzog vor Schmerzen das Gesicht, schaffte es aber noch zu ergänzen: »Tut mir leid, Großer. Ich hab dich angelogen.«

»Du hast mich gerettet«, erwiderte Noah und hob erneut den Kopf. Die Menge hatte sich ausgedünnt. Nur eine Ansammlung derer, die wohl in dem Haus gewohnt und nun alles verloren hatten, starrte fassungslos auf die Zerstörung; unter ihnen die Mutter mit ihren Kindern.

»Wo bleibt denn die Feuerwehr?«, schrie Noah in ihre Richtung. »Krankenwagen? Arzt? Doktor?«

»Vergiss es«, sagte eine Stimme neben ihm. Noah verdrehte den Kopf und starrte in das blutverschmierte Gesicht Adam Altmanns, der wie aus dem Nichts aufgetaucht schien. Abgesehen davon, dass er aufrecht stand, wirkte er nicht viel lebendiger als Oscar.

»Ganz Rom versinkt im Chaos«, erklärte er. »Die Notrufleitungen sind überlastet. Hier kommt keine Hilfe.«

Und wenn, dann zu spät.

Noah wandte sich wieder zu Oscar, dessen einst so lebhafte Augen jeglichen Glanz verloren hatten. Seine Lippen bewegten sich, erzeugten aber keinen Laut mehr. Noah griff wieder nach seiner Hand.

»Danke!«, sagte er in der Hoffnung, dass dieses letzte, überfällige Wort ihn noch erreichte. Er schluckte.

Wie an so vieles konnte Noah sich nicht daran erinnern, wann er das letzte Mal geweint hatte. Er blinzelte. Und bedankte sich noch einmal.

Bei Oscar.

Dem Menschen, der sein Leben nach den Quersummen von Jahrestagen ausgerichtet hatte; der ein Dasein im Untergrund vorzog, aus Angst, zu viel *CLEAR* einzuatmen, das nach seiner Meinung von Geheimorganisationen versprüht wurde, um die Welt zu kontrollieren. Er bedankte sich bei dem Menschen, der in seiner Einsamkeit irgendwann damit begonnen hatte, Geschichten über seine Vergangenheit zu erspinnen; eine Frau und ein Studium zu erfinden. Nicht um zu betrügen, sondern um sein Selbstwertgefühl zu steigern. Eine verwirrte, gutmütige Seele, die ihn gerettet und gesund gepflegt hatte, in der Hoffnung, einen Schicksalsgenossen gefunden zu haben, mit dem das Leben auf der Straße etwas erträglicher werden könnte; bei einem Weggefährten, der seine Unterkunft und all sein Erspartes mit ihm geteilt und ihn auf die Irrfahrt durch Europa begleitet hatte und der nun nie wieder zu seinem überfüllten Bücherregal in das unterirdische Versteck nach Berlin zurückkehren würde.

»Komm, David. Wir müssen los«, hörte er Altmann drängen.

Und niemanden außer Noah, vor dessen Augen Oscar in dieser Sekunde gestorben war, würde es kümmern.

9. Kapitel

Manila, Philippinen

Das Erste, was Alicia sah, als sie aus dem Abwasserschacht kletterte, waren die Hochhäuser Makati Citys, die sich in weiter Entfernung wie aus einer für sie unerreichbaren Welt in den blauen Himmel stemmten. Ihre verspiegelten Fassaden funkelten wie die Diamanten der Ehefrau des Hausherrn, dessen Villa sie eine Zeit lang hatte putzen dürfen. Jeden Morgen hatte die Frau ein anderes Stück aus ihrem elfenbeinverzierten Schmuckschrank ausgewählt, bevor sie zur Maniküre, zur Massage oder zum Shoppen gefahren wurde, während ihr Mann längst in seinem Büro im Finanzzentrum saß, das sich möglicherweise in einem der Hochhäuser vor ihr befand und aus dem man heute einen atemberaubenden Blick auf die Stadt haben musste.

Der sonst allgegenwärtige Dauersmog war deutlich schwächer als üblich. Der Himmel beinahe blau. Es gab nur wenige Wolken, die Sonne brannte ungehindert auf die elfeinhalb Millionen Manilesen herab, von denen die Hälfte in Slums wie jenem lebte, aus dem Alicia gerade herausgekrochen war.

»Geschafft!« Marlon grinste übers ganze Gesicht und half ihr aus dem Rohr.

Sie hatten zwei Anläufe gebraucht. Nach dem ersten Abstieg hatte sich herausgestellt, dass sie ohne Werkzeug nicht weit kommen würden, und es hatte gut eine Stunde gedauert, bis Jay eine Spitzhacke organisieren konnte. Damit war Marlon vorausgegangen, wobei von *gehen* kaum die Rede sein konnte.

In der Grube war Marlon die meiste Zeit damit beschäftigt gewesen, Unrat und Dreck aus dem Weg zu schlagen. Anfangs hatte ihm Jay dabei geholfen. Doch nachdem er sich an einem scharfkantigen Metallschild beide Hände blutig geschnitten hatte, war es seine Aufgabe gewesen, Alicia und Jay mit der Taschenlampe den Weg durch die Grube zu weisen, die, je weiter sie kamen, desto weniger verstopft und unzugänglich gewesen war.

Dafür hatten die Ratten ein immer größeres Interesse an ihnen gezeigt. Fette Exemplare, die ihre natürliche Scheu vor Menschen abgelegt hatten. Marlon, Jay und Alicia hatten sie sich mit Axtschlägen und Tritten vom Leib zu halten versucht. Alicia bezweifelte, dass es ihnen vollständig gelungen war. Entweder stammte der Schmerz, den sie im rechten Fuß spürte, von einer Glasscherbe, die sich durch ihren Flipflop gebohrt hatte, oder doch von einem Biss.

»Ihr müsst die Wunden auswaschen«, sagte Marlon.

Alicia nickte erschöpft.

Aber mit welchem Wasser?

Sie kniete am Rand des Schachts, dessen Sprossenleiter sie gerade erst erklommen hatte. Ihre Lungen sogen die schwüle, aber endlich nicht mehr nach Jauche schmeckende Luft ein, ihre Nase roch den Staub des Ackers, der sich vor ihnen bis zur Straße erstreckte. Nach der stinkenden Grube war dieser erdige Geruch göttlicher als das Parfum, das die Bankiersfrau immer aufgetragen hatte. Und das Geschrei in ihren Ohren war schöner als jede Musik, die sie je gehört hatte. Denn es stammte aus dem Munde Noels, ihres kleinen, süßen, immer noch lebendigen Babys.

»Wie geht es dir, mein Liebling?«, fragte sie und löste die Plastiktüte vor ihrer Brust.

Er hielt die Augen geschlossen, die Fäuste geballt. Sein Bauch war geschwollen.

Den ganzen Weg – vom Abstieg in die Grube durch den Kanal bis zu dem Ausstieg – hatte er keinen Laut von sich gegeben. Jetzt schrie er aus Leibeskräften, und für dieses Lebenszeichen hätte Alicia am liebsten die ganze Welt umarmt, auch Jay und Marlon, obwohl ihre Gesichter von Kot und anderem Dreck verschmiert waren.

»Du hast Hunger, mein kleiner Spatz.«

Alicia wandte sich ab, um den Kragen ihres T-Shirts so weit nach unten zu ziehen, dass sie Noel die Brust geben konnte. Das Hemd war pitschnass, so wie auch ihre Hose. War ihnen das Abwasser, durch das sie nach dem vorletzten Kanalabzweig hatten waten müssen, anfangs nur bis zu den Knöcheln gegangen, reichte es ihnen am Ende bis knapp über die Hüfte. Am liebsten hätte sie sich die Hose ausgezogen, doch Marlon wollte ihr nicht einmal die Zeit lassen, ihr Baby zu stillen.

»Kann das nicht warten, bis wir bei den Ärzten sind?«

»Nein, mein Baby kann nicht warten«, fauchte Alicia und versuchte Noel dazu zu bewegen, ihre Brustwarze in den Mund zu nehmen. Ein tiefes Glücksgefühl durchströmte sie, als ihr Sohn plötzlich ruhig wurde und sie das Ziehen in ihrer Brust spürte.

Alicia begann zu summen. Ein Kinderlied, das ihr Vater für sie gesungen hatte, damals, als sie noch auf dem Lande gelebt hatten, bevor drei Unwetter in Folge ihnen alles raubten.

Sie kam nur bis zu dem zweiten Refrain, da fing Noel wieder an zu plärren.

Zu früh. Viel zu früh.

»Er kann noch lange nicht satt sein«, sagte sie zu Marlon, der seine Augen mit der flachen Hand gegen die Sonne abschirmte. In dem hellen Licht wirkte seine Haut grau wie schimmelüberzogenes Brot. Auch seine Zähne hatten bereits die Farbe von denen eines alten Mannes.

»Im Zelt haben sie Milchpulver«, versprach er und mahnte erneut zur Eile. Alicia versuchte es noch einmal an der anderen Brust, die Noel jedoch verschmähte.

Sie gab dem schreienden Baby einen Kuss, streichelte den aufgeblähten Bauch, dann wickelte sie Noel wieder in die Plastiktüte und folgte Marlon und Jay.

Die einspurige Straße hinter dem ausgetrockneten, unbestellten Ackerland war nahezu ausgestorben. Keine maschinengewehrbestückten Armeejeeps auf Patrouille, wie Marlon gewarnt hatte. Allerdings gab es auch keine Tagelöhner, die wie sonst zu dieser Uhrzeit am Straßenrand auf Arbeit warteten. Dieser Abschnitt war der sogenannte Handwerkerstrich von Quezon City. Hausmeister und Gärtner suchten hier im Auftrag ihrer reichen Arbeitgeber nach Hilfskräften, die gegen ein paar Pesos und ein Mittagessen dabei halfen, den neuen Pool zu bauen oder den Stacheldraht auf den hohen Mauern zu erneuern, mit denen die Wohlhabenden ihre Grundstücke sicherten, die teilweise bis direkt an die Elendsquartiere reichten.

Wir sind alleine. Völlig verloren. Alicia beschlich eine dunkle Vorahnung.

Nur eine einzige schwarze Limousine fuhr an ihnen vorbei. Gesteuert von einem finster blickenden Mann mit Chauffeursmütze. Auf der Rückbank saß ein kleines Mädchen mit Schleife im Haar und sah einen Zeichentrickfilm auf dem Fernseher in der Kopfstütze vor ihr.

»Sag mir nicht, dass wir umsonst durch die Scheiße gekrochen sind«, sagte Jay. »Das sieht mir hier nicht nach Straßensperren aus.«

»Wart's ab«, antwortete Marlon, und er sollte recht behalten.

Die Szenerie änderte sich schlagartig, nachdem sie ein Stück in nördliche Richtung gegangen waren und an einer geschlossenen Tankstelle um die Ecke bogen.

»Oh verdammt«, fluchte Jay.

In etwa hundert Metern Entfernung war die Hauptzufahrt nach Lupang Pangako mit Einsatzfahrzeugen und Panzern abgesperrt. Soldaten führten Hunde auf dem Grenzweg zwischen Slum und Müllkippe an der Leine. Noch waren sie außer Hörweite, aber Alicia legte dennoch ängstlich die Hand vor den Mund ihres mittlerweile nur noch wimmernden Babys.

»Schnell! Da lang!«, befahl Marlon und wies ihnen den Weg hinter die Tankstelle zu einem kleinen Trampelpfad, der zu einem Containerfriedhof führte; eine Außenstelle der Deponie. Ausrangierte Schiffs- und Eisenbahncontainer türmten sich auf wackeligen Stapeln meterhoch in den Himmel und warteten darauf, von Kinderhänden auseinandergeschweißt zu werden.

»Wo führst du uns hin?«, wollte Alicia wissen.

»Zu den Ärzten«, antwortete Marlon. »Vertraut mir. Ich kenne den Weg.«

10. Kapitel

Rom, Italien

»Zu spät! Ihr kommt zu spät!«

Die Flügeltüren zum Eingang der verlassen wirkenden Neo Clinica standen weit offen und erinnerten Noah an einen dunklen, zahnlosen Mund, der sie bereits von weitem zu verspotten schien: *»Oscar ist umsonst gestorben. Hier ist längst keiner mehr.«*

Das Krankenhaus, zu dem die Navigationsfunktion in Altmanns Mobiltelefon sie geführt hatte, wirkte von innen genauso ungemütlich wie von außen. Nicht ein Licht brannte in dem schlichten Flachdachgebäude, weder hinter den quadratischen Zimmerfenstern noch hier unten beim unbesetzten Empfang. Es roch nach feuchter Tapete und altem Leder; Noah meinte auf seiner Zunge dichten Staub zu schmecken, seitdem sie das Gebäude betreten hatten.

Seine Muskeln brannten, er konnte die Arme nicht mehr bewegen, nachdem er Oscar den ganzen Weg vom Unglücksort bis zur Klinik getragen hatte, ohne ihn auch nur einmal abzusetzen. Vergeblich hatte Altmann ihn davon zu überzeugen versucht, seinen Gefährten an Ort und Stelle liegen zu lassen.

Noah hätte es niemals übers Herz gebracht, Oscar wie unnützen Ballast zurückzulassen, nicht einmal, als er spürte, wie die Leiche sich entleerte. Er hatte den Geruch, die Nässe und das scheinbar mit jedem Schritt wachsende Gewicht ignoriert, und jetzt, eine halbe Stunde später, kniete er schwer atmend und völlig erschöpft vor dem reglosen Körper, den er quer über die Schalensitzaussparungen einer Besucherbank gelegt hatte.

Über seinem Kopf knackte es, und mit diesem Geräusch erwachten die meisten der in die Decke eingelassenen Neonröhren. Noah stand auf und drehte sich zu Altmann, der offensichtlich einen Lichtschalter gefunden hatte.

»Strom! Wer hätte das gedacht«, rief er von weiter vorne, wo sich die Fahrstühle befanden. Wie meist in letzter Zeit mündeten seine knappen Worte in einen längeren Hustenanfall.

Celine verschwunden. Oscar tot. Altmann kurz davor.

Die traurige Bilanz einer Katastrophenfahrt, die noch lange nicht am Ende war.

Noah fasste sich an die Schulter. Infolge der Anstrengungen schmerzte seine Narbe wieder wie Feuer. Er konnte nur hoffen, dass die Haut nicht wieder aufgerissen war.

»Komm mal her.« Nach Luft ringend wedelte Altmann mit einem Zettel, den er von der mittleren der drei Fahrstuhltüren gelöst hatte.

Neugierig geworden, schritt Noah über den mit schweren Granitfliesen ausgelegten Boden. Dem scheußlichen Schachbrettmuster nach zu urteilen musste das Gebäude in den frühen achtziger Jahren errichtet worden sein.

Altmann zog die Nase hoch. »Sagt dir das irgendwas?«

Ja. Nein.

»Ich weiß es nicht«, antwortete Noah, obwohl das nicht der Wahrheit entsprach. Er kannte das Bild – eine ausgeblichene Farbfotokopie von jener Zeichnung, die er erst gestern in einer Tageszeitung entdeckt hatte und mit der seine Reise in den Wahnsinn begonnen hatte.

Gestern, in der Nacht auf dem U-Bahnhof, die gefühlte Jahre zurücklag, hatte er vor seinem geistigen Auge einen Kamin gesehen, den blutgetränkten Teppich und einen sterbenden Mann. Er hatte sich detailgenau an das Hotelzimmer erinnert, in dem er noch am selben Abend beinahe selbst ermordet worden wäre.

Damals hatte er geglaubt, dieses Bild, *Der Bach des Ostens*, das angeblich eine Million Dollar wert war, selbst gemalt zu haben, aber er konnte sich nicht mehr daran erinnern, was diese Assoziation ausgelöst hatte.

Darf ich es behalten?

»Auf jeden Fall ist es ein Wegweiser«, krächzte Altmann. Er deutete auf einen schwarzen Pfeil in der rechten Bildecke, der nach unten zeigte und mit –2 beschriftet war. »Wir müssen in den Keller.«

Blut und Sekret verstopften seine Nase. Mittlerweile klang es so, als wären auch die Stimmbänder des Agenten mit einem feuchten Belag überzogen. Nicht einmal zwei Stunden waren vergangen, seitdem sie das Boot verlassen hatten, und Altmann wirkte erneut um Jahre gealtert. Noah hatte das Gefühl, als sähe er dem Mann in Zeitraffer beim Sterben zu.

Er schüttelte den Kopf. »Wir haben schon Celine und Oscar verloren. Auch du bist am Ende. Und alleine schaffe ich das nicht.«

Altmann ignorierte Noah und drückte auf den Rufknopf für den Fahrstuhl. Irgendwo in den Eingeweiden des Aufzugs setzte sich ein stählernes Mahlwerk in Bewegung.

»Glaubst du wirklich, hier auf Kilian Brahms zu treffen?«, fragte Noah.

Oder auf das Video, das der Reporter uns zeigen wollte? Hoffst du ernsthaft, ein Gegenmittel zu finden, das dir den Tod erspart?

Altmann schüttelte den Kopf, wirkte aber nicht resigniert. »Nein, natürlich nicht. Das hier ist eine Falle.«

»Aber?«

»Ich will wissen, wer sie uns gestellt hat.«

Hinter den stumpfen Edelstahltüren des Fahrstuhls erklang ein Surren.

»Du nicht?«

In der Stockwerkanzeige hatte sich der von Altmann gerufene Fahrstuhl von der obersten Etage bis zum zweiten Stock nach unten gekämpft.

Doch, natürlich.

Auch Noah wollte endlich Antworten. Ob er wirklich etwas mit dieser Pandemie zu tun hatte. Ob er tatsächlich an der Entwicklung jener drei Stufen beteiligt gewesen war, von denen Kilian Brahms am Telefon gesprochen hatte, mit denen angeblich die Hälfte der Weltbevölkerung ausgelöscht werden sollte. Ob am Ende er der Einzige war, der die Katastrophe noch abwenden konnte.

Im Moment allerdings, so dachte Noah, *spricht alles dafür, dass ich nicht der Wahrheit entgegen, sondern meinen Killern in die Arme laufe.*

»Und was ist unser Plan?«, fragte er Altmann. Der öffnete bereits den Mund, doch dann erfasste ihn ein Krampf, sein Oberkörper krümmte sich. Er fluchte mit zusammengebissenen Zähnen, presste sich vor Schmerzen beide Fäuste in die Magengrube und keuchte, nachdem es ihm wieder etwas besser ging, ohne aufzuschauen: »Wie du siehst, hab ich nichts mehr zu verlieren, Kumpel. Aber ich kann verstehen, wenn du das Handtuch wirfst.«

In dieser Sekunde öffnete sich die Fahrstuhltür.

Reflexartig zog Noah seine Waffe, doch außer seinem und Altmanns Spiegelbild gab es in der leeren Aufzugskabine nichts zu sehen.

Keine Gefahr.

»Warte«, sagte Altmann und hielt Noah zurück.

Mit einiger Mühe kramte er aus seiner Hosentasche etwas hervor, das wie ein Kugelschreiber aussah.

»Was ist das?«, fragte Noah.

»Ein HPX5.« Altmann rang sich ein Lächeln ab. »Vielleicht doch keine so schwachsinnige Spielerei, wie ich immer dachte.«

Er bat Noah, die Lichtschranke zu blockieren, während er in die Kabine trat und das längliche Gerät in einer Ecke hochkant auf den Boden stellte.

»Was soll das werden?«

Statt einer Antwort drückte Altmann auf den Knopf für das zweite Untergeschoss und trat wieder aus dem Aufzug. Er gab Noah ein Zeichen, es ihm gleichzutun, und reichte ihm, während sich die Tür schloss, sein Handy, nachdem er dort eine weitere Applikation geöffnet hatte.

»Ich will nur sichergehen, dass uns dort unten kein Kuddelmuddel erwartet.«

Verblüfft erkannte Noah ein exaktes Abbild des Fahrstuhlinneren auf dem Display. »Eine Kamera«, kommentierte er anerkennend.

»HD, bessere Qualität als mein Fernseher zu Hause«, sagte Altmann, als der Fahrstuhl zwei Stockwerke tiefer zum Stehen kam.

Die Tür öffnete sich, und die Kamera zeigte einen Flur, der sich rechts und links vom Aufzug ausgehend zu erstrecken schien. Das Licht brannte. Der Ausschnitt, den sie sehen konnten, war menschenleer.

»Kannst du das Ding bewegen?«, fragte Noah.

»Na klar. Und es löst sich in Luft auf, wenn der Feind kommt.« Altmann lachte spöttisch, was ein Fehler war, weil er sich damit eine weitere Hustenattacke einhandelte. Trotzdem versuchte er weiterzusprechen, konnte die Worte allerdings nur noch stoßweise hervorpressen: »Nein, aber … wir … können … zoomen.«

Er vergrößerte mit zwei Fingern den Bildschirmausschnitt.

»Was ist das?«, fragte Noah und zeigte auf einen Punkt an der Tür, die dem Fahrstuhl gegenüberlag. Es war eine rhetorische Frage. Die Auflösung war eindeutig, der Bildausschnitt glasklar zu sehen.

Eine weitere Kopie. Die gleiche Zeichnung.

Der Bach des Ostens. Oosterbeek.

Und wieder ein Pfeil. Diesmal wies er nach rechts. Unter ihm eine unmissverständliche Botschaft: »Room 17«, las Noah leise vor.

Altmann drehte sich zu ihm, wischte sich den mittlerweile allgegenwärtigen fiebrigen Schweiß von der Stirn und fragte: »Irgendeine Idee, was uns in Zimmer 17 erwartet?«

Noah zuckte mit den Achseln. »Es gibt nur eine Möglichkeit, es herauszufinden«, sagte er wie zu sich selbst. Dann drückte er den Knopf, um den Fahrstuhl wieder nach oben zu holen.

Zwei Stockwerke tiefer roch es weniger nach Keller als im Erdgeschoss. Auch war es wesentlich wärmer. Dieser Bereich der Klinik, den ein laminiertes Plastikschild als »Neuroradiologie & Virtopsie« auswies, war noch in Benutzung oder schien es zumindest bis vor kurzem gewesen zu sein. Die flachen Heizkörper im Gang liefen auf mittlerer Stufe, ein Reinigungsplan neben der Ärztetoilette war erst vor wenigen Tagen per Hand ausgefüllt worden, auch der Flur, den sie seit dem Verlassen des Fahrstuhls entlangschritten, roch nach frischem Reinigungsmittel.

»Kann man dein HPX-Dingsda auch als Waffe benutzen?«, erkundigte sich Noah, nachdem er festgestellt hatte, dass das Magazin seiner Pistole nur noch halbvoll war.

Altmann hatte sein Spielzeug wieder an sich genommen. Das Multifunktionsgerät, das ihnen eben noch den Weg als Kamera gewiesen hatte, klemmte in seiner Brusttasche und wirkte wie ein normaler Kugelschreiber.

»Es heißt HPX5. Und nein, es dient nur zur Gefahrenanalyse.«

»Na toll.«

Die meisten Türen, die sie mit ihren Pistolen im Anschlag passierten, standen offen und gewährten einen Blick in Untersuchungsräume, Büros, Vorratskammern oder Schwesternzimmer. Alle waren verlassen, wirkten aber, als wäre noch bis vor kurzem darin gearbeitet worden. Die meisten Computer waren nicht heruntergefahren, auf den Schreibtischen herrschte geschäftige Unordnung. Auf einem stand sogar noch eine volle Kaffeetasse. Noah hätte sich nicht gewundert, wenn Dampf aus ihr aufgestiegen wäre.

»Hey, sieh mal«, rief Altmann. Er war einige Schritte vorausgegangen und hatte kurz vor dem Kopfende des Ganges eine schwere Schiebetür zur Seite geschoben. Nebelartiger Dampf quoll aus dem dahinterliegenden Raum.

»Was ist das?«, fragte Noah.

»Sieht aus wie eine begehbare Kühlkammer. Puh, großer Gott.«

Süßlicher Fäulnisgeruch, gemischt mit dem Duft von Desinfektions- und Konservierungsmitteln, schlug ihnen entgegen. Der Gestank des Todes setzte sich sofort in jeder Pore fest, und das, obwohl sich auf den vier Rollbahren keine einzige Leiche befand. Die Kammer war so leer wie der Rest des Krankenhauses.

»Hörst du das?«, fragte Altmann.

Noah legte den Kopf schief und sah zur Tür, durch die sie hereingekommen waren. »Nein.«

»Doch, da war was«, beharrte Altmann und deutete mit dem Lauf seiner Pistole zur Tür. Mit Seitwärtsschritten trat er an den Rahmen und spähte in den Flur. Noah, der wegen des Geruchs nur durch den Mund geatmet hatte, hielt die Luft an und wollte Altmann schon folgen, als ihm der Tisch in der Ecke auffiel. Da er mit einem schwarzen Molton-Stoff abgedeckt war, hob er sich kaum vor der dunkel lackierten Wand ab.

»Altmann?«, rief Noah, doch der war schon nicht mehr im Raum.

Noah überlegte kurz, ihm zu folgen, dann siegte die Neugier. Er schob eine Bahre zur Seite und näherte sich dem verdeckten Gegenstand. Mittlerweile war ihm klar geworden, dass es sich nicht um einen ordinären Tisch handelte, denn er summte elektrostatisch.

Was ist das? Ein Generator?

Der etwa zwei Meter lange und einen Meter breite Block reichte ihm bis zum Bauchnabel.

Noah hielt einen Schritt Sicherheitsabstand, richtete seine Waffe aus und bückte sich, um den Abdeckstoff zu fassen zu bekommen.

Also los.

Mit einem Ruck riss er das Tuch herunter und legte das Gehäuse einer Kühltruhe frei.

Sie erinnerte Noah an die Truhen, die man in Strandbars oder kleineren Supermärkten findet; sogar die Abdeckung, die sich zur Seite schieben ließ, war aus durchsichtigem Plexiglas. Allerdings war diese Truhe nicht mit Pizza oder Eis gefüllt, sondern mit einer männlichen Leiche. Alter zwischen fünfunddreißig und vierzig, braune Haare, kantige, intelligente Gesichtszüge.

Das ist … unmöglich!

Noch glaubte Noah, einer optischen Täuschung zu unterliegen. Die Verwirrung über seinen Fund war so groß, dass er nichts davon wahrnahm, was in seinem Rücken geschah. Er hörte nicht, wie Altmann bewusstlos im Flur zusammensackte. Bemerkte den Schatten nicht, der sich langsam von hinten näherte. Viel zu sehr war er damit beschäftigt, den Anblick des toten Mannes zu verarbeiten.

Das kann nicht sein, dachte er und schüttelte den Kopf.

Noch hoffte er mit der Kraft der Verzweiflung, die Abdeckung der Truhe wäre verspiegelt.

Denn das wäre eine logische Erklärung.

Die einzige Erklärung!

Aber die wächserne, tiefgefrorene Leiche blieb reglos. Schüttelte nicht den Kopf. Öffnete nicht die Augen.

Das ist kein Spiegelbild, dachte Noah, während sich ihm der Lauf einer Pistole in den Nacken bohrte.

Das bin ich selbst.

Es gab keinen Zweifel. Er sah seinem Ebenbild in das blutleere, tote Gesicht. Und in dieser Sekunde, exakt in dem Moment, in dem ihm eine Frauenstimme befahl, sofort seine Waffe fallen zu lassen, begann er sich zu erinnern.

12. Kapitel

»Darf ich es behalten?«

»Wieso?«

»Es gefällt mir.«

Der Ältere zuckte mit den Achseln und reichte ihm das gerahmte Bild, das er eben in seinen Koffer hatte legen wollen. »Ich dachte, du magst meine Zeichnungen nicht.«

»Hab ich das je gesagt?«, fragte der Jüngere.

»Ja, ständig.«

Die beiden Kinder lachten, doch es klang lange nicht mehr so unbeschwert wie in den Jahren zuvor, in denen sie sich das Zimmer auf dem Internat geteilt hatten.

Das Bild betrachtend fragte der Jüngere: »Hat es einen Namen?«

Er saß auf seinem Lieblingsplatz auf dem Fensterbrett. Helles Sonnenlicht wurde durch halb geöffnete Jalousien aufgefächert und ließ den Staub vor ihren Augen schweben.

Der Ältere überlegte. »Ich nenne es Der Bach des Ostens.*«*

»Wieso das?«

»Du weißt doch, dass ich nach Holland muss. Der Ort da heißt so bescheuert.«

»Hm.«

Eine Zeit lang sagten sie nichts, und der Jüngere sah David stumm beim Packen zu. Seine Arme um die angewinkelten Beine zu schlingen half ihm, die Ruhe zu bewahren. Nicht zu heulen. Vor David zu heulen wäre wirklich das Letzte.

»Ist das jetzt das Ende?«, fragte er schließlich, das Bild immer noch in der Hand. Im Grunde genommen konnte er nichts als Farben und Kleckse darauf erkennen, aber ihm gefiel es trotzdem.

»Idiot. Ich sterbe doch nicht. Ich gehe nur auf eine andere Schule.«

»Für mich ist das wie Sterben.«

David nickte. »Ja, das weiß ich.«

Der Vierzehnjährige griff sich ein Universitätslehrbuch über Quantenphysik, in dem er im letzten Halbjahr mehrere gravierende Fehler entdeckt hatte, und warf es in den geöffneten Koffer. »Hey«, sagte er. »Kopf hoch. Vielleicht finden sie ja etwas gegen deine …«

Seine Mundwinkel zuckten verlegen. Fast hätte er es ausgesprochen.

Gegen deine Krankheit.

»Ja, vielleicht.«

Nun war es doch geschehen. Tränen füllten die Augen des Jüngeren. Er teilte die Lamellen mit den Fingern; tat so, als würde ihn das Fußballspiel der zehnten Klasse auf dem Hof interessieren.

»Wirst du mich besuchen?«, fragte er David.

»Nein. Eher nicht.«

Er nickte. Es war gut, dass er ihn nicht anlog. Schmerzlich, aber gut.

Er spürte, wie der Ältere näher kam.

»Ich bin jetzt erst einmal in den Niederlanden. Die haben da ein hartes Pensum. Ich könnte nur in den Sommerferien zurück, also nur ein Mal im Jahr. Und bis dahin …«

»… wäre es eh zu spät«, bestätigte John und drehte sich zu seinem einzigen Freund, der jetzt auf eine andere Schule nach Oosterbeek wechseln würde, während er hier im Internat allein versauerte.

Weil es hier die beste Betreuung gab. Für Sonderschüler.

Für Patienten.

Der Jüngere kletterte vom Fensterbrett. Sie umarmten sich ein letztes Mal, dann verließ David das Zimmer, ohne sich noch einmal umzudrehen.

Er wartete, bis David aus dem Internatsgebäude trat, den schweren Koffer alle zehn Schritte von einer Hand in die andere wechselnd.

Das Letzte, was er von ihm sah, war, wie er in eine schwarze Limousine mit verdunkelten Scheiben stieg. Dann klingelte der Wecker seiner Armbanduhr, der ihn ermahnte, auf den Plan an der Tür zu sehen, in den die Schulleitung täglich alle wichtigen Termine für ihn eintrug.

Dr. Dohrmann. 11.00 Uhr.

In einer halben Stunde würde der Psychiater im Aufenthaltsraum auf ihn warten, um die Auswertung der Tests und die Einstellung der Medikamente zu besprechen.

Ohne den Alarm hätte er die Sitzung womöglich wieder vergessen. So wie er alles vergaß, was er nicht regelmäßig tat. Weil sich sein Gedächtnis löschte.

Der Langzeitspeicher.

Er seufzte und wischte sich die Tränen aus dem Gesicht.

Spätestens alle sechs Wochen. Manchmal sogar früher.

Er trat ans Fenster, zog die Jalousien auf und erhaschte einen letzten Blick auf die Rücklichter der Limousine, die hinter dem Tor auf die Landstraße abbog. Dann nahm er wieder das Bild zur Hand.

Wie albern, dass er sich ein Andenken bewahrt hatte.

Wie nutzlos!

Der Jüngere wusste, er würde sich schon sehr bald nicht mehr an den Tag des Abschieds erinnern können. Wie überhaupt an die Tatsache, dass er jemals einen Zwillingsbruder gehabt hatte.

13. Kapitel

»David«, flüsterte Noah, der seine kalte Umgebung und damit die Gefahr in seinem Rücken vollständig ausgeblendet hatte.

Es war ihm nicht möglich, seinen Blick auch nur für eine Sekunde von der Leiche seines Bruders abzuwenden, obwohl ihm die Pistole in seinem Nacken immer fordernder gegen die Halswirbelsäule drückte.

David.

Deshalb also hatte er in einer seiner Erinnerungen sich selbst beim Sterben zugesehen. Und deshalb hatten die anderen ihn für tot gehalten – der kranke Alte im Waldbungalow ebenso wie Kilian Brahms –, sie hatten ihn mit seinem Zwillingsbruder verwechselt. Mit Dr. David Morten. Achtunddreißig Jahre alt, US-amerikanischer Biophysiker sowie Molekular- und Nanobiologe.

Es war sein Koffer, den ich in der Suite des Adlon geöffnet habe. Sein Handy, sein Geld. Seine Pässe.

Und es war sein Bild, das David gemalt und das Noah sich vor Jahren als Andenken an ihn bewahrt hatte.

Und dennoch habe ich ihn vergessen.

Wegen meiner Krankheit.

Noah fröstelte, und das lag nicht allein an den eisigen Temperaturen des Kühlraums. Nun klärte sich auch, weshalb er keinerlei Erinnerungen an eine akademische Bilderbuchkarriere hatte. An das Studium der Physik an der Tufts University; an die Promotion in Princeton über flüssige Mikrochips und ihre Anwendung für die medizinische Patientenkontrolle. Nicht er war der anerkannte Experte für Infektionskrankheiten, Träger zahlreicher Auszeichnungen, insbesondere für die Forschungen am Pest- und Herpeserreger.

Sondern David.

»Ausziehen«, verlangte die Frau auf Englisch hinter ihm und entlarvte sich damit als Profi. Sie war nicht so erfahren wie er in solchen Tätigkeiten, das spürte Noah an der bemühten Coolness in ihrer dunklen Stimme, die etwas dumpf klang, als spräche sie durch ein Taschentuch, und deren Timbre ein geringes Maß an Unsicherheit entlarvte. Aber sie wollte keine Zeit damit verschwenden, ihn abzutasten, um am Ende vielleicht doch eine Waffe zu übersehen. Ein kluger Schachzug.

Und eine gute Nachricht!

Hätte man es auf seinen Tod abgesehen, hätte sie ihn gleich an Ort und Stelle erledigen können, weswegen Noah ihrem Befehl bedingungslos Folge leistete.

Im Augenblick war er ohnehin willenlos. In Anbetracht der Erkenntnisse über seine Vergangenheit erschien ihm sein Schicksal vollkommen nebensächlich. Dabei hätte er eigentlich erleichtert sein müssen. Die Tatsache, dass er kein Wissenschaftler war, bedeutete auch, dass er nicht für die Pandemie verantwortlich sein konnte. *Oder etwa doch?*

Der durch den Anblick seines toten Zwillingsbruders ausgelöste Erinnerungsschub hatte ihm vieles über sich verraten, nur nicht die Hauptsache: *Wer bin ich?*

»Das werden Sie gleich herausfinden«, hörte er die Frau sagen. Offenbar hatte er die Frage laut gestellt, während er sich wie in Trance all seiner Kleidungsstücke mit Ausnahme der Boxershorts entledigte. Jetzt schmerzten seine Finger, er konnte sie kaum noch bewegen vor Kälte, und als er sich zu der Frau umdrehte, fühlte es sich an, als wären seine nackten Füße an den Bodenfliesen festgefroren.

»Wohin gehen wir?«, fragte er mit klappernden Zähnen.

Die schlanke, hochgewachsene Unbekannte steckte in einem grauweißen Ganzkörperoverall, der wegen seines verspiegelten

Visiers wie ein Raumanzug anmutete. Auf der rechten Brustseite war ein gelbes Dreieck mit schwarzem Rand eingenäht, darin drei miteinander verbundene, unvollständig geschlossene Kreise. Das weltweit einheitliche Warnzeichen für biologische Gefahren. Mit einer halbautomatischen 9-Millimeter-Pistole zielte die Frau direkt auf Noahs Stirn.

»Da entlang!« Mit dem Kinn wies sie zur Ausgangstür.

Der Weg zurück kam ihm sehr viel länger vor. Sie hatten die Kammer hinter sich gelassen, nicht aber die Kälte. Mit jedem Schritt arbeitete sie sich tiefer in seinen nackten Körper hinein. Fraß sich durch die Eingeweide. Drang bis zu seinen Knochen vor.

»Schneller!«, herrschte sie ihn an. Ihre Schutzkleidung erzeugte ein unangenehmes, knautschendes Geräusch bei jedem ihrer Schritte.

Er betrat den bereits wartenden Fahrstuhl. Ein Schlüssel steckte unter der Etagenknopfleiste. Auf ihren Befehl hin musste Noah den obersten und den untersten Knopf gleichzeitig drücken und dann den Schlüssel abziehen. Die Türen schlossen sich, und der Fahrstuhl tat etwas, was eigentlich unmöglich war. Noah spürte, wie er nach unten fuhr, obwohl es laut Anzeige kein weiteres Untergeschoss gab.

Ein geheimes Stockwerk?

Das Geschoss, das sich nach kurzer Fahrt vor seinen Füßen öffnete, wirkte wie ein Gefängnistrakt. Er hörte eine Lüftung rauschen, aber es roch muffig. Hatte sich die Station der Neuroradiologie & Virtopsie zu beiden Seiten des Fahrstuhls erstreckt, spuckte der Aufzug sie hier unten am Kopfende des Ganges aus.

Mit der Pistole im Rücken passierte Noah mehrere Zellentüren, die von außen durch simple, aber schwere Querbolzen verriegelt waren. Auf eine von ihnen, Nr. 4 A, war mit Kreide ein Name gekritzelt: *Kilian Brahms.*

Noah folgte einem spontanen Impuls und trat an den Türspion, um ins Zelleninnere zu schauen.

»Hey«, bellte die Frau, die er ihrer Stimme nach auf nicht älter als dreißig schätzte. »Sind Sie lebensmüde?«

Er hörte ein metallisches Ratschen. Das Durchladen der Waffe. Die letzte akustische Warnung vor dem Schuss.

»Haben Sie ihn getötet?«, fragte er und trat wieder zurück.

Wie erwartet hatte ein Mann leblos auf der Pritsche gelegen.

Kilians Leiche.

Und wie erwartet bekam er keine Antwort. Auch nicht auf seine nächste Frage. »Wo ist Altmann?«

Noah ging wieder voraus, um nur wenige Schritte weiter vor einer mit weißem, ausgepolstertem Leder bespannten Tür haltzumachen, wie man sie in Arztpraxen häufiger findet. Ein kleines Schild neben dem Rahmen wies das dahinterliegende Zimmer in drei verschiedenen Sprachen als Chefarztbüro aus. »Haben Sie Altmann auch schon erledigt?«

Statt einer Antwort stieß die Frau Noah durch die angelehnte Tür. Er stolperte in einen unerwartet großen und im Unterschied zu dem kargen Gefängnisgang nahezu heimelig anmutenden Raum.

Er war groß genug, um einen ausladenden Holzschreibtisch in der einen Ecke sowie eine aus zwei Sesseln und einer Couch bestehende Sitzgruppe in der anderen Ecke zu beherbergen. Der Boden war mit dickem Teppich ausgelegt, in denen Noahs nackte Füße bis zu den Knöcheln versanken. Die Wände waren mit Fachwerk- und roten Klinkersteinattrappen verziert, als wäre das hier kein Behandlungszimmer, sondern eine kanadische Berghütte. Es lag sogar ein Tierfell unter dem Couchtisch. Nur der Kamin fehlte ebenso wie ein Fenster. Dafür sorgte eine altmodische Rippenheizung für angenehme Wärme. Vor dieser Heizung lag Adam Altmann. Ob tot oder nur bewusstlos, konnte

Noah nicht erkennen. Das Blut, das ihm aus Mund und Nase getropft war, hatte den Teppich dunkel verfärbt, was Noah an die Suite im Adlon denken ließ.

Ich habe gesehen, wie mein Bruder erschossen wurde.

Unbewusst fasste er sich an die Schulter, spürte noch einmal, wie die zweite Kugel des Scharfschützen durch seine Haut drang.

Dann bin ich geflohen. Durch die Diskothek auf die Straße. In die U-Bahn, wo mich Oscar fand.

Der Fleck neben Altmanns Kopf breitete sich immer noch aus, was den Mann, der mit seinen rahmengenähten Schuhen direkt neben der Lache stand, nicht weiter zu beeindrucken schien.

»Hallo«, begrüßte er Noah mit einem freundlichen Lächeln. Er trug einen dunkelblauen Maßanzug mit Nadelstreifen und ein weißes Hemd ohne Krawatte mit goldenen Manschettenknöpfen.

»Wir haben uns lange nicht mehr gesehen. Viel zu lange, fürchte ich.«

Noah hörte, wie hinter ihm die Tür geschlossen wurde. Er drehte sich um. Die Frau hatte den Raum verlassen und vermutlich vor dem Eingang Position bezogen.

»Wer sind Sie?«, fragte Noah. Etwas an dem älteren Mann, der sich auf Krücken gestützt hielt, kam ihm bekannt vor, aber es waren nicht der krumme Rücken, die abstehenden Ohren oder die schiefen Zähne.

Es war seine Stimme!

»Fast zwei Monate ist es schon her«, sagte er in exakt dem altväterlichen Tonfall, der Noah in letzter Zeit so häufig im Kopf umhergespukt war. »Also wirst du dich an mich nicht mehr erinnern, oder?«

Nein.

»Kennen wir uns?«

Der alte Mann lächelte traurig, wie jemand, der sich für lange Zeit von einem geliebten Menschen verabschieden will, dann humpelte er Noah entgegen und sagte: »Mein Name ist Jonathan Zaphire. Ich bin dein Vater.«

14. Kapitel

Manila, Philippinen

Tatsächlich war es Marlon gelungen, sie unbehelligt auf den Parkplatz vor der Lagerhalle in Quezon City zu leiten, wo die Ärzte der Hilfsorganisation Worldsaver ihr riesiges Praxiszelt errichtet hatten. Hoch und breit wie ein Flugzeughangar baute es sich vor ihnen auf, kaum dass sie durch den Maschendrahtzaun am Rande des Containerfriedhofs geschlüpft waren. Nun standen sie auf einem kleinen Hügel und blickten auf die Zeltanlage hinab.

»Es ist voll mit Betten und Medikamenten für mindestens fünfzig, wenn nicht einhundert Menschen«, hatte Marlon versprochen, und auch damit hatte er die Wahrheit gesagt.

Leider.

Einhundert Betten waren viel zu wenig für die hilfesuchenden Massen. In Alicia war jede Hoffnung gestorben, ihr Baby über den Tag zu bringen.

»Es muss irgendwo ein Leck geben«, gab Marlon die einzig vernünftige Erklärung für die Tragödie, die sich vor ihren Augen abspielte. »Irgendeinen unbewachten Ausgang. Anders kann ich mir nicht erklären, weshalb so viele hier sind.«

»Ich zähle fünfhundertzweiunddreißig«, sagte Jay, der anscheinend das gemacht hatte, was Gustavo ihr gegenüber einmal als »Gedächtnisfotografie« bezeichnet hatte. Ein mentales Bild, das ihr Sohn mit den Augen schießen konnte, um es anschließend mit seinem Gehirn in seine Bestandteile zu zerlegen. Manchmal war Alicia die Begabung ihres Kleinen etwas unheimlich, doch im Moment sorgte sie sich eher über das Ergebnis seiner Analyse.

Fünfhundertzweiunddreißig Menschen?

Der Platz war zur Straße hin mit mannshohen Gitterwänden gesichert, eine zweite Reihe stand unmittelbar vor dem Zelteingang, wodurch der Eindruck eines Käfigs entstand, in dem die Wartenden eingepfercht waren.

Alicia spürte ein Brennen in den Augen und wandte sich ab, sah hinauf zu den Hochhäusern mit ihren verspiegelten Fassaden. Um ihre Würde zu bewahren und nicht zu weinen, nicht vor ihrem Ältesten, versuchte sie sich irgendetwas Positives in Erinnerung zu rufen, weil Schwester Silvania, die sie manchmal im Slum besuchte, doch gesagt hatte, positive Gedanken wären gut für die Muttermilchproduktion. Und die war das Einzige, was Noel heute noch bekommen würde, wenn überhaupt. Denn von Worldsaver konnte sie keine Hilfe erwarten. Niemand von den Hunderten, die sich vor dem verschlossenen Eingang drängten, konnte das.

Es sind zu viele.

Viel zu viele, die aus einem ungesicherten Ausgang des Slums den Weg nach draußen gefunden haben mussten. Oder aus irgendeinem der tausend anderen Elendsviertel des Großraums Manila kamen.

»Wieso sind hier keine Soldaten?«, wollte Jay wissen.

»Weil sie das Leck gestopft haben«, antwortete Marlon und zeigte auf die Zufahrtsstraße vor ihnen. Bis auf einige streunende Hunde war sie leer. Niemand mehr versuchte, zu dem Zelt vorzudringen.

»Die Lage ist wieder geklärt. Und die, die es herausgeschafft haben, sind ihnen egal. Sieh nur.«

Die Zaunwand in der linken äußersten Ecke des Platzes schwankte bedrohlich, weil mehrere Männer sie zu überklettern versuchten. Noch war die Menge verhältnismäßig ruhig und formierte sich vor dem Zelteingang zu einer nahezu geordneten Reihe. Niemand bedrängte die Schwester mit dem Klemmbrett, die im Augenblick keinen durchließ. Aber es war nur eine Frage der Zeit, bis ein kleiner Streit erst Tumult, dann Panik auslöste und die Massen über die Gitter stürmen und die Zeltplanen einreißen würden.

»Lass uns zurückgehen«, sagte Alicia und wollte sich abwenden, doch Marlon hielt sie am Arm fest.

»Zurück? Etwa durch das Kackloch zurück in die *Endstation?* Weshalb? Verrecken kannst du auch hier draußen.«

»Hast du einen besseren Plan?«, fragte sie.

»Vielleicht.«

Er zeigte auf einen hinter dem Zelt in der offenen Lagerhalle abgestellten Lkw. Quer über die Windschutzscheibe lief ein Riss. Die Vorderreifen waren platt.

»Was ist damit?«, fragte Alicia.

»Da wohnt Heinz.«

Heinz?

Dunkel erinnerte sich Alicia an den komischen Namen, den Jay letzte Nacht erwähnt hatte.

»Heinz ist ein netter Mann. Er ist gut zu uns.«

»Er sorgt für die Müllkinder.«

»Und?«

»Und das ist sein Zuhause. Er wohnt in dem Laster, mit denen Worldsaver die Medikamente transportiert.«

»Du willst einfach zu ihm gehen?«

»Ja. Er kann uns alles geben. Das Mittel gegen die Seuche. Und Nahrung für dein Baby.«

Automatisch drückte sie Noel etwas fester. »Siehst du, wie viele da unten um Einlass betteln? Wir kommen erst gar nicht aufs Gelände, geschweige denn bis zum Lastwagen. Und selbst wenn? Wieso sollte dieser Mann ausgerechnet uns helfen?«

»Weil Heinz ein guter Mensch ist«, sagte Jay und lächelte zuversichtlich.

»Quatsch.« Marlon trat nach einem Pappbecher vor seinen Füßen. Staub wirbelte auf und bildete eine schmutzige Wolke.

»Gut ist er nicht. Aber ein Geschäftsmann.«

»Geschäftsmann? Wir haben kein Geld!«, sagte Alicia mit verzweifelter Stimme. »Wir haben ihm nichts anzubieten.«

»Oh doch«, sagte Marlon ernst, während sein Blick langsam über Alicias Körper wanderte.

15. Kapitel

Rom, Italien

Eine Weile standen sie sich schweigend gegenüber. Musterten einander. Noah mit ungläubigem, argwöhnischem Blick. Der alte Mann mit einem Ausdruck von Hoffnung in den wachen Augen, auf der Suche nach Anzeichen des Wiedererkennens in Noahs Gesicht.

Zaphire war der Erste, der die stumme Konfrontation nicht mehr aushielt, sich abwandte und auf seinen Krücken zu einem Schrank humpelte. Er nahm einen Bademantel heraus und reichte ihn Noah. »Setz dich doch«, sagte er und wies auf das Sofa.

Noah griff weder nach dem Mantel, noch setzte er sich.

»Dir ist kalt. Sei nicht dumm, Junge. Schlage nie einen Vorteil aus, selbst wenn er dir von einem Feind gewährt wird«, formulierte Zaphire eine jener Lebensweisheiten, von denen Noah in den letzten Stunden mehr als genug gehört hatte. Wenn auch nur in seinem Kopf!

»Obwohl ich natürlich nicht dein Feind bin«, ergänzte Zaphire und ließ den Mantel zu Boden gleiten.

Sondern mein Vater? Wenn das stimmte, wer war dann der Sterbende im Waldbungalow gewesen?

Noah sah dem Alten dabei zu, wie er sich mit zusammengebissenen Zähnen auf dem Sessel niederließ. Dazu musste er eine der Krücken aus der Hand nehmen.

Die Schmerzen, unter denen er unverkennbar litt, waren ganz sicher keine normalen Begleiterscheinungen seines Alters. Auch Zaphire musste sich erst kürzlich eine schwere Verletzung zugezogen haben.

War da nicht von einem Anschlag die Rede gewesen?, dachte Noah. Er musterte den alten Mann, der sich eine Hand in Höhe des Herzens auf den Brustkorb presste. »Sie wollen mein Vater sein? Beweisen Sie es.«

»Hm.« Zaphire atmete tief aus. »Immer wieder der gleiche Befehl. Jedes Mal, wenn wir uns treffen.«

Jedes Mal?

Die Hand des Alten wanderte in die Innentasche seines Jacketts, um mit einem Foto zwischen den Fingern wieder aufzutauchen.

Er reichte es Noah.

Es war ein Gruppenbild von etwa zwanzig Jungen und Mädchen, zweifellos ein Klassenfoto einer jüngeren Jahrgangsstufe.

In der hintersten Reihe, dort, wo der Fotograf die Größeren platziert hatte, umrahmte ein roter Kreis zwei komplett identisch aussehende Gesichter. Der Anblick des Fotos hatte eine verstörende Wirkung, nicht nur, weil Noah sich selbst wiedererkannte – *und meinen Bruder?!* –, sondern weil keines der Kinder lachte, lächelte oder auch nur grinste. Die wenigsten sahen in die Kamera, die meisten wirkten gelangweilt, mürrisch, abwesend, traurig; einige sogar latent aggressiv.

»Ihr wart zwölf«, sagte Zaphire. »Euer erstes Jahr auf dem Heintzenberg-Internat bei Heidelberg.«

Noah schüttelte den Kopf. Sein linkes Augenlid zuckte, das Bild zitterte in seiner Hand.

Das Foto zeigte unverkennbar eine um Jahre jüngere Ausgabe seines eigenen Ichs. Sogar in doppelter Ausführung. Ein vages Gefühl des Wiedererkennens regte sich in ihm, so als würde er in einem Buch lesen, das er schon vor langer Zeit einmal in der Hand gehabt hatte. Er roch das Bohnerwachs von dem Linoleum im Internatszimmer, sah mehrere Zeichnungen an der Wand, unter ihnen das Klecksgemälde, nach dessen Urheber in der Zeitung gesucht worden war. Allerdings war die Erinnerung lange nicht so intensiv wie vorhin beim Anblick der Leiche.

Aber es ist ja auch nur ein Foto!

»Normalerweise empörst du dich an dieser Stelle immer, das wäre kein Beweis«, sagte der Alte und wedelte mit einem zweiten Bild, das er aus seinem Jackett gezogen haben musste, während Noah mit dem Klassenfoto abgelenkt gewesen war.

Normalerweise? An dieser Stelle?

Unbewusst war Noah dazu übergegangen, Teile von Zaphires Sätzen in Gedanken zu wiederholen.

»Und ich erkläre dir dann immer, dass das Heintzenberg-Internat eine Schule für hochbegabte und gleichzeitig verhaltensauffällige Schüler mit gravierenden psychischen Störungen war. Gedacht für Kinder und Jugendliche, die für herkömmliche Einrichtungen zu schwierig und auf Sonderschulen unterfordert wären. Finanziert wird sie rein aus privaten Geldern. Von Förderern wie diesen hier.«

Noah nahm ihm das zweite Bild aus der Hand.

Es zeigte dieselben Schulkinder in einer ähnlichen Formation, nur waren die freudlosen Gesichter diesmal von einer Gruppe Erwachsener gerahmt. Auch hier war wieder ein Kringel um einen der Köpfe gezogen. Noah ließ die Hand sinken, schüttelte ungläubig den Kopf.

»Doch, mein Junge. Das da auf dem Foto bin ich. Jonathan Zaphire.«

Noah blinzelte. Am liebsten hätte er für einen Moment die Augen geschlossen, um sich besser auf seine Fragen konzentrieren zu können: *Wieso kann ich mich an so manches erinnern, zum Beispiel an die Fernsehnachrichten von dem Mordanschlag auf Zaphire, nicht aber an meine eigene Vergangenheit? Und wieso lockt mein angeblicher Vater mich ausgerechnet hierher? Was hat meine Familiengeschichte mit dem Wahnsinn zu tun, der gerade die Welt aus den Fugen geraten lässt?*

»Sie lügen mich an«, sagte Noah. Zaphires Augen bekamen einen traurigen und gleichzeitig müden Glanz, als hätte er das Folgende schon Hunderte Male erklären müssen.

»Du denkst, mein Anblick oder wenigstens die Fotos hätten bei dir einen Gedächtnisschub auslösen müssen?«

Noah nickte.

Ja. So wie es der Geruch im Adlon getan hat. Oder die Leiche meines Zwillingsbruders …

»Deine Erinnerungslücken …« Zaphire schien nach den richtigen Worten zu suchen. »Es ist kompliziert. Eine Störung im Kopf. Sie hat nichts mit der Schusswunde zu tun.« Er deutete auf Noahs Narbe an der Schulter. »Auch nichts mit psychologischer Verdrängung, Schock oder so. Du leidest darunter seit deiner Kindheit.«

Meiner Kindheit?

Erst in diesem Moment wurde ihm bewusst, dass die Tatsache, dass er seinem Vater gegenüberstand, neben den Tausenden von unbeantworteten Fragen eine weitere, sehr persönliche Frage aufwarf. »Was ist mit meiner Mutter?«

Zaphire schluckte schwer. Seine Lippen formten lautlose Silben, dann fing er sich wieder und sagte mit fester Stimme:

»Sie starb noch im Kreißsaal.«

Zaphire sah kurz zu Noah hoch, der wie festgewachsen bewegungslos neben dem Sessel stand, dann betrachtete er seine im Schoß gefalteten Hände.

»Sie war alles, was ich hatte. Ihre Niederkunft war … viehisch. So viel Blut … es … es hat so lange gedauert, die Nabelschnur hatte sich …« Zaphire wischte sich mit dem Handrücken über die Augen. »Sie mussten eine Notoperation einleiten. Hierbei kam es zu einem Herzstillstand. Die Ärzte konnten sie nicht wiederbeleben.«

»Sie leider schon, Mr. Zaphire«, meldete sich eine brüchige, aber vertraute Stimme zu Wort, die Noah zusammenzucken ließ.

Altmann.

Ganz eindeutig war er doch noch nicht tot. Stöhnend versuchte er sich an der Heizung zumindest so weit hochzuziehen, dass er mit dem Rücken an die Rippen gelehnt sitzen bleiben konnte.

Nach einer Schrecksekunde löste sich Noah aus seiner Starre und ging zu dem Agenten. Er reichte ihm die Hand, und als er sah, dass Altmann von schüttelfrostartigen Krämpfen erfasst wurde, griff er sich den Bademantel vom Boden, um ihn vorsichtig um den Körper des Todkranken zu legen.

»Danke, aber das ist Verschwendung«, hustete Altmann.

Er musste schon vor eine Weile wieder zu sich gekommen und der Unterhaltung gefolgt sein, denn er fragte Zaphire: »Ich hatte mal ein Dossier über Sie in den Händen«, er hustete trocken, »darin stand, Ihre Kinder wären ebenfalls bei der Geburt gestorben.«

Zaphire schien sich weder zu wundern noch daran zu stören, dass Altmann sich von seinem Platz an der Heizung aus in das Gespräch einschaltete. »So lautet die offizielle Version«, antwortete er ihm. »Ich hatte die Liebe meines Lebens gegen zwei schreiende Babys eingetauscht.« Zaphire sah wieder zu Noah. »Ihr wart schuld an dem Tod meiner Frau. Eurer Mutter. So dachte ich damals.«

Er sah kurz auf die Uhr, dann redete er weiter: »Ich wollte euch nicht sehen, euch nicht im Arm halten. Wollte nicht euer Vater sein. Doch schon damals stand ich in der Öffentlichkeit, leitete ein junges, international aufstrebendes Pharmaunternehmen. Ich stand kurz davor, öffentliche Forschungsgelder zu erhalten. Euch zur Adoption freizugeben wäre in den Augen meiner christlich orientierten Geldgeber nichts anderes gewesen, als euch zu verstoßen, was meine Reputation unwiederbringlich zerstört hätte.«

»Also hast du uns einfach für tot erklären lassen?«, fragte Noah. Eigentlich hätte Wut in ihm aufwallen müssen, aber Noah war völlig emotionslos. Die ganze Situation war so unwirklich, dass er das Gefühl hatte, die Unterhaltung habe gar nichts mit ihm zu tun.

Zaphire zuckte mit den Achseln. »Es ist ein Kinderspiel, so etwas zu arrangieren, wenn man der Hauptgesellschafter der Klinikgruppe ist, zu der auch das Krankenhaus gehört, in dem ihr geboren wurdet. Danach habe ich euch zu Pflegeeltern nach Deutschland vermittelt.«

Der Alte versuchte sich mit seiner Krücke wieder aus dem Sessel hochzudrücken, was ihm höllische Schmerzen zu bereiten schien. Nach zwei vergeblichen Anläufen gönnte er sich eine Pause und sagte: »Ich weiß, es war ein Fehler. Aber ich habe ihn wiedergutgemacht. Ihr hattet die beste Versorgung, du und dein Bruder. Ausgebildete Nannys, private Kindergärten und Schulen, Ausbildung in Fünf-Sterne-Internaten.«

»Wieso weiß er von alledem nichts?«, röchelte Altmann und hustete einen Schwall Blut auf den Teppich. Noah musste an die Frau im Schutzanzug denken und fragte sich zum ersten Mal, weshalb Zaphire eine solche Vorsichtsmaßnahme für sich selbst offenbar nicht für nötig erachtete.

»Wir kennen nicht die Ursache deiner Amnesie. Wir wissen auch nicht, weshalb nur du davon betroffen bist und nicht dein Bruder«, sagte Zaphire, an Noah gewandt. »Zuerst war alles in Ordnung. Ihr habt euch ganz normal entwickelt. Doch dann wurdest du sieben und hattest die ersten Ausfälle.«

»Was für Ausfälle?«, fragte Noah.

»Du konntest dich mit einem Mal an bestimmte Erlebnisse nicht mehr erinnern. Hast deiner Lehrerin immer wieder dieselbe Frage gestellt, selbst wenn sie schon längst beantwortet war, und dann hast du eines Tages deinen Namen vergessen.«

Zaphire griff sich nervös an den faltigen Hals.

»Du leidest an einem seltenen Amnestischen Syndrom. Es ist bislang kaum erforscht. Eine chemische Reaktion in deinem Gehirn sorgt dafür, dass dein Verdrängungsmechanismus ausgeprägter ist als der gesunder Menschen.«

»Amnestisches Syndrom?«

»Das bedeutet, dass sich dein episodisches Langzeitgedächtnis löscht. Alles, was du erlebst, wo du herkommst, wo du wohnst, womit du dein Geld verdienst … all das verschwindet mit der Zeit. Und von Jahr zu Jahr wird es schlimmer. Mit Ausnahme einiger weniger, emotional sehr einschneidender Erlebnisse kannst du dich an kaum etwas aus deinem persönlichen Leben erinnern.«

»Ich glaube Ihnen kein Wort«, widersprach Noah.

»Wie immer«, seufzte der alte Mann, zog ein Handy aus seiner Hosentasche, klappte es auf und hielt den Bildschirm so, dass Noah ihn sehen konnte.

»Was ist das?«

»Ein Film.« Zaphire hatte eine Videodatei geöffnet, die in der Sekunde startete.

»Du leidest an einem seltenen Amnestischen Syndrom«, hörte Noah Zaphire erneut sagen, nur dass diesmal die Stimme leicht blechern aus dem Telefon kam. *»Wir haben diese Unterhaltung schon Hunderte Male geführt, aber das ist dir nicht mehr bewusst, John.«*

»John?«, fragte Noah und sah sich selbst. Die Kamera, die ihn und Zaphire aufzeichnete, hatte ganz nah an sein Gesicht gezoomt.

»So lautet dein richtiger Name. John Morten, achtunddreißig Jahre alt, wohnhaft in einem Zwei-Zimmer-Apartment in der Nähe des Campus einer meiner Privatkliniken in Chicago. Ledig, beziehungsgestört, Einzelgänger.«

Zaphire klappte das Handy wieder zusammen. »Und das Amnestische Syndrom hat nicht nur dein Langzeitgedächtnis ausradiert, es verhindert auch, dass du dir persönliche Erlebnisse länger als drei, maximal vier Wochen merken kannst.«

Zaphire rutschte auf dem Sessel nach vorne.

»Deswegen habe ich Himmel und Hölle in Bewegung gesetzt, um dich zu finden. Deswegen habe ich dafür gesorgt, dass du noch einmal deinen toten Bruder hier im Kühlfach siehst.«

»Wozu?«

»Um dein Gedächtnis zu aktivieren.« Er sah ihn an. Enttäuschung sprach aus seinem Blick. »Bis zuletzt hatte ich die Hoffnung, dass die Frist noch nicht abgelaufen ist. Dass die Erlebnisse in den letzten Wochen so einschneidend waren, dass du dich auch nach so langer Zeit, in der wir keinen Kontakt mehr hatten, an alles erinnern kannst, sobald du auf David triffst. Oder auf mich.«

»Woran?«, fragte Noah laut, beinahe brüllend. »*Woran* soll ich mich erinnern?«

»An das Video, das dir David kurz vor seinem Tod gegeben hat.«

16. Kapitel

Noah sah zu Altmann am Boden und meinte für einen Moment, den Klang zersplitternden Glases zu hören. Er fühlte sich in die Suite im Adlon zurückversetzt, in der vor seinen Augen ein Mann mit Kopfschuss vor dem Kamin zusammenbrach, kurz bevor eine zweite Kugel seinen eigenen Körper traf.

Er griff sich an die Schulter und meinte den Schmerz noch einmal zu spüren.

»Dann ist es also wahr? Die Verschwörung gibt es wirklich?«

Die Manila-Grippe? Die Pandemie?

Zaphire verzog den Mund zu einer bedauernden Grimasse, als wollte er sagen: »Es tut mir leid, aber ich konnte nicht anders.«

»Du bist einer von ihnen«, stöhnte Noah fassungslos. »Einer von diesen Bilderbergern.«

»Bilderberger?«

Zaphire winkte ab und wirkte für einen Moment sogar etwas belustigt. »Ich bitte dich, John. Diese Idioten sind nichts weiter als hohle Laberköpfe. Mein linker Hoden ist handlungsfähiger als all diese Feiglinge zusammen. Das Einzige, was denen überhaupt Bedeutung verleiht, sind die albernen Verschwörungstheorien, die sich um sie ranken.«

Hinter Noah öffnete sich die Tür des Chefarztbüros.

»Ich weiß, Cezet«, sagte Zaphire zu der Frau im Schutzanzug, die mit ihrer Waffe Noah in Schach hielt und dabei stumm mit zwei Fingern auf eine imaginäre Uhr an ihrem Handgelenk tippte.

»Gib mir noch zehn Minuten.«

Die Frau seufzte, schloss aber die Tür hinter sich. Noah, Zaphire und Altmann waren wieder allein.

»Anfangs habe ich die Bilderberger unterstützt«, knüpfte der Mann, der behauptete, sein Vater zu sein, nahtlos an seine Ausführungen an. »Aber schnell merkte ich, dass diese Weicheier ihren großen Worten keine Taten folgen lassen wollten, obwohl uns der Club of Rome seit den siebziger Jahren die unabwendbare Wahrheit präsentiert, nämlich dass die gesamte Menschheit sich ausrotten wird, wenn wir das Problem der Überbevölkerung nicht in den Griff bekommen.«

Zaphire beugte sich auf dem Sessel etwas zur Seite, um an seine Hosentasche zu gelangen, aus der er ein Taschentuch hervornestelte, mit dem er sich feine Schweißperlen von der Stirn wischte. Da Noah nicht länger fror, musste der Raum für einen vollständig bekleideten Menschen unangenehm überhitzt sein.

»Allen war klar, dass unser Planet dem Kollaps entgegensteuert. Alle redeten nur, aber niemand handelte. Niemand, bis auf eine kleine Splittergruppe.«

»Room 17?«, fragte Altmann. Seine Stimme war kaum mehr ein Röcheln.

»So nannten wir uns. Wir waren anfangs nicht einmal zwanzig Männer, doch gemeinsam besaßen wir schon am Gründungstag etliche Milliarden. Heute kontrollieren wir über 60 Prozent der westlichen Medien, leiten vier der zehn größten Pharmaunternehmen und haben persönliche Kontakte zu fast allen Entscheidern dieser Welt. Und wir nutzen diese Ressourcen, um den Planeten wieder ins Gleichgewicht zu bekommen.«

»Indem ihr einen Herpes-Pest-Erreger mit Flugzeugabgasen in der ganzen Welt verbreitet habt?«

»Ja.«

»Du gestehst gerade, ein Massenmörder zu sein?« Noah zeigte

auf Altmann, der trotz der aufgedrehten Heizkörper und dem Bademantel heftig zitterte. »Deinetwegen verrecken Millionen von Menschen so qualvoll, wie er es gerade tut?«

Zaphires Miene verdunkelte sich. Die Knöchel seiner Hand, die den Knauf der Krücke umfasste, wurden weiß. »*Du* willst *mir* etwas übers Verrecken erzählen?«

Er drehte seinen Unterarm so, dass Noah das Ziffernblatt seiner Armbanduhr sehen konnte.

»Wir unterhalten uns nun schon seit über zehn Minuten, John. In dieser Zeit sind weltweit einhundertzwanzig Kinder verhungert. Einhundertzwanzig unschuldige Seelen, die bis zu ihrem erlösenden Tod Qualen aushalten mussten, gegen die die Schmerzen von Mr. Altmann nicht mal ein lauer Muskelkater sind. Und das, weil wir die Lebensmittel, die wir im Überfluss produzieren, lieber wegschmeißen oder zu Biosprit verfeuern, als sie einem Kind zu geben, das kurz vor dem Tode so verzweifelt ist, dass es sich die eigenen Haare vom Kopf reißt, um sie zu essen.«

»Und das rechtfertigt Völkermorde?«

»Auch diese Diskussion hatten wir schon einmal, und noch nie habe ich es geschafft, dich zu überzeugen, John. Im Gegensatz zu David.«

»David?«

»Er war der Leiter der Forschungsabteilung von Projekt Noah.«

»Blödsinn.«

»Es dauerte eine Weile, bis er und ich zusammenfanden. Bis zu seinem zweiundzwanzigsten Lebensjahr war ich für David nur ein Fremder, der seine Ausbildung finanzierte. Der Onkel auf dem Foto, ein reicher Gutmensch, der für die Schule spendet, um sein Gewissen zu beruhigen. Ich lüftete das Geheimnis unserer Familienbande erst, nachdem ich ihn eingestellt hatte.

Beim Vorstellungsgespräch hatte er noch keine Ahnung, bei wem er anheuern würde. Für ihn war ich einer der reichsten Männer der Welt mit einem mittlerweile global arbeitenden Unternehmen, das ihm unbeschränkte Gelder für seine Forschungen zur Verfügung stellen würde. Nicht sein Vater.«

»Ein Massenmörder«, ergänzte Noah.

»Du verstehst das nicht, John. Du bist kein Wissenschaftler. David hingegen konnte die Zahlen und Daten nicht leugnen. Alle 3,6 Sekunden verhungert ein Mensch. Acht Millionen jedes Jahr. Und obwohl so viele krepieren, werden wir immer mehr. Der Planet platzt aus allen Nähten. Schon heute sind es über sieben Milliarden, und in jeder Sekunde kommen drei weitere Menschen hinzu, für die nicht genügend Wasser, Energie und Nahrung zur Verfügung steht. Wir alle leben über unsere Verhältnisse. Unsere Wirtschaftssysteme sind auf Wachstum angelegt und damit auf die Vernichtung unserer Ressourcen. Unsere Demokratien pflegen den Kompromiss, doch mit Kompromissen kann man die Erderwärmung nicht senken, Vermögen nicht umverteilen. Umwälzende Entscheidungen, die unser Leben verbessert haben, wurden schon immer von radikalen Einzelkämpfern getroffen. Nicht das Parlament, sondern die Revolution bringt die Menschheit voran. Es ist David nicht leichtgefallen, aber so wie ich, so wie jeder ernsthafte Wissenschaftler, kam er zu der Überzeugung, dass wir nicht die Hände in den Schoß legen und einfach abwarten können. Also hat er sich Room 17 angeschlossen.«

Zaphire sah Noah direkt in die Augen. »So wie du, John.«

»Ich?«

Nein.

»Du arbeitest in der Exekutive. Zum Schutze unserer Verbindung.«

»Niemals.« Noah ballte wütend die Hände zu Fäusten.

»Deine Krankheit macht dich zum perfekten Soldaten«, erklärte Zaphire. »Du kannst keine Geheimnisse verraten, keine Auftraggeber denunzieren, nichts gestehen. Und nicht einmal unter Folter würdest du dich an den Auftrag erinnern, den du für mich in Berlin erledigen solltest.«

»Was für ein Auftrag?«

Es war Altmann, der mit fiebriger Stimme die Frage stellte, vor deren Antwort Noah die meiste Angst hatte.

Zaphire räusperte sich, doch seine Stimme klang dennoch belegt. »Es geschah vor wenigen Monaten. Dein Bruder bekam Skrupel. Er verliebte sich in eine Laborassistentin. Und auf einmal kam ihm das eigene Schicksal bedeutender vor als das der Milliarden von Menschen, die wir wegen unseres Lebenswandels verhungern und verdursten lassen, wenn wir sie nicht in einen sinnlosen Krieg um die schwindenden Rohstoffe hetzen.«

Noah nickte. Langsam fügte sich alles. »David wollte euch auffliegen lassen. Mit einem Video von der Sitzung, auf der ihr den Massenmord besprochen habt?«

»Auf dem wir Stufe drei beschlossen, ja. Als Leiter der Forschungsabteilung hatte er alle Sicherheitsfreigaben. Ich wusste nicht, dass er uns heimlich filmte. David erpresste mich. Er wollte das Video veröffentlichen.«

Mit Hilfe von Anonymous Force, einer vielbeachteten Quelle, deren Nachrichten nicht als Hirngespinst auf einer Verschwörungsseite enden würden, dachte Noah.

»Der Film enthüllt, wie die Pandemie ausgelöst wird, wie das Gegenmittel wirkt. Wer alles am Projekt Noah beteiligt ist. David wollte, dass es als Warnung in der ganzen Welt verbreitet wird. Deshalb hat er sich mit Kilian Brahms hier in Rom getroffen.«

»Aber er hat ihm die Aufnahme nicht gegeben?«

»Das sollte erst bei einem zweiten Treffen in Berlin geschehen.«

Zu dem es nie kam, weil David vorher ermordet wurde.

Noah öffnete die Fäuste wieder, nur um sie noch fester zu schließen. »Ihr habt Kilian gezwungen, mich anzulügen, um uns hier in die Falle zu locken!«

Es war mehr eine Feststellung als eine Frage.

»So ist es.«

»Wieso?«

Zaphire rieb sich über die Augen wie ein müdes Kind. »Du hattest den Auftrag, David in Europa aufzustöbern.«

»Wusste ich, dass …?«

… er getötet werden sollte?

»Nein«, beantwortete Zaphire die unausgesprochene Frage. »Du solltest ihn nur finden und das Video an dich nehmen. Wir hatten oft über das Projekt Noah geredet, John. Aber ich habe dich nie vollständig eingeweiht, weil ich wusste, dass ich dich nie überzeugen würde.«

»Wieso konnte ich dann einer deiner *Soldaten* sein, wie du es genannt hast?«

»Weil es deine Natur ist, John. Jeder Mensch hat ein ganz besonderes Talent, das ihn einzigartig macht. Bei dir ist es das Töten. Die Wut auf dein Schicksal, das dich dazu verdammt hat, ein Leben in Einsamkeit zu leben, hat dich dazu angetrieben, dein Talent zu perfektionieren. Und ich habe es gefördert.«

»Du willst mir erzählen, ich töte Unschuldige? Im Auftrag einer Organisation, deren Ziele ich nicht teile?«

Zaphire hob beschwichtigend eine Hand. »Nein, das tust du nicht. Du arbeitest zwar für mich und Room 17. Aber das Projekt Noah hast du niemals unterstützt. Doch so groß wie dein Widerwille war auch deine Liebe.«

»Zu wem?«

»Zu mir.«

»Hah!« Noah spie ein ungläubiges Lachen aus.

»Ich lüge nicht«, beharrte Zaphire. »Wir stehen uns nahe, John. Sehr nahe.« Er seufzte, als erwarte er nicht, dass sein Sohn ihm Glauben schenkte, dennoch erklärte er: »Attentäter, von der Regierung gedungene Killer, die mich mundtot machen sollten, waren auch deine Feinde. Während Cezet in meiner Nähe blieb, um mich vor Anschlägen und Entführungen zu schützen, hast du die Personen, die mir nach dem Leben trachteten, aufgestöbert und eliminiert.«

Noah öffnete den Mund, ohne zu wissen, was er sagen sollte. Die Vielzahl der Wahrheiten, die sein Vater ihm zumutete, bereitete ihm Kopfschmerzen. Er brauchte einen Moment, um sich zu sammeln. Dann sagte er: »Aber nicht David?«

»Nein, nicht deinen Bruder.«

»Was geschah, nachdem ich ihn in Berlin gefunden hatte?«

Zaphire atmete schwer. Die Erinnerung schien ihn zu bedrücken. »Wie gesagt, John, du hattest keine Ahnung, dass Stufe drei bereits gezündet war. Allerdings hat David dir alles erzählt.«

Noah runzelte die Stirn. »Woher weißt du das?«

»Room 17 hat seine Informanten überall. Einen davon hast du erst gestern wieder getroffen. Er nennt sich Vandenberg. Der Sicherheitschef des Adlon. Nachdem du mich davon informiert hattest, wo David sich aufhält, hatte Vandenberg versteckte Mikrophone in seiner Suite installiert. Aus den Abhörprotokollen schließen wir, dass David dir das Video überlassen hat.«

»Du meinst, bevor du ihn hast erschießen lassen?«

»Was denkst du von mir?«, entrüstete sich Zaphire.

Dass du ein zweiter Adolf Hitler bist. Ein Mann, der Euthanasie mit größenwahnsinnigen Argumenten rechtfertigt.

»Ich habe meinen Sohn nicht getötet.« Er sah zu Altmann. »*Der* ist dafür verantwortlich.« Aus dem faltigen Gesicht sprach der blanke Hass. »Für den Mord an David hätte ich Sie mit meinen eigenen Händen erwürgen mögen. Aber Ihnen beim Sterben zuzusehen ist noch befriedigender.«

Altmann protestierte. »Ich habe nichts mit dem Tod Ihres Sohnes zu tun.«

»Dann einer Ihrer Kollegen«, fauchte Zaphire. »Das musst du mir glauben, John. Ich wollte nur das Video sicherstellen. Die Regierung aber wollte euch töten. Und im Falle von David waren die angeheuerten Geheimdienstkiller erfolgreich. Erschossen von einem auf dem Dach der Botschaft postierten Sniper, bevor wir euch in Gewahrsam nehmen konnten. Nur noch wenige Minuten, und meine Eingreiftruppe wäre vor Ort gewesen.«

Wieder hörte Noah Glas splittern, wieder fühlte er einen Schmerz. Doch diesmal nicht in seiner Schulter, sondern in der Hand. Erstaunt betrachtete er die Stelle, an der er so ungelenk tätowiert war.

Noah …

Zaphire erklärte unterdessen, wie seine Leute nur kurze Zeit nach dem tödlichen Schuss in die Suite gestürmt waren, als Noah bereits geflüchtet war. Mit Hilfe von Vandenberg hatten sie die Leiche verschwinden lassen und sich auf die erfolglose Suche nach ihm gemacht.

»Ich wollte dich finden, John. Nicht nur, weil du das Video hast. Sondern weil du mein Sohn bist. Dieses Schwein hingegen«, Zaphire zeigte auf Altmann, »wollte dich abknallen.«

»Aber weshalb?«, fragte Altmann nachdenklich. Er zeigte auf Noah und wischte sich mit dem Oberarm über den Mund. Dunkelrotes Blut tränkte die Fasern des Bademantels. »Weshalb hatte ich den Auftrag, den Mann zu ermorden, der Milliarden von Menschen das Leben retten kann?«

Noah hörte damit auf, noch länger auf seinen Handballen zu

starren. Ein unvorstellbarer Gedanke durchzuckte ihn. »Die Regierung ist beteiligt, richtig?«, fragte er seinen Vater.

Altmann schüttelte den Kopf. »Der Präsident soll den Tod der Hälfte der Menschheit wollen?«, fragte er.

»Nein. Natürlich nicht«, stimmte Zaphire dem Agenten zu und sah erneut auf seine Uhr. »Es ist alles viel komplizierter.«

18. Kapitel

Zaphire schwieg für einen Moment, und zum ersten Mal registrierte Noah das stetige Lüftungsrauschen. Er sah zu der weiß getünchten Zimmerdecke und fragte sich, ob man hier unten, drei Geschosse unter der Erde, in dem fensterlosen Kellerraum ersticken würde, sobald die Klimaanlage abgeschaltet wurde.

»Lange wurde Room 17 von Präsident Baywater nicht ernst genommen. Im Übrigen auch nicht von seinen Vorgängern«, sagte der Mann, der sich als sein Vater ausgab. »Die Noah-Verschwörung war zu groß, um vorstellbar zu sein. Alle Geheimdienste ermittelten zwar, leiteten die Hinweise jedoch nicht an den Präsidenten weiter, weil sie ihre Ergebnisse für unglaubwürdig hielten.«

»Aber dann hat er es doch herausbekommen?«, fragte Noah.

»Durch Stufe zwei, ja. Die Schweinegrippe-Pandemie. Nicht das erste Mal, dass wir eine in Wahrheit nicht ganz so gefährliche Krankheit aufgebauscht haben. Diesmal, um vermeintliche Impfstoffe an ausgewählte Personen auszugeben. An Einsatzleiter des Militärs, Wirtschaftsfachleute, Wissenschaftler, den amerikanischen Präsidenten.«

Zaphire sah zu Altmann, der vergeblich versucht hatte, sich am Heizkörper hochzuziehen, und jetzt erschöpft die Augen geschlossen hielt.

»Baywater und seine Kabinettsmitglieder wurden heimlich immunisiert. Sie erhielten einen anderen Wirkstoff als die Restbevölkerung.«

»Als die Entbehrlichen?«, erinnerte sich Noah an das Telefonat mit Kilian Brahms.

»Als die Parasiten, die das Leben auf unserem Planeten ersticken«, widersprach Zaphire. »Leider gab es ein Leck, die Information über die unterschiedlichen Impfstoffe sickerte durch. Der damalige Präsident startete einen geheimen Untersuchungsausschuss.«

»Wieso hat Baywater der Bevölkerung nicht reinen Wein eingeschenkt?«, wollte Altmann wissen.

Zaphire lachte freudlos. »Was sollte er der Welt denn sagen: ›*Hallo, ihr tragt alle seit Jahren einen tödlichen Erreger in euch. Eine Zeitbombe, die jederzeit aktiviert werden kann! Die sich in das Erbgut eurer Kinder geschlichen hat, ohne dass wir sie da wieder rausbekommen!*‹ Nein, diese Wahrheit wollte er dem Volk nicht zumuten. Er hatte Angst vor einer unkontrollierbaren Massenpanik.«

»Ich kann nicht glauben, dass der Präsident der Vereinigten Staaten Milliarden von Menschen opfert«, schüttelte Noah den Kopf.

»Das wollte er auch nicht. Baywater hat nichts unversucht gelassen, um mich zu stoppen. Meine Fabriken bombardiert, Anschläge auf mich befohlen. Zum Boykott meiner Medikamente aufgerufen. Erst gestern bin ich nur knapp einem Anschlag entronnen.«

»Aber wozu soll das gut sein?«, fragte Altmann, die Augen immer noch geschlossen. »Weshalb soll man Ihre Fabriken zerstören, wenn doch über dreieinhalb Milliarden bereits infiziert sind?«

»Wegen ZetFlu«, sagte Noah tonlos, der auf einmal die Zusammenhänge begriff.

Altmann blinzelte.

»Ganz genau«, bestätigte Zaphire den ungeheuerlichen Verdacht. »Der Präsident sagt die Wahrheit. Es gibt keine Manila-Grippe. Sie ist eine Erfindung der Medien, die von Room 17 kontrolliert werden, wie zum Beispiel NNN.«

Noahs Augen weiteten sich, als er sagte: »ZetFlu ist *kein* Gegenmittel.«

Zaphire nickte. »Im Gegenteil. ZetFlu fördert den Ausbruch der Seuche. Alles, was wir benötigen, um Projekt Noah zum Abschluss zu bringen, sind möglichst viele Menschen, die das Mittel einnehmen.«

ZetFlu ist Stufe drei!

Noah musste an die Sperrung des Flughafens JFK in New York denken. Tausende von Passagieren, die unter dem Vorwand der Gefahrenabwehr einer noch nicht existenten Krankheit mit ZetFlu versorgt wurden, um danach wieder ins Flugzeug entlassen zu werden, damit die Krankheit in alle Winkel der Welt verbreitet wurde. Für eine Organisation wie Room 17, der enorme Mittel zur Verfügung standen, war die Sperrung eines der größten Flughäfen der Welt vermutlich kein allzu schwieriges Unterfangen gewesen.

»Das kann nicht sein. Keine Gesundheitsbehörde dieser Welt würde ein solches Mittel zulassen«, protestierte Altmann heiser.

»Doch. Zum einen stehen Teile von ihnen unter der Kontrolle von Room 17. Zum anderen ist der Wirkstoff völlig ungefährlich. So harmlos wie Wasser. Sie können es trinken, darin baden, sich die Haare waschen. Nur nicht in eine Pfanne mit heißem Olivenöl gießen. Dann kommt es zur Explosion. So ähnlich verhält es sich mit ZetFlu. Für sich genommen ist es ungiftig, nur in dem Blut der Stufe-eins-Infizierten entfaltet es seine tödliche Wirkung.«

Er sah kurz zu Noah, dann wandte er sich wieder an Altmann.

»Das echte ZetFlu löst die Stufe drei auch bei immunisierten Personen aus. Sie hätten sich die Tabletten niemals privat besorgen dürfen, Adam. Als sicherheitsrelevanter Beamter der Vereinigten Staaten wurden Sie in Stufe zwei geimpft und später mit Placebos versorgt. Doch die Wirkung haben Sie durch die Einnahme von ZetFlu aufgehoben.«

Ein weiterer Blick auf die Uhr, dann stützte sich Zaphire auf seine Krücke und presste sich aus dem Sessel in den Stand.

»Ich bin sehr in Eile, John, also ersparen wir uns den Teil, in dem du mir vorwirfst, ich sei ein Wahnsinniger, der einen Massenmord zur Wahrung der Interessen der Mächtigen befehligt. Ich werde die wenige Zeit, die uns noch bleibt, nicht damit verschwenden, dir zu erklären, dass ich eine demokratische Krankheit freigesetzt habe, die jeden Menschen mit dem gleichen Risiko befällt.«

»Es sei denn, er ist reich und wurde geimpft«, sagte Altmann und brachte ein höhnisches Lachen zustande.

»Das hat nichts mit arm oder reich zu tun. Gerade einmal zwei Millionen Leistungsträger weltweit wurden auserwählt, um für die Zeit nach Noah die Ordnung wiederherzustellen. Darunter auch du, John.« Er nickte. »Ja, richtig gehört. Auch du bist immunisiert.«

Noah fasste sich an die Kehle. Wenn das stimmte, würde er die Pandemie überleben. Er sah zu Altmann. Noch nie hatte er sich angesichts einer guten Nachricht so elend gefühlt.

»Ich habe die Ärmsten der Armen in den Slums sogar davor zu schützen versucht, der Pandemie zum Opfer zu fallen«, rechtfertigte sich Zaphire. »Habe meinen Einfluss geltend gemacht, um die Behörden dazu zu bewegen, die Favelas und Deponien abzusperren, damit sich die Bewohner nicht mit ZetFlu versorgen können. Gleichzeitig schürte ich die Angst vor einer Medikamentenknappheit unter den Reichen. Setzte das Gerücht in die Welt, nur die Entwicklungsländer kostenlos versorgen zu wollen.«

Zaphire angelte sich seine zweite Krücke vom Boden und humpelte auf Noah zu, bis er einen knappen Meter von ihm entfernt stand. Wie zu Beginn des Zusammentreffens musterten sie sich schweigend, und diesmal hielt Zaphire dem Blick stand.

»Ist diese fromme Ansprache auch auf dem Band, das ich angeblich haben soll, *Dad?*« Das letzte Wort spuckte er Zaphire förmlich ins Gesicht.

Urplötzlich war eine kaum zu bändigende Wut in ihm aufgeflammt. Offenbar freute sich sein Vater über diesen emotionalen Schub, denn er lächelte.

»Ich weiß, du erinnerst dich an David, an das Internat und an das Bild, das du von ihm bekommen hast.«

Noah nickte unbewusst.

»Und du erinnerst dich an mich, richtig?«

»Nein.«

»An die Stimme in deinem Kopf. Sie ist doch noch vorhanden, oder?«

»Woher …« Noah biss sich auf die Lippe, aber er hatte sich schon verraten.

»Ich kenne dich besser als du dich selbst, John. Ich bin nicht nur dein Vater. Ich bin dein Anker. Dein einziger Halt zu deiner Vergangenheit.«

Nein, bist du nicht.

Noah kämpfte gegen die Wahrheit an, die sich immer schwieriger leugnen ließ. Er war ein Soldat. Beauftragt, seinen eigenen Bruder zu finden.

Klirr.

Wieder schmerzte die Erinnerung an das Geräusch zersplitternden Fensterglases.

»Es ist zu spät. Ich kann das Video nicht mehr verstecken.«

Wieder spürte er einen ziehenden, stechenden Schmerz, und von einer Sekunde auf die andere wurde sein Gehirn von zusammenhanglosen Bildern geflutet: der Kamin. Das Hotelzimmer. Pässe. Ausgebreitet auf dem Bett.

Sein Spiegelbild, das kein Spiegelbild war, sondern … *David*, der ihn anlachte: *»Rom, Amsterdam, Mombasa. Das ist die Rettung!«*

»Weißt du, wie schlimm es für mich war, nicht zu wissen, wo du steckst?«, bohrte sich Zaphires Stimme wieder in sein Bewusstsein und zerriss damit den schwachen Faden der Erinnerung. Noah musste ihn die ganze Zeit stoisch angestarrt haben, doch der Alte schien den Flashback nicht bemerkt zu haben und redete einfach weiter:

»Ehrlich gesagt weiß ich bis heute nicht, wie du ohne medizinische Hilfe so lange überleben konntest. Ein Teil von mir war sich sicher, du bist tot. Der andere rechnete damit, das Video irgendwann im Internet zu sehen.«

»Deshalb hast du die Suche nach mir nie aufgegeben.«

»Ja. Und wegen deiner Krankheit musste ich davon ausgehen, dass du dich irgendwann nicht mehr an den Auftrag erinnern kannst. Dass du, wie so oft, dich selbst irgendwann vergisst.«

Ein weiterer Blitzeinschlag erhellte für den Bruchteil eines Moments die dunkle Seite in Noahs Erinnerung. Er sah, wie David noch einmal zu dem Koffer auf dem Bett ging. *»Schnell, bevor sie kommen …«*

Und den Füller herausnahm!

»Wie ich schon sagte«, fuhr Zaphire fort, »nur wenige einschneidende Erfahrungen bleiben dauerhaft in deinem Gedächtnis verankert, John. So wie die Erinnerung an den Tag, an dem David dich verließ und in ein anderes Internat kam, in dem seine Hochbegabung besser gefördert werden konnte, während du wegen deiner Amnesien auf einer Schule bleiben musstest, die auf deine besondere Situation Rücksicht nahm.«

»Ihr habt mich mit einem Bild aus dem Versteck gelockt?«, fragte Noah, bemüht, sich nichts anmerken zu lassen. Wenn er sich nicht täuschte, hatte er in seinem Kopf gerade den Schlüssel zur Wahrheit gefunden, und um nichts in der Welt wollte er ihn seinem Vater übergeben.

»Ich wusste, dass du die angegebene Nummer anrufen würdest, sobald du es siehst«, sagte Zaphire. »Das hat schon mehrfach funktioniert. Es ist unser Trigger.«

»Trigger?«

»Ja. Noch mal: Ich bin dein Anker. Deine einzige Kontaktperson. Wir treffen, sehen oder sprechen uns alle drei Wochen, und ich erzähle dir Dinge aus deiner Vergangenheit, so wie jetzt. Normalerweise nehme ich die Sitzungen auf, wie du gesehen hast. Manchmal, wenn deine Lücken zu groß sind, zeige ich dir das Bild. Du reagierst sehr positiv darauf. Daher wusste ich, du würdest die Telefonnummer wählen, wenn du es in der Zeitung oder im Fernsehen siehst.

Ich wusste nur nicht, wo du dich aufhältst.

Wir gingen zwar fest davon aus, dass du dich noch in Berlin versteckst, nachdem wir dich aber über einen so langen Zeitraum nicht finden konnten, haben wir befürchtet, dir wäre es eventuell doch gelungen, die Stadt zu verlassen.«

»Daher dieser weltweite PR-Gag«, sagte Noah tonlos.

Im Gegensatz zu den Erlebnissen in der Hotelsuite mit seinem Bruder war die Erinnerung an das Lager aus Zeitungen, das er sich mit Oscar auf dem U-Bahnhof gebaut hatte, noch frisch, doch der Blick zurück erschien Noah schon jetzt wie durch ein umgedrehtes Fernglas: Oscar, Toto, der Artikel, das Münztelefon – alles deutlich sichtbar, aber nur sehr klein und aus weiter Entfernung. Dafür hatte sich ein unbeschreibliches Gefühl der Trauer um seinen Begleiter in den Vordergrund geschoben, das er auch in der Konfrontation mit seinem Vater nicht unterdrücken konnte.

»Die Geschichte von dem Millionen-Angebot für das Bild war die Idee von Kevin Rood, dem Chefredakteur von NNN. Alle Medien, nicht nur die von Room 17 kontrollierten, haben die Story verbreitet. Mit Erfolg, wie du siehst. Das Bild hat uns wieder zusammengebracht.«

»Und wenn ich mich nie gemeldet hätte?«

Wenn ich diese Zeitung nie gefunden hätte?

»Hätte es für Projekt Noah keinen Unterschied gemacht. Ob du es glaubst oder nicht, Noah, ich habe dich nicht nur wegen des Videos gesucht. Mit fortschreitender Zeit wurde es außerdem immer unwichtiger. Der Präsident mag vielleicht noch daran interessiert sein, dich zu töten, um seine Mitwisserschaft und sein Versagen bei der Gefahrenabwehr zu vertuschen, obwohl mir zu Ohren kam, dass die Agenten bereits abgezogen und dafür die Aktenvernichter angeworfen wurden. Und auch für mich macht das Video jetzt keinen Unterschied mehr. Selbst wenn du es hast, wirst du es nicht mehr gegen mich verwenden können.«

»Weil du mich tötest?«

Noah sah zu Altmann, der schon lange nichts mehr gesagt hatte. Offenbar war der Agent wieder eingeschlafen. Er döste mit offenem Mund und geschlossenen Augen, den Kopf in den Nacken gelegt, am Heizkörper. Ein dünner roter Speichelfaden lief ihm das Kinn herab.

»Hätte ich deinen Tod gewollt, würden wir hier nicht miteinander reden.«

Noah nickte. Er musste an den Mann im Adlon denken, der nicht in den Whirlpool feuerte, als er die Gelegenheit dazu hatte. An die Killer im Elektronikmarkt, denen er entkommen war, genauso wie den Schergen in Amsterdam. All das war erst Stunden her und, wenn Zaphire recht hatte, nur deshalb noch nicht von der Tafel seines Langzeitgedächtnisses gelöscht.

»Weshalb dann der ganze Aufwand? Wieso lockst du mich erst ins Adlon, dann nach Amsterdam und jetzt hierher?«

»Um mich von dir verabschieden zu können, John.«

»Blödsinn.«

»Hätte ich in Amsterdam eine Landeerlaubnis erhalten, wäre ich schon zum Bungalow gekommen.«

»Wer war der alte Mann dort?«

Zaphire machte eine abfällige Handbewegung, als wäre diese Person keiner Erwähnung wert. »Davids Mentor. Er spielt keine Rolle. Ihr kanntet euch nicht, nur dein Bruder hatte mit ihm zu tun. Ihn solltest du dort nicht treffen, sondern mich. Da das aber nun mal nicht geklappt hat, musste ich mit Kilian Brahms improvisieren, damit wir uns in Rom sehen konnten, bevor es zu spät ist.«

Schon wieder sah Zaphire auf die Uhr, viel länger als nötig. Selbst als er weiterredete, lösten seine Augen sich nicht vom Ziffernblatt.

»Ich habe nicht mehr viel Zeit, mein Junge. Und damit meine ich nicht die Mitternachtsaudienz beim Papst, zu der ich mich verspäte. Ich habe heute Nachmittag bei der Landung in Rom ZetFlu genommen.«

»Was sagst du da?«

Zaphire sah auf. »Ich bin jetzt infiziert. Die ersten Symptome werden sich in wenigen Stunden zeigen. Deshalb trage ich keinen Schutzanzug mehr.«

Noah suchte nach Anzeichen des Irrsinns in seinem Gesicht, speziell in den Augen, wurde aber nicht fündig. Es gab keinen Zweifel. Der Mann, der vermutlich sein Vater war, glaubte so fest an seine Überzeugungen, dass er bereit war, für diese zu sterben.

»Glaubst du, ich predige Wasser und trinke Champagner? Auch Cezet wird ihren Anzug ausziehen, sobald Stufe drei ein irreversibles Stadium erreicht hat und ihre Dienste nicht mehr benötigt werden. Dann lassen wir die Natur entscheiden, ob wir am Leben bleiben oder nicht.«

Er seufzte.

»Das hier ist unser letztes Gespräch, John. Deshalb habe ich alle deine Fragen beantwortet, auch wenn du alles bald wieder vergessen wirst. Nenn mich sentimental, verdammt. Ich war es schon einmal, als ich ein kleines Mädchen, das heute deine Stiefschwester ist, vor dem sicheren Tod rettete. Und jetzt wollte ich es mir nicht nehmen lassen, ein letztes Mal mit dir zu reden. Von Vater zu Sohn.«

Zaphire streckte eine Hand aus, aber Noah wich zurück.

»Hab keine Angst. Nicht mehr. Bitte.« Seine Augen glänzten. Zu seinem Widerwillen konnte Noah das Verlangen des alten Mannes, ihn in die Arme zu schließen, darin erkennen.

»Ich will ehrlich zu dir sein, John. Ich hätte dich getötet, wenn du wüsstest, wo das Video ist. Ich hätte nicht zugelassen, dass du das Projekt Noah in letzter Sekunde noch stoppst. Kein einzelnes Leben ist wichtiger als das Überleben der Erde.«

»Vielleicht habe ich es ja doch?«

»Das würde ich wissen. Ich würde es sehen. Du weißt, wovon ich rede. Auch du kannst Gut von Böse unterscheiden, die Lüge von der Wahrhaftigkeit trennen, wenn sie vor dir steht. Diese Eigenschaft hast du von mir geerbt.«

Noah sah zur Seite, als könnte er sich von der Wahrheit abwenden, die in Zaphires Worten lag.

»Du stirbst umsonst«, sagte er beinahe trotzig. »Der Präsident hat die Menschen bereits informiert. Es gibt keine Manila-Grippe.«

»Und du glaubst, sie hören auf ihn?«

Noah nickte. »Es mag Aufständische geben. Aber die Mehrheit wird die Ausgangssperren einhalten. Sie bleiben zu Hause. Verzichten auf ZetFlu.«

»Du bist ein kluger Kopf, John. Vielleicht hast du recht. Aber wie, denkst du, wird der Papst reagieren, wenn ich ihm die Bilder von sterbenden Menschen zeige? Aus Brasilien, Afrika, von den Philippinen? Von Menschen, die in den Slums vom Militär eingekesselt werden, weil ihnen der Zugang zu den rettenden

Medikamenten verwehrt werden soll. Die man aus der Luft mit nutzlosen Desinfektionsmitteln besprüht, anstatt ihnen wirksame Medikamente zu geben. Wie wird er reagieren, wenn ich ihn bitte, die Ärmsten unter seinen Glaubensbrüdern mit kostenlosen, zugelassenen Impfstoffen versorgen zu dürfen, die die USA den Unterdrückten nur vorenthalten, weil sie Angst haben, es gäbe nicht mehr genügend Tabletten für die privilegierten Bürger? Ich werde dem Papst empfehlen, sich auf die Seite der Schwachen zu stellen. Sein Wort wird mehr Gewicht haben als das des Präsidenten, glaubst du nicht auch? Ganz besonders, wenn er sich nach meinem Besuch selber angesteckt hat.«

Ein sichtbarer Ruck ging durch seinen Körper. »Ich werde jetzt gehen, John. Für immer.«

Mit unerwartet schnellen Schritten humpelte er an Noah vorbei und schlug mit einer Krücke gegen die Tür. Sofort war Cezet zur Stelle. Sie hatte die Tür geöffnet und richtete die Waffe auf Noah. Altmann schenkte sie kaum Beachtung. Abgesehen von der Ansteckungsgefahr, vor der sie sich mit dem Anzug schützte, ging von ihm keine Bedrohung mehr aus. Der Agent war wieder zur Seite gesackt und lag bewusstlos mit dem Kopf auf dem Teppich.

»Ich habe unsere Zeit sehr genossen, John, auch wenn wir nicht immer einer Meinung waren.«

Zaphire lächelte traurig und deutete auf den Einbauschrank. »Dadrin sind Wasser und Lebensmittel für die nächsten Wochen. Ich habe veranlasst, dass du nach sechs Wochen wieder herausgelassen wirst.«

Sobald ich mich nicht mehr erinnere.

»Das kannst du nicht tun!«, sagte Noah, obgleich er wusste, dass Zaphire auch in diesem Punkt die Wahrheit sprach.

Sein Vater war nicht seinetwegen nach Rom gekommen.

Nicht wegen des Videos. Sondern um Projekt Noah endgültig abzuschließen.

Und jetzt, da die Tür hinter ihm ins Schloss gefallen und von außen verriegelt worden war, gab es nichts mehr, was er tun konnte, um die Katastrophe abzuwenden.

19. Kapitel

Manila, Philippinen

Leichter ist es, das Meer bis zum Grund auszuleeren, als einen wahren und aufrichtigen Freund zu finden, hatte Alicia von ihrer Großmutter gelernt, und nicht zum ersten Mal in ihrem Leben wurde das alte philippinische Sprichwort auf die Probe gestellt.

Der barfüßige, etwa vierzig Jahre alte Mann, der von der Ladefläche des Lkw auf sie herabsah, war verhältnismäßig klein für einen Europäer. Er trug kurze Khakihosen und ein pinkfarbenes Poloshirt, durch dessen geöffnete Knopfleiste ein Büschel rötlicher Brusthaare hervorquoll. Seine helle Haut hatte sich noch nicht an die Sonne Manilas gewöhnt. Die hohe Stirn und sein Halsansatz pellten sich ebenso wie seine sommersprossigen Handrücken.

»Bist du verrückt geworden?«, fragte er Marlon und gähnte.

Heinz schien geschlafen zu haben und war nicht gerade erfreut, soeben von einem wilden Getrommel an die Scheiben der Fahrertür geweckt worden zu sein.

»Das war meine erste Pause seit achtzehn Stunden.«

Wegen des breiten deutschen Akzentes konnte Alicia das Englisch des Arztes nur schwer verstehen. Aber sein nervöser Blick war kaum zu missdeuten. Heinz hatte Angst, jemand könnte sie hier zusammen sehen.

Zu ihm zu gelangen war einfacher gewesen als gedacht. »Der Mensch ist ein Herdentier«, hatte Marlon gesagt und war eine Auffahrt weiter rechts auf das Nachbargelände marschiert, von wo aus sie sich dem Worldsaver-Zelt und dem in der offenen Garage geparkten Sattelschlepper problemlos von hinten hatten nähern können. Niemand hatte sie beachtet. Keiner hatte Interesse an einem aufgebockten Lkw mit platten Reifen, dessen Motor laut vor sich hin tuckerte, um die Elektronik mit Strom zu versorgen. Frauen, Kinder, Alte, die Verzweifelten auf der Straße – sie alle wollten nur zu den Ärzten ins Zelt.

»Was zum Teufel sucht ihr hier?«, fragte Heinz.

»Sie braucht Hilfe.«

Marlon zeigte auf das Bündel, das Alicia an ihre Brust presste. In ihrem Fuß pochte ein dumpfer Schmerz, der Hunger hatte ihren Magen zu einem brüllenden Knoten geschrumpft, und weil sie viel zu wenig getrunken hatte, drohte ihr der Schädel zu zerspringen. Doch schlimmer als all dies war die Qual, ihr eigenes Kind in diesem erbarmungswürdigen Zustand zu sehen.

»Helfen Sie meinem Baby«, flehte sie und verscheuchte mehrere Fliegen, die über Noels ausgezehrtem Gesicht kreisten.

Heinz vergewisserte sich noch einmal, dass ihnen niemand gefolgt war, dann seufzte er und nickte.

Marlon kletterte als Erster ins Innere, dann half er Alicia beim Einstieg. Als auch Jay folgen wollte, schüttelte der Arzt abwehrend den Kopf. »Er soll Wache halten«, sagte er zu Marlon, als hätte dieser die Befehlsgewalt über Alicias Sohn. Dabei machte er ein gequältes Gesicht und hielt sich wegen des Kloakengestanks aus der Grube, der ihren Körpern noch immer anhaftete, die Nase zu.

Alicia protestierte nicht. Sie ahnte, was der Mann von ihr verlangen würde, und den Anblick würde sie Jay gerne ersparen. Am liebsten wäre ihr gewesen, auch Marlon würde draußen sein, wenn sie zu tun hatte, was immer nötig war, um Noels Leben zu retten.

»Dann mal rein in die gute Stube«, sagte Heinz und ging voran.

Der Frachtraum war klimatisiert, dank des Dieselmotors gab

es auch etwas Licht. Offenbar wurde der Lkw als Lager für Medikamente, Lebensmittel und andere Hilfsgüter genutzt. In der hintersten Ecke, unmittelbar vor der Fahrerkabine, hatte der Arzt eine Schlafstätte eingerichtet. Zwischen mehreren Zuckersäcken lag eine dünne Matratze auf leeren Holzpaletten. Laken und Kopfkissen lagen zusammengeknüllt am Fußende.

»Ihr habt Glück, dass ich da bin. Meine Pause ist in zehn Minuten um. Heute ist die Hölle los«, erklärte Heinz und lächelte freundlich. Er streckte die Hand aus. Alicia sah fragend zu Marlon.

»Gib ihm das Baby«, sagte er.

Zögernd reichte Alicia dem Mann das Bündel. Heinz kniete sich hin und löste Noel auf der Matratze behutsam aus dem Plastiktütenwickel. Der Bauch des Säuglings war handballgroß, die dünnen Rippen drohten die Haut der Brust von innen zu zerreißen. Sein Popo war kotverkrustet, weil Alicia kein sauberes Wasser gefunden hatte, um ihn zu baden.

»Ich kann dir helfen«, sagte Heinz. »Aber …«

Alicia sah seinen fordernden Blick, und die Kehle schnürte sich ihr zu. »Nicht, wenn du dabei bist«, bat sie Marlon.

Heinz sah erstaunt auf.

»Nein, nein, nein.« Er hob abwehrend beide Hände. »Wofür hältst du mich?« Er sah zu Marlon. »Hast du ihr nicht gesagt, wie das läuft?«

Er griff nach Alicias Hand. Wie betäubt ließ sie es gewähren. *Wie was läuft?*

»Ich kann deinem Baby helfen. Wir haben hier alles, wie du siehst. Der Kleine … wie heißt er?«

»Noel«, presste sie hervor.

»Gut. Noel bekommt sofort eine Infusion. Er ist dehydriert, unterernährt. Ihm fehlen Vitamine und Folsäure. Außerdem sind seine Augen verfärbt, wahrscheinlich Gelbsucht. Es ist kritisch, aber noch nicht zu spät. Natürlich nur, wenn du dich nicht mit der Horde vor dem Zelt anstellst. Da sind die Betten belegt wie in einem Gratisbordell.« Er lachte. »Alle, die da draußen warten, werden heute wieder nach Hause geschickt.«

Niemand von denen hat ein Zuhause, dachte Alicia.

Heinz lächelte. Behutsam nahm er das kleine Fäustchen des Babys in die Hand und streichelte es. Alicia konnte nichts Falsches an dieser liebevollen Geste erkennen, und für einen kurzen Moment schöpfte sie Hoffnung.

»Aber?«, fragte Alicia nach dem Preis, den sie zu zahlen hatte. Was konnte er schon Schlimmes fordern, wenn es nicht um Sex ging.

Mit *dieser* grauenhaften Antwort hatte sie nicht gerechnet.

»Aber du wirst dein Baby nie wiedersehen!«

Die Worte schnitten ihr mitten ins Herz.

»Was?« Sie sah fragend zu Marlon. Hoffte, sich verhört zu haben.

Heinz lächelte immer noch. »Hab keine Sorge. Er kommt zu guten Eltern nach Deutschland.«

»Ich soll Noel weggeben?«

Hast du das gewusst?, fragte ihr stummer Blick, mit dem sie Marlon aufspießte. Der Junge zuckte schuldbewusst die Achseln.

»Du Mistkerl«, stieß sie hervor. »Wie oft schon?« Sie gab ihm eine schallende Ohrfeige. »Wie viele Frauen hast du schon hierhergelockt?«

In die Kammer des Teufels?

»Hey, immer mit der Ruhe«, sagte Heinz, hinderte Alicia aber nicht daran, ihr Kind wieder an sich zu nehmen.

»Überleg es dir gut. Was für ein Leben willst du Noel denn bieten? Du hast keinen Mann, keine Arbeit. Kein Geld. Dein kleiner Sohn muss im Müll nach Essen suchen.«

Er fixierte sie aus den hellblauen Augen, die so unangemessen freundlich waren.

»Selbst wenn wir Noel heute aufpäppeln, hat er keine Chance. Er wird sterben. Wenn nicht heute, dann morgen, nächste Woche, nächstes Jahr. Hunger, Krankheit, Drogen, ein Wirbelsturm, der eure Hütte zerfetzt, ein Polizist, der ihn abknallt, einfach, weil es ihm Spaß macht. Such dir was aus.«

Er streckte die Arme aus.

»Gib mir dein Baby, und ich werde mich auch um dich kümmern. Ich kann dir einen Job als Näherin in einer Fabrik besorgen. Dort wohnst du in einem richtigen Haus, noch auf dem Firmengelände. Es gibt einen Dollar pro Tag.«

»Niemals«, sagte sie und spuckte vor Heinz auf den Boden. Sie zitterte vor Wut und Enttäuschung am ganzen Körper. Ihr Entsetzen übertrug sich auf den Säugling. Noel begann zu quengeln.

»Ich tausche mein Baby nicht gegen einen Job.«

»Da, wo ich lebe, gibt es viele gute Familien, die einem Adoptivkind die Welt zu Füßen legen können«, sagte Heinz.

Auch Marlon schaltete sich ein. »Er wird in einem Haus aufwachsen. Mit fließendem Wasser. Er wird zur Schule gehen!«

»Fass mich nicht an!«, schrie sie, als er ihr die Hand auf die Schulter legen wollte. Sie presste Noel noch fester an sich.

Ohne die beiden aus den Augen zu lassen, tastete sie sich rückwärts an den Paketstapel zum Ausgang zurück. Erst kurz vor der Tür drehte sie sich um und stieß sie auf.

»Geh nur«, hörte sie Heinz hinter sich herrufen, »aber dann ist Noel verloren.«

Sie stand auf der Schwelle zum Ausstieg. Tränen schossen ihr in die Augen.

Niemals, dachte sie nur. *Niemals gebe ich dich her, mein Liebling.*

»Er hat noch sechs Stunden, eher weniger.«

Nein. Auf keinen Fall.

»Ich kann ihm ein besseres Leben verschaffen«, bohrte sich die Stimme des Teufels in ihren Rücken. »Soll er in deinen Armen sterben? Oder weiterleben?«

Weinend bedeckte Alicia sein kleines Köpfchen mit Küssen. Augen, so schwarz wie Klavierlack, sahen zu ihr hoch.

»Du bleibst bei mir, mein Schatz«, flüsterte sie ihm zu.

Die Augen seines ermordeten Vaters.

Alicia versuchte, aus dem Frachtraum zu klettern.

Aber die Beine gehorchten ihr nicht mehr.

20. Kapitel

Rom, Italien

Eine Viertelstunde hatte Noah damit zugebracht, sein Gefängnis zu inspizieren. Neben den angekündigten Lebensmitteln hatte er in den Schränken und Regalen eine Auswahl von Trainingsanzügen und Sportschuhen vorgefunden. Noah entschied sich für eine Sporthose aus Ballonseide, ein graues Sweatshirt und etwas zu klein geratene Tennisschuhe.

Dem Chefarztbüro war ein kleines, schlichtes Bad mit Dusche angeschlossen, deren Wanne mit Kartons gefüllt war. Darin fanden sich jede Menge Hygieneartikel und Medikamente. Es gab Handtücher, Toilettenpapier, Fertiggerichte, sogar Taschenlampen mit Batterien, jedoch keine spitzen Gegenstände, kein Besteck, keinen Wasserkocher, keine Mikrowelle. Nichts, was sich mit etwas Geschick zu einer Waffe umfunktionieren ließe. Weder eine Rasierklinge noch Feuerzeug, nicht einmal eine Nagelschere.

Dafür entdeckte Noah eine Packung mit Morphinpflastern. Er trug Altmann auf das Sofa, öffnete ihm das Hemd und klebte ihm ein Pflaster gegen die Schmerzen auf die Brust.

»Kleb mir damit lieber die Nase zu«, scherzte der Agent, der dabei wieder zur Besinnung gekommen war.

Der Begriff »lebendige Leiche« war für seinen Anblick noch ein Euphemismus. Der Kragen des Bademantels war von Blut und Speichel verkrustet, er stank nach Urin, und die Einblutungen in den Augenbindehäuten wertete Noah als äußerlich sichtbare Anzeichen, dass er innerlich verblutete.

Noah durchsuchte Altmanns Taschen, und tatsächlich hatte

Cezet ihm zwar die Waffen abgenommen, ihm das kugelschreiberförmige »Spielzeug« aber gelassen. Er nahm den HPX5 an sich und steckte ihn in die Brusttasche seines Sweatshirts, auch wenn er nicht wusste, wie ihm ein Thermometer, ein Geigerzähler oder eine Videokamera jetzt weiterhelfen sollte.

»Was für ein Kuddelmuddel«, stöhnte Altmann. »Wie es aussieht, hast du von uns beiden das längere Streichholz gezogen. Glückwunsch.«

Noah sagte nichts. Dabei entsprach seine äußere Ruhe nicht seiner inneren Gefühlslage. Die Wahrheit, die er über sich erfahren hatte, das Ausmaß des Schreckens, mit dem er konfrontiert worden war, hätte ihn eigentlich lähmen müssen. Stattdessen fühlte er sich wie ein Tiger im Käfig. Müde, aber voller Tatendrang.

»Ich muss hier raus«, sagte er.

»Weshalb? Du bist geimpft. Hier bist du in Sicherheit und kannst in Ruhe abwarten, bis die Welt vor die Hunde gegangen ist.«

Altmann biss vor Schmerzen die Zähne zusammen. »Du musst dir nur überlegen, was du mit meiner Leiche machst. Verwesungsgestank ist nicht gerade das beste Zimmerdeo in geschlossenen Räumen.«

»So weit lass ich es nicht kommen«, sagte Noah und setzte sich neben Altmann auf die Kante des Sofas.

»Und wie willst du das anstellen?«

»Ich kann ihn immer noch stoppen. Ich weiß, wo das Video ist.«

Altmann gelang es mit Mühe, sich mit den Ellenbogen hochzustemmen, und öffnete den Mund. Sein Zahnfleisch war komplett schwarz. Abgestandener, fauliger Atem schlug Noah entgegen.

»Wo?«, fragte er, dann fiel der erste Schuss.

Insgesamt wurden vier abgegeben, aber nur der letzte erreichte sein Ziel.

Der erste blieb hinter der Polsterung im Türblatt stecken. Der zweite und dritte beschädigten lediglich das Schloss. Erst das vierte Projektil machte es unbrauchbar.

In einer instinktiven Reaktion warf sich Noah flach auf den Boden. Auch Altmann rollte sich von der Couch herunter.

Noah überlegte noch, ob sie es gemeinsam bis ins Badezimmer schaffen würden, als die Tür aufschwang und der Schütze über die Schwelle trat.

»Celine!«

Noah hatte sie sofort erkannt, sich aber erst wieder aufgerappelt, als sie die Waffe bereits sinken ließ. Überrascht und irritiert zugleich ging er auf sie zu.

Du lebst?

Er musste sich eingestehen, nicht mehr an sie gedacht zu haben. In der Zwischenzeit war so viel passiert, dass er nicht einmal die Zeit zum Trauern gefunden hatte. Weder um sie, von deren Tod im Chaos auf den Straßen er überzeugt gewesen war, noch um Oscar, den er auf den harten Stühlen im Vorraum der Klinik zurückgelassen hatte.

Tatsächlich hatte Celine einige tiefe Schrammen im Gesicht, und ihre Unterlippe war stark geschwollen, vermutlich durch einen Tritt oder Faustschlag, den sie sich in der Menge eingefangen hatte. Aber ansonsten machte sie einen unversehrten Eindruck.

»Wie hast du uns gefunden?«, fragte Altmann, dem die Kraft fehlte, sich wieder aufs Sofa zu ziehen. Seine Stimme war brüchig, und es fiel ihm eindeutig immer schwerer, sich verständlich zu artikulieren, doch der Argwohn, der in seiner Frage mitschwang, war nicht zu überhören.

Wie bist du in das geheime Untergeschoss gekommen? Woher hast du die Waffe?

»Ich, ich …« Celine setzte mehrmals an, ohne den Satz zu vollenden.

Ihre Blicke wanderten unsicher und fahrig durch den Raum. Nichts von dem, was sie sah, schien sie zu registrieren. Sie wirkte wie auf Drogen.

Schock, lautete Noahs Analyse, noch bevor Celine die Waffe aus der Hand gefallen war und sie in Tränen ausbrach.

21. Kapitel

Etwa zwanzig Minuten später

Zwei Gefallen.

Das war alles, worum Altmann Noah gebeten hatte, bevor dieser gemeinsam mit Celine zum Petersplatz aufgebrochen war. Zu Fuß. Um Zaphire zu stoppen, was selbst dann kaum zu schaffen war, wenn Noah sich konsequent an den Plan hielt, den sie in der kurzen Zeit ausgearbeitet hatten, während Celine sich etwas beruhigte.

Zwei letzte Gefallen.

Den ersten hielt er gerade in seiner Hand: das Haustelefon im Gang der Klinik. Es war grau und fühlte sich billig an, aber anders als der stillgelegte Apparat im Chefarztbüro tat es seinen Dienst.

Altmann lag auf der Liege, mit der sie ihn in den Flur geschoben hatten, bis direkt unter den Wandapparat, und lauschte dem Freizeichen.

Eigentlich hatte er nicht damit gerechnet, dass sich die Verbindung aufbaute. Nach dem 11. September waren die Leitungen in die USA komplett überlastet gewesen, vor allem die der Mobiltelefone. Heute war die Katastrophe nicht kleiner und die Netze mit den Jahren nicht leerer geworden. Aber es klingelte.

Während Altmann darauf wartete, dass am anderen Ende abgehoben wurde, überlegte er, ob Noah das Richtige tat, indem er Celine vertraute. Sie einweihte. Und sogar zum Teil des Plans gemacht hatte.

Er selbst hatte seine Bedenken.

Sicher, es gab nur eine Neo Clinica in Trastevere. Celine hatte ihr Ziel gekannt und nur nach dem Weg fragen müssen. Aber wie war sie hier nach unten in das dritte, offiziell nicht existierende Untergeschoss gelangt? Zudem mit einer Waffe?

Zuerst hatte die Schwangere nur geheult und keine plausiblen Erklärungen dafür abliefern können, bis Noah es geschafft hatte, sie in den Arm zu nehmen und zu beruhigen.

Fünf. Sechs.

Altmann zählte die Freizeichen.

»Ich bin beinahe draufgegangen, du Arschloch«, hatte sie ihn angeschrien, nur weil er gewagt hatte zu fragen, wo sie die ganze Zeit über gesteckt hatte, um ausgerechnet jetzt wieder auf der Bildfläche zu erscheinen.

»Hätte mich nicht jemand am Kragen gepackt und in einen Hausflur gezerrt, wären mein Baby und ich auf der Straße zertrampelt worden.«

Zehn. Elf.

Automatisch hatte sie sich die Arme schützend vor den Bauch gelegt und dann erklärt, was nach ihrem Eintreffen bei der Klinik geschehen war: »Erst habe ich mich nicht hereingetraut. Das Haus war komplett dunkel, aber zwei schwarze Limousinen standen direkt vor dem Eingang. Mit laufendem Motor und wartenden Fahrern.«

»*Zwei* Wagen?«, hatte Noah nachgehakt.

»Ich habe mich auf der gegenüberliegenden Straßenseite hinter einem Auto versteckt und erst einmal abgewartet, was passiert, und das war vermutlich die beste Entscheidung der letzten Tage, denn plötzlich denke ich, mich trifft der Schlag. War das wirklich Zaphire, der da aus der Klinik kam?«

Noah war nicht auf Celine eingegangen und hatte stattdessen die Fragen gestellt, die nötig waren, um herauszufinden, ob sie gefahrlos das Gebäude verlassen konnten.

»Ich hab noch eine Schwarze rauskommen sehen«, hatte Celine gesagt.

Fünfzehn. Sechzehn – verdammt. Der Anruf geht ins Leere. Nicht mal eine Mailbox.

»Was für eine Schwarze?«

»Jung, durchtrainiert, hübsch. Bevor sie in die zweite Limousine eingestiegen ist, hat sie sich diesen weißen Outbreak-Overall ausgezogen.«

Cezet.

Angeblich hatte Zaphires Gehilfin eine Plastiktüte in die Mülltonne neben der Klinik geworfen, bevor sie mit der zweiten Limousine davongefahren war.

In die entgegengesetzte Richtung.

Celine hatte sie wieder herausgeholt und darin Noahs Kleidung entdeckt. Zudem die Waffen, die ihnen abgenommen worden waren, ein Handy und den Fahrstuhlschlüssel. Bis auf die Klamotten und die zweite Waffe hatte sie alles an sich genommen.

Dann war sie in die Klinik gegangen und hatte Oscar entdeckt, was ihren späteren Nervenzusammenbruch verständlich machte. Anscheinend war ihr der Anblick des toten Zwillingsbruders erspart geblieben, denn sie hatte gleich versucht, ins dritte Untergeschoss zu kommen.

»Es gibt nur zwei Kelleretagen, aber auf dem Schild am Schlüsselbund stand *Lift, –3*. Außerdem benötigt man für die anderen Etagen keinen Schlüssel. Die meiste Zeit habe ich damit verbracht herauszufinden, mit welcher Tastenkombination ich den Aufzug bis ganz nach unten bekomme. Und ehrlich gesagt weiß ich immer noch nicht, was ich gedrückt habe, damit das Ding in das dritte Untergeschoss fährt. Ist das Verhör damit beendet?«

Altmann hatte nur müde abgewinkt.

Ihm konnte es letztlich egal sein, ob Celine die Wahrheit sagte oder ein falsches Spiel spielte.

Das Einzige, was jetzt noch zählte, war das Telefonat. *Achtzehn. Neunzehn. Zwanz…*

Es knackte. Rauschen in der Leitung.

»Wer stresst denn da?«, fragte eine genervte Teenagerstimme.

»Le… hmm, Lea …«

Altmann versagte die Stimme, und das machte ihn wütend.

»Hi? Wer zum Teufel …?«

»Le-a-na«, brachte Altmann schließlich hervor, indem er sich auf jede Silbe des Namens einzeln konzentrierte.

Es dauerte eine Weile, bis seine Tochter begriffen hatte. »Dad, bist *du* das?«

»Ja.«

»Wieso rufst du von einer so komischen Nummer an?«

»Ich bin in Rom.«

»Geil. Bringst du mir was mit?«

Altmann schloss die Augen. »Ich weiß noch nicht.«

Eine Träne bahnte sich ihren Weg.

»Geht es dir gut? Ich meine, du hörst dich echt scheiße an, Dad.«

Er verzog den Mund zu einem gequälten Lächeln. »Bin nur etwas erkältet.«

»Aber nicht die Manila-Grippe, oder?«

Die Frage war als Scherz gedacht, doch die lange Pause, die Altmann ließ, verunsicherte seine Tochter.

»Dad?«

»Nein. Mit mir ist alles bestens, Kleines. Aber du musst mir eines versprechen.«

Sein Arm begann so stark zu zittern, dass Altmann der Hörer aus der schweißnassen Hand fiel. Hektisch zog er den Apparat an dem elastischen Kabel wieder zu sich heran und presste ihn ab sofort mit beiden Händen ans Ohr.

»Hey, Dad, bist du noch da?«

»Ja, sorry. Wir wurden unterbrochen.«

»Ist wirklich alles okay?«

»Natürlich, mach dir keine Sorgen. Ich stehe gerade in einer Telefonzelle«, sagte er, während er zur Decke starrte. Direkt über seinem Kopf befand sich ein Wasserfleck, der die Form einer Kuppel hatte. »Ich kann den Petersdom sehen.«

»Super, schön für dich.« Leana klang nicht sehr interessiert. »Hör mal, hast du meine SMS bekommen?«, fragte sie.

`Bin ich zu spät, Dad? Happy birthday.`

`PS: Brauch mal deinen Rat.`

»Ja. Brauchst du Geld?«

Sie lachte. »Ausnahmsweise mal nicht, nein.« Dann machte sie eine Pause.

»Schlechte Noten?«

»Nei-ein.« Sie dehnte das Wort genervt auf zwei Silben.

»Dann ist es ein Junge.«

»Woher weißt du das?«

Altmann rang sich ein Lächeln ab. Man musste kein Wahrsager sein, um die Probleme einer Fünfzehnjährigen zu erraten. Eigentlich waren drei Versuche ein Armutszeugnis.

»Ich habe Angst, es Mama zu sagen«, hörte Altmann seine Tochter sagen. Leana klang schüchtern und trotzig zugleich.

»Dass du mit einem Jungen zusammen bist?«

»Dass ich mit ihm geschlafen habe.«

Großer Gott. Altmann schloss die Augen. Für einen winzigen Moment waren seine Krankheitssymptome in den Hintergrund getreten.

Auch das noch.

»Du bist … ich meine … Du bist doch erst …« Ein Krampf erfasste große Teile seines Oberkörpers, und der jäh wieder auflodernde Schmerz ließ ihn sich auf der Trage zusammenkrümmen.

»Dad?«, fragte Leana.

Er wartete, bis der Schmerz etwas nachgelassen hatte.

»Ist ja jetzt auch egal«, sagte er schließlich, ziemlich außer Atem. »Danke, dass du es *mir* gesagt hast.«

»Du bist weit weg«, hörte er sie scherzen.

Auch wieder wahr.

»Und du willst es Mum verheimlichen?«

»Ja, ich denke schon. Du weißt doch, wie sie bei dem Thema ausrasten kann.«

Würde ich auch, Schätzchen, wenn ich mich nicht wie ein Strahlenkranker fühlen würde.

Er überlegte, was er ihr jetzt sagen konnte. Was berechtigte ihn, seiner Tochter Ratschläge zu geben, ausgerechnet zum Thema Rechtschaffenheit!

Er dachte über ein früheres Date mit seiner Frau nach, als sie ihn beim Essen nach seinem Beruf gefragt hatte und er für einen kurzen Moment darüber nachdachte, ob er nicht etwas völlig Verrücktes tun und diesem Menschen, in den er sich zu verlieben glaubte, die Wahrheit erzählen sollte.

»Jede Lüge wird zu einer Wahrheit, mit der wir irgendwann leben müssen«, murmelte Altmann und war über sich selbst verwundert, dass er den Gedanken, der ihm durch den Kopf geschossen war, laut ausgesprochen hatte.

»Wie war das?«, fragte Leana.

»Nichts, ich meine nur, du solltest es Mum beichten, Liebling. Irgendwann kommt alles raus, und die Zeit, die du dir mit einer schnellen Lüge erkauft hast, lohnt den Ärger nicht, den du dann am Hals hast.«

Altmann spürte, wie ihm wieder etwas Blut aus der Nase schoss, unternahm aber nichts, um den Fluss zu stoppen.

»Du kannst Mum ja sagen, du hättest mich davor um Erlaubnis gefragt«, sagte er.

»Echt? *Das* würdest du für mich tun?«

Er schluckte. »Ja. Aber ich bitte dich auch um einen Gefallen.«

»Worum geht's?«, fragte Leana.

»Um ZetFlu.«

»Krass, ja, Mann. Kommst du da ran? Der Präsident sagt zwar, wir brauchen das Zeug nicht, doch Mum meint, er behauptet das nur, weil es ohnehin überall ausverkauft ist. Sie setzt gerade Himmel und Hölle in Bewegung, um es irgendwo aufzutreiben.«

»Nein, ihr dürft nicht ...« Altmann atmete jetzt so schwer wie ein Tausendmeterläufer kurz vor der Zielmarke. »Bitte. Ihr dürft auf gar keinen Fall ZetFlu nehmen.«

»Wieso?«

»Nicht einmal eine Tablette. Vertrau mir. Es ist gefährlich. Sag deiner Mutter einfach, Dad hätte von der Arbeit angerufen.«

»Was weißt du als Computerfuzzi denn auf einmal von Medikamenten?«

»Bitte, sag es ihr einfach.«

Leanas Mutter war bei weitem nicht in Altmanns gesamten Lebenslauf eingeweiht, allerdings war ihr natürlich klar, dass er nicht als Vertreter für Buchhaltungs-Software in der Welt unterwegs war und dass er oft mit Informationen versorgt wurde, über die Normalsterbliche nur selten verfügten. Sie würde die Botschaft verstehen.

»Bitte, versprich mir, du sagst es Mum!«

»Ja, klar. Wenn's sein muss.«

Altmann beugte sich zur Seite, damit das Blut ihm nicht zurück in den Kopf lief. Dann hustete er.

»Dad?«

Er wollte antworten, aber er konnte es nicht. Altmann hatte das Gefühl, als würde sich sein gesamter Körper von innen heraus in einem brennenden Säurebad verflüssigen.

»Dad?«

Er schaffte es nicht mehr, Leana zu antworten. Er schaffte es noch nicht einmal mehr zu husten.

»Dad, was ist mit dir?«, fragte sie. Unsicherer. Immer nervöser.

»Ich …« Er spuckte Blut. »Ich …«

Da geschah etwas, was ihn noch sehr viel mehr schmerzte als die Krankheit, an der er so elendiglich zugrunde ging.

Er hörte, wie die Stimme seiner Tochter anfing zu zittern.

»Dad, da stimmt doch etwas nicht?«, sagte sie. Er meinte die erste, einzelne Träne förmlich zu sehen. Wie sie eine Kajalspur unter ihrem Auge zog, über ihre Wange bis zur trotzig vorgeschobenen Oberlippe.

»Es ist nichts«, würgte er hervor, und ein weiterer Klumpen Blut traf die Hörermuschel. »Es tut mir leid.«

»Du kommst doch zurück, oder? Es ist doch alles okay, ja? Dad?«, fragte sie weinend.

Altmann krümmte sich.

»Ich liebe dich«, war das Letzte, was er Leana noch sagen konnte, dann hielt er es nicht mehr aus.

Die Fragen. Die Tränen. Das Weinen seiner Tochter.

Er hatte sich nur verabschieden wollen. Ohne dass Leana Verdacht schöpfte. Und wie immer, wenn es in seinem Privatleben etwas Wichtiges gab, hatte er es nicht auf die Reihe bekommen.

Altmann drückte das Gespräch weg und ließ den Hörer los.

Dann tastete er neben seiner Hüfte nach dem zweiten Gefallen, den Noah dort für ihn platziert hatte.

»Was für ein Kuddelmuddel«, dachte er noch. Dann steckte er sich die Pistole in den Mund, mit der Celine sie gerade eben befreit hatte, und erlöste sich von den Schmerzen.

22. Kapitel

Bernini hatte unter Papst Alexander VII. bei der Planung des Petersplatzes auf das Überraschungsmoment gesetzt. Die Pilger sollten von der Wucht des ersten Eindrucks überwältigt sein, wenn sie aus den verwinkelten Gassen des wuseligen Borgo hinaustraten und sich unversehens vor dem größten Kirchenhaus der christlichen Welt wiederfanden, empfangen von den offenen Säulenarmen, die den elliptisch geformten Platz mit dem vatikanischen Obelisken in seinem Zentrum rahmten.

Es war Mussolini, der mit dem Bau der Via della Conciliazione nicht nur diesen Ehrfurcht einflößenden, architektonischen Effekt zerstörte, sondern auch eines der schönsten mittelalterlichen Viertel, indem er eine monumentale Prachtschneise wie einen Pflock durch das Herz der Stadt treiben ließ, geradlinig vom Tiber bis zu dem Portal des Petersdoms hinauf.

Normalerweise herrschte auf dem Boulevard zu dieser Uhrzeit kaum Verkehr, doch heute ging es auf ihm beinahe so quirlig zu wie einst in dem historischen Bezirk, der dem Straßenlauf zum Opfer gefallen war. Menschen strömten in Gruppen dem Petersplatz entgegen, nutzten die Straße als Bürgersteig, quetschten sich an den im Stau stehenden Fahrzeugen vorbei.

Von wegen Ausgangssperre.

Dabei unterschied sich die Stimmung grundlegend von der, die von den Menschen ausging, die vorhin nach Trastevere gezogen waren. Noah vermeinte eine positiv aufgeladene, erwartungsfrohe Nervosität zu spüren; er sah interessierte, aufgeregte, aber keine aggressiven Gesichter. Viele unterhielten sich angeregt, einige lachten sogar. Ganze Familien waren unterwegs. Zu

Fuß, auf Fahrrädern und Mofas, alle mit demselben Ziel, das auch Noah und Celine vor Augen hatten: den Petersplatz.

»Nicht so schnell«, keuchte Celine, obwohl sie nicht einmal Schritttempo liefen. Die Temperaturen waren erstaunlich mild, sie hatte sich ihren Pullover um die Hüften gebunden, und trotzdem schwitzte sie. Ihr Gesicht war rot angelaufen, immer wieder musste sie stehen bleiben, um nach Luft zu schnappen. Auch wenn man ihr nicht ansah, dass sie schwanger war, machte es sich jetzt an ihrer Kondition bemerkbar.

Im Augenblick lehnte sie sich an eine obeliskförmige Laterne und strich sich die schweißfeuchten Haare aus der Stirn. Der Platz lag nicht einmal mehr hundert Meter entfernt. Noah konnte sehen, wie er sich aus allen Richtungen füllte, wie zur Prozession am Palmsonntag.

Bei ihrer ersten Verschnaufpause hatte er die Gelegenheit genutzt und eine Frau im Rollstuhl nach dem Grund ihres nächtlichen Ausflugs gefragt.

»Wir sind Katholiken«, gab sie ihm in gebrochenem Englisch zur Antwort. Sie hatte wie die meisten hier einen Mundschutz über Lippen und Nase getragen, weswegen ihr Gesicht nur aus großen, dunklen Augen zu bestehen schien. »Wenn wir Angst haben, suchen wir Trost beim Heiligen Vater. Im Radio heißt es, er will noch diese Nacht eine Messe halten.« Dann hatte die Frau ihm Gottes Segen gewünscht und war weitergerollt.

»Geht's wieder?«, fragte Noah und reichte Celine die Hand.

Es war kurz vor ein Uhr morgens, sie waren schon eine Dreiviertelstunde unterwegs. Selbst wenn Zaphire mit seiner Limousine im Stau gestanden hatte, musste er längst im Vatikan eingetroffen sein.

Wir kommen zu spät.

Alleine hätte Noah den Weg von der Neo Clinica bis hierher in der Hälfte der Zeit zurückgelegt, doch er brauchte Celine an seiner Seite. Ohne sie war der Plan von Anfang an zum Scheitern verurteilt.

»Ich geb mir Mühe«, sagte sie, und sie hielt ihr Versprechen, bis sie an der Porta Sant' Anna angekommen waren.

Noah hatte sich an Altmanns Wegbeschreibung gehalten. Der offizielle Eingang für die Angestellten des Vatikans, der rund um die Uhr von Schweizer Gardisten bewacht wurde, lag an der östlichen Vatikanmauer, rechts von den Kolonnaden. Zwei von Adlerstatuen gekrönte Doppelsäulen flankierten den Zugang, vor dem im Augenblick weitaus weniger Menschen warteten als auf dem Petersplatz, an dessen Rändern es kaum mehr ein Durchkommen gegeben hatte.

Fünf Meter vor dem Portal, wo das Straßenpflaster in einen ausgetretenen Zebrastreifen überging, blieben sie stehen.

»Bereit?«, fragte Noah.

»Hm.«

»Hast du das Handy?«

»Ja.«

Er sah sich um, ob sie beobachtet wurden, aber niemand schien Notiz von ihnen zu nehmen. Daher drückte er kurz ihre Hand. Und dann ging es los.

Wie besprochen nahm er Celine von hinten mit dem linken Arm in den Schwitzkasten. Den anderen Arm winkelte er an und imitierte mit den Fingern seiner Hand eine Pistole, die er Celine unter ihren langen Haaren in den Nacken drückte.

»Los.«

Celine begann zu schreien wie am Spieß.

Dabei bog sie den Rücken durch und ließ sich scheinbar widerwillig auf den Eingang zuschieben.

»Nein, nicht. Hilfe!«, brüllte sie aus Leibeskräften. Sie weinte nicht, so gut konnte sie nicht schauspielern, aber es hörte sich auch so täuschend echt an.

Die Menschen vor ihnen stoben auseinander, wichen vor der Frau und ihrem vermeintlichen Geiselnehmer zurück, machten Noah Platz auf dem Weg zur Porta Sant' Anna.

Es dauerte keine fünf Sekunden, und die Schweizer Garde war zur Stelle.

Schritt 1: Aufmerksamkeit erzielen.

Zwei hochgewachsene, kräftige Männer in blauer Exerzieruniform traten durch ein Seitentor und nahmen mit ihren gezogenen Waffen Noah von zwei Richtungen aus ins Visier.

»Waffe fallen lassen!«, rief der Gardist, der sich rechts von Noah postiert hatte. »Sofort fallen lassen.« Er wiederholte seinen Befehl abwechselnd auf Italienisch und Englisch.

Schritt Nr. 2: Forderung stellen.

»Zaphire«, brüllte Noah. »Holen Sie ihn, dann wird niemand sterben.«

Menschen bildeten Trauben am Straßenrand, Noah hörte aufgeregte Rufe, mindestens drei Fotoapparate blitzten.

Der Gardist zu seiner Linken forderte über ein Funkgerät Verstärkung an, im Hintergrund hörte man schon das Getrampel schwerer Stiefel und aufgeregte Rufe.

»Bereit?«, flüsterte Noah. Celine nickte unmerklich.

Das war das Zeichen.

Schritt 3: Handeln!

»Aaaaahhhhhh …«

Mit einem Urschrei stieß er Celine von sich. Sie stolperte von ihm weg, strauchelte und fiel vor der Fußgängerampel auf die Knie.

»Hände hoch!«, brüllten jetzt beide Gardisten gleichzeitig, doch Noah reagierte nicht. Er tat so, als versteckte er seine Waffe hinter dem Rücken, und lief auf die Gardisten zu.

Die Kugel riss ihn nach hinten.

Nicht schon wieder, dachte er beim Fallen. Erst dann spürte er den Schmerz etwas oberhalb der Stelle, an der er vor vier Wochen schon einmal in der Schulter getroffen worden war. Damit hatte er nicht gerechnet.

Mit einem Warnschuss. Schlägen. Einer Ohnmacht, vielleicht.

Nicht aber, dass sie, ohne zu zögern, direkt auf ihn feuerten.

Er hörte ein Knacken, als Nächstes fegte eine Feuerwalze durch seinen Kopf, der auf dem groben Pflaster aufgeschlagen war. Lichter zuckten vor seinen Augen, trieben heiße Nägel durch seine Netzhaut, und der Schmerz wurde noch schlimmer, als er die Augen öffnete.

Nichts von dem, was aus dem Mund des Gardisten kam, der ihn mit geübten Griffen auf den Bauch gedreht, abgetastet und seine verdrehten Arme auf dem Rücken fixiert hatte, war verständlich. Vermutlich wunderte er sich über die fehlende Waffe, fragte ihn nach seinem Namen.

John. Noah. Suchen Sie sich einen aus.

Er hörte schwere Schritte, eine Frau weinte. Sirenen von Einsatzfahrzeugen. Spürte, dass er das Bewusstsein zu verlieren drohte, aber das durfte nicht geschehen.

»Der Papst ist in Gefahr«, krächzte er.

»Was?«

Er spürte, wie der Gardist sich zu ihm herunterbeugte, ohne den Druck der Waffe auf sein Genick zu mildern. »Jonathan Zaphire.«

»Wer ist das?«

»Mein Vater.«

Und dann konnte Noah es nicht mehr verhindern. Er hatte dem Soldaten des Papstes noch von dem Video erzählen wollen, das alles bewies. Von der ansteckenden Krankheit, die Zaphire in die Welt gesetzt hatte und die nun auch von ihm persönlich ausging.

Aber die Kraft, die er dazu benötigt hätte, war mit dem Blut aus der Schusswunde aus seinem Körper gesickert.

»Er darf ihn nicht …«, war alles, was er hervorbrachte, dann verlor Noah das Bewusstsein.

23. Kapitel

Im Krankenwagen wachte er wieder auf. Festgeschnallt mit grauen Gummibändern, die Hände zusätzlich mit schweren Metallhandschellen an die Streben der Liege gekettet.

Seine Schulter war notdürftig verbunden, allerdings schien man keine Schmerzmittel an einen Verrückten verschwenden zu wollen. Denn obwohl er unendlich müde war, fast wie in Trance, hielten ihn die stechenden Schmerzen wach. Zudem war ihm übel. Er befürchtete, sich zu übergeben, sollte er den Kopf heben, um zu sehen, wer sich am Fußende seiner Liege unterhielt.

»Das kann ich nicht!«, sagte ein junger Mann mit italienischem Akzent.

»Bitte, nur für eine Minute.«

Noah erkannte die sonore Stimme sofort und fragte sich für einen Moment, ob er einen Wachtraum erlebte, doch dann spürte er, wie eine kalte Hand seinen Unterschenkel tätschelte.

»Er ist nur verwirrt.«

»Und gefährlich«, sagte die Stimme, jetzt etwas näher.

»Ich bitte Sie, er hatte noch nicht einmal eine Waffe bei sich.«

»Trotzdem, ich kann Sie nicht mit ihm alleine lassen. Das ist gegen die Vorschriften.«

»Haben Sie Kinder?«

»Ich weiß, dass er Ihr Sohn ist ...«

»Und er ist gefesselt.« Zaphire hustete.

Klang seine Stimme schon belegter als noch vor einer guten Stunde? Waren das bereits die ersten Symptome?

»Selbst wenn er wollte, er kann mir nichts tun. Und wie sollte er mit Handschellen entkommen, zumal Sie sich vor dem Wagen bereithalten?«

Noah hörte den Mann, der entweder Polizist oder Schweizer Gardist war, unschlüssig ausatmen.

»Ich bitte Sie, es wird nicht lange dauern. Direkt nach meiner Audienz fliege ich schon wieder in die USA zurück. Das hier ist die letzte Gelegenheit, um mich von meinem Sohn für eine lange Zeit zu verabschieden.«

»Eine Minute?«

»Ich danke Ihnen.«

Es klackte. Verkehrslärm und Stimmengewirr schwappten ins Innere des Krankenwagens und wurden abgeschnitten, als sich die Tür wieder schloss.

Noah fühlte, wie sich jemand über ihn beugte. Er schlug die Augen auf und blinzelte. Langsam formten sich die verschwommenen Gesichtszüge zu Zaphires Gesicht.

»Was hast du vor?«, kam sein Vater sofort zur Sache. Ganz bestimmt hatte er Celine gesehen. Da Amber auf Zaphires Weisung gearbeitet und sie in seinem Auftrag die Reporterin nach Europa verschleppt hatte, war davon auszugehen, dass er Celines Gesicht erkannte und er sich bei ihrem Anblick zusammenreimen konnte, wie Noah mit ihrer Hilfe entkommen war.

»Wenn du den Papst warnen willst, hättest du vorher besser nicht deine Glaubwürdigkeit zerstört, John.«

»Ich wollte nicht zum Papst. Ich wollte zu dir.«

Genauer gesagt wollte ich, dass du aus dem Vatikan herauskommst. Denn mich hätte man am Eingang gefilzt, wenn man mich überhaupt vorgelassen hätte.

»Weshalb?«, fragte Zaphire.

»Ich habe das Video.«

Sein Vater lachte ungläubig. »Du lügst.«

»Erinnerst du dich an die Pässe in Davids Koffer?«

»Falsche Identitäten, mit denen er hoffte, seine Spuren zu

verwischen. Ja. Deshalb musste ich einen Profi wie dich beauftragen, ihn zu finden.«

»Sie sind die Lösung.«

Zaphire griff sich an den faltigen Hals. Nervös leckte er sich über seine schief stehenden Frontzähne. »Unmöglich. Wir haben das Papier untersucht. Die Pässe enthalten keinen Mikrochip.«

Noah lächelte, und für einen Moment verflüchtigten sich die Schmerzen. »Nicht die Pässe selbst. Sie sind nur ein Hinweis.«

Rom. Amsterdam. Mombasa.

»Worauf?«

»David war zuerst in Kenia, um dich zu treffen. Hierfür hat er seinen eigenen Pass benutzt.«

Zaphire stimmte ihm zu. »Er hat mich in Dadaab besucht. Ich wollte ihm das Elend im Flüchtlingscamp vor Augen führen. Aber er überreichte mir nur einen Brief, in dem er mir seine Motive erklärte und mich dazu aufforderte, Projekt Noah zu beenden.«

»Eine Kopie davon hat er dem alten Mann in dem Waldhaus bei Oosterbeek gegeben. Seinem Mentor. Er hat mit ihm ZetFlu entwickelt, hab ich recht?«

Zaphire sah ungehalten auf die Uhr. »Und wenn schon, was ist nun mit dem Video?«

Noah hob den Kopf, so gut es ihm seine Schmerzen erlaubten. »Um von dir nicht so leicht gefunden zu werden, ist David unter falschem Namen nach Amsterdam aufgebrochen. Auch für den Flug nach Rom zu Kilian Brahms hat er einen anderen Pass benutzt. Daher die drei unterschiedlichen Einreisestempel: Rom, Amsterdam, Mombasa …«

»Und was soll das nun bedeuten?«

»Italien. Niederlande. Kenia.«

»Ich kenne die Namen der Länder, die …«, setzte Zaphire an, doch dann begann es in seinem Kopf zu rattern.

»Genau!« Noahs Lächeln wurde breiter. Er drehte die rechte Handfläche nach außen. Die Handschellen klirrten.

Italien. Niederlande. Kenia.

»David hat in Princeton über flüssige Mikrochips promoviert.«

Zaphire starrte auf die grob gestochene Tätowierung auf Noahs Handballen. Sein Blick war nicht länger ungläubig.

Sondern entsetzt.

Italien. Niederlande. Kenia.

»Es war reiner Zufall«, erklärte Noah weiter. »Ein Geistesblitz, als David, kurz bevor er erschossen wurde, vor meinen Augen seinen Koffer packte, um aus dem Hotel zu fliehen. Er überlegte, welchen Pass er als Nächstes benutzen sollte. Erinnerte sich an die Staaten, in denen er zuletzt war.«

I.N.K.

Tinte!

»Das ist die Rettung.«

»Du lügst«, sagte Zaphire, wie vom Donner gerührt.

»Er selbst hat mir die Tätowierung gestochen.«

Mit dem Füller aus dem Koffer.

So vermutete Noah jedenfalls. So lückenlos, wie er seinem Vater die Erinnerung präsentierte, war sie längst nicht. Vieles reimte er sich zusammen, wie den Umstand, dass David auf der Suche nach einem sicheren Versteck den Film in Form eines flüssigen Mikrochips aufbewahrt haben musste.

»Ich denke, er hat den Füller danach ausgewaschen, aber vielleicht habt ihr ihn auch gar nicht auf Rückstände überprüft. Wahrscheinlich habt ihr nach einem körperlichen Gegenstand gesucht. Dabei lag die Lösung die gesamte Zeit auf der Hand!«

Auf meiner Hand!

Noah wollte sein Handgelenk wieder drehen, doch Zaphire umklammerte es wie ein Schraubstock. »Noah«, sagte er und fuhr mit dem Zeigefinger über die erhabenen Tätowiernarben.

»Das Video steckt in meiner Haut. Ich werde der Polizei davon erzählen. Ich werde es *allen* erzählen.«

»Sie werden dir nicht glauben.«

»Anfangs. Aber sie werden die Tinte analysieren.«

»Schwachsinn.«

»Und dann wird die ganze Welt die Wahrheit erfahren.«

»Nein.«

»Doch.«

»Niemals.« Zaphire klang traurig. »Erinnerst du dich, was ich dir vorhin zum Abschied gesagt habe?«

Noah spürte, wie ihm das schmale Kissen unter dem Kopf weggezogen wurde.

»Ich will ehrlich zu dir sein, John. Ich hätte dich getötet, wenn du wüsstest, wo das Video ist.«

Das Letzte, was Noah von seinem Vater sah, waren die Tränen in seinen Augen. Dann nahm ihm das Kissen die Sicht.

Das Kissen, das Zaphire unter Noahs Kopf weggezogen hatte und das er ihm nun auf Mund und Nase presste.

Zum zweiten Mal in nur wenigen Minuten glaubte Noah das Bewusstsein zu verlieren. Er rüttelte an den Fesseln, strampelte mit den Beinen, drückte seinen Oberkörper hoch und versuchte, den Kopf unter dem Kissen wegzudrehen, aber alle Befreiungsversuche waren vergeblich. Gefesselt und fixiert war er dem alten Mann hilflos ausgeliefert.

Altmann wäre stolz.

Alles lief wieder nach Plan.

Nur dauerte es für Noahs Geschmack etwas zu lange. Seine Lungen brüllten bereits nach Sauerstoff, als Zaphire endlich von mehreren Händen zurückgerissen wurde.

Plötzlich konnte Noah den Arm wieder bewegen. Irgendjemand – vermutlich der Arzt, der ihn aufrichtete und ihm eine Atemmaske aufsetzte – hatte ihn befreit.

Zu diesem Zeitpunkt war Zaphire bereits von zwei Polizisten aus dem Krankenwagen gezerrt worden, die ihn direkt vor den Toren der Porta Sant' Anna zu einem mit Blaulicht wartenden Einsatzfahrzeug führten.

»Celine«, krächzte Noah und tastete zu der Brusttasche seines Trainingsanzugs.

Der Stift war noch da.

Zwei weitere Sanitäter, eine Frau und ein Mann, drängten sich zu ihm ins Fahrzeuginnere, alle mit besorgten Mienen. Noah legte den Kopf schräg, sah an ihnen vorbei, und endlich entdeckte er Celine auf der Straße. Sie stand neben einer Gruppe von Schweizer Gardisten. Einer von ihnen hielt ein Mobiltelefon in der Hand und nickte.

Gott sei Dank!

Noah hätte am liebsten laut losgelacht und sich von der Maske und den Händen befreit, die ihn auf der Trage festhalten wollten.

Also hat es geklappt.

Altmanns »Spielzeug«, der HPX5, hatte funktioniert und die Aufnahme vom Inneren des Krankenwagens auf Celines Handy gefunkt.

Und Celine hatte einen der Wachsoldaten dazu bewegen können, sich die Übertragung anzusehen.

Der Plan war aufgegangen.

Noah war sich nicht sicher, ob seine Theorie mit den flüssigen Mikrochipkristallen in seiner Hand wirklich zutraf. Aber das war auch nicht mehr wichtig.

Jetzt gab es ein anderes beweiskräftiges Video, das Zaphires wahre Absichten dokumentierte.

Noah schloss die Augen und war eingeschlafen, noch bevor er sein stummes Dankgebet für Altmann beendet hatte.

24. Kapitel

Manila, Philippinen

Alicia stand in der sengenden Hitze und starrte auf das tote Baby in der Sperrholzkiste vor dem Maschendrahtzaun. Es war nur wenige Tage alt geworden. Und jetzt lag es hier. Weggeworfen wie ein Stück Müll.

»Komm«, sagte Jay. Er sprach mit der Stimme eines Erwachsenen, der zu viel in seinem Leben gesehen hat. »Wir müssen los.«

Heinz hatte ihnen die Adresse der Näherei aufgeschrieben, in der sie wohnen und arbeiten konnten, wenn sie sich auf ihn beriefen. Wie betäubt starrte Alicia auf den Zettel mit der Wegskizze in ihrer Hand.

Er hat mir einen Zettel gegeben, weinte sie in Gedanken. *Und mir mein Kind genommen.*

»Du hast das Richtige getan.« Wie aus weiter Ferne drang Marlons Stimme an ihr Ohr. »Sonst läge Noel bald auch in dieser Kiste.« Er zeigte auf das tote Baby zu ihren Füßen.

Alicia hob den Kopf. Sie standen wieder an der Spitze des Hügels und hatten eine gute Sicht auf das Zelt.

Sie fragte sich, ob die Mutter, die ihr Kind hier abgelegt hatte, noch immer dort unten in der Menge wartete.

Wohl nicht.

Keine Mutter hatte noch Interesse an ihrem Schicksal, wenn ihr eigen Fleisch und Blut gerade an ihrer Brust verhungert war. Wahrscheinlich kroch sie wie eine Untote zurück in ihren Slum, oder sie war – zerrissen von Trauer und Schmerz – irgendwo auf dem Weg dorthin im Dreck zusammengebrochen.

Alicia spürte die Sonne auf ihrem Kopf und betete, die Strahlen würden ihre schwarzen Haare ansengen. Hoffte, Gott würde ein Zeichen senden und sie vor den Augen ihres nunmehr einzigen Sohnes in Flammen setzen, als Strafe für ihren Verrat.

»Heinz ist ein guter Mann. Er kümmert sich«, sagte Jay.

»Ja«, bestätigte Marlon. »Weißt du, wie schwer es ist, an eine solche Stelle zu kommen?«

Es dauerte, bis die Worte zu Alicia durchgedrungen waren. Stumm starrte sie ins Leere.

»Bitte schau doch nicht so traurig, Mama«, bat Jay, der selbst mit den Tränen kämpfte. Seine Unterlippe zitterte.

»Und er hat uns das hier gegeben!« Marlon öffnete die rechte Hand.

ZetFlu, las Alicia von der Packung, die er ihr reichte.

»Das Mittel gegen die Seuche. Los. Wir nehmen gleich eine Tablette.«

Alicia schüttelte den Kopf. Ihr Baby war nicht mehr da. Sie wollte sterben, nicht weiterleben.

»Komm schon!«, drängte Marlon und presste ihr eine Tablette in die Hand. Die Wasserflasche, die er ihr reichte, musste ebenfalls aus dem Vorrat des Teufels mit den Khakihosen stammen.

»Wenn nicht für dich, dann tu es für Jay.«

Alicia schloss die Augen. Spürte die Hand ihres siebenjährigen Jungen nach ihr greifen. Der Wind wehte vom Fluss her über den kargen Acker, trieb kleine Staubwölkchen vor sich her, von denen sich eine über den toten Säugling zu ihren Füßen legte.

Alicia dachte an das Dorf, in dem sie groß geworden war. An das Leben, das sie vor den Unwettern geführt hatte. An ihren Mann, der erst seine Hoffnungen, dann seine Würde und schließlich sein Leben in der großen Stadt verloren hatte, in die sie ihm gefolgt war. Und jetzt war auch sie gestorben.

Zwar atmete sie noch. Und ihr Blut floss weiter durch ihre Adern. Doch das geschah nur zum Schein. In Wahrheit war sie nicht lebendiger als der Schatten, den sie auf die trockene Erde des Hügels warf.

»Denk an Jay. Er braucht dich«, hörte sie Marlon sagen.

Und weil ihr eigenes Schicksal ihr gleichgültig war, nicht aber das ihres siebenjährigen Sohnes, aber auch, weil sie Marlons fordernde Stimme nicht länger ertragen konnte, nahm sie das Wasser und humpelte fort von den beiden zu dem Rattenloch zurück, aus dem sie vor nicht einmal zwei Stunden gekrochen waren.

Und auf ihrem Weg von der altbekannten Hölle in die neue, die sich *Fabrik* nannte und die fortan ihre Vergangenheit, Gegenwart und Zukunft zugleich sein würde, weil nichts, was sie dort tat, den kleinen Noel ihr wieder zurückbringen konnte, schluckte sie gleich zwei dieser verdammten Pillen auf einmal.

So wie Jay und Marlon es im Lkw des Teufels schon längst getan hatten.

25. Kapitel

Vier Tage später

Hinter der Meerenge von Gibraltar waren sie auf dem offenen Atlantik auf eine Schlechtwetterfront gestoßen. Trotz seiner zweiundzwanzigtausend Tonnen Wasserverdrängung wurde der Hubschrauberträger von meterhohen Wellen auf eine Berg-und-Tal-Fahrt geschickt, die einige Mägen der Besatzungsmitglieder auf eine harte Belastungsprobe stellte. Und dabei hatte der Sturm gerade erst Anlauf genommen.

Es gab eine Orkanwarnung, und für die gesamte Strecke bis nach Southampton sollte der ungemütliche Seegang anhalten.

Noah machte all das nichts aus. Er fühlte sich seltsam geborgen in den Untiefen des Stahlkolosses, in denen sich die Krankenstation und damit die Innenkabine befanden, in die er nach der Operation verlegt worden war.

Das Dröhnen der Motoren beruhigte ihn, das Schaukeln schläferte ihn ein, und wenn das Schiff stampfte und zitterte, freute er sich über die Urgewalten, die dem Rumpf zusetzten.

Sie rückten das Kräfteverhältnis wieder gerade und verwiesen den Menschen auf seinen Platz. Der Hubschrauberträger mochte schon Kriege entschieden haben, im Kampf gegen die Natur war er zum Abwarten verdammt.

Noah war kurz nach der Einschiffung in Civitavecchia von einem chirurgischen Team der US Navy operiert worden. Anders als bei dem Attentat im Adlon war die Kugel, die der Gardeoffizier auf ihn abgefeuert hatte, in der Schulter stecken geblieben, hatte aber problemlos entfernt werden können. Abgesehen von einem dumpfen Restschmerz fühlte er sich schon fast wieder wohlauf, zumindest hatte er auf eigene Faust die Dosis seiner Schmerzmittel halbiert, weswegen er jetzt einen verhältnismäßig klaren Kopf hatte. Und den brauchte er auch für das ungewöhnliche Gespräch, das er gerade führte.

»Ich habe keinen Namen. Ich habe kein Gesicht«, sagte die unterkühlt klingende Frauenstimme. »Wir werden uns nie persönlich kennenlernen. So habe ich es mit Adam Altmann gehalten. Und so würde ich es auch mit Ihnen halten wollen.«

Noah suchte nach einer Möglichkeit, die Lautstärke des klobigen Satellitentelefons zu regulieren, das ihm der Offizier, der in dieser Nacht als Wache vor seiner Kabine postiert war, gebracht hatte. Seit der OP hatte er einen leichten Tinnitus auf beiden Ohren.

»Sie wollen mich anwerben?«, fragte er die anonyme Unbekannte, die offenbar über die Macht verfügte, auf hoher See zu einem Häftling der US-Marine durchgestellt zu werden.

»Ja. Sie haben einige der gefährlichsten Killer der Welt ausgeschaltet, fast im Alleingang, und das, während Sie sich auf der Flucht vor meinem besten Mann befanden. Damit haben Sie sich nicht nur Altmanns, sondern auch meinen Respekt verdient. Und seit seinem Tod habe ich einen Posten zu besetzen, für den Sie gut ausgebildet scheinen.«

Noah richtete sich in seinem Pritschenbett auf. Er trug einen dunkelblauen, zweiteiligen Trainingsanzug. In ihm verbrachte er den ganzen Tag und auch die Nacht, bis ihm der Pfleger nach der Kontrolle des Druckverbands am nächsten Morgen einen neuen brachte. Schuhe hatte er keine, nur dicke schwarze Socken mit einer rutschfesten Gummierung an den Sohlen.

»Sie müssen sich nicht sofort entscheiden …«

»Nein!«, fiel er der Frau ins Wort.

»Hören Sie mir doch erst einmal zu, John.«

Er stand auf. In der engen, zweckmäßig eingerichteten Kabine gab es kaum Bewegungsfreiheit. Das Fußende des Bettes reichte fast bis zu der Kante eines kleinen, in der Wand verankerten Schreibtisches, nur wenig breiter als ein Fensterbrett.

»Ich arbeite nicht für Menschen, die den Tod Unschuldiger in Kauf nehmen.«

»Sie haben für Room 17 gearbeitet.«

»Daran kann ich mich nicht erinnern.«

»Und genau darauf will ich hinaus. Ihre …« Die Frau zögerte kurz. »Ihre psychische Störung prädestiniert Sie geradezu für das Jobangebot, das ich Ihnen unterbreite.«

»Das hab ich schon mal gehört.«

Von meinem Vater. Wenig später hat er versucht, mich zu töten.

Noah öffnete die Tür zur Nasszelle. Die Toilette war kleiner als in einem Verkehrsflugzeug. Das Waschbecken war aus dem gleichen grauen Hartplastik wie der Fußboden. Die Toilette aus gebürstetem Industriestahl hatte keinen Klodeckel. Schränke, Ablagen und Spiegel gab es nicht, auch keine Dusche. Die befanden sich in den Gemeinschaftswaschräumen, die er wegen seiner Operationswunde noch nicht benutzen durfte.

»Room 17 sind die Falschen, Noah. Bei uns spielen Sie im richtigen Team.«

»In einem Team, das aus Feigheit einen Genozid in Kauf nimmt?«

Er öffnete den Wasserhahn und hielt einen Pappbecher darunter. Seine Kehle kratzte. Seit seinem ersten Verhör, kurz nachdem er aus der Vollnarkose erwacht war, hatte er nicht mehr so viel gesprochen.

»Hier war keine Feigheit im Spiel, John. Der Präsident hatte keine andere Wahl.«

Noah verschluckte sich. Er hasste seinen richtigen Namen. Er hasste den Namen, auf den er angeblich getauft war. Er hasste all die Lügen, die man ihm auftischte.

»Keine Wahl? Baywater hat von Projekt Noah gewusst. Er hätte es stoppen können.«

»Und wie?«

»Zunächst einmal hätte er die Bevölkerung warnen müssen.«

»Wovor?«

»Ist das eine Scherzfrage?«

Noah zerknüllte den Pappbecher und schmiss ihn auf den Boden.

»Die Fakten, von denen wir Kenntnis hatten, waren widersprüchlich. Es gab immer wieder Gerüchte über einen biologischen Anschlag biblischen Ausmaßes. Aber wir hatten keinen dazu passenden Erreger.«

»Keinen Erreger?« Noah fluchte. »Verdammt, Ihre Mediziner waren nicht in der Lage, das Virus zu entdecken? Laut Zaphire sind Milliarden Menschen damit infiziert. Und das bereits seit Jahren.«

»Das stimmt. Und natürlich haben wir den Erreger gefunden, isoliert und analysiert. Aber wir konnten sein Potential nicht entschlüsseln.«

»Wie meinen Sie das?«

Noah ging wieder in die Kabine zurück. Eineinhalb Meter vom Waschbecken bis zum Bett. Der einzige Auslauf, den er hatte.

»Von Natur aus schlummert in Millionen Menschen ein inaktives Herpes-Virus«, erklärte die Frau. In dem gesamten Telefonat hatte sie noch keinerlei Emotionen gezeigt. Noah fragte sich, ob er sich mit einem Computer unterhielt.

»Wir sterben nicht notwendigerweise, wenn es aus seiner Latenzphase ausbricht. Auch bei dem genetisch veränderten Virus, das Room 17 in Umlauf gebracht hat, konnten wir keine lebensbedrohliche Gefährlichkeit feststellen.«

»Dann empfehle ich Ihnen mal die Lektüre von Altmanns Obduktionsprotokoll. Oder Sie schauen sich einfach mal die

Bilder seiner Leiche an. Die arme Sau ist vor meinen Augen verblutet.«

»Eine Ausnahme.«

»Wie war das?« Das Fiepen in seinem Ohr wurde stärker.

»Altmann war eine Ausnahme. Das Virus funktioniert nicht wie gewünscht. Nach unseren Studien verläuft die Krankheit nach Ausbruch nur selten tödlich. Von den Infizierten müssen etwa 5 Prozent behandelt werden, 25 Prozent davon stationär, aber nur 3 Prozent kommen ums Leben. Und dabei handelt es sich fast ausschließlich um Männer.«

Noah schloss kurz die Augen. Er musste an den alten Mentor Davids in Oosterbeek denken, an Altmann. Und an Celine, für die diese Nachricht eine grenzenlose Erleichterung bedeuten musste.

»Unsere Prognosen decken sich mit den Erfahrungen, die wir gerade in der Praxis gewinnen: Weltweit sind etwa zwei Millionen Erkrankte gemeldet, von denen bislang nur sechzigtausend Menschen gestorben sind.«

Nur.

»Natürlich steht die Pandemie erst am Anfang, aber wir rechnen am Ende mit maximal acht Millionen Toten weltweit.«

Maximal.

»Das sind bedauerliche Verluste, sicher. Aber Fakt ist, die Pandemie wirkt nicht so, wie Zaphire es sich gewünscht hat. Und die negativen Folgen wären jetzt weitaus gravierender, wenn wir die gesamte Menschheit aufgeklärt hätten, dass die erste Stufe eines weltweiten biologischen Angriffs auf jeden einzelnen Weltbürger bereits vor Jahren abgeschlossen wurde. Können Sie sich die Panik vorstellen, die eine solche Nachricht ausgelöst hätte? Allein die Wirtschaft wäre durch diese Meldung in die Steinzeit zurückgebombt worden. Das Wort Massenhysterie hätte eine völlig neue Bedeutung bekommen.«

Eine plötzliche Schlingerbewegung des Schiffes zwang Noah dazu, sich wieder aufs Bett zu setzen. Er schwitzte, wie so oft. Die Lüftung hier unten funktionierte nicht richtig, und es gab kein Fenster.

Acht Millionen Opfer. Die meisten davon Männer.

Wieder musste Noah an Celine denken.

»Was ist mit Frauen, die bereits schwanger sind?«, fragte er.

Die Stimme wich seiner Frage aus, vermutlich, weil sie den Hintergrund kannte. »Bis zum Schluss haben wir das Potential des Noah-Erregers nicht erkannt. Und wir wussten auch nicht, wie Stufe drei genau funktioniert. Für sich betrachtet sind das Virus und ZetFlu beinahe harmlos. Nur in Verbindung entfalten sie ihre tödliche Wirkung.«

»So wie Wasser und heißes Olivenöl«, flüsterte Noah und ließ sich zurück auf die Pritsche sinken.

»Wie war das?«

»Vergessen Sie's.« Er presste seine freie Hand auf die schmerzende Wunde an der Schulter und versuchte, die Informationen zu verarbeiten.

»Aktuell sind zwei Millionen Menschen erkrankt?«

»Tendenz steigend. Die Manila-Grippe, wie wir sie noch immer nennen, überträgt sich per Tröpfcheninfektion. Aber dank Ihrer Mithilfe werden wir die Opferzahlen sehr schnell limitieren können.«

Noah drehte sein Handgelenk. Die Tätowierung war noch zu erkennen, wenn auch nur als farblose Narbenwulst.

»Also veröffentlichen Sie das Video?«

Bislang hatte man ihm noch nicht gesagt, ob er mit seiner Theorie von den flüssigen Mikrochips richtiggelegen hatte.

»Nein«, antwortete die Frau.

Noah lachte freudlos. Damit hatte er gerechnet.

»Sie wollen es also weiterhin geheim halten?«

Ihr Wissen um Room 17. Ihre Mittäterschaft durch Unterlassen. Die gesamte Verschwörung?

»Es gibt kein Video«, korrigierte sie ihn. »Die Lösung, mit der Sie tätowiert wurden, hat uns jedoch in die glückliche Lage versetzt, ein Gegenmittel zu entwickeln.«

Noah runzelte die Stirn.

»Spätestens seit Baywater und die anderen VIPs geimpft wurden, hätten Sie das doch schon längst in Ihrem Besitz haben müssen, oder haben Sie etwa sein Blut nicht untersucht?«

»Selbstverständlich haben wir das.« Die Frau schnalzte mit der Zunge und klang zum ersten Mal leicht enerviert. »Dadurch haben wir das Enzym gefunden, das den Erreger inaktiv setzt, das stimmt. Nicht aber das Mittel gegen den Ausbruch der Krankheit nach Einnahme von ZetFlu. Die Formel für den Bauplan des Gegenmittels steckt in der Flüssigkeit, die wir aus den Kristallen in Ihrer Hand extrahieren konnten. Sobald genügend Chargen produziert sind, werden wir die Inhalte der ZetFlu-Packungen austauschen.«

»Moment mal.« Noah richtete sich so abrupt auf, dass er vor Schmerzen aufstöhnen musste. »Sie wollen die Bevölkerung noch immer im Unklaren lassen?«

»Ja.«

Oh nein. Das wird euch nicht gelingen. Diesmal nicht!

»Was ist mit der anderen Aufnahme? Die, auf der Zaphire mich töten will?«

Celine hatte sie gesehen. Mehrere Polizisten und Männer der Schweizer Garde.

Es gab zu viele Zeugen.

»Ein genialer Schachzug«, lobte die Frau. »Sie wären niemals in den Vatikan hereingelassen worden, und selbst wenn, wäre der Security der Kamerastift im Röntgendetektor aufgefallen. Sie mussten Zaphire herauslocken, bevor es zu spät war, also bevor er den Papst überzeugen konnte, vor die Kameras zu treten und den Gläubigen in aller Welt die Teilnahme an den Impfungen zu empfehlen.«

So war der Plan.

»Und Sie brauchten ihn unter vier Augen.«

Altmanns Plan.

»Riskant. Aber es hat funktioniert«, sagte sie anerkennend.

Ja. Nur schon wieder in die Schulter geschossen zu werden stand nicht auf der Agenda.

»Das Video ist jetzt weltweit via Internet im Umlauf. Es hat glücklicherweise keinen Ton, weshalb sich die wahre Bedeutung für den Betrachter nicht erschließt und wir es für unsere Zwecke nutzen konnten.«

»Welche Zwecke?«

»Die Reputation Zaphires zu zerstören.«

Noah fühlte sein Bett schwanken, war sich aber nicht mehr sicher, ob es allein dem Seegang geschuldet war.

»Bislang hatten wir keine Handhabe, ihn offiziell zu verhaften. Seine Verbindungen zu Room 17 ließen sich nie lückenlos beweisen, er selbst hat mit Hilfe der von ihm kontrollierten Medien seine eigene Organisation lächerlich gemacht. Ihre Existenz und Tätigkeit als Hirngespinste von Verschwörungstheoretikern denunziert. In der Öffentlichkeit war er ein Held, der sein riesiges Vermögen zum Kampf gegen die Armut einsetzte. Und in gewisser Weise tat er das ja auch.«

Noah schüttelte den Kopf. »Sie hätten ihn töten sollen«, sagte er und ärgerte sich über den Stich, den ihm seine eigenen Worte versetzten. Je heftiger er sich dagegen sperrte, diesen Mann als seinen Vater zu sehen, desto mehr Angst hatte er davor, daran zu scheitern.

»Bevor wir wussten, was das Virus aktiviert? Wie ZetFlu wirkt? Und bevor wir ein Gegenmittel hatten? Nein. Ein Anschlag auf sein Leben war das letzte Mittel, und dazu hat sich der Präsident ja schließlich auch entschlossen.«

Viel zu spät!

Noah seufzte. »Mit Verlaub, das ist Blödsinn. Der Präsident hat die Gefahr erst nicht wahrhaben wollen, dann unterschätzt und schließlich seine Beteiligung vertuscht. Man wollte mich töten, nur weil ich mich an Informationen hätte erinnern können, die seine Mittäterschaft und all derer, die mit ihm davon wussten, aufdecken konnten. Das macht ihn zu einem Handlanger meines Vaters.«

»Hm«, quittierte die Frau tonlos. Wieder raschelte sie mit einigen Papieren, dann sagte sie: »Vielleicht ändert es Ihre Meinung, wenn ich Ihnen mitteile, dass der Präsident Ihnen volle Immunität zuerkannt hat.«

»Immunität?« Am liebsten hätte Noah laut aufgelacht, wenn es nicht so traurig wäre. »Wofür?«

»Sie haben ein halbes Dutzend Menschen ermordet …«

»In Notwehr!«

»… ein Flugzeug gestohlen.«

»Geborgt!«

»… eine Schwangere in Geiselhaft genommen.«

»Mit Celines Einverständnis!«

Sie sog hörbar die Luft ein. »Mit oder ohne, ganz egal. Für all diese Taten wurden Sie heute Nachmittag begnadigt. Es wird nie einen Prozess geben. Als Anerkennung dafür, dass es uns mit Ihrer Hilfe gelingen wird, die Pandemie aufzuhalten.«

»Vorausgesetzt, ich nehme Ihr Jobangebot an?«, unkte Noah.

»Nein. Ihre Immunität ist davon völlig unabhängig. Sie müssen nur eine Verschwiegenheitsverpflichtung unterschreiben, was Sie allerdings vor keine allzu große Hürde stellen dürfte«, sagte sie beinahe humorvoll. »Im nächsten Hafen können Sie als freier Mann von Bord gehen.«

Noah schloss die Augen. Zu seinem Erstaunen machte ihm die Vorstellung Angst. Er wollte diese Kabine nicht verlassen. Ginge es nach ihm, könnte die Fahrt, selbst das Unwetter, ewig andauern. Es gab nichts, wohin er gehen konnte. *Gehen wollte.* Er hatte niemanden, an den er sich erinnerte. Weder Freunde noch Kollegen.

Noch Familie.

Der Einzige, den er schrecklich vermisste, war Oscar. Seine Leiche war mit einem Flugzeug direkt nach Deutschland verbracht worden, wo er auf einem Berliner Friedhof eine ordentliche, aber anonyme Bestattung bekommen sollte. Zumindest hatte der Offizier, den er gefragt hatte, es ihm versprochen.

»Was geschieht mit meinem Vater?«, fragte er leise.

»Darüber darf ich Ihnen keine Auskunft geben.«

»Er sagt, er hat ZetFlu genommen. Wie geht es ihm?«

»Moment.«

Es knackte in der Leitung, dann war die Leitung stumm geschaltet. Noah fragte sich, mit wem die namenlose Frau mit der emotionslosen Stimme sich gerade austauschte, als sie sich nach wenigen Sekunden bereits wieder zurückmeldete.

»Hören Sie?«

»Ja.«

»Wenn Sie versprechen, mein Angebot noch einmal zu überdenken, kann ich Sie zu ihm bringen lassen.«

»Okay, gut«, bluffte Noah. »Wann?«

Ihre Antwort kam wie aus der Pistole geschossen: »Haben Sie in fünf Minuten schon was vor?«

26. Kapitel

Natürlich konnte er sich nicht erinnern, ob er jemals ein Déjàvu empfunden hatte. Aber er kannte den Begriff, und er wusste, wenn es so etwas wirklich gab, dann war es nicht mit den Gefühlen zu vergleichen, die ihn vor dem Krankenbett seines Vaters innerlich schier zerrissen. Denn diese waren sehr, sehr viel intensiver.

Die Szenerie glich der in dem Hinterzimmer des niederländischen Waldhauses: ein ähnliches Krankenbett, eine vergleichbare Armatur intensivmedizinischer Geräte daneben, nur dass der alte Mann nicht ganz so krank aussah wie der Sterbende in Oosterbeek und auch nicht durch eine Glasscheibe vor seinen Besuchern abgeschirmt wurde.

Die beiden Offiziersärzte, die Noah auf die ein Deck weiter oben gelegene Station geführt hatten, hatten Schutzanzüge getragen. Ihm empfohlen sie, zumindest eine Atemmaske zu benutzen, auch wenn das Virus in seinem Blut tatsächlich inaktiv war, wie ein Bluttest vor der OP ergeben hatte. Sicher sei sicher, sagten sie.

Noah hatte abgelehnt.

Stattdessen hatte er darum gebeten, mit seinem Vater allein sein zu dürfen, und tatsächlich waren sie gegangen, nicht ohne ihn auf die Überwachungskamera hinzuweisen, bevor sie ihn mit dem Gefangenen einschlossen.

So stand Noah im dunkelblauen Trainingsanzug auf schwarz gummierten Socken vor dem Bett seines Vaters und hätte am liebsten geschrien. Vor Wut, Trauer, Entsetzen, doch vor allem wegen seiner Ohnmacht.

Noch vor wenigen Tagen war er gemeinsam mit Oscar durch

das winterliche Berlin gezogen, auf der Suche nach Pfandflaschen, ohne Vergangenheit, ohne Gedächtnis, mit der Überzeugung, nicht tiefer sinken zu können. Und nun war sein Vater aufgetaucht und hatte ihn eines Besseren belehrt.

Ich bin der Sohn eines Ungeheuers, dachte er, und erst in diesem Moment begriff er, was er bislang unbewusst mit diesem letzten Besuch bei ihm bezweckte.

Er musste herausfinden, wie viel von dem Ungeheuer in ihm selbst steckte.

Noah räusperte sich. Er wollte Zaphire nicht anfassen. Nicht einmal seine Hand berühren, die auf der Bettdecke lag und in der ein Zugang steckte.

Er räusperte sich noch einmal.

Eine Zeit lang geschah nichts. Dann schien Zaphire seine Anwesenheit im Schlaf bemerkt zu haben und wachte auf. Langsam.

Seine Lider flackerten. Sie zu öffnen schien ihm unendlich viel Kraft abzuverlangen. Immer wieder senkten sie sich zitternd, schoben sich dann wieder Millimeter um Millimeter nach oben, nur um doch wieder in ihre Ruheposition zu fallen. Es dauerte mehrere Minuten, in denen Noah seinen Vater nur stumm beobachtete.

Die Ärzte hatten gesagt, es wäre nicht abzusehen, wie stark seine gesundheitlichen Schäden seien und ob er die Verbringung ins Militärgefängnis nach Washington überleben würde. Der Krankheitsverlauf war längst nicht so dramatisch wie bei Altmann, aber wegen seines Alters und vor allem wegen der schweren Schussverletzung nach dem Attentat war Zaphires Körper so geschwächt, dass sie ihm allenfalls eine Fifty-fifty-Chance einräumten.

»Es tut mir leid.«

Noah schrak zusammen. Er hatte darüber nachgedacht, ob es

ihm etwas ausmachen würde, wenn sein Vater jetzt direkt vor seinen Augen starb, und dabei nichts als eine tiefe Leere empfunden, aus der ihn die unerwartete Ansprache Zaphires jetzt gerissen hatte.

»Was tut dir leid?«, fragte er ihn. »Dass du mich ermorden wolltest? Oder den halben Planeten?«

»Dass wir gescheitert sind.«

Seine Stimme klang um einen Halbton höher als sonst, so als hätte die Infektion seine Stimmbänder schrumpfen lassen.

»Wir?«

»In erster Linie du, John.«

Noah wollte sich abwenden. Es war ein Fehler gewesen herzukommen.

»Du bist nicht besser als ich«, provozierte ihn sein Vater. Zaphire war nicht rasiert. Im Schlaf hatte sich ein Speichelfaden um die Bartstoppeln am Kinn gelegt.

»Ich habe keine Seuche freigesetzt«, sagte Noah leise beginnend, dann mit jedem Wort lauter werdend, bis er am Ende brüllte: »Ich habe nicht Millionen Menschen vergiftet, also vergleich dich nicht mit mir!«

Zaphire nickte, dann schloss er wieder die Augen. Sein Brustkorb hob und senkte sich gleichmäßig, fast schon mechanisch. »Nein, das hast du alles nicht getan, John. Und dennoch wirst du schon bald sehr viel mehr Tote zu verantworten haben.«

»Was soll das denn wieder heißen?«

Zaphire schlug die Augen auf und suchte Noahs Blick. »Man hat mir alles gesagt. Das Robert-Koch-Institut hat die Federführung übernommen und entwickelt auf Basis der Informationen, die du den Feinden gegeben hast, ein Mittel, mit dem Stufe drei in weniger als zwei Wochen Geschichte sein wird. Bis dahin werden nicht einmal acht Millionen Menschen gestorben sein. Bravo, John. Gut gemacht.«

Noah verzog angewidert das Gesicht. »Du bist nicht mehr klar im Kopf.«

»Oh doch. Klarer, als du es jemals gewesen bist.«

Zaphire fasste sich an die Schläfen. Offenbar hatte er Kopfschmerzen. Verkrustete Nasenhaare wiesen darauf hin, dass er auch unter Nasenbluten litt.

»Was glaubst du denn, geschieht jetzt mit all den Seelen, die du *gerettet* hast?«, wobei »gerettet« bei ihm wie ein Schimpfwort klang. »Ich bin in Haft. Mein Imperium ist zerschlagen. Cezet, meine Tochter, auf der Flucht. Ich sieche dahin und bin komplett handlungsunfähig. Und was ist damit gewonnen? Nichts. Die Menschen sterben trotzdem. Nur qualvoller. Und ihr Todeskampf dauert länger. Sie verdursten, verhungern, schlachten sich in Kriegen ab oder verrecken an Krankheiten, für die wir ihnen die Medikamente verweigern. In vierzig Jahren geht das Öl aus. Dabei beginnen Indien, China und alle anderen Schwellenländer gerade erst damit, die Rohstoffe zu vernichten, um die sich bald über neun Milliarden Menschen die Köpfe einschlagen werden. Eine Milliarde Menschen haben schon jetzt keinen Zugang zu Trinkwasser. Beinahe sekündlich stirbt ein Baby an Unterernährung, alle vier Minuten erblindet ein Mensch, weil er sich kein Vitamin A leisten kann. 13 Millionen pro Jahr davon sind Kinder …«

»Also ermorden wir sie lieber gleich?«, unterbrach Noah seinen heiseren Redeschwall. »Wie lange schon hast du deinen Verstand verloren? Wir reden hier über Menschen. Nicht über ein Pferd, dem man den Gnadenschuss gibt.«

Zaphire schob den Unterkiefer vor. »Schön, dann lass mal hören, John. Was ist denn *dein* Lösungsvorschlag? Abwarten und hoffen, dass die Wohlhabenden aufwachen und ihr Leben ändern? Das wird nicht passieren. Nie.«

Die Unterhaltung belebte ihn sichtlich. Seine Wangen waren vor Aufregung gerötet. Eine Ader pochte an seiner Schläfe. »Im

Gegensatz zu dir habe ich das Elend mit eigenen Augen gesehen. Ich war in den Slums, in den Favelas, auf den Müllkippen. Ein Drittel aller Menschen hat nicht das Geld, sich richtig zu ernähren. Dreißigjährige Inder laufen kraftlos wie Zombies durch den Abfall, fünfundzwanzigjährigen Äthiopierinnen fallen die Zähne aus, sie bekommen weder Folsäure noch Vitamine in der Schwangerschaft, weswegen ihre Kinder blind, verkrüppelt oder schwachsinnig, im besten Falle mit niedriger Intelligenz zur Welt kommen. Wir reden hier über Hunderte von Millionen, die intellektuell niemals in der Lage sein werden, das System, das sie ausbeutet, zu ändern.«

Er musste husten, danach fuhr er fort. »Wir kennen die Fakten. Jeder Schwachkopf kann sie googeln. Doch wir schauen weg. Wir tun nichts dagegen. Und wieso?«

CLEAR, schoss es Noah durch den Kopf, und Trauer erfasste ihn, als er an Oscar und seine Verschwörungstheorien denken musste.

»Weil wir es nicht wollen«, bellte Zaphire. »Weil wir davon profitieren. Ich habe immer wieder versucht, die Menschen wachzurütteln. Auf einem Galadinner in Seattle habe ich ein Video von geistig behinderten Kindern gezeigt, die in ukrainischen Heimen festgebunden werden, bis sie verhungert sind. An diesem Abend tranken meine Zuhörer Weine für zwanzigtausend Dollar. Bei meinem letzten Auftritt zeigte ich Bilder von einem Kind, das in einer Nussschale auf dem offenen Meer vor Malta trieb. Wenig später wurde es von einem Frontex-Aufklärungsschiff gerammt. Bevor der Junge verdursten konnte, wurde er ertränkt. Im Auftrag der EU, die verhindern will, dass das Elend über die Meere schwappt. Mit diesen Wahrheiten schockierte ich die Gäste. Ich brüllte sie an. Ich beleidigte sie. Manchmal öffnete ich dadurch ihr Scheckbuch. Doch was habe ich dadurch geändert? Gar nichts!«

Noah schüttelte den Kopf. »Es muss einen anderen Weg geben. Niemand hat das Recht, über wertes und unwertes Leben zu entscheiden.«

»Aber genau das tust *du* doch«, krächzte Zaphire. »Jeden Tag.«

»Ich?«

Sein Vater hob die Hand und zeigte mit spitzen Fingern auf Noahs Oberkörper. Er hatte den Reißverschluss seiner Jacke aufgemacht, weil es hier auf der Station noch wärmer war als unten in der Kabine.

»Das T-Shirt, das du da trägst. Es wurde in Bangladesch von Frauen geschneidert, die nicht einmal einen Cent pro Hemd bekommen, damit du es im Supermarkt für weniger als fünf Dollar kaufen kannst. Alle Umweltschäden durch den Transport und einen fairen Lohn eingerechnet, müsste es mindestens das Zehnfache kosten. Aber das will keiner zahlen. Und wieso nicht? Weil es Verzicht bedeuten würde.«

»Ist das deine Devise? Zurück ins Mittelalter?«

»Wir sind längst auf dem Weg dorthin.«

Zaphire griff nach einer Flasche Wasser, die auf einem Schwenknachttisch stand. Während er mit Mühe den Schraubverschluss öffnete, dozierte er weiter: »Unser Planet ist nicht dafür geschaffen, dass wir alle Auto fahren. Alle täglich Fleisch essen. Jedes Jahr in den Urlaub fliegen, täglich duschen, alle fernsehen. Dass jeder einen Kühlschrank besitzt, der ständig Strom verbraucht, und Wohnungen, in denen permanent die Klimaanlage oder die Heizung läuft. Das geht nicht. Dafür reichen unsere Rohstoffe nicht. Nicht für sieben Milliarden Menschen. Und erst recht nicht für acht oder zehn. Wir alle wissen das. Aber niemand von uns will freiwillig seinen Lebensstil ändern. Eher führen wir Krieg zur Sicherung unseres Wohlstands. Eher lassen wir die Armen verrecken.«

Er nahm seinen ersten Schluck aus der Flasche, und Noah nutzte die Gelegenheit, um ihm zu widersprechen.

»Du biegst dir die Zahlen zurecht. Die Schwellenländer werden reicher, und mit wachsendem Reichtum sinkt die Geburtenrate.«

»Was nichts anderes heißt, als dass auch in Zukunft immer weniger Reiche auf Kosten immer mehr armer Menschen existieren. Würden wir alle so leben wie die Indianervölker Brasiliens, könnte unsere Erde zwölf Milliarden Menschen und mehr aushalten. Doch wenn alle den Lebensstil von uns Amerikanern oder Deutschen adaptieren, bräuchten wir schon heute vier Planeten. Alles ist …«

Zaphire kniff mitten im Satz die Augen zusammen. Er schien plötzlich starke Kopfschmerzen zu haben.

»Alles ist völlig aus dem Ruder gelaufen. Und das nicht nur in den Entwicklungsländern. Vor Paris gibt es Zeltlager von Obdachlosen, die mich an Dadaab erinnern, allein in den USA leben dreieinhalb Millionen Obdachlose. Und wir, die das Geld haben, schauen weg.«

Er zog ein Gesicht, als wollte er ausspucken.

»Wir wickeln uns eine Tonne Stahl um den Körper, um damit achtzig Kilogramm Körpermasse in den nächsten Stau zu fahren. Wir vergeuden einen Liter Wasser, um nur eine einzige Kalorie an Nahrung herzustellen. Gleichzeitig pumpen wir heute schon doppelt so viele Treibhausgase in die Luft, wie unsere Erde vertragen kann. Auf dem Pazifik treibt ein Müllteppich von der Größe Zentraleuropas, und der wird sicher nicht kleiner, jetzt, wo Noah gescheitert ist. Schlag die Zeitung auf. Schalt den Fernseher an. Dürren, Überschwemmungen, Wirbelstürme – kein Tag vergeht ohne eine neue Hiobsmeldung, doch die Beschlüsse auf den Klimakonferenzen taugen nicht mal zum Arschabwischen. Ganz zu schweigen von dem Terror, der über uns immer stärker hereinbricht. Kriege brechen dort am häufigsten aus, wo junge Männer vor Elend nichts mehr zu verlieren haben. Und von denen züchten wir gerade Legionen heran.«

»Also willst du die Armen töten, damit die Reichen so weiterleben können wie bisher?«

Zaphire schüttelte verärgert den Kopf. »Wir wollten die Bevölkerung auf ein verträgliches Maß reduzieren. Die Frage war nie, *wer* sterben muss. Sondern immer nur, *wie viele*, damit die Erde überleben kann. Room 17 hat nicht zwischen Arm und Reich unterschieden. Das machst du, indem du das Projekt Noah gestoppt und den Lauf des Elends fortgesetzt hast.«

Das Schiff begann unvermittelt heftig zu stampfen, und Noah rutschte bei dem Versuch, sich an dem Haltegriff des Bettes abzustützen, ab. Unbeabsichtigt berührte er dabei den Unterarm seines Vaters. Zaphire nutzte die Gelegenheit, um nach der Hand seines Sohnes zu greifen.

»Ist dir nicht klar, dass der Mensch sich nur durch Gewalt verändert? Wir sind Egoisten, John. Immer nur auf unseren eigenen Vorteil bedacht. Ansonsten könnten wir die Welt so, wie wir sie uns geschaffen haben, nicht eine Sekunde ertragen.«

Zaphire gab Noahs Hand wieder frei, der wie so oft an Oscar denken musste, der diese Wahrheit zu einem Zeitpunkt ausgesprochen hatte, als er ihn noch als Spinner verlachte.

»Eine Welt, in der in diesem Augenblick Tausende von Frauen in Sklavenfabriken ohne Tageslicht irgendwo in Asien unsere Smartphones zusammenschrauben. Aber wir demonstrieren nicht für bessere Arbeitsbedingungen, sondern stehen nächtelang vor den Geschäften Schlange, um das neueste Modell zu kaufen, obwohl das alte noch vollkommen funktionstüchtig ist. Das wandert achtlos in den Müll, ungeachtet der Tatsache, dass für das Coltan, das in jedem Handy steckt, im Kongo Tausende von Menschen in einem blutigen Krieg abgeschlachtet werden;

im Kampf um die Abbaurechte für diesen wertvollen Rohstoff, der von Kindersklaven unter Lebensgefahr aus dunklen Urwaldschächten gegraben werden muss.«

Zaphire verzog erneut das Gesicht vor Schmerzen, sprach aber weiter: »Wusstest du, dass Arbeiter in China Lungenkrebs bekommen, weil sie achtzehn Stunden am Tag ohne Mundschutz Farbpartikel einatmen müssen, die sie mit Schleifmaschinen von Jeanshosen runterhobeln; damit sie *gebraucht* aussehen!«

Wider Willen war Noah von Zaphires Rede berührt.

Wie jedem begnadeten Demagogen gelang es auch seinem Vater, mehrere Wahrheiten zu einer glaubhaften Lüge zu verbinden. Selbst schwerkrank und ans Bett gefesselt, versprühte der alte Mann immer noch so viel Charisma, dass Noah sich sehr gut vorstellen konnte, wie er David von der Notwendigkeit seines fanatischen Plans hatte überzeugen können.

»Diese Tragödien ließen sich unendlich weiter aufzählen«, sagte er. »Projekt Noah hätte sie alle beendet. Du jedoch hast dafür gesorgt, dass das Elend fortdauert. Und du hast nichts erreicht. Die Welt, die du retten wolltest, geht trotzdem an sich selbst zugrunde. Es wird nur etwas länger dauern.«

Zaphire tastete nach seiner Nase. Blut tropfte auf seine Fingerkuppen. Er tat so, als kümmerte es ihn nicht.

»Der Mensch ist wie ein Parasit, der den Wirt so lange aussaugt, bis er gemeinsam mit ihm stirbt. Er sorgt ganz alleine für seinen Untergang. Mit Projekt Noah hätten die Überlebenden wenigstens die Chance für einen Neuanfang gehabt.«

»Nein, du irrst dich.«

Sein Vater seufzte tief. »Gut. Dann klär mich auf. Wie soll sich etwas ändern in einer Welt, in der alles nur nach Wachstum, Gewinn, Ruhm und Geld strebt?«

»Ich weiß es nicht«, sagte Noah und wandte sich zum Gehen.

Ich weiß nur, dass Völkermord keine Option sein kann. Niemals.

Er war schon an der Tür, als ihn eine Erinnerung heimsuchte. Sie war auf einmal da, ohne dass er wusste, woher sie kam.

»Kennst du die Geschichte von dem Sturm und dem Mädchen am Strand?«, fragte er seinen Vater.

Zaphire sah erstaunt auf.

»Ein Sturm hatte eine Million Fische an Land gespült«, begann Noah. »Und ein kleines Mädchen warf einen nach dem anderen ins Meer. So viele, wie sie konnte, solange die Fische noch lebten.«

Zaphire zog das Blut in der Nase hoch und lächelte wissend.

»Und während sie dabei war«, fuhr Noah fort, »kam ein alter Mann vorbei und fragte sie: ›Das sind doch eine Million Fische, und du kannst gerade mal wenige Dutzend retten. Was macht das schon für einen Unterschied?‹ Und da sagte das Mädchen …«

Zaphires Lächeln wurde traurig. »›Für den einen‹«, führte er Noahs Fabel zu Ende, »›für den einen Fisch macht es einen Unterschied.‹« Er richtete sich auf. Seine Augen glänzten. »*Ich* habe dir diese Anekdote erzählt.«

Mag sein.

Noah wusste auch nicht, weshalb er sich ausgerechnet jetzt an sie erinnerte. Sie war auf einmal da gewesen, so wie ein Bauchgefühl, das einen zweifelsfrei zwischen Richtig und Falsch unterscheiden lässt.

Lange sahen sich Zaphire und er in die Augen, dann sagte Noah, bevor er seinen Vater für immer verließ: »Mag sein, dass wir auf einen Kollaps zusteuern. Mag sein, dass schon längst alles verloren ist. Ich weiß es nicht. Aber vielleicht ist ja unter den vielen, deren Tod ich verhindern konnte, der eine Mensch, der weiß, wie wir uns ändern können. Der eine, der den Unterschied macht.«

27. Kapitel

Einen Monat später
New Jersey, USA

Der Brief wog eine Tonne. Mindestens.

Und mit jeder Sekunde, die sie ihn in der Hand hielt, wuchs sein Gewicht um weitere hundert Kilo. Celine legte ihn vor sich auf den Küchentisch, doch die Last, die sie spürte, wurde nicht geringer.

MedSearch Inc., lautete der Stempel auf dem Absenderfeld. Ein Labor in Boston. Andere in der Umgebung waren vermutlich ausgebucht gewesen. Wie die meisten, seitdem sich fast jeder Mensch auf Manila-Grippe untersuchen und impfen lassen wollte.

Celine betrachtete den Umschlag, ohne ihn anzufassen. Unschlüssig, ob sie warten sollte, bis ihre Mutter vom Einkaufen zurück war. Dann wäre sie nicht allein, wenn sie ihn öffnete. Am Inhalt des Briefes jedoch würde das nichts ändern.

Gar nichts.

Jeden Tag, seitdem Celine nun wieder zu Hause war, wo sie ihr ehemaliges Kinderzimmer bezogen hatte, war sie mit banger Erwartung zum Briefkasten gegangen. Und jedes Mal war sie erleichtert gewesen, dass der von Dr. Malcom angekündigte Umschlag nicht dabei gewesen war. Bis heute.

»Sie bekommen die Ergebnisse am selben Tag wie ich. Rufen Sie mich bitte sofort an, wenn sie bei Ihnen eintreffen, und wir besprechen die weitere Vorgehensweise«, hatte er gesagt.

Die weitere Vorgehensweise …

Und jetzt?

Der Umschlag wirkte so harmlos. Weißes Papier, schwarz bedruckt. Etwas gewölbt, also enthielt er mehrere Seiten, genau wie Kevins Abschiedsbrief, den sie in ihrer Post gefunden hatte, nachdem sie in die USA zurückgekehrt war. Der Chefredakteur hatte ihr noch einmal wortreich seine Liebe gestanden und sich bei ihr dafür entschuldigt, sie in die Sache, an deren Ziele er nach wie vor glaubte, mit hineingezogen zu haben. Kurz nach dem Verfassen des Briefes hatte er sich in seinem New Yorker Apartment erhängt. Damals war sie traurig gewesen, hatte aber nicht weinen müssen. Zu viel hatte Kevin ihr angetan, zu wenig hatte er ihr bedeutet. Heute, das wusste sie, würde sie sich nicht so gut beherrschen. Heute würde sie Tränen vergießen. Entweder welche der Freude oder der Trauer. Je nachdem, was das Labor herausgefunden hatte.

Unter normalen Umständen hätte sie die Ergebnisse schon viel früher bekommen, aber was war in den letzten Wochen schon normal gewesen? Celine konnte von Glück sagen, dass der Eingriff überhaupt durchgeführt worden war. Obwohl sie im Nachhinein bedauerte, die Fruchtwasseruntersuchung gemacht zu haben. Das Risiko eines Abgangs hatte sich Gott sei Dank nicht verwirklicht, doch was, wenn sie jetzt das Schlimmste herausgefunden hatten?

Sie strich sich über den nun schon gewölbten Bauch und dachte an Pünktchen.

»Rufen Sie mich bitte sofort an …«

Im letzten Ultraschall hatte selbst sie etwas erkannt: Ärmchen, Beine, den Po. Ein Gummibärchen, das in ihrer Gebärmutter einen fröhlichen Salto geschlagen hatte.

»… und wir besprechen die weitere Vorgehensweise.«

Celine schloss die Augen und beschloss, es hinter sich zu bringen. Tief einatmend griff sie nach dem Umschlag. Drehte ihn. Und riss den Falz auf.

Wenig später griff sie zum Hörer.

28. Kapitel

Das Telefon klingelte. So wie jede Woche. Seit einem Monat. Es klingelte immer zur gleichen Zeit. Auf die Minute genau. Um neunzehn Uhr Ortszeit.

Nach dem dritten Klingeln nahm Noah ab. Wie immer.

»Wer ist da?«, fragte er, obwohl er es wusste.

»Celine«, sagte sie, obwohl es keinen Zweifel geben konnte, wer dran war.

Der Anruf, die Uhrzeit, die immer gleiche Begrüßungsfloskel – sie waren zu einem Ritual zwischen ihnen geworden.

Ein Ritual, das ihm Halt gab. Ein Anker in dem Meer des Vergessens. Es wurde immer dunkler, seitdem er von Bord gegangen war.

»Wie geht es deinem Dad?«, fragte Noah.

Er las die Frage von einem seiner vielen Zettel ab. Er hatte sie noch auf dem Schiff angefertigt, alle mit unterschiedlichen Notizen, die er über Celine und ihre Familie angelegt hatte, als die Erinnerungen noch frisch gewesen waren.

Hinter den Stichpunkten zu ihrem Vater, der zu Beginn der Manila-Seuche, wie die Medien sie weiterhin nannten, wegen einer Quarantänemaßnahme auf dem Flughafen JFK festgehalten worden war, befand sich nur ein einziger Strich. Das bedeutete, er hatte sich erst ein Mal nach ihm erkundigt.

»Schlecht. Die Blutungen sind sehr stark. Erst hieß es, er ist über den Berg, jetzt musste er wieder ins Krankenhaus«, sagte Celine.

Noah räusperte sich und wusste nicht, was er darauf sagen sollte. Ihm war klar, dass Mr. Henderson ZetFlu eingenommen hatte, weil es auf seinem Zettel stand. Aber er konnte sich nicht erinnern, ob Celine ihn schon einmal über seinen Zustand aufgeklärt und er einfach nur vergessen hatte, die Antwort zu notieren.

Ich kann mich nicht erinnern, was ich vergessen habe.

Mit dem Bleistift, den er in der Hand hielt, machte er einen zweiten Strich hinter den Abschnitt über Celines Vater. Zusätzlich schrieb er *»liegt im Krankenhaus«* daneben.

»Wie geht es dir?«, fragte er Celine und versuchte sich ihr Gesicht in Erinnerung zu rufen. Vergeblich.

Dabei hatte er doch so vieles mit ihr erlebt, aber offensichtlich nichts so Prägendes wie das, was ihn mit Oscar verband, dessen gutmütiges Gesicht ihm manchmal sogar im Traum begegnete.

Verdammtes Amnestisches Syndrom.

Es gibt einfach keine Regeln, an das es sich hält.

Der Stimme nach war Celine bestimmt eine hübsche, auf jeden Fall eine sympathische Frau. Aber sie war mit der Zeit zu einer Frau ohne Gesicht für ihn geworden. Wie die Stimme am Telefon auf dem Hubschrauberträger, deren Angebot er abgelehnt hatte.

»Ich habe die Testergebnisse bekommen«, hörte er sie sagen.

»Testergebnisse?«

»Es hat wegen der Pandemie etwas länger gedauert, die Praxen waren überlastet, aber heute lag endlich das Laborergebnis im Briefkasten.«

»Gut, sehr gut. Dann ist es …«

Er wendete den Zettel in seiner Hand und fand die Notiz, die er sich über Celines Schwangerschaft gemacht hatte.

Ergebnisse der Fruchtwasseruntersuchung stehen aus. Trisomie 21 noch nicht geklärt.

»Dann ist das Baby gesund?«

»Ich weiß es nicht.«

Noah runzelte die Stirn. »Hast du den Brief noch nicht geöffnet?«

»Ich habe ihn geöffnet, dann aber ungelesen weggeworfen.«

»Wieso?«

»Ich werde mein Kind auf jeden Fall behalten, egal ob mit oder ohne Trisomie.«

»Das finde ich gut, wirklich«, sagte Noah und horchte in sich hinein, ob er tatsächlich so fühlte.

Ja, ich glaube schon.

»Das ist eine gute Entscheidung«, wiederholte er noch einmal etwas bestimmter.

»Auf jeden Fall eine, die mir eine Scheißangst einjagt«, lachte Celine nervös. Schnell wechselte sie das Thema: »Und du? Wie geht es dir?«

Noah starrte den Zettel an, als könnte er darauf auch die Antworten auf ihre Fragen finden. Er überlegte eine Weile, schließlich sagte er: »Ich habe langsam das Gefühl, zu Hause angekommen zu sein.«

Celine lachte erneut, immer noch nervös. Sie schien in Gedanken noch bei ihrem Kind, dennoch fragte sie: »Kann ich dich da irgendwann mal besuchen?«

»Tja.« Noah räusperte sich. »Ich weiß nicht. Ist eher schlecht.«

»Aber wo genau …?«

»Tut mir leid, ich muss jetzt Schluss machen«, unterbrach Noah sie mitten im Satz, bevor sie noch weiter in seine Privatsphäre vordringen konnte.

»Okay, ist gut. Also dann.«

Sie klang melancholisch. »Bis nächste Woche«, sagte sie, obwohl sie spürte, dass es kein nächstes Mal geben würde.

»Ja, bis dann«, antwortete Noah, obwohl er wusste, dass sie es wusste.

Er legte auf. Starrte auf den Zettel. Langsam, wie in Zeitlupe ballte er die Finger, zerknüllte das ohnehin schon rissige Papier zu einem immer kleiner werdenden Ballen, so lange, bis es in seiner großen Faust verschwunden war.

Dann warf er die Papierkugel in den Mülleimer, direkt neben dem Münzfernsprecher gegenüber dem Kiosk, neben dem sie vor einem Monat ihr Nachtlager aufgeschlagen hatten.

»Komm«, sagte er und griff nach der Leine, auf die er während des Telefonats mit seinen Stiefeln gestanden hatte. »Wir gehen.«

Toto war deutlich größer geworden und lange nicht mehr so tapsig. Jenny, die er am Hauptbahnhof wiedergefunden hatte, hatte sich in ihrem HundeDoc-Mobil gut um das Tier gekümmert. Es war munter und quicklebendig. Im Gegensatz zu Patricia, die an einer Überdosis gestorben war. Oder an Unterkühlung. So sicher war man sich da nicht auf der Straße.

»Ich mach dich ja schon los«, sagte Noah und beugte sich zu Toto, nachdem dieser an der Leine gezogen und unwirsch gekläfft hatte. Normalerweise wich ihm das Tier nicht von der Seite. Nur wenn er zu lange stehen blieb, zum Beispiel um zu telefonieren, begab Toto sich alleine auf Entdeckungstour.

Wieder von der Leine befreit, folgte er Noah brav bis zu den Rolltreppen, wo dieser ihn für die Fahrt nach unten kurz auf den Arm nahm.

Noah roch das verbrannte Gummi, den Staub und den Diesel. Hörte, wie ein Zug sich näherte, und wartete ab, bis er wieder den Bahnhof verlassen hatte.

Dann lief Noah den Bahnsteig entlang und dachte dabei an Oscar, der, wenn es in seiner Macht stand, ihn von irgendwoher zu beobachten, hoffentlich nichts dagegen hatte, dass er jetzt in sein Versteck gezogen war.

Und mit der Hoffnung, dass neben der abstrakten Zeichnung

seines Bruders und einigen Sätzen, die mit altväterlicher Stimme gesprochen in seinem Kopf umherspukten, vielleicht auch Oscar auf ewig in seinem Gedächtnis verankert sein würde, sprang Noah am Ende des Bahnsteigs auf die Schienen und lief mit Toto an seiner Seite der Dunkelheit entgegen.

Dies ist ein Roman. Sämtliche Personen und Handlungen sind frei erfunden. Die sogenannten Bilderberg-Konferenzen finden allerdings tatsächlich unter den in diesem Buch beschriebenen Sicherheits- und Geheimhaltungsvorschriften alljährlich statt. Die auf diesen Konferenzen besprochenen Themen und Beschlüsse sind der Allgemeinheit nicht zugänglich, die in diesem Buch aufgestellten Theorien über die Bilderberger und ihre Absichten daher reine Fiktion; dies gilt insbesondere für die frei erfundene Organisation Room 17.

Die geschilderten Zustände in den Slums Manilas hingegen entsprechen ebenso der Wahrheit wie sämtliche von der Kunstfigur Jonathan Zaphire geäußerten Fakten über den gegenwärtigen Zustand unserer Welt. (Stand 01.05.2013 bei Abgabe des Manuskripts)

Gleichwohl sind die in Noah *vertretenen Ansichten und Meinungen ausschließlich die der handelnden Personen und nicht die des Autors oder des Verlags.*

Nachwort

Um es klarzustellen: *Room 17* irrt. Die Fakten und Zahlen, auf die ihre Anhänger sich berufen, entsprechen zwar der Wahrheit. Doch ganz gleich, wie viele Menschen hungern, verdursten, an Krankheiten sterben, vor Kriegen flüchten, durch Armut und Not in die Flucht, Sklaverei oder Zwangsprostitution getrieben werden, ganz gleich, wie stark die Heerschar an Klimaflüchtlingen noch anwachsen wird: Überbevölkerung ist nicht das primäre Problem.

Das Problem ist in erster Linie der Lebensstil vornehmlich jener Industrienationen, deren Bevölkerungswachstum stagniert oder sogar rückläufig ist. Es ist das Wirtschaftssystem jener Mächte, das auf maximales Wachstum und damit auf maximale Ressourcenvernichtung ausgelegt ist.

Nur ein Beispiel: Für die Herstellung des Öls, das unsere Zivilisation gegenwärtig in nur einem einzigen Jahr verbraucht, hat die Natur eine Million Jahre benötigt. Es kann kaum ein Zweifel daran bestehen, dass kommende Generationen uns für völlig bekloppt halten werden. Öl, das in 250 Millionen Jahren entstanden ist, haben wir in nur 250 Jahren verbrannt – oder für so sinnvolle Dinge verwendet wie zum Beispiel für 5,3 Milliarden Wegwerfplastiktüten allein jedes Jahr in Deutschland. Ein Land, dessen Bevölkerung seit Jahren schrumpft.

Room 17 irrt also, was die Ursache anbelangt, hat jedoch leider recht mit der These, dass die global anstehende Bevölkerungsexplosion den Kollaps, auf den wir zusteuern, beschleunigen wird. Denn selbst wenn, wie vereinzelte Studien prognostizieren, ab Mitte des Jahrhunderts das Wachstum ausgebremst wird oder es vielleicht sogar einen Rückgang gibt, selbst wenn es uns bis dahin irgendwie gelungen sein sollte, die dringlichsten Probleme zu lösen, wird der nachvollziehbare Wunsch der dann auf der Welt lebenden Menschen auf Teilhabe an einem Konsum, wie wir ihn momentan praktizieren, nicht erfüllbar sein. Unser Planet ist jetzt schon nicht darauf ausgelegt, dass alle Menschen bis in alle Ewigkeit so leben, wie wir es zum Beispiel in Deutschland oder den USA tun. Nur ein unbeirrbarer Technik- und Fortschrittsgläubiger wird ohne Sorge in eine Zukunft blicken, in der zehn Milliarden Menschen Auto fahren, Langstreckenflüge unternehmen, Fleisch essen und Wasser trinken wollen. Und Plastiktüten wegwerfen.

Die Situation ist düster. Ist sie aber ausweglos? Keineswegs. Zu glauben, wir würden die Krise durch einige wenige Verhaltensänderungen einfach so in den Griff bekommen, zeugt allerdings von einer ebenso maßlosen Selbstüberschätzung wie die Annahme, es würde uns gelingen, den Planeten zu zerstören. Die Erde existiert nach bisherigen Erkenntnissen seit zirka 4,6 Milliarden Jahren. Menschen bevölkern sie erst seit zwei Millionen Jahren. Nicht einmal ein Wimpernschlag in der Entstehungsgeschichte.

Unserer Gattung ist es in dieser kurzen Zeit vielleicht gelungen, weitaus größeres Unheil anzurichten als alle Spezies zusammen, die vor uns den Planeten beherrschten. Aber so wie unser Wille (und vermutlich auch die Macht) nicht ausreicht, die Zunahme der Erderwärmung auf weniger als zwei Grad zu begrenzen, reicht unser Einfluss nicht aus, die Erde auf ewig auszulöschen. Vielleicht gelingt es uns kurzfristig, diesen Planeten zu einem ziemlich unwirtlichen Ort werden zu lassen. Aber spätestens nach einigen Millionen Jahren wird sich, dessen bin ich mir sicher, die Erde wieder (von uns) erholt haben.

Dann sollen wir also so weitermachen? Es hat ja ohnehin alles keinen Sinn? Der Parasit wird untergehen, nicht aber der Wirt, den er aussaugt? Das wäre ebenso zynisch und menschenverachtend wie die Massenmordpläne der fiktiven Organisation *Room 17*, deren *Projekt Noah* Ihnen als Leser hoffentlich ebenso zuwider ist wie mir. Kein Mensch darf aus wirtschaftlichen Erwägungen für das Leben eines anderen geopfert werden. Ganz gleich, ob es um Milliarden geht, die aus »Kapazitätsgründen« verschwinden sollen, damit die Überlebenden weiterhin dem exzessiven Wohlstand frönen können. Oder um ein einzelnes Baby, das gegenwärtig nur deshalb verhungert, weil wir es nicht schaffen, den Überfluss, in dem wir leben, gerecht zu verteilen.

Der streitbare Schweizer Soziologe Jean Ziegler hat recht, wenn er in diesem Zusammenhang bemerkt: Jedes Kind, das an Hunger stirbt, wird ermordet. Doch anders als er in seinen Vorträgen und Sachbüchern will ich mit diesem Roman nicht meine entrüstete Stimme erheben oder Ihnen gar eine Mittäterschaft durch Unterlassen vorwerfen. So wie ich Abertausende von Freiwilligen in Hilfsorganisationen in aller Welt bewundere und respektiere, habe ich vollstes Verständnis für die ohnmächtige Untätigkeit der meisten unter uns.

Wir leben in einem völlig schizophrenen System. Mal wird uns gesagt, wir sollen unser Haus dämmen, um Energie zu sparen. Dann sollen wir unser funktionstüchtiges Auto in die Schrottpresse fahren, um die Wirtschaft anzukurbeln. Mal werden wir aufgefordert, keine T-Shirts mehr aus Bangladesch zu kaufen. Dann heißt es, ohne diese Einnahmen würden die Näherinnen in den Fabriken noch schlechter dastehen. Schließlich werden wir von unseren Politikern zum Sparen für die Altersvorsorge ermuntert, gleichzeitig werden die Leitzinsen gesenkt, damit günstige Kredite uns verlocken, immer mehr Dinge auf Pump zu kaufen, die wir nicht brauchen.

Sicher, der Verbraucher hat eine große Macht, etwas zu verändern, aber es wäre zu einfach, ihn für die Auswüchse des Systems verantwortlich zu machen. Wenn die Regel des Fußballspiels diejenige Mannschaft zum Sieger erklärt, die die meisten Tore schießt, darf man sich nicht darüber wundern, wenn alle aufs Tor stürmen. Und wenn unsere Wirtschaftsordnung denjenigen belohnt, der das meiste Geld hat, ist es paradox, von den Bürgern Verzicht zu verlangen.

Ich selbst bin Teil dieses Systems, nach dessen Regeln ich spiele, obwohl ich mir der negativen Auswirkungen meines Handelns bewusst bin. Ich weiß, dass irgendetwas nicht stimmen kann, wenn die Tiefkühl-Lasagne nur 1,49 Euro kostet, ein Produkt, das aus einem verarbeiteten Lebewesen besteht und das über Tausende von Kilometern hinweg transportiert und gekühlt wurde. Und trotz des billigen Preises bin ich empört, wenn darin Pferdefleisch nachgewiesen wird. Ich weiß auch, dass für die Herstellung eines Hamburgers 2400 Liter Wasser verbraucht werden, dennoch esse ich ihn manchmal, wenn auch mit schlechtem Gewissen. Dass ich seit kurzem auf ausgewählten Bauernhöfen einkaufe, nach Möglichkeit Fair-Trade-Läden aufsuche und zum Beispiel durch eine Grundsanierung unseres Hauses versuche, meinen ökologischen Fußabdruck wenigstens etwas zu minimieren, ist wie viele andere meiner Bemühungen allerdings nur möglich, weil ich dank des Erfolgs meiner Bücher ein privilegiertes Leben führen darf. Ich habe diesen Roman daher – auch wenn man vielleicht den Eindruck gewinnen könnte – keineswegs mit erhobenem Zeigefinger geschrieben. Der Stein, den ich werfe, würde mich selbst als Ersten treffen.

Das Thema entspringt eher einem Ausdruck meiner eigenen, ganz persönlichen Ohnmacht. Ich kenne die Fakten, ich sehe die Probleme, und auch wenn ich weit davon entfernt bin, ein Kommunist zu sein, bin ich dennoch der Überzeugung, dass unser jetziges System so nicht länger funktionieren kann. Oder um es mit einer gern zitierten Redensart zu sagen: »Wer glaubt, dass die

Wirtschaft auf Dauer wachsen kann, ist entweder verrückt oder Volkswirt.«

Natürlich ist *Noah* ein Unterhaltungsroman, kein Fach- oder Sachbuch. Nur, so scheint es, hat sich mir beim Schreiben ein Thema zwischen die Zeilen geschlichen, das mir anfangs eher unterbewusst auf der Seele brannte – und das nicht erst, seitdem ich dreifacher Familienvater bin. Wenn man so will, habe ich mit *Noah* Fragen aufgeworfen, auf die ich selbst keine Antwort habe. Doch gute Fragen (das beweist meine Lektorin Regine Weisbrod mit jeder Anmerkung zu meinen Manuskripten immer wieder) können sehr viel bewirken. Sie setzen einen Denkprozess in Gang. Wenn *Noah* das bei Ihnen ausgelöst haben sollte, wenn Sie das Buch nicht in der Sekunde, in der Sie es ins Regal zurückstellen (oder den Reader ausschalten), sofort wieder vergessen haben, dann ist das Maximum dessen, was ein einfaches Stück Unterhaltungsliteratur leisten kann, erreicht.

»Und jetzt?«, fragen Sie vielleicht. Wie soll es weitergehen, wo Sie mit Fragen allein gelassen wurden und keine Antworten erhalten haben? Auch wenn es wie eine Ausrede klingt, aber das weiß ich auch nicht. Ich bin weder Wissenschaftler oder Ingenieur noch Hellseher. Ich kenne nicht die Lösungen für die dringlichsten Probleme unserer Zeit, die uns anscheinend immer schneller davonläuft. Ich weiß nur, dass sie gefunden werden müssen, und zwar möglichst bald. Und ich weiß, dass man Lösungen nur finden kann, wenn man die Augen öffnet. Eine Seite, die bei diesem Prozess des Augenöffnens vielleicht helfen kann, ist www.footprint-deutschland.de.

Hier können Sie ausrechnen, wie viele Welten Sie derzeit »verbrauchen«, wenn alle anderen Menschen Ihren Lebensstil kopieren würden. Überprüfen Sie, frei nach Kant, ob Ihr Verhalten auch dann unproblematisch wäre, wenn es zu einem allgemeingültigen Maßstab für alle Menschen auf unserem Planeten werden würde. Und bedenken Sie dabei, dass »alle« eine Zahl ist, die schon heute die 7-Milliarden-Grenze geknackt hat.

Wenn Sie dann, so wie ich, feststellen müssen, dass Ihr momentaner Lebensstil 2,4 Welten erfordern würde, dann könnte Ihr Interesse geweckt sein, die Seiten des Club of Rome zu besuchen, der sich seit Jahrzehnten weitaus umfassender mit den von mir nur oberflächlich gestreiften Themen beschäftigt und der in seinen Publikationen nicht nur düstere Zukunftsprognosen aufstellt, sondern auch globale Lösungswege aufzeigt, mit denen wir unser Schicksal in die Hand nehmen und damit zum Besseren wenden können.

Frei nach dem Motto Romain Rollands: *»Der Pessimismus im Kopf schließt den Optimismus des Wollens nicht aus.«*

Danksagung

Ich danke Ihnen, dem Leser, wie immer zuerst. Ohne Sie wäre ich nichts. Und ich danke Ihnen auch für Ihr Verständnis dafür, dass ich in dieser Danksagung ausnahmsweise von der Form abweiche. Mein sonst üblicher, eher humoristischer Ausklang schien mir dem Thema dieses Romans nicht angemessen.

Mein ganz besonderer Dank geht an:

Stefan Lübbe, Marco Schneiders und natürlich an Klaus Kluge, der mir die Türen zu dem Lübbe Verlag und seinem professionellen Team öffnete, das dieses Buch zu etwas ganz Besonderem hat werden lassen.

Regine Weisbrod, von der ich spätestens seit dieser Zusammenarbeit weiß, dass ich sie um keinen Preis der Welt mehr hergebe.

Manuela Raschke, ohne die ich entweder im Knast oder unter einer Brücke landen würde. Danke für dein Vertrauen, deine Arbeit und deine Freundschaft, ohne die das alles nicht möglich wäre.

Sabine und Clemens Fitzek für den unermüdlichen medizinischen Rat sowie Freimut Fitzek für seine wertvolle väterliche Unterstützung.

Ich danke Frank Hellberg, der mich über den europäischen Flugverkehr aufklärte, Roman Hocke, dem besten Literaturagenten der Welt, und seinem Team der AVA-International.

Christian Meyer danke ich für seine jahrelange Unterstützung, nicht nur auf Leserreisen; Karl-Heinz Raschke für seine inspirierenden Erlebnisse, die ich immer wieder in meinen Büchern verwenden darf.

Ich danke Sabrina Rabow, meiner wunderbaren persönlichen Presseagentin.

Und natürlich Sandra, dafür, dass du das, was die anderen nur hin und wieder ertragen müssen, täglich aushältst. Ich glaube, ich selbst hätte mich nicht geheiratet.

Abschließend danke ich allen Freunden, Bekannten und Verwandten, die mittlerweile schon damit rechnen, dass ich mich nur alle halbe Jahre mal kurz melde, wenn ich aus einer Schreibphase auftauche oder von einer Lesereise heimkehre. Ebenso danke ich den Buchhändlern und Bibliothekaren sowie den Tausenden mir unbekannten Helfern, die das Buch in die Geschäfte fahren, in die Regale sortieren oder sonst einen wichtigen Beitrag dazu leisten, dass Sie es überhaupt lesen können.

Wie immer können Sie mir gerne Ihre Meinung schreiben unter fitzek@sebastianfitzek.de

Oder Sie besuchen mich auf Facebook: www.facebook.de/sebastianfitzek.de

Auf Wiederlesen

Ihr

Sebastian Fitzek
Berlin im April 2013